Το σταυροδρόμι των ψυχών

ΤΙΤΛΟΣ ΒΙΒΛΙΟΥ: **Το σταυροδρόμι των ψυχών**
ΣΥΓΓΡΑΦΕΑΣ: Χρυσηίδα Δημουλίδου
ΘΕΩΡΗΣΗ ΚΕΙΜΕΝΟΥ: Χρυσούλα Τσιρούκη
ΣΥΝΘΕΣΗ ΕΞΩΦΥΛΛΟΥ: Χρυσούλα Μπουκουβάλα
ΗΛΕΚΤΡΟΝΙΚΗ ΣΕΛΙΔΟΠΟΙΗΣΗ: Μερσίνα Λαδοπούλου
ΕΚΤΥΠΩΣΗ: Σταμάτιος Κοτσάτος & ΣΙΑ Ο.Ε.
ΒΙΒΛΙΟΔΕΣΙΑ: Κωνσταντίνα Παναγιώτου & ΣΙΑ Ο.Ε.

Πρώτη έκδοση: Μάρτιος 2009, 40.000 αντίτυπα
Ενδέκατη ανατύπωση: Σεπτέμβριος 2011

ISBN 978-960-453-555-2

*Τυπώθηκε σε χαρτί ελεύθερο χημικών ουσιών, προερχόμενο αποκλειστικά
και μόνο από δάση που καλλιεργούνται για την παραγωγή χαρτιού.*

ΕΚΔΟΣΕΙΣ ΨΥΧΟΓΙΟΣ Α.Ε.
Έδρα: Τατοΐου 121
144 52 Μεταμόρφωση
Βιβλιοπωλείο: Μαυρομιχάλη 1
106 79 Αθήνα
Τηλ.: 2102804800
Telefax: 2102819550
www.psichogios.gr
e-mail: info@psichogios.gr

PSICHOGIOS PUBLICATIONS S.A.
Head office: 121, Tatoiou Str.
144 52 Metamorfossi, Greece
Bookstore: 1, Mavromichali Str.
106 79 Athens, Greece
Tel.: 2102804800
Telefax: 2102819550
www.psichogios.gr
e-mail: info@psichogios.gr

ΧΡΥΣΗΙΔΑ ΔΗΜΟΥΛΙΔΟΥ

Το σταυροδρόμι των ψυχών

ΕΝΔΕΚΑΤΗ ΑΝΑΤΥΠΩΣΗ

Το βιβλίο μου είναι αφιερωμένο
σ' ένα παλικάρι που έφυγε πολύ βιαστικά,
πολύ νωρίς, πολύ άδικα…

Στον Νικήτα Βεκρή

ΠΡΟΛΟΓΟΣ

☙

Αγαπημένοι φίλοι αναγνώστες,

Ξέρω ότι πολλοί θα έχετε ξαφνιαστεί με την απόφασή μου όχι μόνο ν' αλλάξω εκδοτικό οίκο, αλλά και το όνομά μου. Δεν είμαι άνθρωπος των αλλαγών. Μ' αρέσουν τα οικεία και γνώριμα μονοπάτια… Όταν όμως αυτά τα μονοπάτια παύουν να σε οδηγούν στον προορισμό σου, τότε δεν έχεις παρά να διαλέξεις άλλο δρόμο. Το όνομα «Χρυσηίδα» είναι το πραγματικό μου όνομα. Είναι αυτό που διάλεξε να μου δώσει ο εκλιπών πατέρας μου, ο Δημόκριτος Δημουλίδης, αλλά δεν το δέχτηκε η Εκκλησία μας, ως μη χριστιανικό… Δε θα το σχολιάσω. Ποτέ όμως δεν είναι αργά να διεκδικήσεις κάτι που επιθυμείς πολύ και σε κάνει να νιώθεις ότι είσαι εσύ. Η ζωή είναι πολύ σύντομη για να τη σπαταλάμε περιμένοντας τις ευκαιρίες. Οι ευκαιρίες δεν έρχονται συχνά, γι' αυτό λοιπόν πρέπει να τις αναζητούμε οι ίδιοι. Τίποτε δεν πραγματοποιείται αν δεν το θέλεις πάρα πολύ, αν δε δουλέψεις σκληρά και συνεχώς, αν δεν είσαι πάντα εκεί να το υποστηρίζεις. Τα εύκολα είναι για τους αποτυχημένους, για αυτούς που ονειρεύονται και όχι γι' αυτούς που βάζουν στόχους. Ακόμη κι αν χάσεις το στοίχημα μαζί με το στόχο, θα ξέρεις ότι από το λάθος έμαθες, ότι πάλεψες λιονταρίσια, ότι δεν κατέθεσες τα όπλα εύκολα. Δε μου αρέσουν τα εύκολα. Με κουράζουν, με κάνουν μαλθακή, με κάνουν να νιώθω ηλίθια. Δε μου αρέσουν και τα έτοιμα. Δεν τα χαίρομαι, δε με ικανοποιούν, δε με κάνουν να νιώθω ενεργό μέλος της κοινωνίας. Και μπορεί τα δύσκολα κάποιες φορές να είναι ψυχοφθόρα, όμως σου μαθαίνουν να επιβιώνεις. Δε θα σας κουράσω άλλο. Είχα πει στο τελευταίο μου βιβλίο, *Σουίτα στον Παράδεισο*, ότι μπορεί και να μην ξαναγράψω. Και αν δε γίνονταν αυτές οι αλλαγές, θα το τηρούσα. Δεν μπορείς να γράψεις αν πρώτα από όλα δε νιώθεις ελεύθερος. Ο συγγραφέας και κάθε δημιουργός επιθυμεί να είναι πάνω από όλα απεγκλωβισμένος από πνευματικά όρια και απερίσπαστος από κάθετί που τον ενοχλεί και τον εμποδίζει. Διαφορετικά βαλτώνει. Και είναι ντροπή κάποιοι να προσπαθούν να τον εμποδίσουν…

Χρυσηίδα Δημουλίδου

Εκείνο το πρωινό, όπως κάθε μέρα οκτώ χρόνια τώρα, ο μοναχός Ιερώνυμος σηκώθηκε στις τρεις τα χαράματα για τον όρθρο. Έπειτα από τον χθεσινό χαλασμό, ο άνεμος έχει κοπάσει και ο γαλήνιος μοναχός σκέφτηκε ότι θα μπορούσε να αποτελειώσει το βάψιμο της μικρής βεράντας της μονής που είχε αρχίσει χθες, προτού τον διακόψει η ξαφνική καταιγίδα. Έτσι στα καλά καθούμενα, γύρω στις τέσσερις το απόγευμα, άρχισε να φυσάει τόσο δυνατά, και ο ταλαίπωρος μετά δυσκολίας κατάφερνε να σταθεί όρθιος. Τα γλαροπούλια, που μέχρι πριν από λίγη ώρα πετούσαν κάνοντας μακροβούτια στα γαλαζοπράσινα νερά κρώζοντας δυνατά, χάθηκαν απότομα. Ο ουρανός μελάνιασε λες και πνιγόταν, και ύστερα ο άνεμος, που ούρλιαζε σαν πεινασμένος λύκος, ξεσήκωσε και φουρτούνιασε τη θάλασσα, που με τη σειρά της άρχισε σαν μαινόμενη μέγαιρα να χαστουκίζει με μανία όποιο βράχο έβλεπε μπροστά της.

Ο μοναχός μάζεψε βιαστικά τον κουβά με τη λευκή μπογιά και τη βούρτσα και μπήκε μέσα στο ναΐσκο, ενώ τα πρώτα χοντρά δάκρυα του ουρανού έπεσαν επάνω στο μαύρο ράσο του και πρόλαβαν να το μουσκέψουν. Η μπόρα κράτησε αρκετή ώρα και ο Ιερώνυμος σκέφτηκε ότι ίσως να μην εμφανίζονταν οι απογευματινοί επισκέπτες και πιστοί που ήθελαν να προσκυνήσουν την άγια εικόνα της Παναγιάς της Χοζοβιώτισσας. Αισθανόταν ιδιαίτερα τυχερός που υπηρετούσε τον Θεό σε αυτό το μοναστήρι της Αμοργού, ένα από τα ωραιότερα κυκλαδίτικα νησιά της Ελλάδας. Πλησίαζε τα είκοσι εννέα και ασκούσε τον μοναχικό βίο από τα δεκαοκτώ του, όταν αποφάσισε μετά το λύκειο να μονάσει, παρ' όλες τις αντιρρήσεις της οικογένειας του, που δεν μπορούσαν να καταλάβουν τι ήταν αυτό που οδήγησε τον μονάκριβο γιο τους να πάρει αυτή την απόφαση έτσι ξαφνικά. Ωστόσο για τον νεαρό Αχιλλέα –έτσι ήταν το πραγματικό του όνομα– καμιά απόφαση δεν είχε παρθεί ξαφνικά ή επιπόλαια. Από μικρό παιδί ακόμη μαγευόταν κάθε φορά που πήγαινε στην εκκλησία και άκουγε τις ψαλμωδίες. Για κάποιον περίεργο λόγο, ένιωθε ασφαλής εκεί μέσα. Στον έξω κόσμο, οι άνθρωποι τον φόβιζαν και οι κουβέντες με τους φίλους του, κυρίως για τις γυναίκες, του προκαλούσαν αμηχανία.

Εκείνο το καλοκαίρι, όταν δεκαοκτάχρονο παλικάρι επισκέφτηκε για πρώτη φορά το Άγιο Όρος και παρέμεινε σε μια πανέμορφη μονή για έναν ολόκληρο μήνα, είχε ήδη καταλήξει: θα ακολουθούσε τον ιερατικό βίο. Και αυτό έκανε. Υπηρέτησε πρώτα σε μοναστήρι στην Πάτμο και αμέσως μετά πήγε στη μονή της Παναγιάς της Χοζοβιώτισσας στην Αμοργό.

Οκτώ χρόνια από εκείνη την ευλογημένη μέρα, στιγμή δε σταμάτησε να ευχαριστεί τον Θεό για την καλή του μοίρα. Δεν είχε μόνο τη χαρά να Τον υπηρετεί, αλλά και την τύχη να αντικρίζει από τα παράθυρα μονίμως το ωραιότερο θέαμα που πρόσφερε το απέραντο γαλάζιο, καθώς παιχνίδιζε με τον ήλιο και τους βράχους τη μέρα και με το φεγγάρι και τ' άστρα το βράδυ. Ευλογία Θεού η Αμοργός! Ευλογημένος τόπος η Ελλάδα, που σ' αυτό το νησί, εκεί στη μονή της Παναγιάς, ο Θεός είχε χαϊδέψει τον τόπο κάπως περισσότερο. Τίποτε δεν μπορούσε να συγκριθεί με αυτό που αντίκριζαν τα μάτια του σαν χάραζαν οι πρώτες ροδομπρούντζινες γραμμές του ήλιου στον ορίζοντα. Παλέτα γεμάτη χρώματα να ζωγραφίζει, μέχρι να τελειώσει το ταξίδι του. Ήταν μαγική στιγμή να τον βλέπεις να βουλιάζει αργά αργά στον υδάτινο θρόνο του, ενώ τα χρώματα να εναλλάσσονται από χρυσοπόρφυρα σε μελένια, από ροδοκοραλλί σε σμαραγδολαδένια... σε βιολετολουλακί... σε μελανά ώσπου να τα σβήσει το σκοτάδι. Και μόνο για όλα αυτά που ζωγράφιζε ο Θεός, αρκούσε να Του αφιερωθεί κάποιος.

Ο Ιερώνυμος έκανε για πολλοστή φορά το σταυρό του σαν τελείωσε το πρωινό του μαζί με τους άλλους πέντε μοναχούς που υπηρετούσαν μαζί του. Η ώρα πλησίαζε εξίμισι και σε λίγο θα άρχισε να χαράζει. Μέχρι τις δέκα, που άνοιγαν οι πόρτες του μοναστηριού για να υποδεχτούν τους πρωινούς επισκέπτες, θα είχε όλο το χρόνο να αποτελειώσει το βάψιμο της βεράντας. Οι προσκυνητές ήταν καθημερινά πολλοί και συνήθως σύχναζαν σ' αυτή τη μοναδική ολόλευκη χτιστή βεραντούλα, αφού προσκυνούσαν πρώτα την εικόνα της Παναγιάς στο ναό. Από εκεί μόνο μπορούσαν να τραβήξουν βίντεο ή να φωτογραφίσουν όλη τη γύρω περιοχή. Γι' αυτό και το βάψιμό της γινόταν συχνά και συνήθως από τον ίδιο.

Ο μοναχός πήρε τον πλαστικό κουβά με την μπογιά και όλα τα σύνεργά του και τα έβγαλε στη βεράντα. Άνοιξε το καπάκι, έριξε μέσα λίγο νερό και μετά άρχισε να ανακατεύει το λευκό μείγμα με ένα λεπτό ξύλο. Ύστερα βούτηξε μέσα τη βούρτσα και ξεκίνησε να ασπρίζει τον τοίχο απ' άκρη σ' άκρη, ενώ έψελνε σιγανά ένα τροπάριο. Του άρεσε να ψέλνει όταν έκανε κάποιες εργασίες. Χαμογέλασε και έριξε μια ματιά στη θάλασσα και εκείνη του έστειλε σαγηνευτικά φιλιά. Ήταν το μόνο θηλυκό που είχε προσέξει στη ζωή του. Η μόνη γυναίκα που δεν μπορούσε να αντισταθεί στα θέλγητρά της. Η μοναδική που μπορούσε να τον αποπλανήσει, να τον έλξει από την αγάπη του στον Θεό. Ξαφνικά, κάτι από μακριά τράβηξε την προσοχή του· ένας τεράστιος κόκκινος λεκές που επέπλεε στην επιφάνειά της και παρασυρόταν με αργούς ρυθμούς προς την ακτή. Ο Ιερώνυμος έβαλε το χέρι πάνω από τα μάτια του προσπαθώντας να καταλάβει τι ήταν αυτό που έβλεπε. Ήταν ένα κόκκινο ύφασμα; Ήταν ένα κόκκινο πλαστικό κάλυμμα; Ήταν μια επιφάνεια ξύλου βαμμένη κόκκινη, μια αναποδογυρισμένη κόκκινη βάρκα, κάτι άλλο; Δεν μπορούσε να ξεχωρίσει.

Αποφάσισε να αδιαφορήσει και να συνεχίσει το βάψιμο, όμως ο κόκκινος λεκές αποσπούσε την προσοχή του. Όχι πως ήταν κάτι περίεργο, αλλά ένα τόσο έντονο χρώμα σε μια γαλάζια επιφάνεια… Τότε θυμήθηκε πως στο γραφείο του ηγούμενου υπήρχε ένα ζευγάρι κιάλια. Βέβαια ο ηγούμενος μόλις είχε φύγει για τη χώρα, όπως έκανε σχεδόν κάθε μέρα, για να τακτοποιήσει διάφορες εκκρεμότητες. Ε, δεν ήταν δα και αμαρτία να τα δανειστεί χωρίς την άδειά του και να δει τι ήταν τέλος πάντων αυτό το πράγμα. Εξάλλου, σε πέντε λεπτά θα τα επέστρεφε πίσω στη θέση τους. Παράτησε τη βούρτσα πλάι στον πλαστικό κουβά και σε λίγο επέστρεψε κρατώντας τα στο χέρι. Ο κόκκινος λεκές επέπλεε πάντα στο νερό. Εστίασε την προσοχή του πρώτα σ' εκείνο το σημείο και μετά τα έφερε στα μάτια του. Ρύθμισε τους φακούς ώσπου η εικόνα έγινε πεντακάθαρη. Ο κατακόκκινος λεκές βρισκόταν τώρα σε απόσταση αναπνοής.

Ο μοναχός κατέβασε τα κιάλια από το πρόσωπό του που εί-

χε χλωμιάσει. «Μεγαλοδύναμε...» ψιθύρισε και έκανε το σταυ-
ρό του. Κατόπιν τα ξανάφερε στα μάτια του και ξανακοίταξε. Εί-
χε πια βεβαιωθεί. Τα παράτησε επάνω στο περβάζι και έτρεξε με
φόρα ταραγμένος μέσα. Δύο λεπτά αργότερα, ο δυνατός ήχος
του σήμαντρου ξάφνιασε τους υπόλοιπους μοναχούς αλλά και
τον ηγούμενο, που μόλις είχε κατεβεί τα τριακόσια τριάντα έξι
σκαλιά του μοναστηριού και βρισκόταν ήδη στο δρόμο. Το αδι-
καιολόγητο για την ώρα χτύπημα της καμπάνας σήμαινε πως
κάτι πολύ σοβαρό συνέβαινε. Ο ηγούμενος σήκωσε το βλέμμα
του προς τον ουρανό και μετά άρχισε να ανεβαίνει πάλι τα σκα-
λιά αγκομαχώντας...

1

ॐ

ΟΧΙ! ΟΧΙ! Δεν μπορούσε να συμβαίνει αυτό! Δεν ήταν δυνατόν! Ήταν πάνω από τα όρια της λογικής, του χειρότερου εφιάλτη.

Η Κάρολ Μπάριμορ είχε γαντζωθεί στην αγκαλιά του Τζον Μπάριμορ, του Τζόνι της, όπως τον αποκαλούσε τρυφερά, που με το ένα χέρι την είχε αγκαλιάσει σφιχτά, ενώ με το άλλο προσπαθούσε με απεγνωσμένες κινήσεις να ανοίξει δρόμο ανάμεσα στο πανικοβλημένο πλήθος, το οποίο έτρεχε να σωθεί, σχεδόν αφηνιασμένο από τον τρόμο. Η νεαρή κοπέλα σφίχτηκε ακόμη πιο πολύ επάνω στον άνδρα, έχοντας το δεξί της χέρι περασμένο γύρω από τη μέση του, ενώ με το αριστερό της κρατούσε ένα τυλιγμένο δέμα και προσπαθούσε μ' αυτό να προστατεύσει την ελαφρώς φουσκωμένη κοιλιά της. Ήταν τριών μηνών έγκυος και μόλις τρεισήμισι μήνες παντρεμένη. Στα είκοσι ένα της χρόνια, είχε όλο τον καιρό να ζήσει, να ονειρευτεί, να ελπίζει, και αυτό έκανε σχεδόν κάθε μέρα. Έχασε για λίγο την ισορροπία της από ένα δυνατό τράνταγμα, όμως ο Τζον την κράτησε όρθια δίπλα του. Το πλήθος έβγαζε ουρλιαχτά, ενώ πολλές γυναίκες άρχισαν να κλαίνε παρασύροντας και τα παιδιά τους, που προσπαθούσαν να καταλάβουν τι ακριβώς συνέβαινε.

«Βουλιάζουμε, Τζόνι;» ρώτησε με αγωνία η Κάρολ.

«Μη λες κουταμάρες, αγάπη μου. Είναι ποτέ δυνατόν να βουλιάξει ένα πλοίο σαν κι αυτό;»

«Δεν άκουσες που έλεγαν ότι τα αμπάρια πλημμύρισαν ήδη; Το παγόβουνο άνοιξε τρύπα...»

«Μην πιστεύεις αυτά που ακούς. Απλώς χτυπήσαμε πάνω στο παγόβουνο, όχι όμως και να τρυπήσει ο Τιτανικός! Είναι αβύθιστος! Θυμάσαι τι σου είχα πει; Τίποτε και κανένας δεν μπορεί να βυθίσει τον Τιτανικό!»

«Και ο Θεός; Ξεχνάς τον Θεό, Τζόνι;»

«Και γιατί να θέλει ο Θεός να καταστρέψει τα όνειρα και τις ελπίδες τόσων φτωχών ανθρώπων εδώ μέσα; Όχι, ποτέ δε θα αποφάσιζε κάτι τέτοιο. Δεν κινδυνεύουμε, μη φοβάσαι τίποτε... Όσο είμαι εγώ κοντά σου, δεν έχεις να ανησυχείς για το παραμικρό», της είπε και την έσφιξε ακόμη περισσότερο στην αγκαλιά του, προσπαθώντας να μη δείξει ούτε μια τόση δα σκιά από το φόβο που τον είχε κλείσει στη δική του αγκαλιά. Μπορεί να γνώριζε καλά όλη την ιστορία της κατασκευής αυτού του πλωτού μεγαθηρίου που τους φιλοξενούσε τέσσερις μέρες τώρα καταμεσής του Ατλαντικού Ωκεανού, μπορεί να είχε ακούσει άπειρες φορές τη λέξη «αβύθιστο», όμως βαθιά μέσα στην ψυχή του είχε φωλιάσει για πρώτη φορά η αμφιβολία. Κι αν ο Θεός είχε πράγματι αποφασίσει κάτι τέτοιο; Δεν ήθελε ούτε να το σκεφτεί.

Προς το παρόν, εκείνο που προείχε ήταν να ανεβούν όσο πιο γρήγορα μπορούσαν στο κατάστρωμα και να περιμένουν οδηγίες. Έτσι τους είχε πει το πλήρωμα, όταν απροειδοποίητα, πριν από μία ώρα, τους ξύπνησε και τους ενημέρωσε ότι έπρεπε να φορέσουν τα σωσίβιά τους και να συγκεντρωθούν όλοι επάνω περιμένοντας τις εντολές του πλοιάρχου. Ο Τζόνι, ενστικτωδώς και χωρίς να κάνει ερωτήσεις, κατάλαβε αμέσως ότι κάτι πολύ σοβαρό συνέβαινε. Φρόντισε να φορέσει πρώτα στη γυναίκα του το σωσίβιό της και να την προετοιμάσει όσο πιο ανώδυνα γινόταν για το γεγονός, ότι ίσως χρειαζόταν να εγκαταλείψουν το πλοίο. Το τράνταγμα από τη σύγκρουση με το παγόβουνο ήτάν τόσο δυνατό, που παραλίγο να τον ρίξει από το κρεβάτι του. Σίγουρα η ζημιά ήταν πολύ μεγάλη, όμως δεν υπήρχε λόγος να τρομάξει την Κάρολ, που στο κάτω κάτω περίμενε και το μωρό τους.

Το πλήθος έσπρωχνε τώρα ανελέητα ο ένας τον άλλον, αδιαφορώντας για το ποιον συναντούσε στο διάβα του, γυναίκα, παιδί ή ηλικιωμένο. Ο πανικός είχε μεταδοθεί σε όλους, κυρίως όταν ακούστηκαν κάποιες πληροφορίες, που έλεγαν ότι η αποβίβαση των πρώτων επιβατών στις σωσίβιες λέμβους είχε ήδη ξεκινήσει. Έπειτα από μια σκληρή διαδρομή, ο Τζον και η Κάρολ κατόρθωσαν να φθάσουν στην πρώτη θέση μαζί με τους άλλους επιβάτες της τρίτης θέσης. Μπήκαν μέσα με φόρα και την αγωνία αποτυπωμένη στα πρόσωπά τους. Εκεί όμως σταμάτησαν, αδύναμοι να αντισταθούν στην ασύγκριτη πολυτέλεια που τους θάμπωσε. Αντί να συνεχίσουν το τρέξιμό τους προς τη σωτηρία, έμειναν εκεί ασάλευτοι, να θαυμάζουν όλα αυτά τα αντικείμενα μοναδικής αξίας που αντίκρισαν μπροστά τους και που ποτέ άλλοτε δε θα είχαν την ευκαιρία όχι μόνο να αγγίξουν, αλλά ούτε καν να ξαναδούν. Κρύσταλλα, πίνακες, ασημικά, πορσελάνες, χειροποίητα χαλιά, λεπτοσκαλισμένα έπιπλα, μεταξωτές κουρτίνες, υπέροχα φωτιστικά, απλίκες και ό,τι μπορούσε να φανταστεί μάτι ανθρώπου βρισκόταν εκεί, στη διάθεση του καθενός. Αληθινό πλωτό παλάτι για βασιλιάδες, που το απολάμβαναν μέχρι πριν από λίγο εκλεκτοί δισεκατομμυριούχοι. Είχε ακουστεί ότι δώδεκα από τους πλουσιότερους ανθρώπους του πλανήτη ταξίδευαν μαζί τους. Άλλωστε ποιος άλλος θα μπορούσε να απολαμβάνει τέτοια χλιδή, αν όχι αυτοί που βρίσκονταν στην πρώτη θέση; Αλλά και οι υπόλοιποι επιβάτες δεν ήταν τυχαίοι. Επιχειρηματίες, γνωστοί καλλιτέχνες, νεόπλουτοι, επιστήμονες πλαισίωναν αυτή τη φανταχτερή παρέα, που απείχε έτη φωτός από τους άμοιρους, τους ταλαίπωρους, τους κυνηγούς της ελπίδας, που η φτώχεια και η μιζέρια της ζωής τούς είχε ρίξει στα χαμηλά, μέσα στις απλές κουκέτες της τρίτης θέσης, όπου όλοι μαζί, σαν μια τεράστια οικογένεια, προσπαθούσαν να ξεχάσουν τη μοίρα τους και να διασκεδάσουν τις εντυπώσεις με χορό, τραγούδι και το λιτό φαγητό τους.

Κάποιοι από αυτούς, μην αντέχοντας στον πειρασμό αυτής της αναπάντεχης λάμψης, άρχισαν να αρπάζουν ό,τι τους γυάλιζε. Πίστευαν ότι, αφού σωθούν, θα είχαν στις τσέπες τους μια αρκετά σεβαστή περιουσία για να αρχίσουν το όνειρο από την αρχή. Κανένας δε διανοούνταν ότι η μοίρα του *Τιτανικού* είχε κιόλας προδιαγραφεί, εκεί στα βάθη του Ατλαντικού.

Ο Τζον και η Κάρολ κοίταζαν έκπληκτοι τους πεινασμένους για χρήμα συνταξιδιώτες τους και δεν μπορούσαν να πιστέψουν όλη αυτή την απληστία, που τους είχε μετατρέψει σε άρπαγες μιας περιουσίας που δεν τους ανήκε. Πάμφτωχο ζευγάρι και οι δύο, ποτέ δεν είχαν μπει στον πειρασμό ούτε καν να σκεφτούν ν' απλώσουν το χέρι τους επάνω σε κάτι που δεν το κέρδισαν τίμια, με τον ιδρώτα της δουλειάς τους. Η τιμιότητα ήταν κοινό χαρακτηριστικό τους, όπως και η σεμνότητα, που μαζί με τα νιάτα και την ομορφιά τους έλαμπαν σαν πολύτιμα διαμάντια σε στέμμα πάνω από τα κεφάλια τους. Ήταν βασιλιάδες, κι ας ήταν φτωχοί.

Αυτή όμως η μικρή λεηλασία άνοιξε πιο εύκολα το δρόμο τους προς το κατάστρωμα, αφήνοντας πίσω τους άλλους να γεμίζουν με βάρος τις τσέπες τους, και έτρεξαν προς τις σκάλες, ώσπου το παγωμένο χάδι της απριλιάτικης νύχτας τούς υποδέχτηκε αφιλόξενα. Η νεαρή γυναίκα σήκωσε ασυναίσθητα το γιακά του παλτού τους, του μοναδικού που διέθετε, γύρω από το λαιμό της, ενώ ένα μικρό φτερούγισμα στην κοιλιά της της θύμισε ότι ο καρπός της αγάπης τους ήταν μαζί τους, πιο ζωντανός από ποτέ. Σχεδόν οι περισσότεροι από τους χίλιους τριακόσιους δεκαέξι επιβάτες και τα οκτακόσια ενενήντα ένα μέλη του πληρώματος ήταν μαζεμένοι επάνω. Άλλοι πανικοβλημένοι, άλλοι αφηνιασμένοι, άλλοι εγκαταλειμμένοι στη μοίρα τους, να περιμένουν με καρτερία τις υποδείξεις του πληρώματος, που προς το παρόν φαινόταν να ελέγχει την κατάσταση. Οι πιο ψύχραιμοι βοηθούσαν τα γυναικόπαιδα να επιβιβαστούν στις λέμβους. Η διαταγή του πλοιάρχου ήταν σαφής: πρώτα τα γυναικόπαιδα και μετά οι άνδρες, πρώτοι οι επιβάτες της πρώτης θέσης και μετά οι υπόλοιποι, πρώτα όλοι οι επιβάτες και τελευταίο το πλήρωμα, εκτός από αυτούς που οδηγούσαν τις λέμβους.

Ούτε και ο ίδιος ο πλοίαρχος Σμιθ δεν μπορούσε να πιστέψει ότι ξεστόμιζε τέτοιες διαταγές. Όταν του ανέθεσαν τη διακυβέρνηση του *Τιτανικού* στο πρώτο παρθενικό ταξίδι του από την Σαουθάμπτον της Αγγλίας στη Γη της Επαγγελίας, όπως αποκαλούσαν τότε την Αμερική, είχε νιώσει κάτι παραπάνω από υπερήφανος. Είκοσι έξι χρόνια τώρα θαλασσόλυκος είχαν δει πολλά τα μάτια του και η πλοήγηση αυτή του πλεούμενου θεριού, με μήκος διακόσια εξήντα εννέα μέτρα, πλάτος είκοσι οκτώ μέτρα, ύψος εβδομήντα μέτρα και χωρητικότητα σαράντα έξι χιλιάδες τόνους, του φάνηκε το σπουδαιότερο πράγμα στη ζωή του. Ήδη η τεχνολογία είχε προχωρήσει με απίστευτους ρυθμούς και οι εποχές που έπαιζε στους χωμάτινους δρόμους ως παιδί και η θέα ενός ποδηλάτου τον άφηνε άναυδο είχαν περάσει ανεπιστρεπτί.

Ποτέ άλλοτε δεν είχε αισθανθεί πιο σίγουρος και πιο δυνατός, από όταν ανέβηκε στη γέφυρα του *Τιτανικού* για να τον κυβερνήσει στο πρώτο του βάπτισμα στη θάλασσα. Ένιωσε σαν πατέρας που οδηγεί το παιδί του στα αρχικά του βήματα, και σχεδόν βούρκωσε όταν το υπερωκεάνιο άρχισε να γλιστράει με δύναμη στη βρετανική θάλασσα, ενώ ο εκκωφαντικός ήχος της σφυρίχτρας των φουγάρων, που σήμαινε την αναχώρηση και συνάμα τον αποχαιρετισμό όσων άφηνε πίσω του, έκανε την καρδιά του να χάσει το ρυθμό της για λίγα δευτερόλεπτα. Και τώρα... Τώρα έδινε εντολές εγκατάλειψης! Ο σχεδιαστής του πλοίου, Τόμας Άντριους, που ταξίδευε μαζί τους, ήταν σαφής και απόλυτος. Ο *Τιτανικός* βυθιζόταν, και μάλιστα με γρήγορους ρυθμούς. Δεν υπήρχε ελπίδα, ούτε χρόνος. Παρ' όλα αυτά, ο πλοίαρχος Σμιθ ήλπιζε ότι κάποιο θαύμα θα σταματούσε αυτή την ασύλληπτη καταστροφή, που κανένα ανθρώπινο μυαλό δε θα μπορούσε να συλλάβει ακόμη και στην πιο μακρινή σφαίρα της φαντασίας. Ως τη στιγμή που τον ενημέρωσαν ότι, αν και οι αυτόματες πόρτες συγκράτησης των νερών είχαν κλείσει, τα νερά εξακολουθούσαν να μπαίνουν σταθερά στα στεγανά διαμερίσματα του πλοίου και να το οδηγούν με μαθηματική ακρίβεια στα βάθη των μαύρων και παγωμένων νερών του Ατλαντικού. Μόνο τότε κατόρθωσε να ξεστομίσει τις λέξεις «επιβίβαση στις βάρκες» και «εγκατάλειψη».

Εκείνο όμως που κατέτρωγε πιότερο τα σωθικά του και τον είχε αποδυναμώσει δεν ήταν τόσο η βύθιση αυτού του τεράστιου πλοίου, όσο ότι γνώριζε πολύ καλά κάτι που αγνοούσαν οι επιβάτες· ο αριθμός των σωσίβιων λέμβων ήταν πολύ μικρός για να χωρέσουν όλες οι ανυποψίαστους ψυχές που βρίσκονταν επάνω στο πλοίο, στη μέση ενός παγωμένου ωκεανού. Κι όλα αυτά, επειδή ποτέ και κανένας δεν πίστευε ότι ο *Τιτανικός* μπορούσε να βυθιστεί. Ήταν αβύθιστος! Και αυτό είχε περάσει στις συνειδήσεις όλων. Και των κατασκευαστών και των απλών επιβατών, που ήθελαν να ταξιδέψουν όλοι με τη σιγουριά και την ασφάλεια που τους παρείχε αυτό το πλοίο. Το παγόβουνο όμως που βρέθηκε στο δρόμο τους ήταν έξι φορές μεγαλύτερο από το μέγεθος του πλοίου, και εξαιτίας του μεγάλου ρήγματος είχαν πλημμυρίσει και τα πέντε στεγανά διαμερίσματά του, ενώ είχε σχεδιαστεί να επιπλέει ακόμη και στην περίπτωση που πλημμύριζαν και τα τέσσερα. Ήταν παραπάνω από σίγουρο ότι ένας τεράστιος αριθμός επιβατών θα χανόταν στα βάθη αυτών των μαύρων νερών και αυτό δεν το βαστούσε η καρδιά του. Τόσοι άνθρωποι, τόσες ελπίδες, τόσα όνειρα, τόση χαρά, όλα θα χάνονταν για πάντα εκεί κάτω. Όχι! Δεν το άντεχε τώρα και δε θα το άντεχε ποτέ. Είχε πάρει ήδη την απόφασή του από την ώρα που ξεστόμισε τη λέξη «εγκατάλειψη». Θα έμενε εκεί πάνω, στη θέση του, δίπλα στο τιμόνι, να δίνει εντολές, ως την τελευταία στιγμή, μέχρι να τον αγκαλιάσουν τα αφιλόξενα νερά σφιχτά. Ναι, αυτό θα έκανε και τίποτε δε θα του άλλαζε τη γνώμη. Αδύνατον να ζήσει ντροπιασμένος έπειτα από τόσα χρόνια στη θάλασσα. Οι άξιοι ναυτικοί πρέπει να είναι και άξιοι άνδρες. Διαφορετικά, να κάθονται στη στεριά.

Ο Τζον έσπρωξε πάλι το πλήθος, που αυτή τη φορά τού φάνηκε σαν πέτρινος τοίχος. Ο κόσμος γύρω τους, αρκετά τρομαγμένος, προσπαθούσε να αντλήσει περισσότερες πληροφορίες από τους μπροστινούς.

«Κοιτάξτε εκεί κάτω», ακούστηκε η δυνατή φωνή ενός άνδρα που κρατούσε δυο παιδιά στην αγκαλιά του τα οποία έμοιαζαν σαν δύο σταγόνες νερό.

Ο κόσμος γύρισε το κεφάλι του προς τη μεριά της θάλασσας και μπόρεσε να ξεχωρίσει καθαρά μια βάρκα γεμάτη επιβάτες που απομακρυνόταν.

«Θεέ μου!» κλαψούρισε μια γυναίκα, «είναι αλήθεια, βυθίζεται ο *Τιτανικός*…»

«Βυθιζόμαστε, βυθιζόμαστε!» φώναξε τώρα με απελπισία ένας άλλος άνδρας. «Κάντε πέρα! Έχω τρία παιδιά και μια γυναίκα μαζί μου», είπε και άρχισε να σπρώχνει με μανία τον κόσμο που είχε τρομοκρατηθεί ακόμη περισσότερο.

«Τι θα κάνουμε τώρα, Τζόνι;» ψιθύρισε τρομαγμένη η Κάρολ.

«Τίποτε, γλυκιά μου. Θα περιμένουμε να έρθει η σειρά μας για να μπούμε στις βάρκες. Μην ανησυχείς, όλα θα πάνε καλά. Σ' το υπόσχομαι. Κανείς μας δεν πρόκειται να πάθει τίποτε. Θα περιμένουμε να μας μαζέψουν τα πιο κοντινά πλοία και να μας πάνε στον προορισμό μας. Με τον έναν ή τον άλλο τρόπο θα φθάσουμε στην Αμερική και θα κάνουμε όλα τα όνειρά μας πραγματικότητα. Ό,τι κι αν συμβεί, εμείς οι δυο δεν πρόκειται να χωρίσουμε ποτέ».

«Μου το υπόσχεσαι, Τζόνι;» ρώτησε αναθαρρημένη η Κάρολ ενώ η καρδιά της χτυπούσε ακανόνιστα.

«Ναι, σ' το υπόσχομαι, κανείς μας δεν πρόκειται να πάθει το παραμικρό. Ούτε εσύ, ούτε το παιδί μας, ούτε κι εγώ. Έχεις το λόγο μου. Σου είπα ποτέ εγώ ψέματα;»

Η Κάρολ αχνογέλασε.

«Όχι, ποτέ ως τώρα… Σ' αγαπώ, Τζόνι…»

«Κι εγώ, καρδιά μου. Μη φοβάσαι τίποτε, θα είμαι δίπλα σου». Η κοπέλα κούρνιασε στην αγκαλιά του και έκλεισε τα μάτια. Ο άνδρας έσκυψε και τη φίλησε στο μέτωπο. Πόσο την αγαπούσε, αλήθεια... Ήταν όλη του η ζωή, ό,τι είχε ονειρευτεί και ελπίσει και ακόμη περισσότερο. Ήταν η ανάσα του, το φως του, ο ήλιος, ο ίδιος ο Θεός. Την έσφιξε τόσο δυνατά που η Κάρολ αναστέναξε.

Ακριβώς πριν από ένα χρόνο, τέτοια εποχή, τίποτε δεν προμηνούσε αυτό που θα ερχόταν στη ζωή της. Η Κάρολ Ο' Κόνορ, όπως ήταν το πατρικό της όνομα, είχε γεννηθεί στην Ιρλανδία και ήταν το τελευταίο παιδί μιας πάμφτωχης οικογένειας. Ο πατέρας της, ο Μπράιαν Ο' Κόνορ, ένας εικοσιεπτάχρονος υπερήφανος ομορφάντρας με σκούρα κόκκινα πυκνά μαλλιά, δούλευε πολύ σκληρά για να κατορθώσει να υπάρχει ένα πιάτο φαγητό στο τραπέζι του. Είχε πέντε άτομα να θρέψει και η αλήθεια ήταν πως, όταν η εικοσιτετράχρονη γυναίκα του, η Μάγκι, μια μικρόσωμη μελαχρινή γυναίκα με γαλάζια μάτια, του ανακοίνωσε ότι ήταν πάλι έγκυος στο τέταρτο παιδί τους, κάπως δυσανασχέτησε. Τρία παιδιά, τρία αγόρια, και του δυσκόλευαν ήδη πολύ τη ζωή. Ο πρωτότοκος, ο κοκκινομάλλης Τόμι, ήταν ένα γεροδεμένο ζωηρό αγόρι πεντέμισι χρόνων. Ο δεύτερος, ο επίσης κοκκινομάλλης και σκανδαλιάρης Ρόμπιν, ήταν τεσσάρων και ο τρίτος, ο μελαχρινούλης και πάντα χαμογελαστός Τίμοθι, φτυστός η Μάγκι, έμπαινε στα δύο. Τώρα με το τέταρτο, έφθανε στα όρια της απελπισίας. Η Ιρλανδική Θάλασσα απέναντι από το Μαλαχάιντ, μια μικρή παραθαλάσσια περιοχή στα περίχωρα του Δουβλίνου, ήταν άγρια και σκοτεινή και οποιαδήποτε προσπάθεια των ανθρώπων του αλιευτικού όπου δούλευε ο πατέρας να πετύχουν μια ικανοποιητική ποσότητα ψαριών αποτελούσε καθημερινό άθλο. Παρ' όλα αυτά, ο Μπράιαν δεν το έβαζε κάτω. Ως πιστός καθολικός, πίστευε στον Θεό με όλη του τη δύναμη, και Εκείνος του έδινε όσο κουράγιο χρειαζόταν για να παλεύει με τα κύματα.

Όταν γεννήθηκε η Κάρολ, την άνοιξη του 1892, εκείνη τη μέρα ο Μπράιαν έπιασε τόσα ψάρια, όσα δεν είχε δει ποτέ στη ζωή του, γι' αυτό και θεώρησε την κόρη του γουρλίδικη. Έμαθε το μαντάτο αμέσως μόλις πάτησε το πόδι του στη στεριά και η αλήθεια ήταν ότι εξεπλάγη, επειδή περίμενε αγόρι και αυτή τη φορά. Ο ήλιος ήταν ασυνήθιστα ζεστός για εκείνη τη μέρα και τα πρώτα μπουμπούκια έστελναν παντού τα χαρούμενα μηνύματα της φύσης, καθώς ξυπνούσε έπειτα από έναν πολύ παγωμένο και ατελείωτο χειμώνα που κρατούσε μήνες. Και ύστερα αντίκρισε για πρώτη φορά την κόρη του, ένα τόσο δα πλασματάκι, και έμεινε έκθαμβος από την ομορφιά της. Είχε μπούκλες στο χρώμα της σκουριάς, όπως και της συχωρεμένης μάνας του, και τα σμαραγδένια μάτια της ήταν όμοια με τα δικά του. Ήταν πανέμορφη, μια ζωντανή κουκλίτσα, και ο άνδρας αισθάνθηκε πραγματικά υπερήφανος και συνάμα ένοχος που είχε δυσαρεστηθεί με τον ερχομό της. Τη φίλησε απαλά στο μέτωπο και από εκείνη την ώρα έγινε η μονάκριβή του, η αγαπημένη του.

Η Κάρολ μεγάλωνε και η αλήθεια ήταν ότι η ομορφιά της δεν άφηνε κανέναν ασυγκίνητο από όσους είχαν την ευκαιρία να τη συναντήσουν. Η οικογένεια έμενε έξω από το Μαλαχάιντ, γύρω στη μισή ώρα δρόμο με τα πόδια, και συνήθως οι γυναίκες κατέβαιναν στο κέντρο μόνο για να εκκλησιαστούν. Κι αυτό σπάνια. Τα μόνα σπίτια δίπλα στο δικό τους ήταν τρία όλα κι όλα, και αυτά σε αρκετή απόσταση το ένα από το άλλο. Ο Μπράιαν δεν είχε μεταφορικό μέσο και πηγαινοερχόταν με τα πόδια, κουβαλώντας στους ώμους μέσα σ' ένα τσουβάλι οτιδήποτε χρειαζόταν η οικογένειά του. Ήταν αρκετά κουραστικό, όμως όσο ήταν νέος το άντεχε. Αργότερα, σαν άρχισε να μεγαλώνει, η διαδρομή αυτή του φαινόταν κάποιες φορές ατελείωτη.

Το σπίτι τους, αν αυτό θεωρούνταν σπίτι, ήταν τόσο μικρό που μετά βίας χωρούσαν εκεί μέσα. Δύο δωμάτια όλα κι όλα· ένα μεγάλο, που ήταν κουζίνα, σαλόνι και κρεβατοκάμαρα μαζί, κι ένα μικρότερο, όπου κοιμόνταν η Κάρολ και ο Τίμοθι. Γύρω στα πενήντα τετραγωνικά μέτρα όλος ο χώρος. Ωστόσο η τεράστια περίφραξη και το δάσος σε απόσταση αναπνοής τούς αποζημίωνε και με το παραπάνω. Τα καλοκαίρια οι άνδρες κοιμόνταν έξω στην αυλή και οι γυναίκες είχαν πια όλο το χώρο δικό τους για να κινηθούν και να μαγειρέψουν. Με τέσσερις άνδρες μέσα στο σπίτι, δεν ήταν δα τόσο εύκολο να επικρατεί τάξη. Η μπουγάδα, μία φορά την εβδομάδα το καλοκαίρι και δύο φορές το μήνα το χειμώνα, γινόταν πάντα έξω, ακόμη και με χιόνι. Η Μάγκι άναβε μια μεγάλη φωτιά και ζέσταινε λίγο νερό σε μια τεράστια χύτρα. Κατόπιν έριχνε τα ρούχα σε μια ξύλινη σκάφη και με ένα κομμάτι άθλιου σαπουνιού τα έτριβε με τις ώρες ώσπου να ξεβρομίσουν. Ύστερα τα άπλωνε σ' ένα σκοινί στην αυλή απ' άκρη σ' άκρη, στερεωμένο σε δύο πασσάλους που στην κορυφή τους σχημάτιζαν διχάλα. Έτριβε και ξανάτριβε μέχρι να σκάσουν τα χέρια της από το κρύο. Κυρίως τα ρούχα του άνδρα της, που βρομοκοπούσαν ψαρίλα και αίμα από το τεμάχισμα των τεράστιων ψαριών, τα οποία μετέφεραν στο λιμάνι και από εκεί τα διοχέτευαν σε όλο το Δουβλίνο με τα κάρα που έρχονταν για να τα παραλάβουν φρέσκα φρέσκα. Ό,τι περίσσευε, ακόμη και κεφαλόψαρα και ουρές, τα μοιράζονταν οι άνδρες για το σπίτι τους, εξασφαλίζοντας το δωρεάν φαγητό της ημέρας. Αυτό όμως δε γινόταν καθημερινά, γιατί οι ψαριές δεν ήταν πάντα πλούσιες και ούτε ο ιδιοκτήτης του αλιευτικού τόσο γενναιόδωρος.

Η Μάγκι μαγείρευε πάντα σιγοτραγουδώντας κάποιο ιρ-

λανδέζικο τραγούδι, προσέχοντας πάντα τα παιδιά της, που
έπαιζαν τριγύρω κάνοντας σαματά. Κυρίως ο Τόμι και ο Ρόμπιν.
Ο Τίμοθι ήταν ήσυχος και προτιμούσε την παρέα της Κάρολ.
Εκείνη τον ακολουθούσε παντού, ειδικά στο δάσος, όπου ανα-
κάλυπταν όλο και κάποιο καινούργιο λουλούδι, ή κάποιο πα-
ράξενο φυτό, ή έντομο, ή ερπετό, ή ζωάκι. Η οικογένεια έτρωγε
όλη μαζί αργά το απόγευμα, σαν επέστρεφε ο πατέρας από τη
δουλειά, μαζί με τα δυο αγόρια. Έστρωνε η Μάγκι στο μεγάλο
ξύλινο τραπέζι φτιαγμένο από τα δέντρα του δάσους, έβαζε στο
κέντρο τη χύτρα με το φαγητό –συνήθως βραστό ψάρι με πα-
τάτες και λαχανικά, το ζυμωτό ψωμί, τα φρούτα από τον κήπο
και κάποιο σπιτικό γλυκό σαν περίσσευαν υλικά να το φτιάξει–
και αφού έλεγαν όλοι μαζί την προσευχή τους και ευχαριστού-
σαν τον Θεό για το φαγητό της ημέρας, το απολάμβαναν σχο-
λιάζοντας τα νέα και ακούγοντας τον Μπράιαν να τους αφηγεί-
ται τα μυστικά της θάλασσας και τη σκληρότητα της δουλειάς,
πάντα όμως με χαμόγελο και δίχως να παραπονιέται.

Έτσι κουτσά στραβά περνούσε ο καιρός· ώσπου μια χειμω-
νιάτικη μέρα του 1907, ο Μπράιαν ξύπνησε με πυρετό και βήχα,
όμως πήγε όπως πάντα στη δουλειά του, συνοδευόμενος από τον
εικοσάχρονο Τόμι και τον δεκαοκτάχρονο Ρόμπιν, που είχαν
αρχίσει να εργάζονται μαζί του. Ο βήχας του όμως χειροτέρεψε
τόσο πολύ, που ήταν δύσκολο ακόμη και να αναπνεύσει. Για πρώ-
τη φορά αναγκάστηκαν να καλέσουν γιατρό στο σπίτι τους από
την πόλη. Ο γιατρός διέγνωσε ότι ένας από τους πνεύμονες εί-
χε μαζέψει υγρό και είπε στον Μπράιαν ότι η υγρασία ευθυνό-
ταν γι' αυτή την πάθηση, προσθέτοντας πως, αν συνέχιζε να εκτί-
θεται στο κρύο, αυτό θα τον οδηγούσε στο θάνατο. Ο Μπράιαν
Ο' Κόνορ κατέρρευσε ακούγοντας την ανακοίνωση του για-
τρού. Τώρα, ποιος θα φρόντιζε την οικογένεια; Ο Τόμι, βέβαια,

ήταν ήδη μεγάλος και αρκετά ώριμος για να αναλάβει, παρ' όλα αυτά ήταν ακόμη άπειρος και ακόμη πιο άπειρος ο Ρόμπιν.

Τότε θυμήθηκε τον ξάδελφό του, τον Λίαμ, που είχε μεταναστεύσει στο Λονδίνο πριν από πέντε χρόνια και δούλευε εργάτης σε εργοστάσιο παραγωγής βιομηχανικών υλών. Ο εικοστός αιώνας που είχε μπει για τα καλά, έφερε και τη Βιομηχανική Επανάσταση, με αποτέλεσμα να ζητούνται συνεχώς περισσότερα εργατικά χέρια. Κάπου κάπου ο Λίαμ του έστελνε τα νέα του, με γράμματα που του τα έγραφαν άλλοι, γιατί ο ίδιος ήταν αγράμματος. Ο Μπράιαν, όμως, παρότι δεν είχε πάει ποτέ του στο σχολείο, είχε μάθει τα βασικά από τον ιερέα του Μαλαχάιντ, όταν πήγαινε κάθε Κυριακή απόγευμα στο σπίτι του γι' αυτόν ακριβώς το σκοπό. Γιατί ο Μπράιαν δούλευε από μικρό παιδί, όταν έχασε το πατέρα του από αρρώστια. Από το άγρια χαράματα μέχρι το δείλι, έκανε ό,τι δουλειά μπορούσε να του προσφέρει ένα πιάτο φαΐ, σ' αυτόν και στη χήρα μάνα του. Ήταν το μοναδικό της παιδί, αφού έχασε τα άλλα δύο που ήρθαν μετά. Και ύστερα και τον άνδρα της. Γι' αυτό και τις Κυριακές του τις κρατούσε για αυτόν το σκοπό: να μάθει πέντε γράμματα. Και ενώ ο μεγάλος του καημός ήταν ότι δεν μπόρεσε να μορφωθεί, τα παιδιά του δεν πήγαν ποτέ σε σχολείο. Το σχολείο ήταν μακριά από το σπίτι τους και εκείνος δούλευε πολύ. Φρόντισε όμως τα βράδια σαν επέστρεφε, όσο κουρασμένος κι αν ήταν, να τα συγκεντρώνει όλα γύρω από το τζάκι μετά το φαγητό και να τους διδάσκει όσα γράμματα είχε μάθει και ο ίδιος. Όταν όμως πρόσεξε πως ο τρίτος γιος του, ο Τίμοθι, είχε μια αγάπη στα βιβλία και του δήλωσε πως ήθελε να σπουδάσει γιατρός, φρόντισε να τον στείλει αμέσως στο σχολείο. Κοντά στον Τίμοθι αποφάσισε να στείλει και την Κάρολ, μια και ήταν ιδιαίτερα δεμένη με τον τρίτο αδελφό της, παρότι πίστευε ότι τα γράμ-

ματα δεν ήταν απαραίτητα στα κορίτσια. Τι να τα κάνουν αφού
η θέση τους ήταν μέσα στο σπίτι, να φροντίζουν την οικογένειά
τους; Οι άνδρες ήταν εκείνοι που έπρεπε να δουλεύουν και να
φέρνουν λεφτά. Έτσι είχε μάθει από τον πατέρα του, γι᾽ αυτό κι
όταν ορφάνεψε, αντί να πάει σχολείο, βγήκε στο μεροκάματο,
αρνούμενος να επιτρέψει στη μάνα του να δουλέψει. Ο Τίμοθι
και η Κάρολ έμαθαν να φεύγουν χαράματα για το σχολείο μαζί
με τον πατέρα τους και να περιμένουν εκεί δύο ώρες ώσπου να
έρθει η δασκάλα, και μετά μέχρι το απόγευμα, που πήγαινε να
τους μαζέψει με τα πόδια ο Τόμι, καθώς ήταν ο μεγαλύτερος. Αν
ο Τίμοθι ήθελε να σπουδάσει, όλοι έπρεπε να κάνουν μια θυσία
για χάρη του. Και την κόρη του περισσότερο την έστειλε για να
του κρατά συντροφιά. Διαφορετικά δεν το είχε αποφασίσει ποτέ.
     Ο Μπράιαν το σκέφτηκε πολύ προτού πάρει την απόφαση.
Η γυναίκα του δεν ήθελε να απομακρυνθούν από το σπίτι τους.
Μπορεί να ήταν μικρό και άβολο, ήταν όμως καταδικό τους, το
μοναδικό περιουσιακό τους στοιχείο. Είχε την τεράστια αυλή
της, το περιβόλι της γεμάτο λαχανικά, τα δέντρα της φορτωμέ-
να φρούτα το καλοκαίρι, τις λίγες κότες της να της δίνουν φρέ-
σκα αυγά, το σκύλο τους τον Λοστ[1], ένα αδέσποτο που τον είχαν
βρει να περιφέρεται στο δρόμο, το πανέμορφο δάσος που τους
χάριζε όχι μόνο την ομορφιά του, αλλά και άφθονη ξυλεία για
να ζεσταίνονται τους χειμώνες. Ύστερα όμως σκέφτηκε πιο λο-
γικά. Μπορεί να ήταν συναισθηματικά δεμένη με το Μαλα-
χάιντ, όμως το κλίμα εδώ ήταν πολύ υγρό γιατί έβρεχε συνεχώς,
και ο άνδρας της έπρεπε να απομακρυνθεί το γρηγορότερο.
Σκέφτηκε και την κόρη της, την Κάρολ, που πλησίαζε τα δεκά-
ξι και είχε ανθίσει σαν τριαντάφυλλο. Τι μέλλον θα είχε εκεί, σ᾽ αυ-

_____

1. Από την αγγλική λέξη lost, που σημαίνει «χαμένος».

τό τον ερημότοπο; Ποιος θα την πρόσεχε αφού δεν είχε την ευκαιρία να συναναστραφεί με νέους της ηλικίας της; Θα θαβόταν ζωντανή, χαραμίζοντας όχι μόνο τα νιάτα της, αλλά και τη μοναδική ομορφιά της. Και ύστερα δεν ήταν μόνο η Κάρολ, αλλά και τα αγόρια, που δούλευαν τόσο σκληρά για πενταροδεκάρες. Σίγουρα όχι μόνο θα κακοπαντρεύονταν, αλλά κάποια μέρα θα αρρώσταιναν όπως ο πατέρας τους. Ήταν και ο Τίμοθι, ο πανέξυπνος γιος της που αγαπούσε τα γράμματα και ήθελε να σπουδάσει γιατρός, για να προστατεύει την οικογένειά του από τις αρρώστιες. Και οι γιατροί στοίχιζαν πολλά χρήματα. Το Λονδίνο ήταν φημισμένο για την ιατρική του σχολή και τους καλούς γιατρούς που αποφοιτούσαν από κει.

Τα σκέφτηκε όλα αυτά καλά η Μάγκι και έδωσε τη συγκατάθεσή της στον άνδρα της με βαριά καρδιά, την οποία όμως έκρυψε πολύ καλά για να μην τον στενοχωρήσει. Εκείνος, με τη σειρά του, έγραψε στον Λίαμ ότι θέλει να μετακομίσει οικογενειακώς στο Λονδίνο και του ζήτησε να του βρει σπίτι και κάπου να δουλέψει. Έτσι κι αλλιώς, ο Λίαμ του είχε γράψει πολλές φορές ότι ζητούσαν άνδρες για τα εργοστάσια και τις βιοτεχνίες που αναπτύσσονταν σε πολύ γοργούς ρυθμούς. Αν έβρισκε δουλειά για εκείνον και τους δύο πρώτους γιους του, τότε τα τρία μεροκάματα που θα έμπαιναν στο σπίτι θα ήταν αρκετά για το νοίκι, το φαγητό και τις σπουδές του Τιμ. Τουλάχιστον ώσπου να γίνει γιατρός· μετά είχε ο Θεός. Έτσι, το Μάιο του 1908, μετακόμισαν στο Λονδίνο, αφού πρώτα μάζεψαν τα απαραίτητα από τα υπάρχοντά τους, κλείδωσαν καλά το σπίτι τους, πούλησαν τις κότες τους και χάρισαν τον Λοστ σε μια οικογένεια εκεί κοντά, που όπως έμαθαν αργότερα, ο ταλαίπωρος ολημερίς ήταν έξω από την πόρτα του σπιτιού τους να τους καρτερεί, και μόνο σαν πεινούσε πήγαινε στη νέα οικογένειά του. Ως τη στιγμή που ψόφησε,

ούτε μία μέρα δεν παρέλειψε να πηγαίνει στο σπίτι των Ο' Κό-
νορ, με την ελπίδα ότι θα τους έβρισκε εκεί...

Ωστόσο, τα πράγματα στο Λονδίνο δεν ήταν έτσι όπως τα
περίμεναν ή όπως ήλπιζαν ότι θα τα βρουν. Μπορεί ο ξάδελφος
να τους είχε βρει δουλειά στο εργοστάσιο όπου δούλευε και ο
ίδιος, όμως το σπίτι τους στο νοτιοδυτικό Λονδίνο, στη συνοι-
κία των μεταναστών όπως την αποκαλούσαν, ήταν τρισάθλιο
και λίγο πιο μικρό από το δικό τους. Προσωρινά, τους είπε ο ξά-
δελφος, και φυσικά ουδέν μονιμότερον του προσωρινού. Έτσι
παρέμειναν εκεί με την ελπίδα ότι, σαν παντρεύονταν τα αγό-
ρια, θα τους περίσσευε χώρος. Το σπίτι τους, στον δεύτερο όρο-
φο ενός μισογκρεμισμένου τούβλινου κατασκευάσματος, το
μοιράζονταν με άλλη μια οικογένεια σε χωριστά διαμερίσματα.
Η μοναδική θέα από το παράθυρο του ενός δωματίου ήταν το
απέναντι κτίριο, που το χώριζε από το δικό τους ένας χωμάτινος
δρόμος πλάτους περίπου τριών μέτρων. Έβηχε ο γείτονας και
τον άκουγαν στο δικό τους σπίτι. Τα νερά έμπαζαν από παντού
σαν έβρεχε και τα κάρβουνα δεν ήταν ποτέ αρκετά για να το ζε-
στάνουν όπως έπρεπε. Άσε που πολλές φορές πλημμύριζε το
ισόγειο και για να μπουν μέσα έπρεπε να βγάλουν τις γαλότσες
τους. Ευτυχώς που έμεναν στον επάνω όροφο. Σίγουρα όμως η
υγρασία δεν ήταν τόσο βαριά όπως στο Μαλαχάιντ και η υγεία
του Μπράιαν καλυτέρευσε αισθητά. Αυτό και μόνο αρκούσε για
να συμπαθήσουν το Λονδίνο. Τουλάχιστον τα παιδιά. Γιατί τόσο
τα αγόρια όσο κι η Κάρολ ξετρελάθηκαν από την πρώτη στιγ-
μή. Επιτέλους, έβλεπαν κι άλλους νέους, μπορούσαν να ανταλ-
λάξουν απόψεις, να αποκτήσουν καινούργιους φίλους.

Επί μία εβδομάδα, ώσπου να τακτοποιηθούν και να εγκλι-
ματιστούν στο περιβάλλον, δε χόρταιναν να χαζεύουν τις βι-
τρίνες, τις καλοντυμένες κυρίες και τους κυρίους που κυκλο-

φορούσαν με τα πόδια ή με άμαξες που έσερναν ρωμαλέα εντυπωσιακά άλογα, τα αυτοκίνητα που οδηγούσαν με καμάρι οι οδηγοί τους, υπερήφανοι για το τόσο ξεχωριστό απόκτημά τους, τα υπέροχα κτίρια βικτοριανής αρχιτεκτονικής, την απίστευτη ομορφιά του απέραντου Χάιντ Παρκ, ενός πάρκου που αποτελούσε κόσμημα και φυσικό πνεύμονα της πόλης, αφού εκεί έκαναν όλοι τους περιπάτους τους, απολαμβάνοντας όχι μόνο την ομορφιά της φύσης, αλλά και την ευκαιρία για φλερτ, φιλικές και κοσμικές συναντήσεις, την ανταλλαγή απόψεων, το κλείσιμο επαγγελματικών συμφωνιών, καλέσματα σε βεγγέρες και σπίτια ακόμη και οικογενειακά πικ νικ.

Τρεις μισθοί έμπαιναν στο σπίτι, κι όμως δεν έφθαναν για τα έξοδα της οικογένειας. Η ζωή στο Λονδίνο ήταν κατά πολύ ακριβότερη. Σίγουρα τα ίδια λεφτά θα ήταν υπεραρκετά για να ζήσουν αξιοπρεπώς στο Μαλαχάιντ, όμως εδώ είχαν να πληρώσουν, εκτός από το νοίκι, και το φαγητό τους. Ούτε φυσικά υπήρχε γη για να καλλιεργήσουν λαχανικά ή να φυτέψουν δέντρα και, επιπλέον, τώρα πλήρωναν τα ψάρια που ήταν πανάκριβα. Ο Μπράιαν θύμωσε πολύ όταν διαπίστωσε ότι τα ψάρια που πουλούσε το αφεντικό τους για ελάχιστες πένες στο Δουβλίνο εδώ στοίχιζαν δέκα φορές περισσότερο. Ήταν καθαρή αισχροκέρδεια και, όταν διαμαρτυρήθηκε στον Λονδρέζο ιχθυοπώλη, εκείνος του είπε με αρκετή δόση περιφρόνησης και χλευασμού ότι το καλύτερο που είχε να κάνει ήταν να επιστρέψει πίσω στη βρομο-Ιρλανδία. Η απάντηση αυτή έκανε έξαλλο τον υπερήφανο άνδρα και σίγουρα θα σήκωνε το χέρι του να τον χτυπήσει, αν δεν έσπευδαν να τον συγκρατήσουν ο Τόμι και ο Ρόμπιν. Το γνωστό άσβεστο μίσος των Άγγλων για τους Ιρλανδούς και το αντίστροφο κρατούσε αιώνες και, καθώς φαίνεται, συνεχιζόταν. Η Αγγλία ήθελε από χρόνια την Ιρλανδία υπό την κατοχή της, όμως οι Ιρλανδοί, ένας λαός ανεξάρτητος και ιδιαίτερα υπερήφανος, έδωσε πολλές μάχες στο παρελθόν για να μη συμβεί αυτό. Κατά βάθος οι Άγγλοι τους φοβόνταν, όμως δεν ήθελαν να το παραδεχτούν με κανέναν τρόπο. Τους θεωρούσαν αγροίκους, άξεστους, άξιους μόνο για να τους υπηρετούν, γι' αυτό και τους περιφρονούσαν επιδεικτικά. Οι Ιρλανδοί μετανάστες ήταν οι πιο ανεπιθύμητοι και ο μόνος λόγος για τον οποίο τους ανέχονταν οι Άγγλοι ήταν η μεγάλη σωματική τους δύναμη και αντοχή, που τους έκανε περιζήτητους στις πιο βαριές δουλειές.

Η ζωή ακρίβαινε συνεχώς και, μόλις ένα χρόνο αργότερα, και ενώ η Κάρολ έμπαινε στα δεκαεπτά, ζήτησε από τον πατέρα της να δουλέψει κι εκείνη. Έτσι κι αλλιώς το σχολείο το είχε σταματήσει από καιρό, γιατί έπρεπε να βοηθάει πια τη μάνα της στις δουλειές του σπιτιού. Η Μάγκι είχε μεγαλώσει αρκετά και η δύστυχη δυσκολευόταν να τα προλάβει όλα. Όσα γράμματα έμαθε έμαθε. Ήταν αρκετά για ένα κορίτσι και ο Τίμοθι μπορούσε πια να πηγαίνει μόνος στο σχολείο του. Παρ' όλα αυτά, το να κάθεται ολημερίς στο σπίτι τής φαινόταν πιότερο κουραστικό από το να δούλευε κάπου ώστε να συνεισφέρει κι αυτή στην οικογένεια. Ο Τίμοθι είχε μπει στην ιατρική σχολή, σημειώνοντας ιδιαίτερη πρόοδο, μια και ήταν αριστούχος μαθητής, και τα έξοδα είχαν αυξηθεί κομματάκι. Ε, όπως και να το κάνουμε, δεν μπορούσε να πηγαίνει κακοντυμένος και με μπαλωμένα παπούτσια. Ύστερα ήταν και κάποια βιβλία που έπρεπε να αγοράσει με δικά του έξοδα. Τόσο ο Μπράιαν, ο πατέρας της, όσο και ο Τόμι, ο πρωτότοκος, αρνήθηκαν κατηγορηματικά την πρόταση της Κάρολ να εργαστεί. Πού ακούστηκε κορίτσι πράμα να κυκλοφορεί στους δρόμους χωρίς τη συνοδεία της οικογένειάς της; Αλλά η Κάρολ, ως γνήσια Ιρλανδέζα, πείσμωσε και τους αράδιασε ένα σωρό επιχειρήματα προκειμένου να τους πείσει. Κι ένα πρωινό, τους σέρβιρε και το κερασάκι στην τούρτα. Είχε βρει ήδη δουλειά. Όλοι έμειναν άφωνοι.

«Μα πώς; Πότε; Τι είδους δουλειά είναι αυτή;» κατόρθωσε να μιλήσει πρώτος ο πατέρας της, που είχε μείνει άφωνος στην αρχή από την επιχειρηματολογία της κόρης του.

«Στο καπελάδικο της κυρίας Έμα Μίλερ».

«Και ποια είναι αυτή;» ρώτησε τώρα η Μάγκι.

«Ω, καλή μου μαμά, είναι μια θαυμάσια κυρία που έχει το πιο όμορφο μαγαζί καπέλων στην Μποντ Στριτ και οι πελάτισσές της είναι όλες αριστοκράτισσες. Μέχρι και η βασιλική οικογένειά κάνει τις παραγγελίες της εκεί».

«Ωραία όλα αυτά που μας λες, όμως τη δουλειά πώς τη βρήκες;» συνέχισε αρκετά ενοχλημένη η Μάγκι, συνειδητοποιώντας ότι η κόρη της έκανε πια του κεφαλιού της, κάτι που η ίδια δεν είχε αποτολμήσει ποτέ.

«Θυμάσαι που πριν από τέσσερις μέρες με έστειλες στο πανεπιστήμιο να βρω τον Τίμοθι, γιατί είχε ξεχάσει στο σπίτι μια εργασία που τους είχαν αναθέσει από τη σχολή του και, όπως σου είχε πει, έπρεπε να την παραδώσει οπωσδήποτε εκείνη τη μέρα;»

«Ε, και λοιπόν;»

«Επιστρέφοντας λοιπόν από κει, είπα να κάνω μια μικρή βόλτα στα μαγαζιά. Η μέρα ήταν τόσο γλυκιά και οι βιτρίνες τόσο όμορφες…»

«Παρακάτω», είπε ανυπόμονα η Μάγκι.

«Έτσι βρέθηκα έξω από το καπελάδικο της κυρίας Μίλερ, και τότε είδα εκείνη την ταμπέλα που έγραφε ότι ζητούσε μια εμφανίσιμη κοπέλα για πωλήτρια. Δεν ξέρω πώς έγινε, όμως τόλμησα να μπω και να ρωτήσω. Η κυρία, αφού με εξέτασε σχολαστικά και με ρώτησε αν γνωρίζω γράμματα, μου είπε ότι θα μπορούσα να αναλάβω τη θέση της πωλήτριας από την ερχόμενη

Δευτέρα. Ο μισθός είναι αρκετά ικανοποιητικός και συγχρόνως θα μάθω κοντά της και την κατασκευή των καπέλων». Έδωσε μάχη πραγματική για να τους πείσει. Και το κατόρθωσε. Έτσι βρέθηκε στο καπελάδικο και μέσα στο χρόνο είχε μάθει την τέχνη τόσο καλά, με αποτέλεσμα να γίνει το δεξί χέρι της κυρίας Μίλερ. Όταν δεν πήγαινε η ίδια τις παραγγελίες καπέλων στα σπίτια των πελατισσών της, την αντικαθιστούσε πάντα η Κάρολ, που ήταν το μοντέλο της και η βιτρίνα του καταστήματός της κατά κάποιο τρόπο. Είχε μάθει τόσο καλά τη δουλειά, ώστε όλες οι κυρίες προτιμούσαν να κατασκευάζει και να στολίζει η Κάρολ τα καπέλα τους, γιατί ήταν πιο καλοραμμένα και καλοστολισμένα, με λεπτεπίλεπτα λουλούδια φτιαγμένα στο χέρι, μεταξωτές και βελούδινες κορδέλες, πολύχρωμες οργάντζες, αγκράφες, φτερά, χάντρες, ακόμη και βαμμένες κουκουνάρες, καθώς και άλλα φίνα κατασκευάσματα, τα οποία έδενε τόσο περίτεχνα και μοναδικά μεταξύ τους, που δεν μπορούσαν παρά να τραβήξουν αμέσως τα βλέμματα όσων μεγαλοκυράδων έμπαιναν στο μαγαζί. Βέβαια, η κυρία Μίλερ, μαγεμένη και η ίδια από τη φαντασία και το ταλέντο της μικρής Ιρλανδέζας, την έκλεισε για τα καλά μέσα στο εργαστήριο του μαγαζιού, αποκρύπτοντας από όλους ότι τα αριστουργήματα αυτά δεν ήταν δική της επινόηση. Χώρια που όταν δεν προλάβαιναν τις παραγγελίες εξαιτίας κάποιου επίσημου γεγονότος στην πόλη, της έδινε και δουλειά στο σπίτι. Φυσικά την πλήρωνε έξτρα χρήματα για να μην αρνηθεί, όμως ήταν ψίχουλα μπροστά σε αυτά που άξιζαν τα χέρια της Κάρολ.

Η καλοκάγαθη Μάγκι γούρλωνε τα μάτια από έκπληξη κάθε φορά που της έλεγε η κόρη της πόσο είχε πουληθεί ένα από τα καπέλα που κατασκεύαζε, κουνώντας το κεφάλι περίλυπη.

«Είναι ντροπή να πεινάνε τόσα παιδιά στους δρόμους και

αυτές οι φαντασμένες να πετάνε τόσες λίρες για ένα καπέλο, που αξίζει όσο τέσσερις εβδομάδες δουλειάς του πατέρα σου».

«Δικά τους είναι τα χρήματα, μαμά, και δικαίωμά τους να τα κάνουν ό,τι θέλουν», απαντούσε χαμογελώντας η Κάρολ, που στο μεταξύ είχε πάρει πολύ σοβαρά τη δουλειά της. «Κάποια μέρα, θα ανοίξω κι εγώ δικό μου καπελάδικο, και τότε θα φοράς τα πιο ακριβά καπέλα όλου του κόσμου».

«Δεν έχω εγώ ανάγκη από δαύτα. Μακάρι... μακάρι, κόρη μου, να μας πάνε όλα καλά και να ανοίξεις το καπελάδικο που ονειρεύεσαι. Χρειάζονται όμως πολλά χρήματα για κάτι τέτοιο, έτσι δεν είναι;»

«Η αλήθεια είναι ότι εκτός από το νοίκι του μαγαζιού, στοιχίζουν πολύ και τα υλικά. Τα περισσότερα τα φέρνει από το Παρίσι η ίδια η κυρία Μίλερ. Δύο και τρεις φορές το χρόνο ταξιδεύει στη Γαλλία και στη Βιέννη για την ανανέωση των υφασμάτων και των στολιδιών. Όσο πιο πολλά φέρνει, τόσο περισσότερα και καλύτερα καπέλα βάζει στις βιτρίνες της».

Η δουλειά αυτή είχε, βέβαια, και τα τυχερά της. Ό,τι υλικό περίσσευε, με την άδεια πάντα της κυρίας Μίλερ, η Κάρολ το χρησιμοποιούσε για την κατασκευή των δικών της καπέλων. Ακόμη και με κουρέλια και παντελώς άχρηστα υλικά ήταν ικανή να φτιάξει ένα μικρό αριστούργημα. Μπορεί να μην της περίσσευαν λεφτά για δεύτερο παλτό, όμως τα καπέλα που φορούσε ήταν μοναδικά.

Τρία χρόνια στης κυρίας Μίλερ, το όνειρο παρέμενε όνειρο και οι αποδοχές της Κάρολ από τη δουλειά της είχαν βελτιωθεί ελάχιστα. Πού να περισσέψουν χρήματα για όνειρα; Τα έξοδα του Τίμοθι, που ήταν πια στο τέταρτο έτος, είχαν αυξηθεί περισσότερο και ο Τόμι, που στο μεταξύ είχε αρραβωνιαστεί με μια όμορφη Πολωνέζα, τη Σόνια, ετοίμαζε το δικό του νοικοκυριό και είχε και αυτός πολλά έξοδα. Από την άλλη, το παλιό πρόβλημα υγείας του πατέρα του είχε επανεμφανιστεί, και αν κρατιόταν ακόμη στα πόδια του, αυτό το χρωστούσε στον μικρότερο γιο του, στις ιατρικές γνώσεις του, αλλά και στα δωρεάν φάρμακα που έβρισκε χάρη στη συμπάθεια που έτρεφαν γι' αυτόν οι μεγαλογιατροί καθηγητές του.

Η ζωή της Κάρολ κυλούσε αυστηρά προγραμματισμένη από το πρωί ως το βράδυ. Χαράματα σηκωνόταν για να είναι στην ώρα της στο μαγαζί μαζί με τα άλλα κορίτσια, ώσπου να εμφανιστεί με την άμαξά της η κυρία Μίλερ και να τους ανοίξει την πόρτα. Πολλές φορές το κρύο ήταν τόσο διαπεραστικό, που τα κορίτσια έτρεμαν στην κυριολεξία περιμένοντας απ' έξω, και χρειάζονταν τουλάχιστον μία ώρα μέχρι να μπορέσουν να πιάσουν βελόνα τα δάχτυλά τους. Κι αυτό στοίχιζε, ειδικά τα τελευταία δύο χρόνια, που η φήμη του μαγαζιού είχε εξαπλωθεί και εκτός Λονδίνου. Γι' αυτό η κυρία Μίλερ αποφάσισε να δώσει ένα κλειδί στην πιο έμπιστη, την Κάρολ, ώστε να έρχεται μισή ώρα νωρίτερα, να ανοίγει το μαγαζί, να ανάβει το τζάκι και τις θερμάστρες, ώστε μόλις έρθουν οι υπόλοιπες να πιάσουν αμέσως δουλειά. Η κοπέλα κολακεύτηκε ιδιαίτερα από την εμπιστοσύνη που της έδειξε η εργοδότριά της, αν και στην ουσία ήταν ένα είδος εκμετάλλευσης. Αυτό, όμως, της επέτρεπε να παίρνει ό,τι περίσσευε, και μια φορά μάλιστα που έστειλαν από το Παρίσι ένα κομμάτι ελαττωματικό ύφασμα, σε μια κίνηση γενναιοδωρίας ή και ευγνωμοσύνης για την εργατικότητά της, η κυρία Μίλερ της το χάρισε όλο, μαζί με ένα παλιό καλούπι κατασκευής καπέλων σε μέγεθος κεφαλιού, που δεν το χρησιμοποιούσε πια.

Το κορίτσι έφτιαξε από εκείνο το μουντό, ελαττωματικό υλικό έξι χαριτωμένα καπέλα, τα οποία αγοράστηκαν όλα σε εξευτελιστικές τιμές από τα κορίτσια της γειτονιάς της όταν την παρακάλεσαν να τους τα πουλήσει. Εκείνο το ελάχιστο κέρδος το θεώρησε γούρι, γι' αυτό και το έκανε κομπόδεμα και το έβαλε στην άκρη. Ήταν μια κίνηση που την εκμεταλλεύτηκε και άρχισε να κατασκευάζει και να πουλάει καπέλα που έφτιαχνε από τα κουρέλια της κυρίας Μίλερ, σε γυναίκες των περιχώρων, όπως και στις εργάτριες του εργοστασίου όπου δούλευε η οικογένειά της. Είχε χαρίσει ένα καπέλο στη Σόνια, που εργαζόταν σε μια βιοτεχνία ρούχων, και έτσι ξεκίνησαν όλα. Από στόμα σε στόμα, σιγά σιγά οι παραγγελίες αυξήθηκαν και τώρα είχε την ευκαιρία να μπορεί να αγοράζει κάποια ελάχιστα υλικά και να βελτιώνει τη δουλειά της. Και φυσικά όλα αυτά κρυφά από την κυρία Μίλερ. Αλλά για μαγαζί ούτε λόγος ακόμη. Προς το παρόν, τα έσοδα ήταν ελάχιστα και πάντα προείχε ο Τίμοθι. Η Κάρολ Ο' Κόνορ καμάρωνε τον αγαπημένο της αδελφό. Ήταν ο πρώτος επιστήμονας της πάμφτωχης αυτής οικογένειας των μεταναστών και δεν έχανε ευκαιρία να μιλάει γι' αυτόν. Όχι πως ντρεπόταν για τη φαμίλια της, ίσα ίσα ήταν πολύ υπερήφανη γι' αυτήν και την καταγωγή της, όμως χαιρόταν τόσο πολύ για την πρόοδο του Τίμοθι, που της ήταν αδύνατον να το κρύψει.

Η μοναδική της διασκέδαση έπειτα από ατελείωτες ώρες δουλειάς όλη την εβδομάδα ήταν οι κυριακάτικοι περίπατοι στο Χάιντ Παρκ. Τότε φορούσε το μοναδικό καλό παλτό της, που της το είχε ράψει μια μοδίστρα στη γειτονιά της, πληρώνοντάς τη με τέσσερα καπέλα που έφτιαξε η ίδια. Η Κάρολ είχε κατορθώσει να αγοράσει από το περίσσευμά της το μάλλινο ύφασμα σε ένα ωραίο σοκολατί χρώμα και το πρόσεχε σαν τα μάτια της. Έβαζε και το μοναδικό καλό φουστάνι της, τα μοναδικά καλά δετά καφετιά μποτίνια της και με τη συνοδεία όλης της οικογένειας πήγαιναν στην εκκλησία. Το μόνο που άλλαζε συχνά επάνω της ήταν το καπέλο της. Είχε στη διάθεσή της άλλα πέντε, όλα διαφορετικού χρώματος και σχεδίου, που τα φορούσε με μεγάλη υπερηφάνεια και κάθε φορά την έκαναν να νιώθει ότι φορούσε και διαφορετικά ρούχα.

Μετά την εκκλησία, μαζί με τα τρία αδέλφια της και τη Σόνια, πήγαιναν για περίπατο στο τεράστιο πάρκο, που ήταν γεμάτο από κόσμο. Τα αδέλφια της ντυμένα με τις καλές τους τραγιάσκες, τα καθαρά κοστούμια τους, τα καλά τους παπούτσια, που ήταν και τα μοναδικά. Η Κάρολ δεν έχανε στιγμή να χαζεύει τον κόσμο γύρω της, να παρατηρεί και να παίρνει ιδέες για τα καπέλα της από τις καλοντυμένες κυρίες. Ήταν πια είκοσι χρόνων και οι πρώτοι χυμοί της νιότης γύρευαν ανταπόκριση. Οι νέοι τη φλέρταραν απροκάλυπτα, όμως η καρδιά της δεν είχε φτερουγίσει ακόμη για κανέναν. Η μάνα της τη μάλωνε που είχε αρνηθεί τρία-τέσσερα προξενιά από φίλους των αδελφών της, όμως εκείνη της απαντούσε ότι προείχαν άλλα πράγματα προς το παρόν. Βαθιά μέσα της όμως το σαράκι την έτρωγε, και αναρωτιόταν πολλές φορές την ώρα που έραβε τι έφταιγε και η καρδιά της δεν ερωτευόταν, όπως όλων των κοριτσιών της ηλικίας της. Οι συναδέλφισσές της στη δουλειά δεν έχαναν την ευκαιρία να χασκογελάνε, καθώς μιλούσαν με μισόλογα για τους νεαρούς που τις φλέρταραν. Εκείνη τις άκουγε με προσοχή, χωρίς όμως να συμμετέχει στη συζήτηση.

Εκείνο το κυριακάτικο πρωινό του Απρίλη του 1911, η Κάρολ μαζί με τον Τόμι και τη σύζυγό του, τη Σόνια, που ήταν ήδη έγκυος, τον Ρόμπιν και τον Τίμοθι πήγαν όπως πάντα για τον συνηθισμένο περίπατό τους στο πάρκο. Βάδιζαν αμέριμνοι, συζητώντας για το τι όνομα θα έδιναν στο παιδί που περίμενε το ζευγάρι, όταν την προσοχή τους τράβηξε μια υπέροχη μελωδία που ερχόταν από κάπου εκεί κοντά. Η παρέα προχώρησε προς την κατεύθυνση της μελωδίας, ώσπου διέκριναν ένα μικρό λευκό

κιόσκι γεμάτο μουσικούς που έπαιζαν. Ποτέ άλλοτε δεν το εί-
χαν ξαναδεί. Προφανώς ήταν μια πρωτοβουλία του δημάρχου
για να κάνει πιο διασκεδαστικές τις βόλτες των κατοίκων της
πόλης. Στάθηκαν σε απόσταση αναπνοής, γοητευμένοι από την
πρωτάκουστη μουσική, χαρούμενοι γι' αυτή την απρόσμενη ευ-
καιρία. Οι Ιρλανδοί ήταν γνωστοί για την αγάπη τους στο πο-
τό, το χορό και στη μουσική. Το είχαν μέσα τους ολόκληρες γε-
νιές τώρα. Η Κάρολ μελαγχόλησε λιγάκι σαν συνειδητοποίησε
ότι από τότε που είχαν έρθει στο Λονδίνο, εδώ και τέσσερα χρό-
νια, δεν είχε ούτε μία φορά την τύχη να παραβρεθεί σε κάποιο
χορό. Εκτός από δύο γάμους που έγιναν στη γειτονιά της, δε
γνώριζε το παραμικρό από τη νυχτερινή διασκέδαση των Λον-
δρέζων. Η αλήθεια ήταν ότι πρώτη φορά άκουγε τέτοιες μελω-
δίες, πολύ διαφορετικές από τη μουσική παράδοση της πατρί-
δας της. Τα περισσότερα από τα μουσικά όργανα που έβλεπε
της ήταν παντελώς άγνωστα.

Πλησίασε ακόμη πιο κοντά, κυριολεκτικά μαγεμένη, όταν τα
μάτια της έπεσαν στο πρόσωπο ενός μουσικού που έπαιζε βιολί
και ξεχώριζε αισθητά από τις κινήσεις του κορμιού του λες και
ακολουθούσαν το όργανο ή το αντίστροφο. Ήταν ψηλός και λε-
πτός και τα χρυσαφένια μαλλιά του έλαμπαν σαν ακτίνες ήλιου
γύρω από το γλυκό πρόσωπό του. Η κοπέλα κάρφωσε το βλέμμα
της στον νέο άνδρα με το άψογο προφίλ, ανίκανη να το τραβήξει,
κοκαλωμένη, σαν κάποια μάγισσα να την είχε χτυπήσει με το μα-
γικό ραβδί της, διατάσσοντάς τη να μείνει στήλη άλατος. Κι εκεί-
νος, λες και το ένιωσε, γύρισε το πρόσωπό του προς το μέρος της
και βύθισε τα γαλάζια μάτια του μέσα στα δικά της. Και τότε συ-
νέβη αυτό που η Κάρολ πάντα αναρωτιόταν πώς είναι. Η καρδιά
της άρχισε να χτυπά τρελά, σε ανεξέλεγκτο ρυθμό, τα χέρια της
τρεμούλιασαν, το στομάχι της σφίχτηκε απότομα, ενώ συγχρόνως

η αναπνοή της έγινε κοφτή και το πρόσωπό της βάφτηκε ίδιο με το χρώμα των μαλλιών της. Αλλά και ο άνδρας δεν έμεινε αδιάφορος από αυτό που αντίκριζαν τα δικά του μάτια. Παραλίγο να χάσει τη συγκέντρωσή του και με έναν επιδέξιο ελιγμό κατόρθωσε να αποφύγει την ύστατη στιγμή μια μουσική παραφωνία. Μα ποια ήταν αυτή η εξαίσια οπτασία, όμοια με νεράιδα παραμυθιών, σωστή πριγκιπέσα που μόλις είχε χαμηλώσει το κεφάλι; Ποτέ άλλοτε δεν είχε αντικρίσει αυτό το υπέροχο χρώμα μαλλιών όμοιο με την απόχρωση της κανέλας, ούτε αυτό το πράσινο των ματιών, που μόνο με βασιλικό σμαράγδι μπορούσε να συγκριθεί!

«Αυτός ο βιολιστής είναι τελικά πολύ καλός», την απέσπασε από την ταραχή της η φωνή του Ρόμπιν.

«Θα 'λεγα κάτι παραπάνω από καλός· εξαίσιος», συμπλήρωσε ο Τίμοθι. «Εσύ τι λες, Τόμι;» ρώτησε τον μεγάλο του αδελφό.

«Για Άγγλος καλός είναι. Βέβαια·οι καλύτεροι μουσικοί γεννιόνται στην Ιρλανδία».

«Κι αν είναι Ιρλανδός;» επενέβη η γυναίκα του.

«Ιρλανδός με ξανθά μαλλιά αποκλείεται. Δε βλέπεις τα χαρακτηριστικά του; Έτσι είναι οι Ιρλανδοί; Ύστερα, πολύ μαλθακός μου φαίνεται».

«Απ' όπου κι αν κρατάει η σκούφια του, παίζει υπέροχη μουσική», επανέλαβε ο Τίμοθι. «Εσύ, Κάρολ, συμφωνείς;»

Η Κάρολ τα έχασε τώρα για τα καλά και τους κοίταξε χωρίς να μπορεί να αρθρώσει λέξη, κάνοντάς τους να νομίσουν ότι διαφωνεί.

«Σας το 'πα εγώ, οι μόνοι που αξίζουν τον κόπο να τους ακούς είναι οι Ιρλανδοί. Και η αδελφή μας είναι γνήσια Ιρλανδέζα», είπε ο Τόμι με στόμφο και ξέσπασε σε δυνατά γέλια παρασύροντας όλους, εκτός από την Κάρολ, που είχε γυρίσει όσο μπορούσε διακριτικά το κεφάλι της, για να δει αυτόν που την είχε κάνει άνω-κάτω έτσι στα καλά καθούμενα. Τα βλέμματά τους διασταυρώθηκαν ξανά και η καρδιά της κοπέλας άρχισε να χτυπά ακόμη πιο άτακτα και από ταμπούρλο, τόσο, που έσυρε το δεξί της χέρι προς το μέρος της, προσπαθώντας να τη σταματήσει, ενώ με το αριστερό κρατούσε ήδη το στομάχι της.

Λίγη ώρα αργότερα, η παρέα, αφού περπάτησε και χάζεψε τον κόσμο, αποφάσισε να επιστρέψει στο σπίτι. Η Κάρολ τους ακολούθησε με μολυβένια βήματα, ανόρεχτη να συζητήσει μαζί τους, να παρακολουθήσει έστω την κουβέντα τους. Ποιος να ήταν αυτός ο άνδρας; Πώς τον έλεγαν; Θα τον ξανάβλεπε, άραγε; Εκείνο το βράδυ δεν έφαγε σχεδόν τίποτε και δυσκολεύτηκε πολύ να κοιμηθεί. Σχεδόν άυπνη πήγε στη δουλειά της την επόμενη μέρα, και ήταν η πρώτη φορά που όχι μόνο δεν της κατέβαιναν ιδέες για το στολισμό των καπέλων, αλλά ούτε και το βελόνι μπορούσε να κουμαντάρει. Τρεις φορές τρυπήθηκε και μάτωσε, όμως πόνο δεν ένιωσε. Αναγκάστηκε να ξηλώσει ένα καπέλο εξ ολοκλήρου και να το φτιάξει από την αρχή, γιατί είχε ράψει λάθος χρώματα κορδέλες. Και όταν πήγε να προσφέρει τσάι στην κυρία Μίλερ και σε μια εκλεκτή πελάτισσά της, μέχρι να αφήσει το δίσκο πάνω στο μικρό τραπέζι μπροστά από έναν καναπέ, της χύθηκε σχεδόν το μισό. Αυτό παραξένεψε την αφεντικίνα της και την έκανε να σκεφτεί για πρώτη φορά ότι το κορίτσι ίσως είχε πάθει υπερκόπωση, αφού όσο καιρό ήταν στη δούλεψή της δεν είχε απουσιάσει ποτέ, χώρια τις υπερωρίες που δούλευε στο σπίτι.

Η Κάρολ ήταν σχεδόν βέβαιη ότι και ο άνδρας την είχε προσέξει, παρότι ήταν φειδωλός στα βλέμματά του προς το μέρος της. Και καλύτερα. Τα αδέλφια της δεν τα σήκωναν κάτι τέτοια. Άραγε, θα έπαιζε στο κιόσκι και την επόμενη Κυριακή; Κι αν ήταν μόνο για μία φορά; Κι αν, αν, αν... Όλη την εβδομάδα δεν έκανε τίποτε άλλο από να μετράει τα λεπτά και τις ώρες, μέχρι να φθάσει η πολυαναμενόμενη μέρα και προσπαθώντας να κρύψει από όλους τις μύχιες σκέψεις της. Η Κυριακή έφθασε και η κοπέλα δεν έβλεπε την ώρα να φύγουν από την εκκλησία για να βρεθεί στο πάρκο. Ο καιρός ήταν μουντός κι εκείνη, σε όλη τη διάρκεια της Λειτουργίας, παρακαλούσε συνεχώς τον καλό Θεό να κρατήσει τη βροχή για αύριο και να μην την εμποδίσει να ξαναδεί αυτόν τον νέο που τόσο πολύ την είχε εντυπωσιάσει. Και ο Θεός φαίνεται την άκουσε και ο ήλιος ξεπρόβαλε δειλά. Έτσι ο περίπατος στο πάρκο δεν αναβλήθηκε. Μόλις έφθασε με τα αδέλφια της, η πρώτη της έγνοια ήταν να ακούσει προσεκτικά αν η μουσική έπαιζε όπως και την προηγούμενη φορά. Και πράγματι ακουγόταν. Προσπαθώντας να μη φανερώσει τη χαρά της, παρέσυρε την παρέα προς το κιόσκι όσο πιο κοντά γινόταν. Και όταν τα μάτια της τον αντίκρισαν, παραλίγο να χάσει την ισορροπία της από την ταραχή της. Αυτή τη φορά τής φάνηκε ακόμη πιο ψηλός, ακόμη πιο όμορφος, ακόμη πιο γοητευτικός. Κι εκείνος όμως την καρτερούσε από ώρα. Εδώ και μία εβδομάδα, αυτή η οπτασία δεν είχε βγει στιγμή από το μυαλό του. Μόλις την είδε εκεί, σε απόσταση αναπνοής, από τη χαρά του έκανε ένα φάλτσο, που ευτυχώς πέρασε απαρατήρητο. Ύστερα άρχισε να παίζει μόνο για εκείνη και η Κάρολ, παρότι δεν είχε ιδέα από βιολί, το ένιωσε και αχνογέλασε. Ήταν τόσο, μα τόσο ευτυχισμένη. Της αρκούσε που βρισκόταν εκεί δίπλα του, που τον έβλεπε, τον άκουγε. Με δυσκολία την ξεκόλλησαν από το κιόσκι για να συνεχίσουν τον περίπατό τους. Λίγο προτού φύγουν, εκείνος της έριξε ένα απελπισμένο βλέμμα, σαν να την παρακαλούσε να μείνει, τόσο έντονο, που το κορίτσι φοβήθηκε μήπως την πάρουν είδηση τα αδέλφια της. Γιατί μπορεί να την υπεραγαπούσαν, όμως σε θέματα ηθικής ήταν πολύ αυστηροί, εκτός από τον Τίμοθι, που ως σπουδαγμένος και νεότερος ήταν περισσότερο ελαστικός.

2

❧

Για τις επόμενες τέσσερις Κυριακές, η πενταμελής παρέα περνούσε από το κιόσκι και κάθε φορά η Κάρολ προσπαθούσε να βρει χίλιες δυο προφάσεις για να παραμείνουν εκεί. Αλλά και εκείνος αγωνιούσε ακόμη περισσότερο, διότι γνώριζε ότι σε δύο εβδομάδες θα σταματούσε να παίζει, μια και η θέση του ήταν προσωρινή, καθώς αντικαθιστούσε ένα μουσικό που είχε σπάσει το χέρι του ώσπου να γειάνει. Έψαχνε στο μυαλό του για μια λύση που συνεχώς του διέφευγε. Από την άλλη, όμως, δεν ήταν σίγουρος αν έκανε το σωστό. Κι αν η άγνωστη ήταν αρραβωνιασμένη ή παντρεμένη; Ερχόταν πάντα συνοδευμένη από τρεις άνδρες που δεν την άφηναν λεπτό από τα μάτια τους. Τουλάχιστον για τον έναν απ' αυτούς κατάλαβε πως ήταν παντρεμένος με εκείνη την όμορφη ξανθιά κοπέλα που κρατούσε με ιδιαίτερη υπερηφάνεια την αρκετά φουσκωμένη κοιλιά της. Οι άλλοι δύο όμως; Τι ρόλο έπαιζαν; Και ήταν και ομορφάντρες. Παρ' όλες τις ανησυχίες του, ήταν αποφασισμένος να μάθει γι' αυτήν. Έπρεπε να βρει τον τρόπο.

Εκείνη την Κυριακή ένα τμήμα από το κιόσκι κατέρρευσε ξαφνικά, προφανώς από τη βροχή και τον άνεμο της προηγούμενης μέρας, και αυτό έδωσε την ευκαιρία στους μουσικούς να κάνουν ένα διάλειμμα ώσπου να ξαναστηθεί. Είχε εντοπίσει από ώρα την όμορφη κοκκινομάλλα και περιφερόταν σε κοντινή απόσταση από την παρέα της, συνομιλώντας τάχα με ένα φίλο του. Και τότε εμφανίστηκε ο Ρόμπερτ Γκριβς, ένας από τους πιο εκλεκτούς πελάτες στο μουσικό κέντρο όπου εργαζόταν τα βράδια. Γιατί αυτή ήταν η πραγματική δουλειά του Τζον. Ενός ταλαντούχου συνθέτη και πιανίστα που προερχόταν από μουσική οικογένεια με παράδοση. Ο παππούς του έπαιζε φλάουτο, ο πατέρας του βιολί και η μητέρα του παρέδιδε μαθήματα πιάνου. Μαζί της ξεκίνησε τα πρώτα χαϊδέματα των πλήκτρων για να εξελιχθεί σ' ένα μοναδικό ταλέντο. Το βιολί το έμαθε για χάρη του πατέρα του και, παρότι δεν το συμπαθούσε ιδιαίτερα ως μουσικό όργανο, ήξερε να το χειρίζεται με δεξιοτεχνία. Η καταγωγή του ήταν από το Μπαθ και ο λόγος που ζούσε μόνος στο Λονδίνο, μακριά από τα αδέλφια του και την οικογένειά του, ήταν η αναζήτηση μιας καλύτερης τύχης, μιας ευκαιρίας στον κόσμο της μουσικής, που θα τον έκανε όχι μόνο πλούσιο, αλλά και διάσημο. Δυστυχώς όμως ούτε στο Λονδίνο βρήκε αυτό που ζητούσε. Μέχρι τη στιγμή που τον άκουσε ένας ιμπρεσάριος των μιούζικαλ από τη Νέα Υόρκη της Αμερικής και του έδωσε την κάρτα με τη διεύθυνσή του, λέγοντάς του ότι το μουσικό του ταλέντο θα ανθούσε και θα αναδεικνυόταν μόνο στη χώρα των ευκαιριών, τη Γη της Επαγγελίας.

Ο Τζον δε χρειάστηκε να το σκεφτεί πολύ. Η Αμερική δεν ήταν μόνο το όνειρο των φτωχών, αλλά και πολλών καλλιτεχνών που δεν έβρισκαν ανταπόκριση στην πατρίδα τους. Προς το παρόν όμως αυτό ήταν αδύνατον για δύο σοβαρούς λόγους.

Πρώτον, μόλις είχε κλείσει συμβόλαιο για ένα χρόνο σε ένα μιούζικ χολ για να παίζει πιάνο. Αυτό θα του εξασφάλιζε καλά λεφτά, μια και οι τσέπες του ήταν μονίμως άδειες. Και δεύτερον, εδώ και τέσσερα χρόνια, στο Μπέλφαστ της Ιρλανδίας, κατασκευαζόταν το μεγαλύτερο επιβατικό πλοίο όλων των εποχών, ο *Τιτανικός*, και το ταξίδι με αυτό δεν αποτελούσε μόνο εμπειρία ζωής, αλλά και ιδιαίτερη τιμή. Ο *Τιτανικός* υπολογιζόταν να είναι έτοιμος για απόπλου τον επόμενο χρόνο, στις αρχές της άνοιξης. Μέχρι τότε είχε αρκετό καιρό μπροστά του για να μαζέψει το ποσό που χρειαζόταν. Αποφάσισε να κάνει οικονομίες ώστε να έχει αρκετά χρήματα για το εισιτήριό του και τα πρώτα του έξοδα στην Αμερική. Όλα πήγαιναν καλά και είχε υποσχεθεί στον εαυτό του να μην μπλεχτεί σοβαρά με καμιά γυναίκα και ναυαγήσουν τα σχέδιά του. Και τώρα, αυτή η μικρή μάγισσα του είχε κλέψει τα μυαλά, προτού καταφέρει καλά καλά τη γνωρίσει.

Ο Ρόμπερτ Γκριβς τον πλησίασε με φόρα και τον χαιρέτησε με ιδιαίτερη χαρά, όπως φυσικά κάθε φορά που ερχόταν για να διασκεδάσει στο μιούζικ χολ. Κι εκείνος χαιρόταν ιδιαίτερα τις επισκέψεις του, διότι ήταν πραγματικός γλεντζές, αν και καταξόδευε τα χρήματα του ταλαίπωρου μεγαλογιατρού πατέρα του. Απορούσε, μάλιστα, πότε προλάβαινε να πηγαίνει στο πανεπιστήμιο ή να διαβάζει και ανησυχούσε με την ιδέα ότι στο μέλλον ίσως χρειαζόταν να πέσει στα χέρια του και να τον χειρουργήσει ο ίδιος. «Γι' αυτό πρέπει να φύγω το γρηγορότερο στην Αμερική», του έλεγε αστειευόμενος. Ήξερε όμως πολύ καλά ότι ο Ρόμπερτ μαθήτευε κοντά στον πατέρα του και, σαν έπαιρνε το δίπλωμά του, αναγκαστικά θα σοβαρευόταν.

Μιλούσαν γύρω στα πέντε λεπτά, όταν ο Ρόμπερτ, γυρίζοντας το κεφάλι του από την άλλη πλευρά, το πρόσωπό του έλαμψε σαν αντίκρισε το πρόσωπο ενός από τους άνδρες που ανήκαν στην παρέα της άγνωστης κοπέλας.

«Τίμοθι Ο' Κόνορ!» φώναξε με δύναμη και χαμογέλασε πλατιά. «Και να φανταστείς ότι σε γύρευα». Ο Ρόμπερτ πλησίασε την παρέα παρασύροντας μαζί του και εκείνον, που τα είχε χάσει.

«Παλιόφιλε, είσαι ο μόνος που μπορεί να με σώσει. Έχω χάσει κάτι πολύτιμες σημειώσεις και είμαι σίγουρος ότι εσύ θα τις έχεις. Είσαι ο καλύτερος σπουδαστής της σχολής».

Ο Τίμοθι έβηξε αμήχανα. «Τα παραλές, Ρόμπερτ…» απάντησε νιώθοντας λίγο άσχημα μπροστά στην παρέα τους. «Χμ… Ας… Ας σε συστήσω καλύτερα. Από δω ο συμφοιτητής μου στο πανεπιστήμιο και γιος του γνωστού καθηγητή και χειρουργού Πίτερ Γκριβς. Από δω τα αδέλφια μου, ο Τόμι και η γυναίκα του, η Σόνια, ο Ρόμπιν, και από δω η πολύτιμη μικρή μας αδελφή, η Κάρολ».

«Χαίρω πολύ», είπε με πλατύ χαμόγελο ο Ρόμπερτ, έδωσε το χέρι του σε όλους κοιτάζοντας με φανερό θαυμασμό την Κάρολ. Κατόπιν τους σύστησε και τον Τζον.

«Και από δω ο πιο ταλαντούχος πιανίστας της πόλης, ο Τζον Μπάριμορ».

«Χαίρω πολύ, κυρία Ο' Κόνορ, δεσποινίς Ο' Κόνορ», είπε κάνοντας μια ελαφριά υπόκλιση και μετά χαιρέτησε με χειραψία τους τρεις άνδρες.

«Πιανίστας;» ρώτησε ο Τίμοθι με έκπληξη. «Μα εσείς, αν δεν κάνω λάθος, πρέπει να είστε ένας από τους μουσικούς που παίζουν βιολί, έτσι δεν είναι;»

«Έτσι ακριβώς», απάντησε ο Τζον με χαμόγελο, αφήνοντας να φανεί μια υπέροχη οδοντοστοιχία.

Ο Τζον τους εξήγησε την ακριβή ιδιότητά του δίχως να χάνει την ευκαιρία να θαυμάζει την Κάρολ. Ώστε ήταν Ιρλανδέζα και οι άνδρες τα αδέλφια της. Από κοντά ήταν ακόμη πιο όμορφη. Η Κάρολ, από τη μεριά της, παρότι ευχόταν μέρες τώρα για αυτό το θαύμα, ήθελε να ανοίξει η γη να την καταπιεί. Το βλέμμα του μουσικού παραήταν φωτεινό και δεν την άντεχε τόση λάμψη. Συνάμα όμως ήταν και τόσο φιλικό και οικείο. Τόσο οικείο, που είχε την αίσθηση ότι τον γνώριζε χρόνια.

Ακριβώς το ίδιο ένιωσε και ο Τζον. Και ενώ ήταν παντελώς σίγουρος ότι δεν τη γνώριζε από παλιά, είχε την αίσθηση ότι την ήξερε. Ήταν περίεργο... πολύ περίεργο.

«Είστε πολύ καλός μουσικός, κύριε Μπάριμορ», συνέχισε ο Τίμοθι, ενώ ο Τόμι μόρφασε αποδοκιμαστικά. Όσο καλός κι αν ήταν ένας Άγγλος, δεν έπαυε να είναι Άγγλος. Και οι πολλές οικειότητες με δαύτους ήταν περιττές. Ο Τίμοθι κάποιες φορές το παράκανε με τη συμπάθεια που τους έδειχνε και που μόνο Ιρλανδό δε θύμιζε. Αλλά η αναγκαστική του συναναστροφή μαζί τους στο πανεπιστήμιο του έδινε κάποιο ελαφρυντικό. Τόσο όμως ο Ρόμπιν όσο και ο ίδιος δεν είχαν καμία δικαιολογία για να τους συμπαθούν. Τι να συμπαθήσεις από έναν Άγγλο; Δεν ήταν ικανοί ούτε πέντε μεγάλα ποτήρια μπίρας να πιούνε χωρίς να πέσουν ξεροί κάτω. Άνδρες ήταν αυτοί; Ενώ οι Ιρλανδοί και με δέκα ποτήρια στέκονταν όρθιοι.

«Σας ευχαριστώ. Έχετε έρθει ποτέ στο μιούζικ χολ όπου εργάζομαι;» ρώτησε ο Τζον χαμογελώντας πλατιά.

«Μπα, πού να μείνει χρόνος με τις σπουδές και το διάβασμα... Ύστερα, για να πω την αλήθεια, δε μας περισσεύουν χρήματα για τέτοιου είδους πολυτέλειες...»

«Γι' αυτό και αριστεύεις σε όλα τα μαθήματα. Σίγουρα κάποια μέρα θα είσαι ο πιο λαμπρός γιατρός», είπε με πειθώ ο Ρόμπερτ. «Για σταθείτε όμως, έχω μια πολύ καλή ιδέα. Μια και ο Τίμοθι θα με σώσει για άλλη μια φορά με τις πολύτιμες σημειώσεις του, σας προσκαλώ όλους το επόμενο Σάββατο στο μιούζικ χολ όπου εργάζεται ο Τζον».

Ο Τόμι ένιωσε να του ανεβαίνει το αίμα στο κεφάλι. Αυτό δα τους έλειπε τώρα. Να τους προσκαλεί ένας Άγγλος. Του ήρθε να φτύσει στο χώμα, όμως συγκρατήθηκε για χάρη του αδελφού του.

«Σας ευχαριστούμε πολύ, κύριε Γκριβς, όμως εμείς δουλεύουμε σκληρά, και ύστερα η γυναίκα μου περιμένει παιδί και καλύτερα είναι να μην ξενυχτάει».

«Τότε μπορούν να έρθουν οι υπόλοιποι», συνέχισε απτόητος ο Ρόμπερτ που δεν είχε πάρει είδηση την αγανάκτηση του Τόμι.

«Θα το σκεφτούμε και θα σου απαντήσω εγώ, Ρόμπερτ», μπήκε στη μέση ο Τίμοθι θεωρώντας προσβολή τη συμπεριφορά του αδελφού του. Εντάξει, γνώριζε πολύ καλά την αντιπάθειά του για τους Άγγλους, όμως δεν έπρεπε να ξεχνά ότι η Αγγλία τούς έδινε ψωμί και ότι στην Αγγλία σπούδαζε. Στο κάτω κάτω, δεν ήταν κακή ιδέα. Τόσα χρόνια εδώ και ως νέος άνδρας δε γνώριζε πολλά πράγματα πέρα από το πανεπιστήμιο, το πάρκο και τη γειτονιά του. Γιατί όχι λοιπόν; Τόσες και τόσες φορές είχε βοηθήσει στα μαθήματα τον Ρόμπερτ. Τι θα γινόταν αν δεχόταν πρόσκλησή του; Ύστερα τον συμπαθούσε πολύ, γιατί ήταν ο πρώτος Άγγλος που τον πλησίασε στη σχολή και έγινε φίλος του. Ένας Ιρλανδός μετανάστης που σπουδάζει γιατρός είχε προκαλέσει την αποστροφή όλων εκεί μέσα. Τουλάχιστον στην αρχή. Γιατί ο Τίμοθι σύντομα έγινε αγαπητός και αποδεκτός από όλους με τον καλό του χαρακτήρα, το ανοιχτό μυαλό, αλλά και την πρόοδό του στα μαθήματα. Ήταν από τις σπάνιες φορές που γινόταν αυτή η εξαίρεση σε έναν κανόνα που κρατούσε αιώνες τώρα.

Στο σπίτι, ο καβγάς ανάμεσα στα δύο αδέλφια άναψε για τα

καλά· και ήταν η πρώτη φορά. Ο Τόμι κατηγόρησε τον Τίμοθι ότι ξεχνούσε τις ρίζες του και κινδύνευε να γίνει Άγγλος, ενώ σπούδαζε με τον ιδρώτα Ιρλανδών. Ο Τίμοθι απάντησε λέγοντας ότι όλοι είναι άνθρωποι και ως μέλλων γιατρός όφειλε να μην κάνει διακρίσεις στους ανθρώπους, και δεν είχε το δικαίωμα να ρωτήσει αν ο ασθενής του ήταν λευκός ή μαύρος, προτεστάντης ή καθολικός, φίλος ή εχθρός, Ιρλανδός ή Άγγλος. Τότε επενέβη ο πατέρας τους. Η αλήθεια ήταν ότι όλοι εξεπλάγησαν από την αποφασιστικότητα και την ορμή τού μέχρι τότε ήρεμου Τίμοθι, και του θύμισε τον εαυτό του στα νιάτα του. Μπορεί να αντιπαθούσε τους Άγγλους, ήταν όμως δίκαιος άνθρωπος και ένιωσε τις ανάγκες του γιου του, που χρόνια τώρα δεν έλεγε να σηκώσει κεφάλι από τα βιβλία. Ήταν ένα όμορφο ψηλό παλικάρι που κάποια μέρα θα τους έκανε πολύ υπερήφανους. Μα πάνω απ' όλα ήταν νέος... Πολύ νέος.

«Να πας», είπε στον Τίμοθι. «Και εσύ και ο Ρόμπιν, αν το επιθυμείτε. Αφού σας κάλεσε, να πάτε. Κι εσύ, Τόμι, μην πεις κουβέντα. Θα τσακωθούμε τώρα για ένα απλό κάλεσμα;»

«Προσβολή ήταν, όχι κάλεσμα. Ήθελε να μας δείξει ότι έχει λεφτά και μας κάνει τη χάρη».

«Ανοησίες», τον διέκοψε ο πατέρας του. «Είσαι υπερβολικός όπως πάντα».

«Έχει δίκιο ο πατέρας σου», τόλμησε να επέμβει η Μάγκι. «Δεν ήταν προσβολή, παιδί μου...»

Ο Τόμι, όμως, δεν μπορούσε να καταλάβει την οικογένειά του. Να προδίδουν τα ιδανικά τους για ένα βρομο-Άγγλο; Πήρε τη Σόνια και έφυγε θυμωμένος για το σπίτι του, που βρισκόταν λίγα μέτρα πιο κάτω, ενώ η γυναίκα του τον ακολούθησε δακρυσμένη. Ήταν Πολωνέζα και ποτέ της δε θα καταλάβαινε το μίσος του άνδρα της για τη χώρα που τους έδινε ψωμί.

Ο Τίμοθι στενοχωρήθηκε πολύ με την τροπή που είχαν πάρει τα πράγματα, όμως αυτή τη φορά ήταν αποφασισμένος. Τον ενοχλούσε αφάνταστα η συμπεριφορά του Τόμι και η απροκάλυπτη απέχθειά του για τους Άγγλους, που κάποιες φορές ξεπερνούσε τα όρια της ευπρέπειας και έφθανε στην υπερβολή. Ο ίδιος, αν και ήταν πολύ υπερήφανος για τις ρίζες του, από ένα σημείο και πέρα κατάλαβε ότι το μίσος και η έχθρα προκαλούσαν μόνο ολέθρια αποτελέσματα, οδηγώντας συχνά στο θάνατο, και είχε καθήκον ως γιατρός να σώζει ζωές και όχι να τις αφαιρεί. Καλώς ή κακώς, η ανώτερη μόρφωση και η παιδεία του είχαν διαμορφώσει τον τρόπο σκέψης του και μεγάλωνε την απόσταση σ' αυτά τα θέματα από τον αδελφό του. Ο Ρόμπιν, από την πλευρά του, ήταν περισσότερο διαλλακτικός, ο δε πατέρας του, με τα προβλήματα υγείας που τον βασάνιζαν, είχε ρίξει κατά πολύ τους τόνους.

Αποδέχτηκε την πρόταση του Ρόμπερτ δύο μέρες μετά, αφού πρώτα ρώτησε τον Ρόμπιν αν δεχόταν να τον ακολουθήσει. Εκείνος κούνησε αδιάφορα τους ώμους του, που σήμαινε ότι δεν έχει πρόβλημα. Η Κάρολ, ακούγοντας τα λόγια του αδελφού της με κομμένη την ανάσα που δεν είχε αναφέρει το όνομά της, ρώτησε δειλά και τάχα αδιάφορα ενώ διόρθωνε ένα καπέλο: «Μπορώ να έρθω κι εγώ, Τίμοθι;»

Τα κεφάλια όλων γύρισαν έκπληκτα προς το μέρος της.

«Μα, Κάρολ, δεν είναι αυτό μέρος για γυναίκες», της εξήγησε με χαμόγελο ο Τίμοθι.

«Αν θυμάμαι καλά, ο κύριος Γκριβς είπε ότι διασκεδάζει εκεί όλη η καλή κοινωνία της πόλης, πράγμα που σημαίνει ότι οι κύριοι δεν πάνε μόνοι τους, αλλά συνοδεύονται από τις συζύγους τους ή… τις αδελφές τους», τον αντέκρουσε η Κάρολ.

«Δεν είμαι και τόσο σίγουρος ότι το κάλεσμα συμπεριλάμβανε κι εσένα».

«Εγώ όμως είμαι απόλυτα σίγουρη, Τίμοθι», είπε με παράπονο το κορίτσι.

Ο Τίμοθι την κοίταξε τρυφερά και είδε στο πρόσωπό της τη σύντροφο των παιδικών και σχολικών του χρόνων, την αδελφή που δούλευε σκληρά για να τον σπουδάσει. Δεν της άξιζε τέτοια συμπεριφορά. Εξάλλου, αισθανόταν πάντα ιδιαίτερα υπερήφανος όταν τον συνόδευε. Η ομορφιά της έλαμπε σαν διαμάντι και κολακευόταν που ήταν αδελφή του. Μακάρι να έβρισκε μια γυναίκα σαν την Κάρολ. Πανέμορφη, έξυπνη, εργατική, δυναμική, καλοσυνάτη. Όχι, δεν μπορούσε να την πληγώσει.

«Πολύ καλά», της είπε αποφασιστικά. «Αν συμφωνούν ο πατέρας και ο Ρόμπιν, εγώ δεν έχω πρόβλημα».

Η Κάρολ κοίταξε παρακλητικά τον πατέρα της και ύστερα τον Ρόμπιν. Ποιος μπορούσε να αντισταθεί σε αυτές τις υπέροχες σμαραγδένιες λίμνες που ήταν έτοιμες να ξεχειλίσουν; Κανείς. Η Κάρολ κατέβαλε υπεράνθρωπες προσπάθειες για να μην ουρλιάξει από τη χαρά της και έπεσε στην αγκαλιά του Τίμοθι με ευγνωμοσύνη. Μόλις όμως ο πρώτος ενθουσιασμός καταλάγιασε μέσα της, η χαρά της ξεφούσκωσε σαν ασκός που τον τρύπησαν. Και τώρα, πώς θα πήγαινε σ' αυτό το υπερπολυτελές, όπως το είχαν αποκαλέσει, μιούζικ χολ χωρίς να έχει ένα φόρεμα της προκοπής; Τα μοναδικά καλά ρούχα της ήταν ένα γκρίζο φόρεμα, μια μαύρη φούστα και μια λευκή μπλούζα με δαντέλες, τα οποία είχε ράψει εδώ και καιρό για την εκκλησία και τους περιπάτους της. Αυτά είχε και αυτά φορούσε συνεχώς και αυστηρά μόνο τις Κυριακές, ή όταν πήγαινε σε κάποιο σπάνιο κάλεσμα. Για να αγοράσει το πρέπον φόρεμα για την ειδική βραδιά, ούτε λόγος. Δεν της έφθαναν ούτε οι μισθοί ενός χρόνου. Υπήρχε κάποιος να της δανείσει κάτι κατάλληλο;

Όσο κι αν έβαλε το μυαλό της να δουλέψει, εκείνο δεν τη

βοήθησε. Όλες οι φίλες της ήταν της ίδιας οικονομικής κατάστασης με την οικογένειά της και ακόμη χειρότερα. Σκέφτηκε το νυφικό της Άννι, που έμοιαζε περισσότερο με φόρεμα, μιας γειτόνισσας και φίλης προσφάτως παντρεμένης. Ήταν όμως παλιομοδίτικο, αφού ήταν το νυφικό της μάνας της. Πού να περισσέψουν λεφτά να φτιάξει καινούργιο. Η Κάρολ μελαγχόλησε πραγματικά και αναρωτήθηκε μήπως έπρεπε να ακυρώσει την πρόσκληση. Ναι, αυτό θα έκανε. Αύριο κιόλας, που ήταν Πέμπτη. Θα έβρισκε δικαιολογία ότι ένιωθε κουρασμένη και ότι είχε πολλή δουλειά να παραδώσει. Δε θα φανέρωνε σε κανέναν τους πραγματικούς λόγους. Για όλους τα καλά ρούχα της ήταν υπεραρκετά για να την καλύψουν. Εκείνη όμως, που είχε δει πάμπολλες κυρίες του καλού κόσμου να μπαίνουν στο καπελάδικο, γνώριζε πολύ καλά τι σημαίνει καλό ρούχο και τι όχι. Ίσως μόνο ο Τίμοθι την καταλάβαινε, αλλά δεν ήθελε να τον στενοχωρήσει, αφού δεν ήταν σε θέση να τη βοηθήσει.

Έφθασε, όπως πάντα, στη δουλειά στην ώρα της, προσπαθώντας να κρύψει την κακή της διάθεση από την κυρία Μίλερ και τα κορίτσια. Λίγο αργότερα, η κυρία Μίλερ την έστειλε να παραδώσει δύο καπέλα. Όταν επέστρεψε στο μαγαζί μία ώρα αργότερα, τα μάτια της άνοιξαν διάπλατα από έκπληξη μόλις αντίκρισε σε μια κρεμάστρα το πιο υπέροχο ρούχο που είχε δει ποτέ. Ήταν ένα βραδινό βελούδινο μακρύ φόρεμα σε μια απίστευτα γλυκιά κυπαρισσένια απόχρωση, με ανοιχτό ντεκολτέ και τα ντραπέ κοντά μανίκια του να κατεβαίνουν απαλά στους ώμους. Ήταν στολισμένο με φαρδιές μεταξωτές γυαλιστερές κορδέλες στο χρώμα της ώχρας, που έδενε καταπληκτικά με το πράσινο. Ποτέ άλλοτε τα μάτια της δεν είχαν συναντήσει τόση ομορφιά. Ποια να ήταν άραγε η τυχερή ιδιοκτήτριά του και πώς βρέθηκε εκεί, σ' ένα καπελάδικο;

«Α, ήρθες, Κάρολ;» είπε η κυρία Μίλερ με ένα τεράστιο χαμόγελο. «Τα παρέλαβαν οι κυρίες τα καπέλα τους;» «Μάλιστα, κυρία Μίλερ, και είναι ενθουσιασμένες». «Ό,τι πιάνει το χεράκι σου γίνεται πανέμορφο».

«Είστε πολύ καλή, κυρία Μίλερ», απάντησε η κοπέλα, που ακόμη δεν μπορούσε να πιστέψει ότι η εργοδότριά της είχε πάντα έναν καλό λόγο να της πει... κι ας μην της έκανε αύξηση στο μισθό της.

«Και επειδή σε εμπιστεύομαι απόλυτα, θέλω να αναλάβεις και μια άλλη δουλειά».

«Τι μπορώ να κάνω για σας, κυρία Μίλερ;»

«Το βλέπεις αυτό το φόρεμα εκεί;» είπε και της έδειξε το υπέροχο ρούχο που μόλις της είχε κλέψει την καρδιά.

«Μάλιστα... το πρόσεξα».

«Ανήκει στην κόρη του λόρδου Πίτερ Γουέλς, τη Λούσι Γουέλς. Θυμάσαι; Εσύ έφτιαξες το καπέλο από το ίδιο ύφασμα».

«Μάλιστα, το θυμάμαι αυτό το καπέλο».

«Τώρα δα που έλειπες, πέρασε η μητέρα της, η λαίδη Μάργκαρετ Γουέλς, και με παρακάλεσε να στολίσουμε το ντεκολτέ του φορέματος γύρω γύρω με όμοια λουλούδια που υπάρχουν στο καπέλο. Άρεσαν τόσο πολύ στη δεσποινίδα Λούσι, που τα θέλει και στο φόρεμά της».

«Μάλιστα, κυρία Μίλερ, πηγαίνω αμέσως μέσα να τα φτιάξω. Ίσως μέχρι το απόγευμα να τα έχω τελειώσει».

«Όχι, παιδί μου, όχι τώρα. Μην ξεχνάς ότι μέχρι το Σάββατο έχουμε να παραδώσουμε τρία καπέλα. Θα κάνεις αυτή τη δουλειά την Κυριακή, στο σπίτι σου. Δεν είναι ανάγκη να βιαστούμε. Η δεσποινίς Γουέλς χρειάζεται αυτό το φόρεμα για την επόμενη Τρίτη. Πρόκειται να το φορέσει σε κάποιο χορό. Ως τότε έχουμε χρόνο».

«Αν κατάλαβα καλά, κυρία Μίλερ, εννοείτε ότι θα πάρω αυτό το φόρεμα σπίτι μου;»

«Φυσικά, από σήμερα κιόλας, αν μπορείς. Θα σε στείλω με την άμαξά μου. Δε θέλω να λερωθεί. Θέλω λεπτοδουλειά και όχι βιασύνες. Να το προσέξεις σαν τα μάτια σου, που λένε».

«Έχετε από εμένα κάποιο παράπονο, κυρία Μίλερ;»

«Όχι, παιδί μου, προς Θεού, όμως η λαίδη Γουέλς είναι λίγο περίεργος άνθρωπος, γι' αυτό ας την προσέξουμε ιδιαίτερα. Μην ξεχνάς ότι είναι από τις πιο εκλεκτές μας πελάτισσες».

«Δεν το ξεχνώ, κυρία Μίλερ, όμως ότι το ίδιο δεν ισχύει και για τις υπόλοιπες κυρίες;»

«Το ίδιο ακριβώς, όμως η λαίδη Γουέλς χρήζει ιδιαίτερης προσοχής. Κατάλαβες;»

«Πολύ καλά, κυρία Μίλερ».

Η Κάρολ δεν μπορούσε να πιστέψει ότι είχε στα χέρια της ένα τόσο πανέμορφο φόρεμα. Το είχε κρεμάσει ευλαβικά στον τοίχο, σε μια γωνιά του δωματίου που μοιραζόταν πάντα με τη μητέρα της τα βράδια, και το χάζευε με τις ώρες. Από τη στιγμή που το παρέλαβε μέσα στη θήκη του, μέχρι να φθάσει στο σπίτι της το βράδυ, ο διάολος είχε τρυπώσει στο όμορφο κεφαλάκι της. Αλλά η Κάρολ δεν μπορούσε να τον δει. Θεώρησε το γεγονός θεόσταλτη πράξη. Πείστηκε ότι ο Θεός τη λυπήθηκε και ότι οδήγησε τη λαίδη Γουέλς στο καπελάδικο. Ποτέ άλλοτε δεν είχαν ζητήσει από την κυρία Μίλερ να στολίσει κάποιο φόρεμα. Δεν ήταν δική της δουλειά, άλλωστε. Για τη λαίδη, όμως, θα έκανε κάποια εξαίρεση. Ή μήπως εξαίρεση έκανε ο Θεός για την ίδια; Δεν μπορεί να ήταν σύμπτωση. Την είχε λυπηθεί, καθώς φαίνεται, και της έστειλε το κατάλληλο φόρεμα, για το κατάλληλο βράδυ.

Το σκέφτηκε πάμπολλες φορές και μέχρι να φθάσει στο σπίτι, είχε πάρει την απόφασή της. Θα δανειζόταν το φόρεμα για αυτή τη μοναδική βραδιά, για αυτόν τον μοναδικό άνδρα που στιγμή δεν είχε πάψει να σκέφτεται και να καρδιοχτυπά στην ιδέα ότι θα τον συναντούσε. Και ήθελε να είναι για χάρη του όμορφη. Πολύ όμορφη. Ήταν ίσως η πρώτη φορά που η Κάρολ ενδιαφερόταν για την εμφάνισή της. Μέχρι τότε, δεν την απασχολούσε ιδιαίτερα και, αν το έκανε, ήταν γιατί αποτελούσε τη βιτρίνα του μαγαζιού, όπως είχε πει η κυρία Μίλερ, και δεν ήταν λίγες οι φορές που δοκίμαζαν επάνω της τα καπέλα, ειδικά όταν επρόκειτο για κάποιο δώρο. Οι αρχές της πήγαν περίπατο και ο διάολος την έπεισε πως δεν ήταν κακό να το δανειστεί για ένα βράδυ. Στο κάτω κάτω, δεν το έκλεβε. Θα το επέστρεφε πεντακάθαρο και ιδιαίτερα φροντισμένο, αφού θα είχε όλο το χρόνο να το αερίσει την Κυριακή και να το σιδερώσει προσεκτικά. Τη Δευτέρα πρωί πρωί θα το επέστρεφε πίσω και ούτε γάτα ούτε ζημιά, όπως έλεγε η μάνα της.

«Ποιανής είναι αυτό το φόρεμα;» ρώτησε η Μάγκι σαν το είδε κρεμασμένο με τα μάτια διάπλατα ανοιχτά από το θαυμασμό. Αν και δεν ήταν ιδιαίτερα κοκέτα, δεν μπόρεσε να μη θαυμάσει τη λεπτοδουλειά που είχε γίνει, το φίνο βελούδο και μετάξι, τα χρώματά του.

Η Κάρολ, με σφιγμένη την καρδιά για το ψέμα που θα χρησιμοποιούσε, είπε ότι η κυρία Μίλερ της το είχε δώσει για να ράψει κάποια λουλούδια επάνω του και με την ευκαιρία της το είχε δανείσει για το Σάββατο.

«Καλύτερα να μην το φορέσεις», τη συμβούλευσε τότε η μητέρα της.

«Γιατί, μαμά;» ρώτησε έκπληκτη η Κάρολ.

«Γιατί αυτό το ρούχο, παιδί μου, στοιχίζει, καθώς δείχνει, μια περιουσία και έτσι και το καταστρέψεις, θα χρειάζεται να δουλέψεις μια ζωή χωρίς μισθό στην κυρία Μίλερ για να το ξεπληρώσεις. Καλοσύνη της βέβαια, όμως καλύτερα να την προσβάλεις παρά να πάθει κάτι το ρούχο». «Δεν πρόκειται να πάθει απολύτως τίποτε», πείσμωσε η Κάρολ. «Ξέρεις πολύ καλά πόσο προσεκτική είμαι». «Και βέβαια το γνωρίζω, όμως ο διάολος έχει πολλά πρόσωπα».

Μήπως είχε δίκιο η μάνα της τελικά; Μήπως ακολουθούσε άσχημο δρόμο; Το πρόσωπο του Τζον εμφανίστηκε μπροστά της πιο γοητευτικό από ποτέ. Σκέφτηκε και το διάολο και παραλίγο να πειστεί από τα λόγια της μάνας της. Όταν όμως η Κάρολ ήθελε κάτι πολύ, ήταν ικανή να παλέψει ακόμη και μαζί του αν χρειαζόταν. Θα έβαζε το φόρεμα με οποιοδήποτε τίμημα.

Από εκείνη τη στιγμή, δεν έκανε τίποτε άλλο από το να μετράει τις ώρες αντίστροφα μέχρι να έρθει το Σάββατο. Και παρότι είχαν αρκετή δουλειά μέχρι τις έξι το απόγευμα που έκλειναν εκείνη τη μέρα τα μαγαζιά, η Κάρολ ήταν πιο φρέσκια και από ολάνθιστο μπουμπούκι.

Έφθασε στο σπίτι της γύρω στις επτάμισι, και από εκείνη τη στιγμή άρχισε να ετοιμάζεται. Είχε φρεσκολουσμένα τα πυκνά μαλλιά της αποβραδίς και το μόνο που έκανε ήταν να πλύνει το σώμα της. Ύστερα μάζεψε τα μαλλιά της ψηλά και άφησε κάποιες τούφες να πέφτουν άτακτα στα μάγουλά της. Στόλισε το κεφάλι της στα πλάγια με ένα χτένι πάνω στο οποίο είχε ράψει ένα υπέροχο τριαντάφυλλο από πορφυρό βελούδο. Ύστερα, με ένα κοκκινάδι που είχε αγοράσει για την περίσταση έδωσε χρώμα στα μάγουλα και τα χείλη της, ενώ τόνισε λίγο τις βλεφαρίδες της με μπόλικο κάρβουνο που το είχε τρίψει πρώτα καλά και το είχε αναμείξει με λίγες σταγόνες μπίρας, έτσι όπως της είχε πει μια φίλη της. Τα μάτια της μεγάλωσαν, το πράσινο χρώμα τους έγινε ακόμη πιο έντονο και η ίδια δεν μπορούσε να πιστέψει αυτό που αντανακλούσε το είδωλό της στον καθρέφτη: μια πανέμορφη οπτασία, με ροδοκόκκινα μάγουλα, ζουμερά χείλη και τεράστια σμαραγδένια μάτια.

Ήταν απίστευτο πόσο πολύ είχε αλλάξει με λίγη μπογιά. Τώρα καταλάβαινε γιατί όλες οι μεγαλοκυρίες είχαν αυτό το υπέροχο χρώμα υγείας στο πρόσωπό τους, ενώ οι φτωχές Αγγλίδες ήταν όλες τόσο χλωμές, σχεδόν άψυχες. Πίστευε ότι ευθυνόταν η λιτή διατροφή τους. Αλλά τελικά δεν ήταν μόνο αυτό. Υπήρχαν και άλλα μυστικά για να δείχνεις υγιής και όμορφος.

Φόρεσε με προσοχή το πολύτιμο ρούχο και κοιτάχτηκε πάλι στον μικρό καθρέφτη. Δεν μπορούσε να δει ολόκληρο το σώμα της, όμως αυτό που αντίκριζε της ήταν αρκετό. Το φόρεμα λες και είχε ραφτεί για την ίδια. Ευτυχώς που η λαίδη Γουέλς ήταν στο ύψος της και στα κιλά της. Η λεπτή μέση της φάνταζε τώρα ακόμη πιο λεπτή, έτσι όπως το φόρεμα απλωνόταν γύρω της, ενώ οι λεπτοκαμωμένοι ώμοι της μαζί με τον αλαβάστρινο λαιμό της την έκαναν να μοιάζει με πανέμορφο άγαλμα, σμιλεμένο από τα χέρια ενός ταλαντούχου τεχνίτη. Όταν βγήκε από το δωμάτιο, όλοι έμειναν για κάποια δευτερόλεπτα άναυδοι να τη θωρούν και να αναρωτιούνται αν ήταν η Κάρολ ή κάποια αρχόντισσα που μπήκε κατά λάθος στο φτωχικό τους. Ήταν κάτι παραπάνω από εκθαμβωτική. Και αυτό της το επιβεβαίωσε το επιφώνημα θαυμασμού της οικογένειάς της που ακολούθησε αμέσως μετά.

«Κάρολ, μοιάζεις με πριγκίπισσα», της είπε πρώτος ο Τίμοθι με πλατύ χαμόγελο.

«Σαν να μην είναι η αδελφή μου», είπε ο Ρόμπιν.

«Τι μπορεί να κάνει ένα φόρεμα…» σχολίασε αρκετά προβληματισμένος ο πατέρας της.

Η Μάγκι την κοίταζε συγκινημένη. Είχε φέρει στον κόσμο

μια πανέμορφη κόρη, άξια να περπατά μόνο σε παλάτια, και το διαπίστωνε μόλις τώρα. Παρ' όλα αυτά, της αρκούσε που ήταν γερή και δυνατή.

«Αλήθεια σάς αρέσω;» είπε ντροπαλά το κορίτσι. «Εσύ, μαμά, τι λες;»

«Την ευχή μου να έχεις, κόρη μου, και την τύχη που σου αξίζει. Για στάσου όμως, νομίζω ότι κάτι λείπει από πάνω σου».

«Λείπει; Τι πράγμα μού λείπει, μαμά;»

Η Μάγκι, χωρίς να πει κάτι, προχώρησε προς το μπαούλο όπου φύλαγε κάποια ρούχα και το άνοιξε. Έψαξε λίγο και μετά έβγαλε ένα μαντίλι δεμένο κόμπο. Το ξέδεσε με ευλάβεια και την επόμενη στιγμή στη χούφτα της έλαμψαν δύο πετράδια. Η Μάγκι προχώρησε προς την κόρη της και πέρασε στα τρυπημένα της αυτιά ένα ζευγάρι σκουλαρίκια που η Κάρολ δεν είχε ματαδεί.

«Τίνος είναι αυτά, μαμά;»

«Δικά μου, παιδί μου. Κειμήλιο από τη μάνα μου. Το μοναδικό. Χρυσάφι δεμένο με πολύτιμες πέτρες, νομίζω σιτρίνια τις λένε. Τις αγόρασε κάποτε ο παππούς σου από έναν πλανόδιο, ο οποίος είχε ξεμείνει από λεφτά γιατί τα έπαιξε στα χαρτιά. Τζάμπα σχεδόν τα πήρε και δεν πίστεψε ότι ήταν αληθινά. Για να της τα κάνει δώρο. Κάποιος όμως που γνώριζε από αυτά, μας είπε ότι ήταν καλές πέτρες δεμένες με χρυσάφι. Και ήταν αλήθεια. Μέχρι τώρα, όσο κι αν τα έτριψα, αυτά γυάλιζαν περισσότερο. Από την ώρα που γεννήθηκες, τα φύλαξα για σένα. Για το γάμο σου. Πάρ' τα από τώρα, κόρη μου, είναι δικά σου. Κρίμα να τα τρώει το σκοτάδι. Σαν είδα το φόρεμα για πρώτη φορά, σκέφτηκα πόσο πολύ ταίριαζε με τα σκουλαρίκια αυτά. Μια και αποφάσισες τελικά να το φορέσεις…»

Η Κάρολ παραλίγο να δακρύσει, όμως δεν ήθελε να μουτζουρωθεί. Έτσι και έλιωνε το κάρβουνο και έμπαινε στα μάτια της, μπορούσε να τη στραβώσει. Γι' αυτό, προτού φύγει, είχε βάλει να μουσκέψει λίγο χαμομήλι σε ζεστό νερό για να το αφαιρέσει προσεκτικά όταν επέστρεφε. Όλοι τώρα ήταν έτοιμοι για τη μεγάλη έξοδο και ο Ρόμπιν είχε κανονίσει να έρθει να τους πάρει μια άμαξα από το σπίτι. Τι στο καλό, μία και μοναδική επίσημη πρόσκληση είχαν, να μην το χαίρονταν ανάλογα; Θα ήταν το μοναδικό τους έξοδο. Ύστερα, δεν ήταν σωστό να ταλαιπωρηθεί η Κάρολ που φορούσε αυτό το πανάκριβο φόρεμα.

Έφθασαν στην ώρα τους, στις δέκα ακριβώς, στην πλατεία Πικαντίλι, στην καρδιά του Λονδίνου, έξω από το μιούζικ χολ. Μπροστά τους παρήλαυναν πολλές και ιδιόκτητες άμαξες στολισμένες με οικόσημα, που δήλωναν την ταυτότητα του ιδιοκτήτη τους, καθώς και ελάχιστα μηχανοκίνητα οχήματα με τους περήφανους οδηγούς τους, τους λίγους και εκλεκτούς που απολάμβαναν αυτό το προνόμιο. Ο Ρόμπερτ Γκριβς τους περίμενε στην είσοδο, συνοδευόμενος από την κοπέλα του, την Άλισον, την αδελφή του, την Γκρέις, και μια φίλη της, την Κάθι. Μπήκαν από την περιστρεφόμενη βαριά ξύλινη πόρτα και ο μετρ τους οδήγησε στη μεγάλη αίθουσα με τα τραπέζια ροτόντες και τις σκαλιστές καρέκλες, ντυμένες με κόκκινο βελούδο.

Η Κάρολ είχε μείνει άναυδη. Ποτέ της δεν μπορούσε να φανταστεί ότι υπήρχαν νυχτερινά κέντρα φτιαγμένα με τόση πολυτέλεια. Βέβαια, είχε μπει σε πλούσια σπίτια όταν παρέδινε τα καπέλα, όμως δεν περίμενε να δει το ίδιο και εδώ. Κάθισαν σ' ένα μεγάλο τραπέζι δίπλα στην πίστα και η Κάρολ χαμογέλασε διακριτικά σαν ξεχώρισε τον Τζον καθισμένο στο πιάνο να την κοιτάζει με έκδηλο θαυμασμό. Η παρουσία της, βέβαια, δεν πέρασε καθόλου απαρατήρητη· πολλά κεφάλια γύρισαν την ώρα που διέσχιζε την αίθουσα. Αν μπορούσε να ακούσει τα σχόλια, θα έμενε κατάπληκτη, καθώς οι περισσότεροι εκεί μέσα έβαζαν στοίχημα ότι επρόκειτο για κάποια γνήσια Αμερικανίδα αριστοκράτισσα. Η ελίτ του Λονδίνου γνώριζε πολύ καλά τα μέλη της και η κοπέλα τούς ήταν παντελώς άγνωστη. Δεν μπορούσε παρά να είναι κάποια Αμερικανίδα, από αυτές που ταξίδευαν συχνά στην Ευρώπη για ανανέωση της γκαρνταρόμπας τους, αλλά και των γνωριμιών τους.

Δείπνησαν ακούγοντας τη μουσική της ορχήστρας και η Κάρολ έμεινε ακόμη μια φορά μαγεμένη από τη δεξιοτεχνία του Τζον και στο πιάνο. Παρότι στην αρχή ήταν κάπως αμήχανη με την όλη ατμόσφαιρα, σύντομα και με τη βοήθεια της σαμπάνιας που δοκίμαζε για πρώτη φορά οι αντιστάσεις της κάμφθηκαν και χαλάρωσε αρκετά, αποφεύγοντας ωστόσο να συζητά με την Κάθι, που καθόταν αριστερά της και τη σνόμπαρε με τον τρόπο της. Έτσι κι αλλιώς, της είχε γυρίσει την πλάτη και μιλούσε συνεχώς με την Άλισον, ενώ κάπου κάπου απηύθυναν το λόγο και στον Ρόμπιν, ο οποίος φαινόταν να είναι κυριολεκτικά έξω από τα νερά του, και μόνο σαν ήπιε αρκετά ξεθάρρεψε κάπως και άρχισε να μιλά. Δεξιά της καθόταν ο Τίμοθι, ο οποίος προς το παρόν φαινόταν πολύ απορροφημένος στη συζήτησή του με την Γκρέις. Είχαν γνωριστεί πριν από αρκετούς μήνες μέσω του Ρόμπερτ και η συμπάθεια μεταξύ τους υπήρξε αμοιβαία. Ουδόλως όμως την απασχολούσε που δε συμμετείχε στη συζήτηση. Ο λόγος για τον οποίο βρισκόταν εκεί ήταν Τζον. Είχε έρθει μόνο γι' αυτό και όχι για να κάνει επίδειξη των ρούχων της ή των γνώσεών της. Απλώς επιθυμούσε να είναι όμορφη για χάρη του και δε θα την ενδιέφερε ακόμη αν η αίθουσα ήταν παντελώς άδεια.

Κάποια στιγμή, η ορχήστρα άλλαξε μουσικούς και τώρα ανέβηκαν κάποιοι άλλοι, που έπαιζαν μια διαφορετική χορευτική μουσική, κι έτσι ο Τζον βρέθηκε στο τραπέζι τους, ανάμεσα στην ίδια και την Κάθι, που δε δίστασε να φλερτάρει απροκάλυπτα τον Τζον και να του αποσπά την προσοχή, ώσπου κατάλαβε για ποια ενδιαφερόταν και έστρεψε την προσοχή της στον Ρόμπιν. Μπορεί να μην ήταν του κύκλου της, πλούσιος ή αριστοκράτης, ή έστω νεόπλουτος όπως ήταν αυτή, όμως ήταν εμφανίσιμος, ευχάριστος και ντροπαλός, κάτι που της άρεσε πολύ, μια και η ίδια φερόταν ξεδιάντροπα και γενικά δε δίσταζε να προκαλεί με τη συμπεριφορά της.

Ο Τζον, χωρίς να διστάσει, της είπε ότι ήθελε να την ξαναδεί. Δεν είχε πολύ χρόνο στη διάθεσή του και ούτε ήθελε να προκαλέσει την προσοχή των αδελφών της. Διάφορα ζευγάρια χόρευαν στην πίστα της αίθουσας και η Κάρολ εκείνη την ώρα το μόνο που ήθελε ήταν να βρίσκεται κλεισμένη στην αγκαλιά του και να στροβιλίζονται στους ρυθμούς της μουσικής που έπαιζε. Ο Τζον την κοίταξε χαμογελώντας. Το ίδιο ευχόταν και ο ίδιος, όμως κάτι τέτοιο δε γινόταν, γιατί εκεί μέσα βρισκόταν για δουλειά και όχι για διασκέδαση. Και το γεγονός ότι καθόταν τόση ώρα στο τραπέζι τους ήταν αρκετό. Από την άλλη, ο Ρόμπιν, παρότι είχε πιει αρκετά και είχε χαλαρώσει, φαινόταν ενοχλημένος από την παρουσία του Τζον τόση ώρα δίπλα στην Κάρολ. Έπρεπε να βιαστεί.

«Πού μπορώ να σε ξαναδώ;» τη ρώτησε με αγωνία.

«Δεν ξέρω... τι να πω...» απάντησε ταραγμένο το κορίτσι.

«Σε πέντε λεπτά θα πρέπει να σηκωθώ από το τραπέζι. Είναι η ώρα μας να παίξουμε πάλι, γι' αυτό πες μου κάτι, σε παρακαλώ... Κάρολ, αν κατάλαβες καλά, από τη στιγμή που σε πρωτοαντίκρισα ο χρόνος σταμάτησε για μένα... Μπορεί να σου φαίνομαι βιαστικός ή ανόητος, όμως είναι η αλήθεια. Δε θυμάμαι να έχω ξανανιώσει ποτέ άλλοτε έτσι στη ζωή μου...»

«Θα έρθουμε αύριο στο πάρκο».

«Τα κιόσκια δεν γκρεμίζονται κάθε μέρα και εγώ δε θα έχω διάλειμμα... Ύστερα ο αδελφός σου ο Τόμι δε με συμπαθεί καθόλου, ή μήπως νομίζεις ότι δεν το έχω καταλάβει;» είπε ο Τζον, ενώ κοίταξε προς τη μεριά των μουσικών που έπαιρναν τις θέσεις τους.

«Τότε τη Δευτέρα, την ώρα που σχολούν τα μαγαζιά. Έξω από το καπελάδικο της κυρίας Μίλερ στην Μποντ Στριτ. Ή όχι, καλύτερα λίγο πιο κάτω, προς την Όξφορντ Στριτ».

«Θα είμαι εκεί», τη διαβεβαίωσε ανακουφισμένος και πήγε στη θέση του στο πιάνο.

Η Κάρολ δεν μπορούσε να πιστέψει αυτό που είχε κάνει. Είχε τολμήσει να δεχτεί το ραντεβού του Τζον. Ήταν σκέτη τρέλα, αλλά αυτό δεν ευχόταν μέρες τώρα; Εξαιτίας του δεν είχε κάνει την ανοησία να δανειστεί ένα φόρεμα χωρίς την άδεια της ιδιοκτήτριάς του; Για χάρη του δε βρισκόταν εδώ; Ήπιε μια γενναία γουλιά σαμπάνιας και σηκώθηκε να χορέψει με τον Τίμοθι. Σχεδόν όλα τα ζευγάρια έκαναν στην άκρη για το πανέμορφο ζευγάρι, που, απ' ό,τι φαινόταν, δεν είχε πάρει είδηση τη ζήλια και τον πόθο που προκαλούσε σε άνδρες και γυναίκες. Η Κάρολ, μεθυσμένη από την ευτυχία και όχι από το ποτό, δεν μπορούσε να δει την καστανόξανθη άσχημη κοπέλα με τα ξεπλυμένα γαλάζια μάτια δύο τραπέζια πιο κάτω, που είχε αναψοκοκκινίσει από έκπληξη, θυμό και απορία και την κοίταζε με το στόμα ορθάνοιχτο. Αλλά και να την έβλεπε, ποσώς την ενδιέφερε... Ήταν ευτυχισμένη. Για πρώτη φορά στη ζωή της ένιωθε πως υπήρχε, πως ήταν όμορφη, πως τη θαύμαζαν. Ένιωθε σαν πριγκιπέσα των παραμυθιών και κάτι παραπάνω.

Ήταν το πιο όμορφο βράδυ της ζωής της. Έμεινε ξάγρυπνη όλη τη νύχτα να κοιτάζει μέσα από το φως του φεγγαριού το φόρεμα που βρισκόταν κρεμασμένο στη βελούδινη κρεμάστρα του και στόλιζε τον άδειο τοίχο. Ο ύπνος τη βρήκε στο πρώτο άχνισμα του ξημερώματος. Λίγο αργότερα την ξύπνησε η μητέρα της για τον καθιερωμένο εκκλησιασμό. Της φάνηκε πως κοιμήθηκε ώρες και το πρόσωπό της έλαμπε, πιο φρέσκο και ξεκούραστο από ποτέ.

Μετά την εκκλησία όπως πάντα, η Κάρολ με τον Τίμοθι, τον Ρόμπιν, τον Τόμι και τη Σόνια πήγαν στο πάρκο. Η κοπέλα κατέβαλε προσπάθειες για να μη φανεί η ταραχή της στη θέα του Τζον. Βρήκε όμως την ευκαιρία να μιλήσει για λίγο μαζί του και το παλικάρι τής υπενθύμισε ότι θα περνούσε αύριο έξω από το καπελάδικο και θα την περίμενε να σχολάσει και να τη συνοδεύσει στο σπίτι της. Άρχισε να μετρά τα λεπτά και τις ώρες από εκείνη τη στιγμή. Ποτέ άλλοτε ο κόσμος δεν της είχε φανεί τόσο όμορφος, και ανακάλυπτε για πρώτη φορά ότι είχε και άλλα χρώματα, άλλες μυρωδιές πέρα από αυτά που έβλεπε και μύριζε μέχρι τότε. Ένα χαμόγελο του Τζον τής ήταν αρκετό για να νιώσει η πιο ευτυχισμένη γυναίκα στον κόσμο.

Την Κυριακή το απόγευμα έραψε στο φόρεμα τα τριαντάφυλλα που της είχαν παραγγείλει και μετά το θαύμασε για άλλη μια φορά. Τώρα το πανέμορφο ρούχο φάνταζε ακόμη πιο πλούσιο από πριν. Φρόντισε να ελέγξει κάθε πτυχή του για τυχόν λεκέδες ή ζάρες και μόνο όταν βεβαιώθηκε ότι ήταν άψογο ηρέμησε. Το επόμενο πρωινό, όπως πάντα, έφθασε πρώτη στη δουλειά της. Έβγαλε το φόρεμα από τη θήκη του και το κρέμασε προσεκτικά. Τακτοποίησε κάπως το μαγαζί και, μόλις ήρθαν και τα υπόλοιπα κορίτσια, κάθισε κι εκείνη στην καρέκλα της και άρχισε τη δουλειά της με κέφι, αναπολώντας κάθε λεπτό των τελευταίων δύο ημερών με τον Τζον.

Γύρω στις δέκα το πρωί, η λαίδη Μάργκαρετ Γουέλς εμφανίστηκε στο καπελάδικο συνοδευόμενη από μια νεαρή κοπέλα. Η

Κάρολ τις είδε από το μικρό παράθυρο του εργαστηρίου με θέα στο δρόμο να κατεβαίνουν από την πολυτελή άμαξά τους, που έφερε το έμβλημα της οικογένειας στην πόρτα της. Η αλήθεια ήταν πως της έκανε εντύπωση που η λαίδη Γουέλς ήρθε να παραλάβει προσωπικά το φόρεμα, ενώ θα της το πήγαινε η ίδια το απόγευμα. Ίσως ήθελε να δει κάποιο καινούργιο καπέλο. Ήταν τόσο πλούσια οικογένεια που θα μπορούσε να αγοράζει κάθε μέρα ένα και δύο καινούργια καπέλα.

Είκοσι λεπτά αργότερα η πόρτα του εργαστηρίου άνοιξε με ορμή και μια φουρκισμένη κυρία Μίλερ εισέβαλε.

«Κάρολ, φέρε το φόρεμα αμέσως έξω!» είπε δυνατά και έκλεισε ξανά με ορμή την πόρτα πίσω της. Τα κορίτσια κοιτάχτηκαν ανήσυχα.

«Ποπό! Έχει τα νεύρα της σήμερα», είπε φοβισμένα η Έσθερ και έσκυψε αμέσως πάνω από τη δουλειά της.

Η Κάρολ, θορυβημένη και η ίδια, ξεκρέμασε το φόρεμα και κρατώντας το προσεκτικά μπήκε στο μπροστινό μέρος του μαγαζιού. Τρία ζευγάρια μάτια την κοίταξαν αποδοκιμαστικά και η κοπέλα ένιωσε αμέσως την αρνητική ενέργεια να την κατακλύζει. Κυρίως, δε, το ψυχρό βλέμμα της λαίδης Γουέλς.

«Καλημέρα σας, κυρία Γουέλς», είπε με σεβασμό στη λαίδη, όμως δεν πήρε καμία απάντηση. Κι όμως, είχε την εντύπωση ότι τη συμπαθούσε. Είχε παραδώσει δύο φορές καπέλα στο σπίτι της, ένα τεράστιο αρχοντικό πολύ κοντά στα Ανάκτορα του Μπάκιγχαμ όπου διέμενε η βασιλική οικογένεια, και φυσικά η ίδια είχε αρκετές προσκλήσεις από τη βασίλισσα Μαίρη για απογευματινό τσάι και χορούς. Κάτι δεν πήγαινε καλά.

«Δε μου λες, Κάρολ, πού ήσουν το Σάββατο το βράδυ;» τη ρώτησε η κυρία Μίλερ προσπαθώντας να κατεβάσει τον τόνο της φωνής της.

Η Κάρολ τα έχασε. Τι σχέση είχε τώρα αυτό; Η κυρία Μίλερ γνώριζε πολύ καλά εδώ και καιρό ότι η Κάρολ δεν έβγαινε ποτέ τα βράδια από το σπίτι της.

«Εεε... ήμουν καλεσμένη από ένα συμφοιτητή του αδελφού μου, του Τίμοθι. Πειράζει που πήγα, κυρία Μίλερ;» απάντησε σαστισμένη.

«Και πού έγινε αυτό το κάλεσμα; Στο σπίτι του;»

«Όχι... σε κάποιο κέντρο διασκέδασης. Συνοδευόμουν όμως από τα δύο αδέλφια μου».

Η λαίδη Γουέλς κοιτάχτηκε με τη νεαρή κοπέλα που τη συνόδευε και οι ματιές τους ήταν γεμάτες νοήματα που η Κάρολ δεν μπορούσε να αποκωδικοποιήσει.

«Και τι φορούσες, δεσποινίς μου, εκείνο το βράδυ;» μίλησε επιτέλους η λαίδη Γουέλς.

Η Κάρολ βουβάθηκε για τα καλά.

«Μήπως αυτό το φόρεμα που κρατάς στα χέρια σου;» συνέχισε αυστηρά η γυναίκα.

«...» Η Κάρολ πάγωσε.

«Είναι αλήθεια λοιπόν, Κάρολ;» είπε απογοητευμένη τώρα η κυρία Μίλερ. «Τόλμησες εσύ να προδώσεις την καλοσύνη και την εμπιστοσύνη μου; Να φορέσεις ένα φόρεμα που δε σου ανήκει; Ω, Θεέ μου, είναι φοβερό! Αδυνατώ να το πιστέψω!»

Η Κάρολ άρχισε να κλαίει βουβά.

«Ώστε το παραδέχεσαι», συνέχισε η κυρία Μίλερ.

«Σας ζητώ συγγνώμη, κυρία Μίλερ... ήταν μια στιγμή τρέλας... δεν ξέρω πώς το έκανα αυτό. Σας ορκίζομαι ότι το φόρεμα δεν έχει την παραμικρή φθορά. Να, κοιτάξτε το».

«Ω, μα το Θεό, η μικρή έχει θράσος που περισσεύει», είπε η λαίδη Γουέλς και έκανε αέρα με μια βεντάλια που έβγαλε από την τσάντα της. «Μα εδώ δε μιλάμε για φθορές, αλλά για το γεγονός ότι τόλμησες να βάλεις το φόρεμα της κόρης μου, εσύ, μια απλή ράφτρα και, μάλιστα, Ιρλανδέζα. Της κόρης μου, της λαίδης Λούσι Γουέλς, μια απόγονο εκ των λαμπρότερων οικογενειών όχι μόνο του Λονδίνου, αλλά και ολόκληρης της Αγγλίας!» ξεσπάθωσε. «Και όχι μόνο να το φορέσει, αλλά να χορέψει μάλιστα για ώρα, ώστε να έχουν την ευκαιρία να τη θαυμάσουν όλοι», μίλησε επιτέλους η Λούσι Γουέλς με σφιγμένα τα λεπτά χείλη της, έτσι που θύμιζαν ίσια γραμμή. «Μάλιστα, μητέρα, προσπαθούσε με κάθε τρόπο να το επιδείξει. Πώς να εμφανιστώ τώρα εγώ μεθαύριο στο χορό με ένα φόρεμα που το έχει δει το μισό Λονδίνο;»

Η Κάρολ κοκάλωσε. Τώρα μπορούσε, έστω και αμυδρά, να θυμηθεί το ψυχρό βλέμμα της άγνωστης κοπέλας, δυο τραπέζια πέρα από το δικό τους, που το είχε στυλωμένο πάνω της και την παρακολουθούσε όλο το βράδυ.

«Αίσχος! Κυρία Μίλερ, απαιτώ εξηγήσεις και ηθική ικανοποίηση», είπε με στόμφο η λαίδη. «Αν είναι ποτέ δυνατόν, να φορέσει η κόρη του λόρδου Γουέλς ένα φόρεμα που τόλμησε να μιάνει μια υπάλληλος! Απαξιώ να μεταφέρω στο σπίτι μου αυτό το ρούχο που μολύνθηκε βάναυσα. Κανονικά θα έπρεπε να καταγγείλω το γεγονός στις Αρχές, όμως δε θα το κάνω σεβόμενη εσάς, κυρία Μίλερ, και την άψογη συνεργασία που είχαμε μέχρι σήμερα. Στο μέλλον να είστε περισσότερο προσεκτική με τις υπαλλήλους που έχετε στο μαγαζί σας. Και φυσικά δε θα θέλατε να χαλάσει το καλό όνομά σας, γι' αυτό θα περιμένω να πράξετε αυτό που πρέπει. Ξέρετε, την επόμενη εβδομάδα είμαι καλεσμένη στο παλάτι για μια φιλική επίσκεψη από την ίδια την πριγκίπισσα Αλίκη, που επίσης αγαπά πολύ τα καπέλα...» είπε τονίζοντας με νόημα τα λόγια της. «Χαίρετε, κυρία Μίλερ», είπε και συνοδευόμενη από την κόρη της έφυγαν με γοργά βήματα από το μαγαζί.

Η κυρία Μίλερ κοίταξε περίλυπη μια το φόρεμα και μια την Κάρολ. Κούνησε το κεφάλι της απογοητευμένη και μετά είπε αργά: «Δεσποινίς Ο᾽ Κόνορ, μπορεί να είσαι η καλύτερη υπάλληλος που είχα ποτέ, όμως δυστυχώς πρέπει να σε απολύσω. Λυπάμαι πολύ. Αυτή κιόλας τη στιγμή πρέπει να φύγεις και να μου παραδώσεις το κλειδί του μαγαζιού. Είναι το τελευταίο πράγμα που περίμενα από σένα. Θα είμαι στ᾽ αλήθεια πολύ τυχερή αν δε διαρρεύσει το συμβάν στις πελάτισσές μου. Κάτι τέτοιο θα ήταν ολέθριο για το όνομά μου στους αριστοκρατικούς κύκλους. Ακόμη και αν σε συγχωρούσε η λαίδη Γουέλς, θα ήμουν υποχρεωμένη να σε απολύσω».

Πέντε λεπτά αργότερα, η Κάρολ βρισκόταν στο δρόμο χωρίς να ξέρει ποια κατεύθυνση να ακολουθήσει. Τα είχε εντελώς χαμένα. Χωρίς τον τελευταίο της μισθό, μια και δεν την πλήρωσε για τις μέρες που είχε δουλέψει, και με μάτια γεμάτα δάκρυα, έφθασε έπειτα από δύο ώρες στο σπίτι της, αφού είχε περιπλανηθεί άσκοπα στους δρόμους, προσπαθώντας να συνειδητοποιήσει αυτό που είχε συμβεί. Χλωμή σαν πεθαμένη, λιποθύμησε αμέσως μόλις άνοιξε την πόρτα του φτωχικού της. Η μητέρα της έβαλε τις φωνές και με τη βοήθεια του πατέρα της τη σήκωσαν και την ξάπλωσαν στο κρεβάτι. Προσπάθησαν να τη συνεφέρουν, όμως αυτό στάθηκε αδύνατον. Ευτυχώς που εκείνη τη στιγμή επέστρεψε ο Τίμοθι και κατόρθωσε να επαναφέρει τις αισθήσεις της αδελφής του. Κατάλαβε ότι είχε υποστεί κάποιο συναισθηματικό σοκ και παρακάλεσε τους γονείς τους να μην της κάνουν προς το παρόν καμία ερώτηση. Έμεινε δίπλα της να της βάζει κρύες κομπρέσες βουτηγμένες σε νερό και ξίδι στο μέτωπο και να της τρίβει τους καρπούς των χεριών της. Μέχρι το βράδυ η Κάρολ συνήλθε, όμως αρνήθηκε να φάει το παραμικρό, και αυτό συνεχίστηκε και τις επόμενες τρεις μέρες χωρίς να εξη-

γεί τους λόγους. Το μόνο που έκανε ήταν να ξεσπά σε βουβά κλά-
ματα, ραγίζοντας τις καρδιές όλων, που δεν ήξεραν πώς να τη
βοηθήσουν.

Την τέταρτη μέρα, με την παρότρυνση του Τίμοθι κατόρθω-
σε επιτέλους να φάει λίγη σούπα και να μιλήσει για πρώτη φο-
ρά. Τους αποκάλυψε όλη την αλήθεια, εκτός από το γεγονός ότι
όλα αυτά τα έκανε για χάρη του Τζον. Ομολόγησε ότι ντρεπό-
ταν να εμφανιστεί χωρίς καλό φόρεμα σ' ένα τόσο αριστοκρα-
τικό κέντρο, τώρα όμως ντρεπόταν που είχε σκεφτεί με αυτό τον
τρόπο. Οι γονείς της, παρότι ήταν έντιμοι άνθρωποι και η πρά-
ξη αυτή ήταν αδιανόητη για την οικογένειά τους, τη συμπόνε-
σαν και τη συγχώρησαν, νιώθοντας πόσο πολύ της είχε στοιχί-
σει, κυρίως το γεγονός πως είχε χάσει τη δουλειά της που τόσο
αγαπούσε.

«Μη στενοχωριέσαι, κόρη μου», την παρηγόρησε ο πατέρας
της. «Εσύ να 'σαι καλά και θα βρεις άλλη δουλειά να κάνεις.
Υπάρχουν κι άλλα καπελάδικα».

«Μα είχαμε ανάγκη αυτά τα χρήματα, πατέρα», του είπε με
παράπονο. «Τώρα ποιος θα πληρώσει τα έξοδα του Τίμοθι; Ύστε-
ρα, δε θα μπορέσω ποτέ να ξαναδούλεψω σε καπελάδικο. Είμαι
σίγουρη ότι η λαίδη Γουέλς θα έχει διαδώσει ήδη το συμβάν
παντού, καθώς και τη δυσαρέσκειά της στο πρόσωπό μου. Είναι
περιττό να ψάξω».

«Θα τα καταφέρουμε μια χαρά και χωρίς τα δικά σου λεφτά»,
τη διαβεβαίωσε ο Τίμοθι. «Δε θα πεινάσουμε επειδή δεν υπάρ-
χουν κάποια χρήματα παραπάνω. Έχουμε μάθει και στα δυσκο-
λότερα. Εσύ να είσαι καλά, αδελφούλα μου. Η υγεία είναι όλα
τα πλούτη του κόσμου».

«Και όλα αυτά για ένα ρούχο...» αναστέναξε ο Ρόμπιν που
τώρα έπρεπε να δουλέψει διπλοβάρδιες για να αντεπεξέλθουν.

«Μην τη βασανίζεις περισσότερο», τον αποπήρε ο Τίμοθι. «Η Κάρολ μπορεί να είναι δυνατή, είναι όμως και πολύ ευαίσθητη. Στο κάτω κάτω, αν ζοριστούμε, θα δουλέψω κι εγώ».

«Εσύ να κάτσεις εκεί που βρίσκεσαι», του μίλησε κοφτά ο αδελφός του. «Θα τα καταφέρω μια χαρά, έστω και μόνος μου».

«Πρέπει να βρω δουλειά αμέσως», απάντησε η Κάρολ. «Υπάρχει κάποια θέση στο εργοστάσιο για μένα, Ρόμπιν;» τον ρώτησε.

«Δεν έχω ιδέα, αλλά θα ρωτήσω. Σ' το λέω, όμως, ότι είναι βαριά δουλειά. Δεν ξέρω αν θα την αντέξεις. Άλλο πράγμα το καπελάδικο και άλλο το εργοστάσιο».

«Θα τα καταφέρω μια χαρά».

Την επόμενη Κυριακή, η Κάρολ μετά την εκκλησία επέστρεψε κατευθείαν στο σπίτι και δεν πήγε περίπατο στο πάρκο. Δεν είχε ούτε τη διάθεση ούτε το κουράγιο να συναντηθεί με τον Τζον. Να του πει τι; Ότι ήταν μια κλέφτρα; Γιατί εν μέρει αυτό ήταν. Όταν παίρνεις κάτι που δε σου ανήκει, τότε είσαι κλέφτρα. Τι κι αν το επιστρέφεις μετά; Το ίδιο πράγμα είναι. Στην εκκλησία είχε προσευχηθεί σιωπηλά και με θέρμη: *Συγχώρα με, Θεέ μου, για τη ματαιοδοξία μου, για τα ψέματά μου, για την ασέβειά μου, για τα πάθη μου. Συγχώρα την άθλια δούλη Σου και δείξε μου τον δικό Σου δρόμο. Συγχώρα ακόμη και την καρδιά μου που δε με υπακούει και σκέφτεται ακόμη εκείνον. Φοβάμαι πως τον αγαπάω αντί να σκέφτομαι και ν' αγαπάω τους γονείς μου και τα αδέλφια μου. Δώσ' μου φώτιση, Κύριε, και μη μ' αφήνεις μόνη. Σε χρειάζομαι, καλέ μου Θεέ. Αμήν.*

3

&

Μάταια ο Τζον περίμενε να τη δει στο πάρκο. Την περασμένη Δευτέρα, είχε στηθεί από ώρα στο προκαθορισμένο σημείο του ραντεβού τους στην Όξφορντ Στριτ, γεμάτος χαρά και ελπίδα. Μάλιστα, σκεφτόταν να μάθει ποια μέρα θα πήγαινε για παραδόσεις στις πελάτισσες και τότε θα πήγαινε στο καπελάδικο και θα της αγόραζε από τις οικονομίες του ένα όμορφο καπέλο να της το κάνει δώρο. Τρία χρόνια τώρα το εικοσιεξάχρονο παλικάρι μάζευε πένα πένα τις λίρες στην τράπεζα για να πραγματοποιήσει το μεγαλύτερο όνειρό του· να ταξιδέψει στη χώρα των ονείρων και της ελπίδας, στην Αμερική. Ήδη στο Μπέλφαστ της Ιρλανδίας, στα ναυπηγεία Χάρλαντ και Γουλφ, είχε κατασκευαστεί ένα μοναδικό πλοίο που μάτι ανθρώπου δεν είχε δει ποτέ, ένα θαύμα της ναυπηγικής. Έλεγαν πως σε καθένα από τα τέσσερα φουγάρα του μπορούσε να περάσει ολόκληρο τρένο, πως χρειαζόταν τουλάχιστον είκοσι άλογα για να σύρουν την κάθε άγκυρά του, ότι εργάζονταν τρεις χιλιάδες άνθρωποι για την κατασκευή του, ότι η έκτασή του στην επιφάνεια της θάλασσας κάλυπτε τέσσερις χιλιάδες τετραγωνικά μέτρα και ότι μπορούσε να μεταφέρει άνετα δυόμισι χιλιάδες επιβάτες. Ο απόπλους του υπολογιζόταν την άνοιξη του 1912. Προς το παρόν είχε γίνει η καθέλκυσή του και τώρα επισκευάζοταν εσωτερικά.

Ο Τζον είχε βάλει σκοπό της ζωής του να ταξιδέψει με αυτόν τον πλεούμενο κολοσσό, όποιο κι αν ήταν το κόστος. Γι' αυτό και δούλευε σκληρά τα βράδια, ενώ τα πρωινά μελετούσε και παρέδιδε μαθήματα πιάνου σε παιδιά, συγκεντρώνοντας το ποσό για το εισιτήριό του, αλλά και τις πρώτες μέρες παραμονής του στη Νέα Υόρκη. Κι όμως, τώρα δε δίσταζε καθόλου να θυσιάσει ένα ποσό από τις αιματηρές οικονομίες του για να αγοράσει ένα μοναδικό δώρο στη γυναίκα που του είχε κλέψει την καρδιά. Ποτέ άλλοτε στη ζωή του δεν είχε σκεφτεί έτσι για γυναίκα. Και είχε γνωρίσει αρκετές. Κυρίως πλουσιοκόριτσα, που σύχναζαν στο κέντρο όπου δούλευε και δε δίσταζαν να τον φλερτάρουν αποκάλυπτα. Θα μπορούσε κάλλιστα να βολευτεί με κάποια από αυτές τις αριστοκράτισσες και να κάνει την τύχη του, που λένε, όμως ο Τζον δεν τις άντεχε ούτε ώρα, πολύ περισσότερο να ζήσει κοντά τους ολόκληρη ζωή, δέσμιος των καπρίτσιων τους και της σνομπίστικης νοοτροπίας τους. Όχι, δεν ήταν του χαρακτήρα του. Εκείνος ήθελε να αγαπήσει το κορίτσι που θα έκανε γυναίκα του και ήταν αποφασισμένος να δουλέψει σκληρά γι' αυτό. Προς το παρόν, η μόνη γυναίκα που λάτρευε ήταν η μουσική και πίστευε ακράδαντα ότι κάποια μέρα θα γινόταν διάσημος και θα αποκτούσε πολλά λεφτά από αυτήν. Αρκούσε μία ευκαιρία. Και η ευκαιρία είχε έρθει πρόσφατα με εκείνον τον ιμπρεσάριο από την Αμερική, που τον άκουσε στο κέντρο όπου έπαιζε και του είπε πως ήταν ιδιαίτερα ταλαντούχος και πως, αν επιθυμούσε να πάει στην Αμερική και να γράψει μουσική για θεατρικές παραστάσεις, θα ήταν καλοδεχούμενος. Του άφησε τη διεύθυνσή του και του είπε πως, αν το αποφάσιζε, δεν είχε παρά να του γράψει ή να του στείλει ένα τηλεγράφημα. Ο Τζον του είπε πως αυτό ήταν το όνειρό του, όμως προς το παρόν και μέχρι το τέλος του χρόνου ήταν δεσμευμένος με το κέντρο όπου εργαζόταν, αλλά και με τα παιδιά που τους παρέδιδε μαθήματα μουσικής. Ο ιμπρεσάριος τον διαβεβαίωσε ότι, όταν αποδεσμευόταν από τις υποχρεώσεις του, η Αμερική θα τον περίμενε με ανοιχτές αγκάλες. Ένα πράγμα που τιμά η Αμερική είναι τα γνήσια ταλέντα και τους ανθρώπους που έχουν όρεξη για δουλειά. Όποιος τα έχει και τα δύο γίνεται πάμπλουτος. Αυτά τα λόγια του ιμπρεσάριου σφηνώθηκαν για τα καλά στο μυαλό του Τζον κι από εκείνη τη στιγμή έγινε σκοπός ζωής. Μια μέρα θα δόξαζε την Αγγλία και θα γινόταν πλούσιος.

Όταν είδε ότι η Κάρολ δεν ήρθε στο ραντεβού τους, ανησύχησε. Πήγε ως το καπελάδικο, όμως το βρήκε κλειστό. Την άλλη μέρα πέρασε απ' έξω και προσπάθησε διακριτικά να ξεχωρίσει την Κάρολ. Δεν μπόρεσε και τότε αποφάσισε να μπει. Μια νεαρή ξανθιά κοπέλα τακτοποιούσε κάποια καπέλα.

«Καλημέρα σας. Τι θα επιθυμούσατε, κύριε;» τον ρώτησε εκείνη ευγενικά.

«Ναι… καλημέρα σας. Θα ήθελα ένα καπέλο για μια δεσποινίδα».

«Περιπάτου ή βραδινό;»

«Χμ… δεν έχω ιδέα. Καλύτερα να με εξυπηρετούσε η δεσποινίς Ο' Κόνορ. Εδώ δεν εργάζεται;»

«Εργαζόταν μέχρι χθες».

«Τι; Δε δουλεύει πια εδώ; Μα γιατί; Τι συνέβη;»

«Τι να σας πω, κύριε, δε γνωρίζω. Καλύτερα να ρωτήσετε την ιδιοκτήτρια, την κυρία Μίλερ. Αυτή τη στιγμή απουσιάζει, όμως σε μια-δυο ώρες θα έχει επιστρέψει».

«Δηλαδή, δεν πρόκειται να ξαναδούλεψει εδώ η δεσποινίς Ο' Κόνορ;»

«Πολύ φοβάμαι πως είναι οριστικό. Θέλετε τώρα να δείτε τα καπέλα;»

«Όχι... όχι, ευχαριστώ. Άλλαξα γνώμη. Με συγχωρείτε. Καλημέρα σας», είπε ο Τζον και έφυγε σαν χαμένος.

Βγήκε από το μαγαζί με έκδηλη την απορία στο πρόσωπό του. Τι είχε μεσολαβήσει από χθες και η Κάρολ είχε σταματήσει τη δουλειά της; Μήπως ήταν άρρωστη; Μήπως συνέβη κάτι κακό στο σπίτι της; Απ' ό,τι του είχε πει το Σάββατο στο κέντρο, όσο καιρό δούλευε εκεί, ήταν πολύ ευχαριστημένη. Τι είχε παρουσιαστεί ξαφνικά και είχε σταματήσει; Ό,τι κι αν συνέβαινε, πρέπει να ήταν πολύ σοβαρό. Ο Τζον δεν τόλμησε να ξαναπάει στο καπελάδικο και να ρωτήσει την κυρία Μίλερ, σκεπτόμενος ότι μπορεί να χειροτέρευε την κατάσταση και να έδινε δικαίωμα, πράγμα που η κοπέλα ίσως επιθυμούσε να αποφύγει.

Περίμενε υπομονετικά μέχρι την Κυριακή που το κορίτσι θα ερχόταν για τον καθιερωμένο περίπατό της. Η αναμονή του όμως υπήρξε μάταιη, γιατί η Κάρολ δεν εμφανίστηκε. Ούτε η ίδια ούτε τα αδέλφια της. Οι υποψίες του ότι κάτι πολύ άσχημο συνέβαινε έγιναν ακόμη πιο έντονες και ο Τζον βρήκε το κουράγιο να ρωτήσει τον Ρόμπερτ Γκριβς, συμφοιτητή του Τίμοθι Ο' Κόνορ, αν ήταν καλά η οικογένεια Ο' Κόνορ. Προφανώς πρέπει να ήταν καλά, διότι ο Τίμοθι πήγαινε καθημερινά στη σχολή του και δε φαινόταν να τον απασχολεί κάτι ιδιαίτερα. Ρώτησε και έμαθε ότι έμεναν στο νοτιοδυτικό Λονδίνο, σε μια συνοικία όπου είχαν συγκεντρωθεί πολλοί μετανάστες, που ήταν μία από τις φτωχότερες γειτονιές της βρετανικής πρωτεύουσας. Ο Τζον αποφάσισε να περιμένει ως την επόμενη Κυριακή. Όμως στο πάρκο εμφανίστηκαν μόνο ο Τίμοθι και ο Ρόμπιν, που τον χαιρέτησαν από μακριά και μετά εξαφανίστηκαν. Ο Τζον αποφάσισε ότι δεν πήγαινε άλλο. Και φυσικά δε θα τολμούσε ποτέ να ρωτήσει τα αδέλφια της για το πού βρισκόταν η Κάρολ· κάτι τέτοιο θεωρούνταν προσβολή για ένα κορίτσι σε ηλικία γάμου. Όχι, θα πήγαινε ο ίδιος στη γειτονιά της και θα έβρισκε το σπίτι της. Έπειτα κάτι θα σκαρφιζόταν για να τη συναντήσει. Προς το παρόν, του αρκούσε να μάθαινε ότι ήταν καλά. Ο Τζον Μπάριμορ κατάλαβε ότι το ενδιαφέρον του για την Κάρολ ήταν κάτι παραπάνω από μια απλή συμπάθεια. Τώρα πια όμως δεν τον απασχολούσε. Είχε πάρει τις αποφάσεις του· αυτό το κορίτσι θα γινόταν γυναίκα του. Τώρα αν ήταν Ιρλανδέζα, αν δεν ήξερε πώς να τη βρει, αν ο ίδιος έπρεπε να φύγει για την Αμερική του χρόνου, αν ήταν πάμφτωχοι και οι δυο τους, όλα αυτά ήταν πράγματα που δεν τον ενοχλούσαν καθόλου. Εκείνο που τον απασχολούσε ήταν να τη βρει και να μάθει αν έτρεφε και εκείνη τα ίδια αισθήματα με αυτόν. Η φωτιά είχε ανάψει μέσα του, είχε γίνει πυρκαγιά, και τον κατέκαιγε από την κορυφή μέχρι τα νύχια. Αν αυτό δεν ήταν αγάπη, τότε δεν υπήρχε αγάπη, και οι άνθρωποι ζούσαν μέσα στο ψέμα. Δεν τον κρατούσε πια τίποτε.

Ύστερα από το σοκ της πρώτης εβδομάδας, η Κάρολ, παρότι γνώριζε ότι ήταν μάταιος κόπος, έψαξε για δουλειά σε άλλα καπελάδικα. Αλλά όπως το περίμενε, η λαίδη Γουέλς και οι φίλες της είχαν αφήσει να διαρρεύσει η δόλια πράξη της και οι αρνήσεις έπεφταν η μία μετά την άλλη. Το κορίτσι το κατάλαβε από την έκφραση των προσώπων τους και την αντιμετώπισή τους στο άκουσμα του ονόματός της, κι έτσι αποφάσισε πως η καριέρα της στα καπελάδικα είχε πια τελειώσει. Έτσι, όταν ο Ρόμπιν της ανακοίνωσε πως βρήκε δουλειά για εκείνη στο εργοστάσιο όπου εργαζόταν, η Κάρολ τη δέχτηκε σχεδόν με ευγνωμοσύνη.

Βέβαια, οι συνθήκες εργασίας ήταν άθλιες, το ωράριο βάρβαρο, οι αποδοχές μηδαμινές, όμως ήταν κάποια λεφτά παραπάνω τα οποία η οικογένειά τους τα χρειαζόταν οπωσδήποτε για τροφή και για τα φάρμακα του πατέρα της.

Την επόμενη Δευτέρα, έπιασε δουλειά και μέχρι το τέλος της εβδομάδας είχε χάσει τρία κιλά. Άλλο πράγμα να φτιάχνεις καπέλα σ' ένα κομψό μαγαζί της Μποντ Στριτ και να συναναστρέφεσαι καλοβαλμένο κόσμο και άλλο να κόβεις ατελείωτες ώρες πατρόν μες στην ορθοστασία και να ακούς το βόμβο των εκατό ραπτομηχανών να γαζώνουν σαν πυροβόλα ασταμάτητα, κάνοντας τόσο θόρυβο, ώστε να τρίζουν τα τζάμια της μεγάλης αίθουσας. Από τις έξι το πρωί έως τις έξι το απόγευμα, μόνο με μισή ώρα διάλειμμα για κολατσιό. Βέβαια, όποια άντεχε δούλευε και μέχρι τις δέκα το βράδυ, οπότε σταματούσαν οι μηχανές και άρχιζαν οι μεταφορές των εμπορευμάτων από τους άνδρες, οι οποίοι φόρτωναν και ξεφόρτωναν τα τεράστια κιβώτια με τα ρούχα μαζικής παραγωγής που θα έφευγαν για όλη την Ευρώπη.

Όταν η Κάρολ δεν εμφανίστηκε ούτε την τρίτη Κυριακή, τότε ο Τζον αποφάσισε πως έπρεπε να την ψάξει μόνος του. Έφθασε στη γειτονιά των μεταναστών και, ρωτώντας τάχα για τον Τίμοθι Ο' Κόνορ, κατόρθωσε να εντοπίσει το σπίτι της έπειτα από δύο ώρες.

«Εδώ μένουν οι Ιρλανδοί, οι Ο' Κόνορ, εκεί πάνω, στον δεύτερο όροφο», του είπε ένας γέροντας και του έδειξε το σχεδόν μισογκρεμισμένο άθλιο κτίριο. Ο Τζον δίστασε. Πώς θα την ειδοποιούσε ότι βρισκόταν σε απόσταση αναπνοής από αυτήν; Έμεινε για ώρα απέναντι παραμονεύοντας, και μόνο όταν είδε τον Τόμι, τον μεγάλο της αδελφό, να μπαίνει στο σπίτι με τη γυναίκα του, αποφάσισε να φύγει. Επέστρεψε την επόμενη Κυριακή, αφού προετοίμασε το σχέδιό του. Είχε προσέξει κάποια παιδάκια που έπαιζαν εκεί έξω, ντυμένα με τα φτωχικά ρούχα και τα τρύπια παπούτσια τους. Ο Τζον εντόπισε ένα οκτάχρονο, που έσφυζε από ζωή και εξυπνάδα, κλοτσώντας με δεξιοτεχνία ένα τόπι φτιαγμένο από κουρέλια.

«Ε, νεαρέ, θέλεις να κερδίσεις δέκα πένες;» τον δελέασε την κατάλληλη στιγμή, όταν το τόπι του πλησίασε τα δικά του πόδια.

Ο μικρός γούρλωσε τα μάτια του. Δέκα πένες ήταν μια περιουσία γι' αυτόν. Το μεγαλύτερο ποσόν που είχε κρατήσει στα χέρια του ήταν μία πένα.

«Τους ξέρεις τους Ο' Κόνορ;» τον ρώτησε.

«Ναι, τους ξέρω», του είπε το παιδί σταματώντας το παιχνίδι του.

«Την Κάρολ Ο' Κόνορ τη γνωρίζεις;»

«Και βέβαια», απάντησε ο μικρός. «Έχει ράψει ένα καπέλο για τη μάνα μου. Δώρο ήταν».

«Ωραία, αν κάνεις αυτό που θα σου πω, θα κερδίσεις όχι μόνο δέκα πένες, αλλά και μια ολόκληρη πουτίγκα», του είπε και του έδειξε μια ωραία χάρτινη σακούλα γεμάτη φρέσκες πουτίγκες αγορασμένες από το καλύτερο κατάστημα του Λονδίνου.

Το αγόρι ξαναγούρλωσε τα μάτια του, ενώ έγλειψε με τη γλώσσα του τα ξεραμένα χείλη του.

«Δύο πουτίγκες», διαπραγματεύτηκε ο μικρός, «η μία για τη μάνα μου».

«Σύμφωνοι. Δύο πουτίγκες. Άκου τι γυρεύω από σένα. Θέλω να πάρεις αυτό εδώ το σημείωμα και να το βάλεις στην τσέπη σου. Μετά θα πάρεις τη σακούλα με τις πουτίγκες. Θα χτυπήσεις την πόρτα των Ο' Κόνορ και θα τους πεις ότι κάποιος φίλος του Τίμοθι τους στέλνει αυτά τα γλυκά. Στο μεταξύ, θα πλησιάσεις τη δεσποινίδα Κάρολ και με τρόπο θα της δώσεις αυτό το σημείωμα. Δεν πρέπει να σε καταλάβει κανείς. Όταν επιστρέψεις, θα σου δώσω δέκα πένες και τις δύο πουτίγκες που κρατάω στο χέρι μου. Τα κατάλαβες όλα;»

«Πώς δεν τα κατάλαβα. Χαζός είμαι;» είπε ο μικρός και εξαφανίστηκε αμέσως.

Ο Τζον τον κοίταξε να χάνεται μέσα στο άθλιο κτίριο γεμάτος αγωνία. Δεκαπέντε ολόκληρα λεπτά και η καρδιά του χτυπούσε δυνατά, περιμένοντας σε μια γωνιά, ώσπου είδε τον πιτσιρικά να τρέχει με φόρα προς το μέρος του και με τα μάγουλα αναψοκοκκινισμένα.

«Τι έγινε;» ρώτησε με αγωνία. «Έδωσες το σημείωμα;»

«Όλα έγιναν όπως τα ζήτησες, αφεντικό», του απάντησε χαμογελώντας. «Το κορίτσι πήρε το μήνυμα και η μάνα της τις πουτίγκες».

«Είσαι σίγουρος ότι το έδωσες στη δεσποινίδα Κάρολ;»

«Ναι, σου είπα, δεν είμαι χαζός. Θα μου δώσεις τώρα αυτά που μου έταξες;»

Ο Τζον χαμογέλασε και του έδωσε δέκα πένες και τις δύο πουτίγκες. «Πώς σε λένε, νεαρέ;» τον ρώτησε στη συνέχεια.

«Ιβάν Στράγιοβιτς», του είπε περήφανα.

«Δεν είσαι Άγγλος;»

«Όχι βέβαια. Είμαι από τη μεγάλη Ρωσία».

«Χάρηκα που σε γνώρισα, Ιβάν, και κοίτα μη μάθει κανένας τίποτε γι' αυτό. Μπορεί να σε ξαναχρειαστώ».

«Κανένας δε θα μάθει τίποτε», τον διαβεβαίωσε το αγόρι και έτρεξε χαρούμενο ώσπου χάθηκε σ' ένα σοκάκι.

Η οικογένεια, που μόλις είχε τελειώσει το φαγητό, έμεινε έκπληκτη από αυτό το αναπάντεχο δώρο. Όπως τους εξήγησε ο μικρός, δε γνώριζε τον κύριο που του έδωσε τα γλυκά. Του είπε μόνο ότι είναι για τον κύριο Τίμοθι. Φεύγοντας γλίστρησε με τρόπο το χαρτάκι στα χέρια της Κάρολ. «Μάλλον για σένα ήταν τα γλυκά», της ψιθύρισε και το έσκασε τρέχοντας. Η Κάρολ διάβασε κρυφά από τους δικούς της το σημείωμα. «*Είμαι έξω από το σπίτι σου. Βρες τρόπο να έρθεις. Θα σε περιμένω. Πρέπει να μιλήσουμε. Τζον Μπάριμορ*».

Μόνο που δεν έπεσε ξερή. Λίγα λεπτά αργότερα, τους είπε ότι θα πεταγόταν μέχρι το σπίτι της κυρίας Έμιλι, που έμενε λίγα σπίτια πιο κάτω, τάχα για να της διορθώσει ένα καπέλο. Ήταν η δεύτερη φορά που έλεγε ψέματα. Τον είδε κρυμμένο πίσω από κάτι χαλάσματα και έτρεξε χωρίς τον παραμικρό ενδοιασμό γεμάτη δάκρυα χαράς και απελπισίας κατευθείαν μέσα στην αγκαλιά του. Κάθε λογική είχε εκλείψει από την ένταση, την αγωνία και την προσμονή. Είχε μεγάλη ανάγκη να στηριχθεί κάπου και η αγκαλιά του της φάνηκε το πιο κατάλληλο μέρος. Και ο ίδιος εξεπλάγη με τον αυθορμητισμό της, όμως το άφησε για αργότερα. Την έσφιξε στο στέρνο του μην τολμώντας να πιστέψει σ' αυτό το θαύμα.

«Ω, Τζον… Τζον», ψιθύρισε μέσα από τα αναφιλητά της, «νιώθω τόσο απελπισμένη…»

«Ηρέμησε, καλή μου», της είπε ενώ προσπαθούσε να ελέγξει και τα δικά του συναισθήματα που τον είχαν κατακλύσει. «Τι συνέβη; Γιατί σταμάτησες από τη δουλειά σου; Γιατί δεν έρχεσαι πια στο πάρκο; Ανησύχησα τόσο πολύ για σένα».

«Θα σου τα πω όλα… όλα…»

Κάθισαν εκεί κάτω στο χώμα, κρυμμένοι από τα χαλάσματα, κι εκείνη με δάκρυα στα μάτια τού διηγήθηκε ό,τι είχε συμβεί τις τελευταίες μέρες στη ζωή της. Όταν τελείωσε, ο Τζον δεν μπόρεσε να συγκρατήσει τα γέλια του.

«Γελάς;» τον κοίταξε έκπληκτη.

«Πώς να μη γελάσω. Ώστε για μένα, για ένα φόρεμα τα έπαθες όλα αυτά; Μα είναι αστείο. Πίστεψες ποτέ ότι με ενδιέφεραν τα ρούχα που φορούσες; Αν θες να ξέρεις, ούτε καν τα πρόσεξα ποτέ. Εκείνο που τραβούσε πάντα την προσοχή μου ήταν το πρόσωπό σου, τα καθάρια σου μάτια. Κι εσύ έδωσες σημασία σ' ένα ρούχο». Ο Τζον σοβάρεψε απότομα. «Με συγχωρείς που έβαλα τα γέλια. Δεν το εννοούσα, ούτε σημαίνει ότι δε στενοχωρήθηκα που έχασες τη δουλειά σου. Ω, Κάρολ, άραγε είμαι άξιος αυτής της θυσίας;»

Το κορίτσι έσκυψε το κεφάλι. Εκείνος την έπιασε από το πιγούνι και το σήκωσε ψηλά.

«Άκουσέ με προσεκτικά γιατί δεν έχουμε χρόνο. Δε θα χρειαστεί να δουλέψεις πολύ. Μέχρι το τέλος του χρόνου θα είμαι έτοιμος. Σύντομα, το μεγαλύτερο πλοίο που είδε ποτέ θάλασσα, ο *Τιτανικός*, θα κάνει το πρώτο του ταξίδι στην Αμερική. Αυτό περιμένω για να φύγω από την Αγγλία. Μου έχουν προτείνει μια θαυμάσια δουλειά εκεί· μουσικός στο θέατρο, σε μιούζικαλ. Μιλάμε για μεγάλη παραγωγή και, φυσικά, πολλά χρήματα. Αυτό το ταξίδι όμως δε θα 'χει καμιά αξία για μένα αν δεν είσαι κι εσύ μαζί μου».

«Τι; Τι είπες; Πώς μπορώ να έρθω εγώ μαζί σου, Τζον; Με ποια δικαιολογία;»

«Με τη δικαιολογία της συζύγου μου».

«Της συζύγου σου; Δηλαδή… αν κατάλαβα καλά… θέλεις να με παντρευτείς;»

«Ακριβώς. Αυτό θέλω από σένα. Κάρολ Ο' Κόνορ, δέχεσαι να γίνεις γυναίκα μου;»

Η Κάρολ έμεινε να τον κοιτάζει με ανοιχτό το στόμα. «Μα, Τζον, δε με γνωρίζεις περισσότερο από δυο μήνες μόνο…»

«Κάνεις λάθος. Σε γνωρίζω ολόκληρη τη ζωή μου, Κάρολ, και το κατάλαβα από την πρώτη στιγμή που σε είδα. Το κατάλαβα περισσότερο όταν σε έχασα. Πήγα να τρελαθώ από την αγωνία. Αν όμως δεν είσαι έτοιμη να μου απαντήσεις τώρα, αν δε νιώθεις τα ίδια συναισθήματα, μπορείς να το πεις ελεύθερα και δε θα έχω καμία απαίτηση από σένα».

«Είναι πραγματικά περίεργο...»

«Ποιο πράγμα;»

«Το ότι τα ίδια ακριβώς συναισθήματα ένιωσα κι εγώ για σένα... Από την πρώτη στιγμή».

«Ώστε δέχεσαι;»

«Δέχομαι με όλη μου την καρδιά. Τι θα πω όμως στους γονείς μου, στα αδέλφια μου; Πώς θα τολμήσω να τους πω ότι θέλω να παντρευτώ έναν Άγγλο και, το χειρότερο, να τους εγκαταλείψω και να φύγω στην Αμερική μαζί του;»

«Δε θα τους εγκαταλείψεις, Κάρολ. Το έχω σκεφτεί κι αυτό. Μόλις τα πράγματα πάνε λίγο καλά για μας, θα τους πάρουμε όλους στην Αμερική· πρώτα τα αδέλφια σου και μετά τους γονείς σου. Εδώ δεν έχει ψωμί και εκτός αυτού οι Άγγλοι μισούν τους Ιρλανδούς. Ενώ στην Αμερική είναι διαφορετικά. Οι Αμερικανοί συμπαθούν τους Ιρλανδούς. Θα προκόψουν όλοι, θα το δεις».

Η Κάρολ σφίχτηκε ακόμη περισσότερο στην αγκαλιά του.

«Με κάνεις τόσο ευτυχισμένο, Κάρολ», της είπε σχεδόν με ευγνωμοσύνη. «Τώρα πια δε φοβάμαι τίποτα».

Εκείνη τον κοίταξε στα μάτια και τότε ο Τζον έσκυψε και τη φίλησε για πρώτη φορά. Πρώτα στο μέτωπο και μετά στα χείλη. Η κοπέλα ανταπέδωσε με θέρμη το φιλί του, και ας μη γνώριζε τίποτε ούτε από φιλιά ούτε από ερωτικά τεχνάσματα. Ύστερα πετάχτηκε τρομαγμένη από τη θέση της.

«Ποπό! Μου φαίνεται ότι πέρασε η ώρα και θα ανησυχούν στο σπίτι», του είπε λαχανιασμένη.

«Μίλησε στους γονείς σου το συντομότερο και πες μου πότε θέλεις να έρθω να σε ζητήσω επίσημα».

Το κορίτσι ίσιωσε τα ρούχα και τα μαλλιά του γρήγορα. «Θα σε περιμένω αύριο εδώ, μετά τη δουλειά σου», της είπε το ίδιο λαχανιασμένος. «Βρες κάποια δικαιολογία. Πρέπει να σε δω. Έστω για πέντε λεπτά». «Θα προσπαθήσω», του υποσχέθηκε και χάθηκε σαν σίφουνας από τα μάτια του. Μπήκε στο σπίτι της σαν υπνωτισμένη. Ξαφνικά, είχε δυνάμεις να παλέψει με όλο τον κόσμο, φτερά για να πετάξει παντού, αγάπη για να αγκαλιάσει όλο τον κόσμο, όχι όμως και λόγια. Μουγκάθηκε μέχρι που ήρθε η ώρα να κοιμηθούν. Ευτυχώς που κανένας δεν το πρόσεξε. Είχαν απορροφηθεί από τις διηγήσεις του Τίμοθι για την πρώτη του επέμβαση πάνω σε πτώμα, ακούγοντας προσεκτικά το τι περιείχε ένα ανθρώπινο σώμα. Η Κάρολ δεν είχε καταλάβει λέξη, χαμένη ακόμη στην αγκαλιά του Τζον.

Για μία εβδομάδα δεν τόλμησε να τους αναφέρει το παραμικρό από τα σχέδια που έκαναν με τον Τζον, εκεί πίσω από τα χαλάσματα, με την καρδιά τους να χτυπά από αγωνία και με τον μικρό Ιβάν να φυλάει τσίλιες, κερδίζοντας πουτίγκες και ελάχιστες πένες. Εκεί μέσα από το σφιχταγκάλιασμα και τα πνιχτά φιλιά τους, η αγάπη τους θέριεψε ακόμη περισσότερο. Τώρα πια ήταν παραπάνω από σίγουροι ότι δεν είχαν κάνει λάθος, ότι ήταν φτιαγμένοι ο ένας για τον άλλο. Η Κάρολ του υποσχέθηκε ότι την ερχόμενη Κυριακή θα μιλούσε στους δικούς της για τη σχέση τους. Δεν υπήρχε λόγος να το καθυστερεί. Τι τώρα, τι αύριο. Όποιο κι αν ήταν το αποτέλεσμα δε θα άλλαζε. Η έκρηξη θα γινόταν έτσι και αλλιώς.

Και έγινε. Κυρίως από την πλευρά του Τόμι, που κοκκίνισε σαν παντζάρι από το θυμό και παραλίγο να σηκώσει το χέρι πάνω της, αν δεν τον εμπόδιζε ο Τίμοθι.

«Προσβάλλεις τη θρησκεία μας και την οικογένειά μας», της είπε εξοργισμένος. «Τι δουλειά έχουμε εμείς οι καθολικοί με τους προτεστάντες; Εμείς, γνήσιοι Κέλτες, με ιστορία χρόνων και σκληρούς αγώνες για επιβίωση, δεν έχουμε τίποτε κοινό με αυτούς τους νερουλιασμένους Αγγλοσάξονες, που μόνο τα φουστάνια τούς ταιριάζουν. Αν είναι ποτέ δυνατόν να επιτρέψω κάτι τέτοιο. Να παντρευτεί η αδελφή μου, μια γνήσια Ιρλανδέζα, έναν Άγγλο. Καλύτερα να πέσω νεκρός».

Η Σόνια, η γυναίκα του, έβαλε τα κλάματα στο άκουσμα αυτής της λέξης. Ο Ρόμπιν φάνηκε να συμμερίζεται την άποψη του αδελφού του, αλλά δε μίλησε. Ο πατέρας κοίταξε την κόρη του περίλυπος. Η μάνα της προσπαθούσε να κρατήσει τις ισορροπίες. Ακόμη μια φορά ο Τίμοθι στάθηκε στο πλευρό της.

«Τι θα πει καθολικοί και προτεστάντες, Τόμι; Χριστιανοί είμαστε όλοι μας και πιστεύουμε σ' ένα Θεό και στον Χριστό. Αν τώρα μας χωρίζουν κάποιες μικροδιαφορές, αυτός δεν είναι λόγος για τόσο μίσος. Ύστερα, όλοι οι Άγγλοι δεν είναι μαλθακοί. Υπάρχουν εκατοντάδες από δαύτους που μοχθούν σκληρά στα ανθρακωρυχεία ή στα εργοστάσια και στους δρόμους για ένα πιάτο φαγητό. Οι καιροί που ξέραμε πέρασαν και τώρα η Αγγλία μας δίνει ψωμί να φάμε».

Ο Τόμι έγινε ακόμη πιο έξαλλος. «Δε σ' αναγνωρίζω πια», του πέταξε. «Έχεις γίνει Άγγλος κι εσύ. Ανάθεμα τα λεφτά που δούλεψα για να σε σπουδάσουμε, να σε κάνουμε μορφωμένο. Κι όλα αυτά γιατί; Για να μας φτύνεις κατάμουτρα τώρα;»

«Μην ξεστομίζεις σκληρά λόγια, αδελφέ μου, και δε βάζω καμιά Αγγλία πάνω από την Ιρλανδία μας. Εγώ Ιρλανδός γεννήθηκα και Ιρλανδός θα πεθάνω. Πιστεύω όμως ότι ο Τζον Μπάριμορ είναι θαυμάσιο παιδί και θα κάνει ευτυχισμένη την αδελφή μας. Τι κι αν είναι Άγγλος; Δεν έχει καμιά σχέση μαζί τους.

Γιατί όχι λοιπόν; Τι περιμένουμε για να τον δεχτούμε; Η Κάρολ τον αγαπάει και είναι ολοφάνερο. Μα το Θεό, δυσκολεύομαι να σας καταλάβω όλους. Θα έχει την ευκαιρία να ξεφύγει από τη μιζέρια, να πάει στην Αμερική, να μας βοηθήσει όλους, κι εσείς το αρνείστε; Τι ζωή σε περιμένει εδώ, Τόμι; Κι εσένα, Ρόμπιν; Γιατί να μη φύγετε στην Αμερική; Γιατί να κλοτσήσετε τέτοια ευκαιρία; Εμένα μη με κοιτάτε. Εγώ ως γιατρός θα βρω το δρόμο μου, είτε μείνω εδώ, είτε πάω Αμερική, είτε βρεθώ στην άκρη του κόσμου. Εσείς όμως; Τα παιδιά σας;»

«Ως εδώ, Τίμοθι», τον διέκοψε αυστηρά ο πατέρας τους. «Δε σας επιτρέπω να ανακατευτείτε άλλο, ούτε και να τσακώνεστε σαν εχθροί. Μην ξεχνάτε πως την τελευταία λέξη θα την πω εγώ. Είμαι ο πατέρας σας και είμαι ακόμη ζωντανός».

Κοίταξε την Κάρολ, που είχε λουφάξει σε μια γωνιά με βουρκωμένα μάτια. Μα το Θεό, ήταν μια γνήσια Ιρλανδέζα με εκείνα τα κατακόκκινα μαλλιά που χαρακτήριζαν τις γυναίκες της πατρίδας του. Η κόρη του είχε κληρονομήσει τα χρώματα της γιαγιάς του, που τη θυμόταν αμυδρά, της μάνας του και του ίδιου, όπως και ο Τόμι και ο Ρόμπιν.

«Για πλησίασε εδώ, Κάρολ», πρότεινε ήρεμα.

Το κορίτσι, με σκυμμένο κεφάλι, πλησίασε τον πατέρα της.

«Τι είναι αυτό που σε κάνει να θέλεις να παντρευτείς αυτόν τον Τζον Μπάριμορ;»

«Η ευγένεια της ψυχής του, πατέρα…» είπε ντροπαλά.

«Μόνο αυτό; Πώς είσαι σίγουρη ότι θα κρατήσει για πάντα αυτή η ευγένεια, ότι σου λέει την αλήθεια;»

«Είμαι πολύ σίγουρη, πατέρα», αναθάρρησε το κορίτσι και σήκωσε το κεφάλι του. Τα δακρυσμένα μάτια της, σμαραγδένιες λίμνες έτοιμες να πλημμυρίσουν και να πνίξουν κάθε του αντίσταση, τον λύγισαν αμέσως. «Κανένας δε θα με κάνει τόσο ευτυχισμένη όσο αυτός. Το ένιωσα από το πρώτο κοίταγμα, πολύ προτού μιλήσουμε, και ήξερα ότι ήταν αυτός που έψαχνα... Πίστεψέ με, πατέρα, είναι τίμιος και ξεκάθαρος, όμοιος μ' εμάς, σαν γνήσιος Ιρλανδός, και το κυριότερο, δεν τον ενοχλεί καθόλου να γίνει καθολικός για να με παντρευτεί».

Όλοι την κοίταξαν κατάπληκτοι.

«Σου είπε τέτοιο πράγμα;» ρώτησε ο πατέρας της.

«Ναι, το είπε».

Ο Μπράιαν κοιτάχτηκε με τον Τόμι, που άκουγε προβληματισμένος τα λόγια της αδελφής του. Είχε αιφνιδιαστεί πραγματικά. Ο Τίμοθι χαμογελούσε ευχαριστημένος για την τροπή που πήραν τα πράγματα. Η Μάγκι χαμογέλασε κι αυτή στον άνδρα της. Ο Ρόμπιν κοίταζε αμήχανος όλους. Τελικά ο Μπράιαν Ο' Κόνορ αποφάσισε δυο εβδομάδες αργότερα να δεχτεί να γνωρίσει τον Τζον Μπάριμορ. Έτσι, ο Τζον μπήκε στο σπίτι τους και στην καρδιά τους. Ο Τόμι αναγκάστηκε να δεχτεί την ήττα του και το γαμπρό του, έστω και με μισή καρδιά.

Ο αρραβώνας και ο γάμος έγιναν σχεδόν αμέσως και το ζευγάρι θα έπρεπε να κάνει τώρα περισσότερες οικονομίες από ποτέ προκειμένου να ετοιμάσει τα χαρτιά του για την Αμερική, να ράψει η Κάρολ κάποια ρουχαλάκια της προκοπής. Δεν περίσσευαν χρήματα για καινούργια έπιπλα, που στο κάτω κάτω θα τους ήταν άχρηστα. Μετά το γάμο και μέχρι τον Απρίλη που θα ταξίδευαν, θα έμεναν στο εργένικο δωμάτιο του Τζον, το οποίο ως τότε το μοιραζόταν με κάποιο συνάδελφό του. Ο συνάδελφος έφυγε και άφησε το ζευγάρι μόνο του. Ο γάμος τους έγινε στο σπίτι των Ο' Κόνορ με ελάχιστους καλεσμένους. Λεφτά για γλέντια δεν περίσσευαν και το νυφικό της ήταν ραμμένο σε μια μοδίστρα της γειτονιάς. Ωστόσο, κανένας δε φάνηκε να προσέχει ούτε το νυφικό, ούτε το κοστούμι του γαμπρού, ούτε τίποτε. Τα βλέμματα όλων ήταν στραμμένα στο πανέμορφο ζευγάρι που έλαμπε από νιάτα και ομορφιά.

Αμέσως μετά το γλέντι οι νιόπαντροι έφυγαν για το δωμάτιο του Τζον, που τώρα θα το μοιραζόταν για πρώτη φορά με τη γυναίκα του, η οποία στην ουσία δεν είχε γίνει ακόμη γυναίκα του. Τη σεβάστηκε, όπως όριζαν οι άγραφοι νόμοι, όπως επιθυμούσε η οικογένειά της. Πέρα από παθιασμένα φιλιά και κάποια χάδια, δεν είχαν προχωρήσει περισσότερο, κι ας το ήθελαν πολύ. Εξάλλου, δεν έμεναν σχεδόν ποτέ μόνοι. Και οι δύο δούλευαν από το πρωί ως το βράδυ, και μόνο τις Κυριακές είχαν την ευκαιρία να περάσουν μία ολόκληρη μέρα μαζί, κι αυτή πάντα παρουσία των γονιών της και των αδελφών της. Μόνο στο ξεπροβόδισμα από το σπίτι της Κάρολ μέχρι το δρόμο είχαν λίγο χρόνο δικό τους, ή όταν τη συνόδευε στο πάρκο και μπορούσαν να ξεμακρύνουν κάπως από τα αδέλφια της. Κι όμως, στιγμή δεν τους κακοφάνηκε, και ούτε κατάλαβαν πώς πέρασαν τόσο γρήγορα οι μήνες. Και τώρα, επιτέλους, μόνοι στο δικό τους σπίτι.

Μόλις έγειραν στο γαμήλιο κρεβάτι τους ολόγυμνοι, ένιωσαν σαν τους εραστές που είχαν βρεθεί άπειρες φορές εκεί πάνω. Τα χέρια του Τζον σύρθηκαν με σιγουριά πάνω στο βελούδινο λευκό κορμί της και άγγιξαν με σεβασμό κάθε ευαίσθητη γυναικεία χορδή τόσο έμπειρα, όσο και ένα πανάκριβο μουσικό όργανο. Ο Τζον χειρίστηκε με ιδιαίτερη προσοχή το κορμί της γυναίκας που λάτρευε, παίζοντας μουσική επάνω του. Κι εκείνο τραγούδησε. Η Κάρολ ένιωσε να λιώνει σαν κερί στη φωτιά. Δεν αισθάνθηκε ούτε ντροπή, ούτε πόνο, ούτε φόβο. Έκλεισε τα μάτια της και άνοιξε το κορμί της να υποδεχτεί αυτό τον άνδρα που, πέρα από μουσικός, σαν καλός καπετάνιος οδήγησε το καράβι του μέσα από θαλασσοταραχές και βράχια στο λιμάνι του. Άγρια θάλασσα το κορμί της κόντεψε να την πνίξει, όμως ο κα-

ραβοκύρης ήταν ικανός, και όσο κι αν αυτά τα κύματα τη σήκω-
ναν ψηλά, δεν την άφηνε να γκρεμοτσακιστεί, αλλά κρατώντας τη
σφιχτά, την οδήγησε με σιγουριά στις πιο ψηλές κορυφές της ηδο-
νής, εκεί όπου μόνο όσοι ξέρουν να αγαπούν και να αγαπιούνται
είναι άξιοι να φθάσουν. Σαν η αγάπη δεν έχει λόγο, καμιά σωμα-
τική ομορφιά, καμιά ερωτική ικανότητα, κανένα σεξουαλικό πά-
θος δεν είναι ικανά να σε φθάσουν τόσο ψηλά, σχεδόν κοντά
στον Θεό, που συνωμοτεί γι' αυτή την τέλεια ψυχική, σωματική
και πνευματική ένωση, στέλνοντάς σε στον Παράδεισο κι ακό-
μη ψηλότερα. Και σαν λέκιασαν τα σεντόνια από ιδρώτα και κόκ-
κινο αίμα, σφιχταγκαλιάστηκαν ώσπου ο ύπνος σφάλισε τα βλέ-
φαρά τους, που μάταια προσπαθούσαν να παραμείνουν ανοιχτά,
αγναντεύοντας την αγάπη τους μέσα από αυτά.

Όταν η Κάρολ ξύπνησε χορτασμένη από ύπνο, την περίμενε
η μεγαλύτερη έκπληξη της ζωής της. Το γαμήλιο δώρο του γα-
μπρού καλά κρυμμένο μυστικό από όλους. Το τεράστιο πακέτο
την περίμενε επάνω στο κρεβάτι, τυλιγμένο προσεκτικά, ενώ ο
άνδρας της την παρατηρούσε καθισμένος δίπλα της. Η Κάρολ
κοίταξε το πακέτο ξαφνιασμένη.

«Για σένα είναι, αγάπη μου», της είπε τρυφερά. «Το γαμήλιο
δώρο μου, αντάξιο της γυναίκας που έχω πλάι μου».

Η Κάρολ το ξανακοίταξε, μην τολμώντας να το αγγίξει.

«Άνοιξέ το λοιπόν».

Πετάχτηκε από το κρεβάτι ολόγυμνη, ολόδροσο λουλούδι με
τα μαλλιά της κόκκινο χείμαρρο να καλύπτουν τη γύμνια της και
τα σμαραγδένια μάτια της να τον κοιτάζουν χαμογελαστά μέσα
από τις πυκνές κατάμαυρες βλεφαρίδες. Άρχισε να ξετυλίγει το
πακέτο και μετά το άνοιξε. Τα μάτια της γούρλωσαν στη θέα του
περιεχομένου και μετά βούρκωσαν απότομα.

«Ω, Θεέ μου... Τζον, αγάπη μου, δεν μπορώ να το πιστέψω...»

Μέσα στο πακέτο, προσεκτικά διπλωμένο, βρισκόταν το φόρεμα εξαιτίας του οποίου είχε απολυθεί η Κάρολ. Το βελούδινο κυπαρισσί φόρεμα, στολισμένο με λουλούδια και κορδέλες στο χρώμα της χρυσής ώχρας, πιο όμορφο από ποτέ. Η Κάρολ έπεσε στην αγκαλιά του Τζον γεμάτη από ευγνωμοσύνη και απορία.

«Μα πώς, πώς έγινε αυτό;»

«Όταν μου είπες την ιστορία σου εκείνη τη μέρα που σε βρήκα, μπορεί στην αρχή να γέλασα, μετά όμως θύμωσα πολύ. Αν κάποια άξιζε να φοράει ένα τέτοιο φόρεμα, αυτή πρέπει να ήσουν εσύ. Αποφάσισα ότι αυτό το ρούχο έπρεπε να γίνει δικό σου. Την άλλη μέρα κιόλας πήγα στο καπελάδικο και μίλησα με την κυρία Μίλερ. Της είπα όλη την αλήθεια και της ζήτησα να μου το πουλήσει. Η τιμή του, αν και κατεβασμένη, όπως μου είπε, ήταν τσουχτερή, όμως το άξιζες. Της είπα να το κρατήσει και ότι θα της έδινα τα χρήματα λίγα λίγα ώσπου να το ξοφλήσω και μετά θα το έπαιρνα. Ευτυχώς, συμφώνησε μαζί μου, κυρίως όταν της εξήγησα ότι ήμουν αποφασισμένος να σε παντρευτώ. Για να πω την αλήθεια, μου έδωσε την εντύπωση ότι η απουσία σου της είχε στοιχίσει. Μου έκανε την καλύτερη τιμή που μπορούσα να φανταστώ. Σαν δώρο του γάμου μας…»

«Ω, αγάπη μου, δεν έπρεπε να το κάνεις αυτό. Τα χρειαζόμασταν αυτά τα χρήματα».

«Και εσύ έπρεπε να αποκτήσεις αυτό το φόρεμα. Και όταν πάμε στην Αμερική και γίνουμε πλούσιοι, σου ορκίζομαι ότι θα φοράς τα πιο ωραία ρούχα του κόσμου».

«Εγώ το μόνο που θέλω είναι να είσαι ευτυχισμένος εσύ και όταν αποκτήσουμε κάποια χρήματα, να ανοίξω το δικό μου καπελάδικο. Αυτό είναι το όνειρό μου, Τζόνι, και το γνωρίζεις».

«Παρότι δε θέλω να δουλεύει η γυναίκα μου, αν αυτό σ' ευχαριστεί τόσο πολύ, δεν μπορώ να σε εμποδίσω να το κάνεις.

Ποιος θα προσέχει όμως τα μωρά μας; Σ' το έχω πει ότι θέλω πολλά παιδιά».

«Εγώ θα τα προσέχω. Και τα παιδιά μας, και το σπιτικό μας, κι εσένα, και το καπελάδικο».

«Άντε τώρα εγώ να βγάλω από το όμορφο κεφαλάκι σου αυτά που έχεις αποφασίσει».

«Θα τα καταφέρω όλα μια χαρά. Θα το δεις. Προς το παρόν όμως δε θα σ' αφήσω να σπαταλήσεις ούτε πένα από τις οικονομίες μας, ειδικά τώρα που δε δουλεύω κι εγώ. Αλήθεια, Τζον, θα μπορούσα να συνεχίσω τη δουλειά μου στο εργοστάσιο;»

«Ούτε να το σκέφτεσαι. Δεν ήταν αυτή δουλειά για σένα. Εξάλλου, τον Απρίλη φεύγουμε. Δε μας έμεινε πλέον πολύς καιρός εδώ».

Ο Τζον αρνήθηκε κατηγορηματικά να συνεχίσει η γυναίκα του τη δουλειά της στο εργοστάσιο, και εκείνη, με τις ελάχιστες οικονομίες της, και για να μην πλήττει στο σπίτι, αγόρασε μερικά υφάσματα χοντρική, εργαλεία, κόλλα, κλωστές και στολίδια και άρχισε να κατασκευάζει στο σπίτι καπέλα και να τα πουλάει στην καινούργια της γειτονιά, στο κέντρο του Λονδίνου, σε πολύ προσιτές τιμές. Σύντομα η πελατεία της αυξήθηκε από στόμα σε στόμα και τώρα χτυπούσαν αρκετές κυρίες την πόρτα της, και απλές νοικοκυρές αλλά και μεγαλοαστές, για να παραγγείλουν καπέλα. Τα έσοδά τους αυξήθηκαν και η Κάρολ σκέφτηκε πως, αν συνέχιζε μ' αυτούς τους ρυθμούς, σε τρία χρόνια το πολύ θα είχε δικό της καπελάδικο. Βέβαια, η Νέα Υόρκη ήταν μια μεγαλούπολη, όπου θα είχαν την ευκαιρία να κερδίσουν πολύ περισσότερα. Η αγγλική μόδα είχε μεγάλη πέραση στις Αμερικανίδες, και αυτό το γνώριζε πολύ καλά από τότε που δούλευε στης κυρίας Μίλερ, που είχε πελάτισσες οι οποίες έρχονταν από την Αμερική ειδικά για τα καπέλα της, συστημένες φυσικά από τις αριστοκράτισσες Αγγλίδες φιλενάδες τους ή συγγενείς τους. Το πιο δύσκολο απ' όλα ήταν η απόφασή της να φύγει στην Αμερική. Αυτό την πονούσε πολύ, όμως δεν είχε άλλη επιλογή. Έπρεπε να ακολουθήσει τον άνδρα της, ακόμη και στην Κόλαση αν χρειαζόταν. Οι μήνες πέρασαν σύντομα και τα Χριστούγεννα έφθασαν πολύ γρήγορα. Ήταν οι πιο όμορφες γιορτές της ζωής της. Όλοι πια στην οικογένειά της αναγνώρισαν τη διαφορετικότητα του γαμπρού τους, τον ευγενικό χαρακτήρα του, την εργατικότητά του, το ταλέντο του στη μουσική, το χιούμορ του, τη γενναιοδωρία του, μα πάνω απ' όλα την αγάπη του για την Κάρολ. Τον Ιανουάριο η Κάρολ κατάλαβε πως ήταν έγκυος. Αν και προσπάθησαν να αποφύγουν μια εγκυμοσύνη προτού φθάσουν στην Αμερική και μπει σε μια τάξη η ζωή τους, το πάθος τους ήταν μεγαλύτερο και δεν τους άφησε περιθώρια για προφυλάξεις. Παρ' όλα αυτά, καταχάρηκαν με το γεγονός, και ας μην ήρθε στην κατάλληλη στιγμή.

Και τώρα η Κάρολ, σέρνοντας το φόρεμα μαζί με την κοιλιά της κάτω από το παλτό της, στριμωγμένη ανάμεσα στους επιβάτες, προσπαθούσε να μη σκέφτεται τίποτε που θα μπορούσε να την καταβάλει και να την κάνει να λιποψυχήσει. Ωστόσο, δίπλα της γυναίκες έκλαιγαν μαζί με τα παιδιά τους, άνδρες διατηρούσαν με κόπο την ψυχραιμία τους και το κρύο τούς θέριζε εκεί πάνω στο κατάστρωμα του *Τιτανικού*. Η Κάρολ έσφιξε τον μικρό μπόγο με τα χέρια της ακόμη πιο γερά πάνω στην κοιλιά της. Ο Τζόνι της είχε πει να τον αφήσει, όμως ήταν ανένδοτη. Τύλιξε προσεκτικά το ρούχο σε μια αδιάβροχη κάπα, από αυτές που φτιάχνονταν στο εργοστάσιο όπου δούλευε. Έβαλε μέσα τα διαβατήρια, τα σκουλαρίκια της μάνας της και τα χρήματά τους και τα έκανε κόμπο με τα μανίκια. Δεν πήρε τίποτε άλλο από τα υπάρχοντά τους. Τα πιο πολύτιμα ήταν αυτά και αυτά ακριβώς φρόντισε να έχει μαζί της. Ήθελε να φορέσει τα σκουλαρίκια, πάνω όμως στην ταραχή της δεν το έκανε. Εξάλλου, ποτέ δεν πίστεψε ότι κάτι σοβαρό συνέβαινε. Ό,τι και αν είχε πάθει ο *Τιτανικός*, θα στεκόταν στο ύψος του, στην επιφάνεια της θάλασσας. «Πρώτα οι γυναίκες», φώναξε κάποιος από το πλήρωμα. «Είπα, πρώτα οι γυναίκες και τα παιδιά», ούρλιαξε τώρα.

Η Κάρολ σφίχτηκε ακόμη πιο πολύ δίπλα στον άνδρα της.

«Πρέπει να πηγαίνεις, αγάπη μου», της είπε τρυφερά εκείνος.

«Άκουσες τι είπε το πλήρωμα;»

«Όχι, ποτέ», αρνήθηκε με πείσμα. «Ή μαζί ή κανείς μας δε θα μπει στη βάρκα».

«Κάρολ, αγάπη μου, σε παρακαλώ. Κάν' το για το μωρό μας. Δεν άκουσες τι ψιθυρίζεται; Ότι οι βάρκες δε φθάνουν για όλους».

«Δεν μπορεί να μην υπάρχουν. Δεν το πιστεύω. Ύστερα ξέχασες αυτό που μου είπες; Ο *Τιτανικός* είναι αβύθιστος».

«Δεν είμαι πια τόσο σίγουρος. Το πλοίο έχει πάρει κλίση. Για το Θεό, σε θερμοπαρακαλώ. Μπες στη βάρκα».

«Άδικα με παρακαλάς, Τζον Μπάριμορ. Όταν σε παντρεύτηκα, έδωσα όρκο στο Θεό ότι θα είμαι μαζί σου και στα εύκολα και στα δύσκολα. Εσύ θα με παρατούσες ποτέ;»

Ο Τζον την κοίταξε με τρυφερότητα και πόνο συνάμα. «Ποτέ! Ούτε καν θα το σκεφτόμουν...»

«Ούτε κι εγώ θα το κάνω τώρα».

«Και το παιδί μας δεν το σκέφτεσαι;»

«Όλα τα σκέφτομαι, αλλά χωρίς εσένα δεν υπάρχει ζωή για μένα. Αν είναι να πεθάνουμε, θα πεθάνουμε και οι τρεις μας. Μην επιμένεις λοιπόν γιατί, έτσι και χαθείς εσύ, να το ξέρεις ότι θα σε ακολουθήσω. Να είσαι σίγουρος γι' αυτό».

Την είχε μάθει πια καλά τη γυναίκα του. Ήταν μια γνήσια Ιρλανδέζα, πεισματάρα σαν μουλάρι, δυνατή και αποφασιστική σαν λιοντάρι. Δεν μπορούσε να την πείσει για το αντίθετο, ακόμη κι αν της έταζε το στέμμα της Αγγλίας. Δεν υπολόγιζε τίποτε από αυτά η Κάρολ μπροστά στα δικά της πιστεύω και, κυρίως, μπροστά στην αγάπη της για εκείνον. Ένιωσε ανήμπορος, σαν να την οδηγούσε ο ίδιος στο θάνατο. Όσο πιο πολύ κυλούσαν τα λεπτά τόσο πιο έντονοι γίνονταν οι κραδασμοί και τα τραντάγματα αυτού του θεόρατου ατσάλινου κήτους, που λαβωμένο από ένα παγόβουνο, βούλιαζε αργά και σταθερά στη μέση του Ατλαντικού Ωκεανού, στα παγωμένα, αφιλόξενα και μελανά νερά του.

Ο Τζον κοίταξε το ρολόι που κρεμόταν από την αλυσίδα του μέσα στο γιλέκο του. Πλησίαζε μία και είκοσι το πρωί, ξημέρωμα της 15ης Απριλίου. Μόλις τέσσερις μέρες ταξίδι πρόλαβε να χαρεί ο περίφημος *Τιτανικός*, που μετέφερε το όνειρο δύο χιλιάδων διακοσίων εφτά ψυχών, από τους οποίους οι χίλιοι τριακόσιοι δεκάξι ήταν επιβάτες και οι οκτακόσιοι ενενήντα ένας πλήρωμα. Ήδη είχε πάρει μεγάλη κλίση, όμως οι μουσικοί της ορχήστρας του πλοίου, που είχαν αρχίσει τη μουσική από ώρα, εξακολουθούσαν να παίζουν, προσπαθώντας να εμψυχώσουν το φοβισμένο πλήθος των επιβατών, τόσο αυτών που βρίσκονταν ακόμη πάνω στο κατάστρωμα, όσο και εκείνων που είχαν επιβαστεί στις βάρκες και απομακρύνονταν αργά κωπηλατώντας. Ο Τζον ήθελε όσο τίποτε άλλο να βρεθεί πλάι τους και να συμμετάσχει, όμως αφενός δεν είχε κάποιο δικό του μουσικό όργανο, και αφετέρου δεν μπορούσε να εγκαταλείψει τη γυναίκα του, που κυριολεκτικά κρεμόταν πάνω του.

Ο *Τιτανικός*, παρότι είχε τη δυνατότητα μεταφοράς τριάντα δύο σωσίβιων λέμβων χωρητικότητας εξήντα ατόμων η καθεμιά, είχε εφοδιαστεί μόνο με δεκαέξι –βάσει κάποιου αδικαιολόγητου νόμου της εποχής– και από αυτές, οι περισσότερες είχαν μισοφορτωθεί έπειτα από τη σύγκρουση στα τοιχώματα του πλοίου από αδέξιο κατέβασμα. Το μεγαθήριο και καμάρι της ατμοπλοϊκής εταιρείας White Star Line οδηγούνταν με μαθηματική ακρίβεια σε αργό θάνατο, από ένα απλό καπρίτσιο της μοίρας, που είχε αποφασίσει ότι το παρθενικό ταξίδι του θα ήταν και το τελευταίο του. Ήταν αδιανόητο να συλλάβει ανθρώπινος νους το μέγεθος αυτής της ατυχίας, αυτόν τον παράλογο νόμο για τις μειωμένες σωσίβιες λέμβους, αυτό το χτύπημα πάνω σ' ένα άθλιο παγόβουνο στις 23.40 της 14ης Απριλίου.

Είχε απομείνει πλέον μία και μοναδική βάρκα και οι επιβάτες πάνω στο κατάστρωμα σπρώχνονταν χωρίς έλεος για το ποιος θα προλάβει να πάρει το εισιτήριό του για τη ζωή. Το χάδι του θανάτου ήδη είχε αγγίξει πολλούς, που πλέον συνειδητοποιούσαν ότι το παραμύθι του αβύθιστου πλοίου ήταν πράγματι παραμύθι. Τελικά, η τελευταία λέμβος, γεμάτη από επιβάτες, κατέβηκε αργά αργά και ακούμπησε στο νερό. Οι χίλιες πεντακόσιες δύο ψυχές –άνδρες, γυναίκες, παιδιά, βρέφη, μέλη του πληρώματος που είχαν παραμείνει στο έλεος του Θεού πάνω στο κατάστρωμα– γνώριζαν πολύ καλά ότι η υπόθεση *Τιτανικός* ήταν πια θέμα λεπτών.

Η Κάρολ έσφιξε τον μπόγο με τα πολύτιμα υπάρχοντα επάνω της και έκλεισε τα μάτια. Φαντάστηκε ένα όμορφο σπίτι με κήπο, παιδιά να παίζουν χαρούμενα στην αυλή του, την ίδια να μαγειρεύει στην ευρύχωρη κουζίνα της και από το δαντελοστολισμένο παράθυρό της να κοιτάζει χαμογελαστή τον Τζον να παίζει με τα παιδιά τους. Ύστερα είδε το καπελάδικό της να βρίσκεται σε κεντρικό δρόμο και να θαυμάζουν όλοι τις βιτρίνες του, είδε τον άνδρα της να υποκλίνεται στη σκηνή ενός κατάμεστου θεάτρου και να επευφημείται από το όρθιο πλήθος που τον χειροκροτεί. Είδε τα παιδιά της να μεγαλώνουν και να σπουδάζουν, να παντρεύονται και να αποκτούν τα δικά τους παιδιά. Στο τέλος είδε τον εαυτό της και τον Τζόνι με χιονισμένα τα κεφάλια τους από τα χρόνια, να απολαμβάνουν δίπλα στο τζάκι το τσάι τους και να αγαπιόνται το ίδιο δυνατά όπως τα πρώτα χρόνια της νιότης τους.

Άνοιξε τα δακρυσμένα μάτια της. Τίποτε... Τίποτε από όλα αυτά δε θα προλάβαινε να ζήσει. Πόσο μπορεί να αντέξει ο άνθρωπος στο παγωμένο νερό; Ήλπιζε ότι μέχρι την τελευταία στιγμή θα εμφανιζόταν κάποιο άλλο πλοίο για να τους βοηθήσει. Ύστερα κανένας δεν περίμενε ότι αυτό το μεγαθήριο θα βυθιζόταν τόσο σύντομα. Μόλις σε δυόμισι ώρες. Τώρα πια το έβλεπε και η ίδια ότι δεν υπήρχε γυρισμός, δεν υπήρχαν βάρκες, δεν υπήρχε βοήθεια από πουθενά. Μοναδική σανίδα σωτηρίας ήταν τα σωσίβιά τους, καθώς και η ελπίδα και η αντοχή τους στα παγωμένα νερά. Χάιδεψε την κοιλιά της. *Καημένο μου μωράκι*, σκέφτηκε. *Πόσο να αντέξεις κι εσύ. Δε θα δεις ποτέ το φως του ήλιου, δε θα σε γνωρίσω ποτέ.*

Το απότομο τράνταγμα την έκανε να χάσει την ισορροπία της. Ο Τζόνι όμως την κρατούσε πάντα σταθερά. Ήδη η πρύμνη του *Τιτανικού* είχε αρχίσει να παίρνει ύψος, πράγμα που σήμαινε ότι το πλοίο βυθιζόταν από την πλώρη κάθετα στον ωκεανό και ότι, αν δεν έπεφταν αμέσως στο νερό, μετά θα ήταν πολύ δύσκολο, σχεδόν ακατόρθωτο.

«Πρέπει να πέσουμε αμέσως στο νερό», της είπε ο Τζόνι και η Κάρολ αντίκρισε για πρώτη φορά κάποιες ρυτίδες στο μέτωπό του που δεν υπήρχαν νωρίτερα. Κοίταξε τον κόσμο γύρω της και η θλίψη της χαλάρωσε την αγωνία της, καθώς παρατήρησε πλήθος από μάνες, παιδιά, γεροδεμένους νέους άνδρες αλλά και ηλικιωμένους, άλλους με τον πανικό ζωγραφισμένο στα πρόσωπα, άλλους δακρυσμένους, άλλους αδιάφορους και παγωμένους, όλους όμως με την κοινή μοίρα να τους αγκαλιάζει και να τους οδηγεί στο σκοτάδι. Ποιος, άραγε, θα επιβίωνε όταν και το τελευταίο φουγάρο του *Τιτανικού* θα εξαφανιζόταν από τα μάτια τους; Ποιος; Κανένας δεν μπορούσε να απαντήσει. Ίσως ακόμη και ο ίδιος ο θάνατος.

«Είναι καλά δεμένο το σωσίβιό σου;» άκουσε τη γεμάτη αγωνία φωνή του Τζόνι.

«Ναι, αγάπη μου», του απάντησε τρυφερά προσπαθώντας να του δώσει κουράγιο.

«Πρέπει να πέσουμε τώρα στο νερό».

«Ό,τι πεις εσύ, Τζόνι».

Την αγκάλιασε με πάθος και τη φίλησε στο στόμα. «Σ' αγαπώ», της είπε. «Ό,τι κι αν συμβεί, να το θυμάσαι αυτό».

«Κι εσύ να θυμάσαι πως, ό,τι κι αν γίνει, εγώ δε θα σ' αφήσω. Θα 'μαι πλάι σου. Για πάντα».

Μόλις την αγκάλιασε ο Ατλαντικός, ένιωσε μυριάδες βελόνες να τρυπούν το κορμί της. Πίστευε ότι, έχοντας περάσει τους παγωμένους χειμώνες της Ιρλανδίας, το κρύο του Λονδίνου, όταν περίμενε πάνω από ώρα να ξεπαγώσουν τα δάχτυλά της για να πιάσει το βελόνι στο καπελάδικο, και όσες άλλες κακουχίες την είχαν βρει στη ζωή της, θα άντεχε και πάλι. Τώρα, όμως, τα πάντα ήταν τελείως διαφορετικά. Ο Ατλαντικός δεν ήταν ούτε Ιρλανδία ούτε Λονδίνο. Ήταν πέρα για πέρα αφιλόξενος, εχθρικός για όσους τολμούσαν να τον αψηφήσουν. Δεν τους ήθελε τους ανθρώπους, ούτε και τα μεταλλικά ή ξύλινα κατασκευάσματά τους με τα οποία προσπαθούσαν να του επιβληθούν. Ήταν αστείοι οι άνθρωποι όταν προσπαθούσαν να τα βάλουν μαζί του. Έτσι και το αποφάσιζε, τίποτε δεν μπορούσε να τον σταματήσει και τότε φανέρωνε μια εικόνα τόσο σκληρή, που ούτε η πιο τρελή φαντασία δεν μπορούσε να συλλάβει. Και τώρα θα είχε τη χαρά να καταβροχθίσει εκατοντάδες από αυτά τα ηλίθια ανθρωπάκια που τόλμησαν να τον ενοχλήσουν... Μόνο που δε γνώριζε ότι τα πραγματικά ηλίθια ανθρωπάκια, όλοι αυτοί που έπρεπε να τιμωρηθούν, δε βρίσκονταν στην αγκαλιά του, αλλά στην ξηρά, στα ζεστά κρεβάτια τους ή στις σωσίβιες λέμβους που έπλεαν πάνω του. Όλοι αυτοί που κολυμπούσαν απελπισμένοι στο νερό δεν ήταν παρά φτωχοί κι αθώοι, που μοναδικό τους όνειρο ήταν να φθάσουν στη Γη της Επαγγελίας για μια καλύτερη ζωή από τη μιζέρια όπου ζούσαν. Τελικά ήταν άδικος ο ωκεανός. Εκείνος, όμως, δεν το γνώριζε.

Απομακρύνθηκαν όσο πιο γρήγορα μπορούσαν. Αν υπήρχε κοντά μια βάρκα να γαντζωθούν... Οι βάρκες όμως βρίσκονταν ήδη μακριά. Στις 02.20 έσβησε και το τελευταίο φως του *Τιτανικού*, καθώς τον κατάπιναν τα σκοτεινά νερά. Γοερές κραυγές και ουρλιαχτά απελπισίας έσκιζαν τη νύχτα και έκαναν τις καρδιές να χτυπούν πιο γρήγορα από ποτέ. Άνθρωποι έπεφταν στη θάλασσα από το τεράστιο ύψος της πρύμνης. Πολλοί, ίσως οι πιο τυχεροί, τσακίζονταν επάνω στα μεταλλικά τοιχώματα του υπερωκεάνιου ή στην τεραστίων διαστάσεων άγκυρά του... Και μετά σιωπή... Μια ανατριχιαστική σιωπή που διέκοπτε κάπου κάπου κάποια αδύναμη φωνή που ψυχορραγούσε.

«Κρυώνω...» ακούστηκε αδύναμα η φωνή της Κάρολ.

«Κάνε κουράγιο, αγάπη μου... Όπου να 'ναι έρχονται να μας σώσουν τα πλοία που έχουν ειδοποιηθεί...»

Ο Τζόνι, μέσα στο σκοτάδι που φωτιζόταν αχνά από το φως του φεγγαριού, είδε τον όγκο ενός αντικειμένου να πλησιάζει και το άρπαξε αμέσως. Ήταν ένα ξύλινο τραπέζι που επέπλεε ανάποδα, με τα πόδια του να κοιτάνε τον ουρανό.

«Κάρολ, γαντζώσου από δω», της είπε καθώς την κρατούσε πάντα στην αγκαλιά του.

Η κοπέλα υπάκουσε αμέσως και αρπάχτηκε από την επιφάνειά του, ακουμπώντας το κεφάλι της επάνω του. Ωστόσο, εξακολουθούσε να κρατά τον μπόγο με το ένα της χέρι, αρνούμενη να τον εγκαταλείψει. Τώρα όμως τα ρούχα της είχαν μουσκέψει για τα καλά και της πρόσθεταν βάρος. Προσπάθησε να τον ακουμπήσει πάνω στην ξύλινη επιφάνεια. Ο Τζόνι, που το κατάλαβε, τη βοήθησε αμέσως. Τον κοίταξε ευχαριστημένη. Το όμορφο φόρεμά της και τα σκουλαρίκια της μάνας της είχαν διασωθεί και βρίσκονταν τώρα πλάι της. Για τα υπόλοιπα δεν την ενδιέφερε.

Η Κάρολ άρχισε να μη νιώθει πια τα χέρια της και τα πόδια της. Το κορμί της μούδιαζε σιγά σιγά, ενώ οι χιλιάδες βελόνες την τρυπούσαν όλο και περισσότερο. Σε κάθε ανάσα της έβγαινε αχνιστός αέρας και η άκρη της μύτης της και των βλεφάρων της άρχισαν να κρυσταλλιάζουν. Ένα λεπτό στρώμα παγωμένης πάχνης είχε αρχίσει να καλύπτει τα πλούσια μαλλιά της. Έμοιαζαν τώρα σαν της γριούλας που είχε ονειρευτεί ότι έπινε τσάι εκεί δίπλα στο τζάκι.

Ώρα 03.15. Μια γλυκιά βαριά νάρκη άρχισε να της κλείνει τα βλέφαρα. Κάτι σαν μέθη που την έκανε να θέλει να κοιμηθεί. Της φάνηκε ότι ο πόνος από τις βελόνες είχε τώρα λιγοστέψει. Ήταν περίεργο αλλά το μόνο που ήθελε ήταν να κοιμηθεί. Καταλάβαινε όμως ότι αυτός ο ύπνος δε θα ήταν για καλό. Ήταν διαφορετικός, επικίνδυνος.

«Τζόνι... αργούν πολύ;» είπε τώρα με σβησμένη φωνή στον άνδρα της που της κρατούσε πάντα το χέρι από την απέναντι πλευρά του τραπεζιού στην προσπάθειά του να το κρατάει σε ισορροπία.

Σήκωσε το κεφάλι του και της χαμογέλασε. «Πρέπει να είναι πολύ κοντά, αγάπη μου. Κάνε κουράγιο...»

Εντούτοις ο άνδρας ήξερε ότι κανένα πλοίο δεν είχε φανεί. Σίγουρα κάποιοι έρχονταν, άλλα πόσο κοντά ήταν; Ή πόσο μακριά;

Θα τους προλάβαιναν; Προς το παρόν προσπαθούσε να κάνει οικονομία δυνάμεων και να κρατά το χέρι της γυναίκας του, παρότι δεν το ένιωθε πια, για να είναι σίγουρος ότι βρισκόταν πάντα στο πλάι του. Πόσο ήθελε να την πάρει στην αγκαλιά του και να τη ζεστάνει. Οι δυνάμεις του, όμως, άρχισαν να τον εγκαταλείπουν. Δεν ένιωθε κανένα μέλος από το σώμα του και το μόνο που μπορούσε να κάνει ήταν να αναπνέει και να ελπίζει.

«Τζόνι... υπόσχεσαι να μη με εγκαταλείψεις;...»

«Δεν πρόκειται να σ' εγκαταλείψω ποτέ... Σου το ορκίζομαι, ό,τι κι αν συμβεί... Όπου κι αν πας θα σε βρω... Σ' αγαπώ τόσο πολύ...»

«Κι εγώ σ' αγαπώ. Πιο πολύ από όσο φαντάζεσαι...»

«Το ξέρω, αγάπη μου... το ξέρω...»

Η Κάρολ άρχισε να κλαίει και τα ζεστά δάκρυά της αυλάκωναν το παγωμένο της πρόσωπο για να καταλήξουν σε κρυστάλλινες μπαλίτσες πάνω του. Ο Τζόνι το κατάλαβε. Ήθελε τόσο πολύ να τα σκουπίσει, όμως τα χέρια του δεν τον υπάκουαν. Με όση δύναμη του απέμεινε σήκωσε το κεφάλι του και κοίταξε τον διάσπαρτο από άστρα ουρανό, και με όση δύναμη είχε του φώναξε: «Θεέ μου, εσύ που τα βλέπεις όλα βοήθησε τη γυναίκα μου και το παιδί μας. Πάρε, Θεέ μου, εμένα και σώσε αυτούς...» Κι αμέσως έχασε τις αισθήσεις του.

Η Κάρολ μόλις που τον άκουσε. Η νάρκη γινόταν όλο και πιο έντονη και τα βλέφαρά της δεν την υπάκουαν πλέον. Όχι... όχι, θα άντεχε. Δε θα τα σφάλιζε. Θα το έκανε για το παιδί τους, για τον άνδρα της. Όχι, θα έμεναν ανοιχτά, ώσπου να έρθουν τα πλοία που θα τους έσωζαν. Το χέρι γλίστρησε από τον μπόγο και έπεσε στο πλάι, τραβώντας τον κι εκείνον μαζί του.

Ώρα 06.30. Ο Τζον προσπάθησε ν' ανοίξει τα μάτια του. Τα βλέφαρά του υπάκουσαν με δυσκολία. Είχε αρχίσει να ξημερώνει. Το πρώτο πράγμα που αντίκρισε ήταν τα ορθάνοιχτα κατα-πράσινα μάτια της γυναίκας του να τον κοιτούν παγωμένα. Τα μαλλιά της ήταν τώρα χιονισμένα, όπως και το πρόσωπό της. Προσπάθησε να της μιλήσει, όμως δεν είχε φωνή. Προσπάθησε να της σφίξει το χέρι, όμως δεν είχε δύναμη. Πρόσεξε πως ο μπόγος είχε εξαφανιστεί από δίπλα της. Δεν τον ενδιέφερε. Η γυναίκα του ήταν η μοναδική αξία σ' αυτό τον κόσμο. Γύρω του συντρίμμια. Έπιπλα και πτώματα ανθρώπων επέπλεαν φανερώνοντας το ασύλληπτο μέγεθος μιας απίστευτης καταστροφής. Ο θάνατος έκανε τον περίπατό του πάνω τους, μαζεύοντας τρόπαια από τη νίκη του. Ο θάνατος… Κοίταξε τρομαγμένος την Κάρολ. Τα μάτια της πάντα ορθάνοιχτα. Δεν ήταν δυνατόν! Του το είχε υποσχεθεί πως θα άντεχε. Μια ξαφνική δύναμη κινητοποίησε τα μέλη του. Ναι, κινήθηκαν. Με κόπο και ενώ οι αφόρητοι πόνοι τον τσάκιζαν σε κάθε του κίνηση, κατόρθωσε να την πλησιάσει. Έπρεπε να βεβαιωθεί. Κούνησε με κόπο το κορμί της. Τα μάτια της, πάντα ορθάνοιχτα, να κοιτάζουν στο ίδιο σημείο, εκεί όπου βρισκόταν πριν το πρόσωπό του.

«Όχι!» ούρλιαξε αυτή τη φορά από μέσα του. Η Κάρολ, όμως, είχε φύγει. Την κοίταξε με βουρκωμένα μάτια. Κατόπιν ακούμπησε το πρόσωπό του δίπλα της κι έμεινε να την κοιτάζει συνεχώς. Τώρα πια η ζωή του δεν είχε κανένα νόημα. Τα όνειρά του μόλις είχαν βυθιστεί κι αυτά στον ωκεανό. Δεν υπήρχε πια λόγος να τα κρατάει. Γιατί; Δεν του χρειάζονταν. Χωρίς εκείνη όλα ήταν μάταια. Μάταια. Τα γαλάζια μάτια του δεν άφηναν τα δικά της.

Η τελευταία παγωμένη ανάσα του και μετά έφυγε κι αυτός, παίρνοντας την τελευταία εικόνα μαζί του· τα σμαραγδένια μάτια της γυναίκας του.

«Κάρολ… Κάρολ… πού είσαι;» φώναξε τώρα δυνατά. Καμιά απάντηση. Άρχισε να τρέχει σαν τρελός μέσα στο απέραντο σύμπαν με τους χιλιάδες γαλαξίες και τις χαμένες ψυχές που του άπλωναν τα χέρια. Εκείνη όμως δεν απαντούσε, όσο κι αν φώναζε δυνατά. Παρ' όλα αυτά, ο Τζόνι συνέχισε το ψάξιμο φωνάζοντας το όνομά της, χαμένος σ' ένα ατέρμονο σύμπαν που δεν είχε ούτε αρχή ούτε τέλος.

Την ίδια στιγμή, κάτω στη γη, στη μέση ενός αφιλόξενου ωκεανού, δύο παγωμένα κορμιά δίπλα δίπλα κοίταζαν με τα ορθάνοιχτα μάτια τους το ένα το άλλο, ψάχνοντας για απαντήσεις που ποτέ δε θα έπαιρναν. Αρκετά μέτρα πιο πέρα ένας μικρός μπόγος επέπλεε στην επιφάνεια του νερού.

Από μακριά η θωριά του πλοίου *Καρπάθια*[1] που πλησίαζε μόλις άρχιζε να ξεχωρίζει στον παγωμένο ορίζοντα.

«Κάρόλ...» Το αγωνιώδες ουρλιαχτό του Τζον διέτρεξε το σύμπαν.

«ΚΑΡΟΟΟΟΟΟΟΛ... ΚΑΡΟΟΟΟΟΟΟΛ...»

Καμία απάντηση.

---

1. Το πλοίο *Καρπάθια* ήταν το πρώτο που περισυνέλεξε τους διασωθέντες του ναυαγίου.

4

಄

ΑΜΕΡΙΚΗ,
ΛΟΣ ΑΝΤΖΕΛΕΣ,
ΜΠΕΒΕΡΛΙ ΧΙΛΣ,
ΑΠΡΙΛΙΟΣ 2005, ΩΡΑ 14.30

Η Κάσι Πάλμερ, ακουμπισμένη στη γωνία της τεράστιας πισίνας στην υπερπολυτελή βίλα της στο Μπέβερλι Χιλς, χαλάρωνε. Στηριζόταν στους αγκώνες της πάνω στις πλάκες, ενώ το υπόλοιπο σώμα της επέπλεε στην επιφάνεια του νερού. Ο καλιφορνέζικος ήλιος δεν ήταν δυνατός αυτή την εποχή, κι έτσι η Κάσι τον απολάμβανε με ιδιαίτερη διάθεση. Και γιατί να της λείπει η διάθεση; Την επόμενη εβδομάδα θα γινόταν το καθιερωμένο πάρτι για την επέτειο του γάμου της, που φέτος έκλεινε τα είκοσι δύο χρόνια με τον Σταν Πάλμερ, έναν από τους καλύτερους πλαστικούς χειρουργούς στο Λος Άντζελες. Αυτό επαναλαμβανόταν ευλαβικά κάθε χρόνο στο ρέστοραν του πατέρα της, το CASSANDRA, ένα από τα πιο διάσημα της πόλης, στο Χόλιγουντ, που θεωρούνταν από τις καλές περιοχές, όμως από τότε που αγοράστηκε η βίλα τους, το γεγονός λάμβανε χώρα πάντα στον μεγάλο κήπο τους γύρω από την πισίνα. Έτσι ο άνδρας της είχε την ευκαιρία, εκτός από το να τιμήσει τον ευτυχισμένο γάμο του, να βρεθεί με όλους τους φίλους και τους πελάτες του, που ήταν κυρίως διάσημοι σταρ του Χόλιγουντ, και να φροντίσει να περάσουν καλά. Το πάρτι έπαιρνε μεγάλη δημοσιότητα και οι φωτογράφοι, οι λεγόμενοι παπαράτσι, δεν έχαναν την ευκαιρία να φωτογραφίζουν τον ένα μετά τον άλλο σταρ και μετά να μοσχοπουλάνε τις φωτογραφίες τους στα διάφορα κοσμικά έντυπα. Όσο πιο celebrity[1] ήταν ένα πρόσωπο τόσο πιο πολύ ανέβαινε όχι μόνο η τιμή της φωτογραφίας, αλλά και το prestige[2] της οικογένειας Πάλμερ. Το να είσαι διάσημος και πλούσιος στο Λος Άντζελες αποτελούσε must[3] και το όνειρο κάθε ταπεινού κατοίκου της Πόλης των Αγγέλων[4], όπως και να βρίσκεται το όνομά σου στις guest list[5] των VIP[6]. Οι απλοί και ταπεινοί αναγνώστες διψούσαν να μάθουν όχι μόνο την ερωτική και οικογενειακή ζωή των αστέρων, αλλά και να ανακαλύψουν ποιοι είχαν υποβληθεί σε αισθητικές επεμβάσεις και ποιοι όχι, κάτι που όμως σπάνια το κατάφερναν στην περίπτωση του Σταν Πάλμερ. Αυτή ήταν και η μεγάλη του επιτυχία. Χειρουργούσε σαν να είχε επέμβει το χέρι κάποιας μαγικής δύναμης και όχι το δικό του, αφαιρώντας τα σημάδια του χρόνου με τέτοιο τρόπο ώστε οι περισσότεροι απλώς έδειχναν πολύ πιο ξεκούραστοι και ανανεωμένοι, όπως συμβαίνει έπειτα από έναν καλό ύπνο.

1. Διασημότητα.
2. Κύρος.
3. Επιβεβλημένη, κυρίαρχη τάση στη μόδα και σε διάφορες κοινωνικές συμπεριφορές.
4. Λος Άντζελες.
5. Λίστα καλεσμένων.
6. Very Important Persons, δηλαδή πολύ επίσημα πρόσωπα.

Από τότε που παντρεύτηκε με τον Σταν, τη ζωή τους δεν την είχε σκιάσει ούτε ένα τόσο δα συννεφάκι. Ο Σταν, στα πενήντα ένα του και εννιά χρόνια μεγαλύτερος από εκείνη, της είχε προσφέρει εκτός από την αγάπη του και μια παραμυθένια ζωή. Όχι πως η Κάσι είχε οικονομικά προβλήματα, όμως η οικογένειά της ποτέ δε θα μπορούσε να της παράσχει τη ζωή που της παρείχε ο άνδρας της. Ο ελληνικής καταγωγής πατέρας της, Νικήτας Γεράκης, ο Νικ όπως τον φώναζαν όλοι, είχε δύο grill restaurant[7], που φημίζονταν σε όλο το Λος Άντζελες για το άψογο σέρβις, τις τεράστιες μερίδες, την άριστη ποιότητα των κρεάτων, τις ολόφρεσκες υπέροχες σαλάτες τους, τα νόστιμα παγωτά τους και τα σπιτικά γλυκά, πολλά από τα οποία ήταν ελληνικές συνταγές.

Εκεί μέσα γνώρισε η εικοσάχρονη τότε Κάσι τον εικοσιενιάχρονο Σταν, που μόλις είχε πάρει το δίπλωμά του και ασκούσε το επάγγελμά του ως βοηθός του δόκτορος Φρανκ Χέιζ, του πιο διάσημου πλαστικού χειρουργού της πόλης. Η Κάσι, μια μελαχρινή, λεπτή κοπέλα, γύρω στο 1,70 ύψος, είχε τότε μακριά μέχρι τη μέση μαλλιά και φορούσε συνήθως στενά τζιν παντελόνια ή μίνι φούστες, κάτι που μπορεί να μην έβλεπε με καλό μάτι ο Νικ, άρεσε όμως στους άνδρες, γιατί άφηνε να φαίνονται τα υπέροχα ψηλά καλλίγραμμα πόδια της. Το ανοιχτό γαλάζιο των ματιών της έκανε αντίθεση με το εβένινο χρώμα των μαλλιών της και ταίριαζε υπέροχα με την ελαφρώς σταράτη επιδερμίδα της, που την έκανε να φαντάζει ηλιοκαμένη όλο το χρόνο, κάτι που είχε αρχίσει να γίνεται μόδα τα τελευταία χρόνια στην Καλιφόρνια. Έτσι, όταν άλλα κορίτσια σπαταλούσαν μέρες και ώρες στις πισίνες τους ή στις ακρογιαλιές του Μαλιμπού[8] και

---

7. Εστιατόρια με ψητά.
8. Παραθαλάσσιο προάστιο του Λος Άντζελες.

της Σάντα Μόνικα⁹ για να αποκτήσουν το σοκολατένιο χρώμα που τόσο επιθυμούσαν, η Κάσι αρκούσε να καθίσει μισή ώρα στον κήπο του σπιτιού τους επάνω σε μια ξαπλώστρα και έπαιρνε αμέσως αυτή την μπρούντζινη απόχρωση. Τα ελληνικά γονίδιά της της πρόσφεραν απλόχερα αυτό το δώρο και, παρότι δεν ένιωθε καθόλου Ελληνίδα, δεν έπαυε να ευγνωμονεί την καταγωγή του πατέρα της από κάποιο νησί της Ελλάδος που το έλεγαν Αμοργό.

Ο Νικήτας Γεράκης ήταν σχεδόν παιδί όταν αποφάσισε να εγκαταλείψει τους γονείς, τα δύο αδέλφια του, τους φίλους του, το νησί του και την πατρίδα του για να έρθει στην Αμερική. Η οικογένεια Γεράκη ζούσε στη Χώρα, την πρωτεύουσα του νησιού, πολύ κοντά στα Κατάπολα, ένα μικρό λιμάνι. Η δεκαεξάχρονη αδελφή του, η Πολυτίμη, ήταν πια κορίτσι της παντρειάς και ο μικρός του αδελφός, ο οκτάχρονος Παυλής, ήταν μικρός ακόμη για να βοηθήσει στο σπίτι. Η Πολυτίμη δεν είχε προίκα, κι έτσι που δεν είχαν τίποτε να της δώσουν, δύσκολα θα την πάντρευαν. Τα παλικάρια στο νησί ήταν στην πλειονότητά τους φτωχοί ψαράδες και γάμος χωρίς προίκα και προικιά δεν αποφασιζόταν εύκολα. Προξενιά στο σπίτι της Πολυτίμης δεν έρχονταν και το κορίτσι μαράζωνε από τον καημό του που θα 'μενε γεροντοκόρη, κουβαλώντας το στίγμα της άκληρης, που ισοδυναμούσε με κακοτυχία στον τόπο της. Τα σκέφτηκε όλα αυτά ο άμοιρος ο Νικήτας και αποφάσισε να ξενιτευτεί. Το αγαπούσε το νησί του, κι ας ήταν σκληρή η ζωή του εκεί και χωρίς μέλλον. Αγαπούσε το αγέρι έτσι όπως φυσούσε άγρια, τον χρυσαφένιο ήλιο που όμοιό του δεν είχε δει ο ντουνιάς, τη γαλαζοπράσινη θάλασσα που όσο όμορφη και κρυστάλλινη ήταν το καλοκαίρι, τόσο

_____

9. Παραθαλάσσιο προάστιο του Λος Άντζελες.

άγρια και μελανή γινόταν το χειμώνα, τις μυρωδιές των βοτανιών στις ράχες των βουνών, τη σκληρή πέτρα που γυάλιζε στον ήλιο, τα αγριοκάτσικα που πηδούσαν με απίστευτη επιδεξιότητα από βράχο σε βράχο, το μοναστήρι της Παναγιάς της Χοζοβιώτισσας που τους φυλούσε από κάθε κακό. Όλα τα αγαπούσε στο νησί του και εκεί ήθελε να ανδρωθεί, να αποκτήσει φαμίλια, να γεράσει και εκεί να τον θάψουν, δίπλα στο κύμα, να τον νανουρίζει και να του μιλάει ο άνεμος. Ωστόσο η εικόνα της αδελφής του, που 'χε βάρος στην καρδιά και μέρα με τη μέρα τη στοίχειωνε ο καημός, τον ταλάνιζε ως τα κατάβαθά του. Στο τέλος δεν άντεξε περισσότερο να τη θωρεί έτσι στο παραθύρι του χαμόσπιτου να αναστενάζει συνεχώς και πήρε τη μεγάλη απόφαση.

Λίγα χρόνια πριν, ένας Αμοργιανός γείτονάς τους, ο Σταυρής, είχε φύγει για το Σικάγο και είχε προκόψει κομμάτι. Έστελνε τακτικά γράμματα και χρήματα στη μάνα του και καμιά φορά και κανένα δολάριο για τον μικρό Νικήτα, που ήταν καλόπαιδο και έκανε θελήματα στη γριά του. Όταν ο Νικήτας αποφάσισε να φύγει από το νησί, ο Σταυρής του μήνυσε ότι θα τον βοηθήσει. Έτσι, ένα άγριο πρωινό, φορτωμένος με ένα μόνο μπόγο, έφυγε για τη χώρα των ευκαιριών, την Αμερική. Γύρω στο 1950, πολλοί Έλληνες έφευγαν μετανάστες, μην μπορώντας να αντιμετωπίσουν τη φτώχεια και την ανέχεια που τους τσάκιζε καθημερινά. Μπορεί ο Δεύτερος Παγκόσμιος Πόλεμος να είχε τελειώσει, αλλά οι εσωτερικές συγκρούσεις και διαμάχες που ακολούθησαν στην Ελλάδα δεν την άφηναν να ορθοποδήσει. Ο Χίτλερ είχε σπείρει την καταστροφή παντού και η μικρή χώρα, μέσα από τα καπνισμένα ακόμη χαλάσματά της, προσπαθούσε να αναπνεύσει. Ωστόσο οι εσωτερικές διαμάχες, ένα από τα μεγαλύτερα μειονεκτήματα της ατίθασης αυτής φυλής, ήταν καθημερινές και πολλές φορές αναίτιες και θανατηφόρες, αναγκάζοντας πολλούς αγανακτισμένους Έλληνες να παίρνουν το δρόμο της ξενιτιάς.

Στο κυκλαδίτικο νησί της Αμοργού, στο νότιο Αιγαίο, περί τα εκατόν τριάντα έξι ναυτικά μίλια από την Αθήνα, η πεντα-μελής οικογένεια Γεράκη προσπαθούσε να ορθοποδήσει, όχι από τον καταστροφικό πόλεμο και τις εσωτερικές διαμάχες, αλ-λά από την πείνα που είχε θερίσει το νησί. Γιατί η Αμοργός μπο-ρεί να ήταν ένας όμορφος τόπος, επιβλητικός, αλλά συνάμα ήταν και γη σκληρή, άγονη, γεμάτη απότομους γκρεμούς και βράχια, με άγριους χειμώνες που τη βύθιζαν στο σκοτάδι, ισχυ-ρούς ανέμους που τη μαστίγωναν και μια βαθιά θάλασσα να την αγκαλιάζει από παντού, που σαν αγρίευε δεν άφηνε πλεού-μενο μικρό ή μεγάλο να την πλησιάσει. Τα θεόρατα μαύρα κύ-ματα και οι βράχοι καραδοκούσαν σαν άγρυπνοι φρουροί για κείνον που θα τολμούσε να παραβιάσει τα επιτρεπόμενα όρια, και τότε αλίμονό του.

Το νησί, με έκταση εκατόν είκοσι ένα τετραγωνικά χιλιόμε-τρα και έβδομο σε μέγεθος ελληνικό νησί, έχει ορεινό έδαφος και πολύ βαθιά νερά. Το μοναδικό πράσινο που φύτρωνε εκεί πάνω ήταν κάτι θάμνοι, που αποτελούσαν την τροφή όσων αγριο-κάτσικων ζούσαν στις σχισμές των βράχων. Το μόνο βουνό που υπήρξε δεντροφυτεμένο με οξιές και βελανιδιές, που κάποτε ευ-νοούσαν τη ναυτιλία, ήταν ο Κρούκελλος. Ωστόσο το 1835, μια καταστροφική πυρκαγιά, που διήρκησε είκοσι μέρες, κατέφαγε το άλλοτε πανέμορφο βουνό και κατέστρεψε τα πάντα. Από τό-τε τίποτε δεν ξαναφύτρωσε εκεί. Παρ' όλα αυτά, αν κάτι δεν τους έλειψε ποτέ αυτό ήταν τα σπάνια θεραπευτικά βοτάνια, όπως το κεφαλόχορτο, της γριάς το αδράχτι, το δοντοχόρτι, ή και απλά βότανα, όπως η άμοργος, η καμπανούλα, το αγκάθι του Χριστού, το σταθούρι, που φύτρωναν παντού, σε όλες τις πλαγιές και στα ρέματα, και γιάτρευαν οποιαδήποτε αρρώστια, πληγή, ή τραύμα, ακόμη και καημούς, πάθη, επιθυμίες.

Ευλογημένη γη, ευλογημένο χώμα, σπαρμένο με μαγικούς χυμούς που πότιζαν τον πόνο και γιάτρευαν τις πληγωμένες καρδιές. Και σαν σίμωνε η άνοιξη και άνθιζε ο ντουνιάς, τότε ο Θεός λες κι άπλωνε το χέρι του και χάιδευε την Αμοργό. Ζου-ζούνιζαν οι μέλισσες στις ζωγραφισμένες από χρώματα πλαγιές και άφριζε απαλά το κύμα στο γιαλό. Αφθονούσαν οι ψαριές παντού και γεννοβολούσαν τα ζωντανά. Και μύριζε μέλι και καρπό η γη, και χόρταιναν άνθρωποι και ζωντανά. Και να τα βο-τάνια, να οι ψαριές και οι αστακοκάβουροι να σπαρταρούν ακό-μη στις πιατέλες, και οι μουρμούρες και τα τσίπουρα, και τα χταπόδια και οι σαργοί να μυρίζουν αλμύρα, και τα υπέροχα χρώματα στον ουρανό να εναλλάσσονται από λεπτό σε λεπτό, και να τα μπαμπακένια σύννεφα να παίζουν κρυφτούλι με τον ήλιο που έστελνε χωρίς τσιγκουνιές χρυσάφι το φως του να λού-ζει το νησί και να χαρίζει μια ευεργετική ενέργεια που εξαφάνι-ζε κάθε καημό και στενοχώρια. Οι χειμώνες όμως δεν αντέχο-νταν και κρατούσαν απομονωμένη την Αμοργό τα τρία τέταρ-τα του χρόνου από την υπόλοιπη Ελλάδα. Έτσι οι κάτοικοι, μα-κριά από τα γύρω νησιά, έγιναν ένα με τη γη τους. Άγριοι σαν κι εκείνη, πολεμιστές περήφανοι και δυνατοί, άντεχαν με πε-ρίσσια υπομονή και το αγιάζι και την αντάρα και την πείνα. Για-τί σαν θύμωνε ο καιρός, κανένας δεν τολμούσε να ξεμυτίσει από το χαμόσπιτό του και να πάει να ψαρέψει. Και τότε, όταν θέριζε η πείνα, μόνο τα βοτάνια έφερναν παρηγοριά.

Όλα αυτά σκεφτόταν συχνά πυκνά ο Νικ τα πρώτα χρόνια της παραμονής του στην Αμερική και καταγιάλαζαν κάπως ο καημός του και η νοσταλγία του για την πατρίδα. Εκείνο όμως που δεν μπορούσε να ξεπεράσει ποτέ ήταν η απουσία της μάνας του, της κυρα-Κασσάνδρας. Η υπερήφανη γερόντισσα έχασε τον άνδρα της, τον Γιάννο, μόλις πέντε χρόνια μετά το φευγιό του γιου της. Τα λεφτά του Νικήτα πάντρεψαν επιτέλους την Πολυτίμη με ένα καλό παλικάρι, τον Μόρφη από τα Θολάρια, ένα πανέμορφο χωριουδάκι κοντά στην Αιγιάλη, το άλλο μικρό λιμάνι του νησιού. Η απόσταση από τη Χώρα ήταν μακρινή, όμως ο πατέρας πήγαινε συχνά να δει την κόρη του καβάλα στον Κίτσο, το μουλάρι τους, που μπορεί να τα 'χε φάει τα ψωμιά του, όμως ακόμη άντεχε. Ο δρόμος για το χωριό ήταν χωμάτινος και στενός, ανάμεσα από κατσάβραχα, με έναν τεράστιο βαθύ γκρεμό να χάσκει σε όλη την αριστερή πλευρά του. Κι από κάτω, η θάλασσα έτοιμη να καταπιεί όποιον γκρεμοτσακιζόταν.

Τουλάχιστον τρεις ώρες χρειαζόταν να πάει και άλλες τόσες να γυρίσει, αλλά Γιάννος και Κίτσος άντεχαν. Κάποιες φορές όμως η μοίρα κακιώνει και τότε παίζει άσχημα και άδικα παιχνίδια σ' αυτούς που ορίζει. Και μια μέρα που ο Γιάννος είχε πάρει μαζί και τον Παυλή, που ήταν τότε στα δεκατρία, μια άγρια σφήκα τσίμπησε τον Κίτσο στο μάτι και το ζωντανό αφήνιασε και άρχισε να καλπάζει ανεξέλεγκτα. Μάταια προσπάθησε ο πατέρας να το γαληνέψει. Τυφλό και τρελό από τον πόνο, άρχισε να τρέχει στην άκρη του γκρεμού. Σ' ένα σημείο κοντά στον Άγιο Παύλο, έχασε την ισορροπία του και έπεσε από ψηλά, πρώτα στα μυτερά βράχια και μετά στη θάλασσα. Άλογο, πατέρας και γιος πρώτα τσακίστηκαν και μετά πνίγηκαν αβοήθητοι. Την άλλη μέρα τούς ξέβρασε το κύμα στο γιαλό. Είδαν το πρησμένο μάτι του αλόγου και κατάλαβαν τι είχε συμβεί. Η κυρα-Κασσάνδρα ούρλιαξε σαν αγρίμι που του σκίζουν τα σωθικά μόλις αντίκρισε τις σορούς και μετά βουβάθηκε. Έκανε μέρες να μιλήσει. Η Πολυτίμη και οι γείτονοι θορυβήθηκαν, όμως εκείνη έμεινε άλαλη για καιρό, ολομόναχη, να θωρεί από το παραθύρι της τον γαλάζιο ουρανό και τις φωτογραφίες των αγαπημένων της νεκρών. Αρνήθηκε να πάει να μείνει μαζί με την κόρη της στα Θολάρια, αρνήθηκε και να ζήσει μαζί με τον Νικήτα στην Αμερική, παρ' όλες τις προσκλήσεις και τα παρακάλια τους. Κι όταν μια μέρα ξαφνικά μίλησε, είπε πολύ σοβαρά στον Νικήτα που είχε έρθει να τη μαζέψει με το ζόρι: «Τι να κάμω εγώ στο Αμέρικα, Νικήτα μ'; Ν' αφήκω το Αμοργί μου; Α, όχι, γιόκα μου. Εδώ πε γεννήθηκα, εδώ πε θ' αποθάνω. Καμιά γης δε θα μου δώκει ποτές τούτο που θωρώ απ' το παραθύρι μου καθημερίς. Καμιά γης δε θα 'ναι τ' Αμοργί μου».

Και είχε δίκιο η μάνα. Το σπιτάκι της, χτισμένο ψηλά στην άκρη της Χώρας, εκεί κοντά στους μύλους, ήταν πνιγμένο από κόκκινες και μαβιές μπουκαμβίλιες, στολισμένο με τα φωτεινά χρώματα απ' τα γεράνια και τα ανοιγμένα τριαντάφυλλα και γαρίφαλα που μύριζαν κανέλα. Κι ο βασιλικός στα περβάζια να στέλνει τη μυρωδιά του παντού, μέσα κι έξω από το σπίτι. Από τα παραθύρια αγνάντευες το πέλαγος μέχρι το βάθος του ορίζοντα. Είχε τις κατσίκες της, τη Χάιδω, τη Μαυρούλα και τη Ζαφείρω, είχε τις κοτούλες της, είχε το μαγκανοπήγαδο με το δροσερό νερό, τον πετρόχτιστο φούρνο να ψήνει το ζυμωτό ψωμί, τον Θεό τον ίδιο να την ευλογεί κάθε μέρα. Τι άλλο να γύρευε από τη ζωή της;

Είδε και απόειδε ο Νικ κι έπαψε να επιμένει. Η μάνα του ήταν ευτυχισμένη στο σπίτι της και στη γη της, και στην Αμερική θα μαράζωνε. Ύστερα ο ίδιος, έπειτα από επτά χρόνια παραμονής στο Σικάγο, όπου είχε μάθει καλά την μπίζνα του φαγητού εργαζόμενος σε διάφορα ρέστοραν, είχε αποφασίσει να φύγει για το Λος Άντζελες και να ανοίξει τη δική του επιχείρηση. Έπειτα από τόσα χρόνια ατελείωτων ωρών εργασίας και μην έχοντας καν προσωπική ζωή, είχε αποταμιεύσει ένα σεβαστό ποσό για να κάνει το πρώτο του βήμα. Την ιδέα τού την πέταξε ένας ηθοποιός του σινεμά, ο Γκρεγκ, που ερχόταν για φαγητό σχεδόν κάθε μέρα επί τέσσερις μήνες στο ρέστοραν όπου δούλευε τότε, όσο χρόνο δηλαδή χρειάστηκε να τελειώσουν μια γκανγκστερική ταινία που γύριζαν εκεί. Είχαν γίνει φίλοι και έτσι πήρε τη μεγάλη απόφαση. Στην αρχή τού πρότεινε να γίνει ηθοποιός, έτσι ομορφόπαιδο που ήταν, ψηλό και νταβραντισμένο. Οι γκανγκστερικές ταινίες ήταν στα φόρτε τους και οι σκουρόχρωμοι ηθοποιοί που έμοιαζαν με Ιταλούς σπάνιζαν. Ο Νικ, ως γνήσιος μεσογειακός τύπος, θα μπορούσε να ενσαρκώσει άνετα το ρόλο κάποιου μαφιόζου. Και το έκανε ως κομπάρσος δυο-τρεις φορές, και αυτό περισσότερο γιατί τον πίεσε ο Γκρεγκ. Αλλά ως εκεί. Μόλις τελείωσε η ταινία, τελείωσε και η καριέρα του στον κινηματογράφο. Και το αστείο ήταν ότι άρεσε πολύ. Ο Νικήτας όμως ούτε να το ακούσει. Τα κινηματογραφικά τερτίπια δεν ταίριαζαν στο χαρακτήρα του και έβρισκε την ηθοποιία μάλλον κωμική δουλειά και καθόλου αντρίκεια. Να κρατάει τώρα ψεύτικα όπλα και να παριστάνει το φονιά; Ο άνδρας, έλεγε, έπρεπε να έχει κάλους στα χέρια και όχι στο μυαλό για ν' ανδρωθεί. Σαν το ποτάμι ξεχειλίσει, μόνο τέτοια χέρια μπορούν να τα βάλουν μαζί του. Οι μπίζνες τού πήγαιναν περισσότερο.

Βρήκε ένα συμπαθητικό χώρο κάπου στο κέντρο της πόλης, χρεώθηκε, δούλεψε σκληρά, απελπίστηκε, όμως άνοιξε το δικό του ρέστοραν. Το ονόμασε AMORGI από την Αμοργό, προς τιμήν του νησιού του, και φρόντισε οι μερίδες να είναι μεγάλες και το κρέας φρέσκο και ποιοτικό. Κρέμασε και την ελληνική σημαία πάνω από το μπαρ και δίπλα από έναν πίνακα που απεικόνιζε την Αμοργό, τον οποίο είχε παραγγείλει σ' ένα ζωγράφο δίνοντάς του μια ασπρόμαυρη φωτογραφία να αντιγράψει. Ο Αμερικανός ζωγράφος, που δεν είχε ιδέα ότι τα σπίτια ήταν ολόλευκα, τα έκανε χρωματιστά, ίσως γιατί δεν του περίσσευε το λευκό χρώμα, όμως τον Νικ διόλου δεν τον ενόχλησε. Του αρκούσε που έβλεπε το μοναστήρι της Παναγιάς και τη γαλάζια θάλασσα. Η αλήθεια όμως ήταν ότι ο φίλος του ο Γκρεγκ, ο ηθοποιός, δεν τον λησμόνησε και συνέστησε το μαγαζί του και σε άλλους σταρ του σινεμά, που άρχισαν να έρχονται όλο και συχνότερα. Εξάλλου, είχε γνωρίσει αρκετούς από δαύτους σ' εκείνη την ταινία, που ήταν υπερπαραγωγή. Αυτό ήταν που έκανε διάσημο το μαγαζί και σύντομα το AMORGI απέκτησε όνομα και έγινε στέκι των ανθρώπων του σινεμά. Στα τραπέζια του κλείστηκαν πολλές από τις μεγαλύτερες συμφωνίες και συμβόλαια στην ιστορία του κινηματογράφου και ο Γεράκης ξόφλησε όλα του τα χρέη και άρχισε να έχει λογαριασμό στην τράπεζα. Στόχος του ήταν να κατακτήσει το αμερικανικό όνειρο, να παντρευτεί μια Ελληνοπούλα και κάποτε να γυρίσει πίσω στο νησί του και να ζήσει τα γεράματά του εκεί, δίπλα σε όλα αυτά που αγαπούσε από παιδί.

Ωστόσο ο έρωτας δεν ήρθε από την Ελλάδα, αλλά φανερώθηκε στα μάτια μιας εικοσιπεντάχρονης στάρλετ, της Τζένιφερ Ρόντνεϊ, που μάταια προσπαθούσε εδώ και μια εξαετία να κάνει καριέρα στο Χόλιγουντ. Η Τζένιφερ, μια ψηλή κατάξανθη Καλιφορνέζα με εβραϊκές ρίζες και τεράστια γαλάζια μάτια, μπορεί να έμοιαζε με άγγελο, όμως ήταν ένας παντελώς ατάλαντος άγγελος. Γι' αυτό οι μόνοι ρόλοι που έπαιξε, και δεν ήταν πολλοί, ήταν αυτοί της κομπάρσας. Τα χρόνια περνούσαν και η κοπέλα άρχισε να ανησυχεί όχι μόνο για το ταλέντο της, αλλά και για την ηλικία της. Ήδη τα πράγματα στον κινηματογράφο άλλαζαν και οι ξανθές αθώες γαλανομάτες δεν ήταν πια της μόδας. Όλο και πιο συχνά εμφανίζονταν στη μεγάλη οθόνη μελαχρινές δυναμικές γυναίκες, κάνοντάς την να αισθάνεται μεγα-

λύτερη οικονομική και επαγγελματική ανασφάλεια. Κι ενώ κά-
ποτε ήταν περιζήτητη στις παρέες και στα πάρτι, σταδιακά οι
προσκλήσεις άρχισαν να αραιώνουν, όπως και τα φλερτ. Όχι
πως συνήθιζε να κοιμάται με τον πρώτο τυχόντα, όμως ένας κα-
λός γάμος ισοδυναμούσε με έναν καλό κινηματογραφικό ρόλο.
Δεν υπάρχει τίποτε πιο σκληρό για μια γυναίκα από το άγγιγμα
του χρόνου. Πολύ, δε, περισσότερο για μια ηθοποιό· είναι η από-
λυτη καταστροφή. Και οι γυναίκες ηθοποιοί στο Χόλιγουντ γνώ-
ριζαν πολύ καλά ότι η χρυσή δεκαετία τους ήταν από τα είκοσι
μέχρι τα τριάντα. Αν μέχρι τότε δεν έκαναν όνομα, δε θα έκαναν
ποτέ. Και το χειρότερο, μπορεί οι άνδρες να τις ήθελαν για ερω-
μένες τους, όχι όμως για γυναίκες τους. Έτσι, όταν η Τζένιφερ
γνωρίστηκε με τον εικοσιεφτάχρονο τότε ιδιοκτήτη του ρέ-
στοραν, όπου πήγαιναν πολύ συχνά διάφοροι φίλοι της, γοη-
τεύτηκε από το διακριτικό φλερτάρισμά του. Και δεν ήταν κι
άσχημος. Ελάχιστα πιο ψηλός από εκείνη, με κατάμαυρα σπα-
στά μαλλιά και μάτια, είχε ένα πολύ γοητευτικό πρόσωπο. Το
μόνο που την ενοχλούσε πάνω του ήταν η κάπως μεγάλη και
γαμψή μύτη του.
    Ο Νικ, από την πλευρά του, ένιωσε αυτό που λέμε κεραυνο-
βόλο έρωτα. Ποτέ δεν του 'χε περάσει από το νου ότι θα ερω-
τευτεί μια κοπέλα που δεν ήταν Ελληνίδα. Τα παιδιά του τα ήθε-
λε Ελληνόπουλα μέχρι το κόκαλο. Αλλά τα αθώα γαλάζια μά-
τια της Τζένιφερ του θύμισαν έντονα τη θάλασσα του νησιού
του, της όμορφης Αμοργού. Στα μεγάλα μάτια της είδε ξανά την
Ελλάδα και ένιωσε την καρδιά του να λιώνει από τη θύμησή
της. Τη φλέρταρε διακριτικά αλλά επίμονα, και έπειτα από τό-
σα χρόνια στην Αμερική, έβαλε για πρώτη φορά τη δουλειά του
σε δεύτερη μοίρα. Η Τζένιφερ, αν και δεν ήταν ο τύπος που θεω-
ρούσε ότι της άξιζε, κολακεύτηκε από το φλερτ του και στο τέ-

λος δέχτηκε να πάνε μαζί μια βόλτα στην παραλία του Μαλι-
μπού, για πικ νικ. Εκεί ο Νικ τη φίλησε για πρώτη φορά και της
δήλωσε ορθά κοφτά πως ήθελε να την κάνει γυναίκα του. Η Τζέ-
νιφερ ξαφνιάστηκε ευχάριστα και αυτό που την παραξένεψε πε-
ρισσότερο ήταν ότι η πρότασή του δεν της ήταν καθόλου απο-
κρουστική. Εντάξει, ο Έλληνας μπορεί να είχε περίεργη μύτη,
μπορεί να μην ανήκε στο σινάφι της, να μην ήταν παραγωγός,
έστω ηθοποιός, να μην μπορούσε να προωθήσει την καριέρα της,
όμως η ίδια σε λίγους μήνες θα ήταν εικοσιέξι χρόνων και ήδη
είχε προσέξει κάποιες ρυτίδες γύρω από τα μάτια της. Ούτε για
κομπάρσα δε θα είχε πια προτάσεις. Τα χρονικά περιθώρια στέ-
νευαν συνεχώς. Αν μη τι άλλο, ο άνδρας αυτός θα τη φρόντιζε,
ήταν αγαπητός σε όλους, πολύ ερωτευμένος μαζί της και, απ' ό,τι
έδειχναν τα πράγματα, τα οικονομικά του πήγαιναν από το κα-
λό στο καλύτερο. Λίγες μέρες μετά είπε το «ναι» και δέχτηκε να
κοιμηθεί μαζί του. Εκείνο το βράδυ βεβαιώθηκε πως η απόφα-
ση που είχε πάρει ήταν η σωστότερη της ζωής της. Ερωτεύτηκε
τον άνδρα της και για πρώτη φορά ο κινηματογράφος δεν είχε
τον πρώτο λόγο στη ζωή της.

Όταν το 1963 γεννήθηκε η πρωτότοκη κόρη τους, η Κάσι,
που πήρε το όνομα της πεθεράς της, της Κασσάνδρας, η Τζένιφερ
κατάλαβε ότι η σχέση της με τον κινηματογράφο είχε τελειώσει
οριστικά πλέον. Το στήθος της χαλάρωσε από την εγκυμοσύνη
και τα πολλά κιλά που είχε πάρει, η μέση της φάρδυνε και οι
πρώτες έντονες ρυτίδες στις άκρες των χειλιών της χαλούσαν
το άλλοτε αλαβάστρινο προσωπάκι της. Υπήρξαν κάποιες προ-
τάσεις για τρίτους ρόλους, και η αλήθεια είναι ότι ως κυρία Τζέ-
νιφερ Γεράκη έλαχε μεγαλύτερου σεβασμού παρά ως Τζένιφερ
Ρόντνεϊ. Αφοσιώθηκε ακόμη περισσότερο στον άνδρα της και
στην οικογένειά της και απέκτησαν άλλα δύο παιδιά, αγόρια

αυτή τη φορά· τον Άλμπερτ, που είχε το όνομα του πατέρα της, και τον Γιάννο –Τζον όπως τον φώναζαν–, που είχε το όνομα του πεθερού της. Και τα τρία παιδιά βαπτίστηκαν σε ορθόδοξη εκκλησία, κάτι που δεν της άρεσε καθόλου. Τα ήθη και έθιμα της πατρίδας του άνδρα της τα θεωρούσε αποκρουστικά και βάρβαρα και, όσο περνούσε από το χέρι της, κατέβαλλε τεράστια προσπάθεια για να γίνουν τα παιδιά της γνήσια Αμερικανόπουλα. Ακόμη και όταν ο Νικ προσπαθούσε να τους μάθει κάποιες ελληνικές λέξεις, εκείνη τον διέκοπτε τάχα για να ρωτήσει κάτι, ή γιατί χρειαζόταν κάτι, ή γιατί είχε χάσει κάτι. Ο κρυφός πόλεμος κατά της Ελλάδας πίσω από την πλάτη του άνδρα της δεν είχε γίνει αντιληπτός από κανένα, ούτε από τον καλόβουλο Νικ, που εργαζόταν ακόμη σκληρότερα για να μη λείψει απολύτως τίποτε από την οικογένειά του.

Όταν η Κάσι έγινε πέντε ετών, ο Γεράκης αποφάσισε να ανοίξει άλλο ένα ρέστοραν, αυτή τη φορά πολυτελείας. Το ρέστοραν αυτό το άνοιξε στο Χόλιγουντ, σ' ένα από τα ακριβότερα σημεία της περιοχής. Του έδωσε το όνομα της μάνας του, CASSANDRA. Ήδη είχε πολύ μεγάλη και καλή πελατεία από το AMORGI και το ρίσκαρε, τοποθετώντας σε αυτό ό,τι χρήματα είχε και δεν είχε στην άκρη, παίρνοντας ακόμη και δάνειο. Ρίσκαρε και πέτυχε. Από την πρώτη μέρα το CASSANDRA έγινε το meeting point[10] των διασήμων της πόλης. Οι περισσότερες συμφωνίες της show business[11] άρχισαν να κλείνονται εκεί μέσα. Σύντομα η οικογένεια απέκτησε το δικό της σπίτι στην περιοχή του Χόλιγουντ, ένα εξοχικό στο Λας Φλόρες, δυο μεγάλα αυτοκίνητα και καταθέσεις στην τράπεζα. Η Τζένιφερ είχε πια τα πάντα, εκτός

10. Σημείο συνάντησης και κατ' επέκταση στέκι.
11. Ο κόσμος του θεάματος.

από εκείνο που τόσο πολύ ποθούσε: ένα ρόλο της προκοπής στο σινεμά.

Έπειτα από τη γέννηση του τρίτου παιδιού της και ενώ ένιωθε πια κοινωνικά καταξιωμένη και οικονομικά ασφαλής δίπλα στον άνδρα της, το μικρόβιο του κινηματογράφου επέστρεψε ξανά, εντονότερο αυτή τη φορά. Η Τζένιφερ πλησίαζε πια 'τα τριάντα τρία, αλλά η εξωτερική της εμφάνιση εξακολουθούσε να είναι καλή, ειδικά από τότε που είχε αποκτήσει σπίτι με πισίνα και κολυμπούσε κάθε μέρα. Οι μύες του κορμιού της είχαν σφίξει αισθητά και οι συχνές επισκέψεις της στα beauty salon[12] της είχαν αναπτερώσει το ηθικό. Ύστερα, όλο και μεγαλύτερες σε ηλικία ηθοποιοί αναδεικνύονταν και καθιερώνονταν ως σύμβολα ομορφιάς. Γιατί λοιπόν να μην έχει κι εκείνη μια δεύτερη ευκαιρία;

Η Τζένιφερ άρχισε να συχνάζει όλο και περισσότερο στο CAS-SANDRA, ευελπιστώντας να τραβήξει την προσοχή κάποιου παραγωγού μέσα από τις κινηματογραφικές παρέες που σύχναζαν εκεί, δικαιολογώντας την παρουσία της ότι τάχα κάνει δημόσιες σχέσεις. Κι όλες αυτές οι σκέψεις κρυφά από τον άνδρα της. Ο μόνιμος φόβος ήταν μήπως κάποια μέρα τής ζητήσει να πάνε στην Ελλάδα και να ζήσουν για πάντα εκεί. Η Τζένιφερ μπορεί να αγάπησε τον Έλληνα άνδρα της, αλλά μίσησε την Ελλάδα και την Αμοργό. Το πρώτο ταξίδι που έκανε εκεί ήταν το 1964, όταν η Κάσι ήταν μόλις ενός έτους, και πήγαν οικογενειακώς για καλοκαιρινές διακοπές, για να γνωρίσει την πεθερά της, την Κασσάνδρα, την κουνιάδα της, την Πολυτίμη, και τους συγγενείς και φίλους του Νικ.

Η Τζένιφερ, μαθημένη στις ανέσεις που της παρείχε η δική

_____

12. Κέντρα ομορφιάς.

της πατρίδα, τσίτωσε για τα καλά από την αρχή. Βρήκε την Αθήνα πολύ μικρή και βρόμικη για πρωτεύουσα κράτους, τις ατελείωτες ώρες με εκείνο το σαπιοκάραβο μέχρι το νησί βασανιστήριο και κόλαση, ξερνούσε ανά πεντάλεπτο και έπειτα από το ανέβασμα με ένα κάρο ζεμένο σε μουλάρι από το λιμάνι μέχρι το σπίτι της πεθεράς της στο βουνό ένιωσε να την εγκαταλείπει κάθε ίχνος αντοχής και ανοχής γι' αυτό τον ξερότοπο, όπως ονόμαζε πλέον την Ελλάδα. Και σαν κερασάκι στην τούρτα ήρθε και κάθισε το πεντακάθαρο μα λιτό σπίτι της κυρα-Κασσάνδρας, που της έδωσε το τελειωτικό χτύπημα. Η τουαλέτα βρισκόταν έξω στην αυλή – αν ήταν ποτέ δυνατόν! Δεν υπήρχε μπανιέρα, ή έστω μια ντουζιέρα, πράγμα που το βρήκε απαράδεκτο. Δεν υπήρχε αυτοκίνητο, παρά μόνο κάρα και καρότσες –απίστευτο!– και δεν άντεχε ούτε τα κάρα ούτε και το μουλάρι. Δεν υπήρχε καν ηλεκτρικό ρεύμα, κάτι που την έβγαλε κυριολεκτικά έξω από τα ρούχα της. Μα πώς ζούσαν αυτοί οι άνθρωποι σ' αυτές τις συνθήκες; Έμοιαζαν με άθλιους Ινδιάνους της Αμερικής, με τη μόνη διαφορά ότι οι Ινδιάνοι είχαν σχιστά μάτια και μακριά μαλλιά.

Έκαναν μπάνιο στην αυλή ή σε σκάφη μέσα στο σπίτι και με νερό αμφιβόλου καθαρότητας, το οποίο μετέφεραν από το πηγάδι με κουβάδες, στην ίδια σκάφη όπου έπλεναν τα βρομόρουχά τους. Τι κι αν την έπλεναν καλά και την ξανάπλεναν; Μαγείρευαν στη φωτιά στο τζάκι και τα βράδια άναβαν λάμπες πετρελαίου, γιατί το ηλεκτρικό ρεύμα τούς ήταν ακόμη άγνωστη λέξη.

«Τι να το κάμουμε το φως, κόρη μου, σαν έχουμε τ' άστρα και το φεγγαράκι;» της έλεγε η γερόντισσα με νοήματα, δείχνοντάς της τον ουρανό. Και πράγματι, δεν υπήρχε πιο όμορφος ουρανός, πλημμυρισμένος με αστέρια και γλυκός που ξεχνιόσουν με τις ώρες σαν τον χάζευες. Οι μυρωδιές του γιασεμιού, του βασιλικού και των νυχτολούλουδων σε τύλιγαν μεθυστικά, τα βότανα σε γιάτρευαν, η αλμύρα της θάλασσας σε ταξίδευε, η αστροφεγγιά σε μάγευε. Κι ενώ η Τζένιφερ έβραζε από θυμό και αγανάκτηση για τη βάρβαρη και χωρίς ανέσεις ζωή στο νησιώτικο σπίτι, ο άνδρας της, αντίθετα, ξαπλωμένος στην αυλή σ' ένα σιδερένιο ντιβάνι, έδειχνε χαλαρωμένος και πραγματικά ευτυχισμένος. Συζητούσε με τη μάνα του και, σαν έβλεπε κανένα αστέρι να πέφτει από τον ουρανό, φερόταν σαν παιδί, προτρέποντας τη γυναίκα του να κάνει γρήγορα μια ευχή. Και τότε η Τζένιφερ ευχόταν από μέσα της να μην ξαναπατήσουν ποτέ το πόδι τους σ' αυτό τον αγριότοπο με τους βάρβαρους κατοίκους. Κι ενώ κατά βάθος την ευχαριστούσε που τον έβλεπε χαλαρωμένο και ξέγνοιαστο, δεν πειθόταν με τίποτε από όλα αυτά και στραβομουτσούνιαζε συνεχώς, μετρώντας μία μία τις μέρες της επιστροφής. Δεν ήταν για κείνη η Ελλάδα, παρότι ο άνδρας της έδειχνε πιο χαρούμενος από ποτέ. Την είχε πάρει με στραβό μάτι και, όταν έπαιρνε κάτι στραβά, ούτε ο Θεός μπορούσε να την πείσει για το αντίθετο.

Ο μήνας πέρασε και η Τζένιφερ έδωσε όρκο ότι ποτέ πια δε θα ξαναπατούσε σ' αυτόν εδώ τον τόπο. Πού ακούστηκε ποτέ να φθάνουν από το λιμάνι, αν αυτό λεγόταν λιμάνι, στο χωριό με μουλάρια και κάρα με ξύλινες ρόδες και να μην υπάρχει ούτε ένα αυτοκίνητο; Πού ακούστηκε να ζυμώνουν οι γυναίκες μόνες τους το ψωμί και να μην το αγοράζουν έτοιμο; Πού ακούστηκε να μην υπάρχει ούτε ένα σινεμά, ένα τόσο δα θεατράκι, έστω μια τηλεόραση να περνάει κάπως η ώρα και ο κόσμος να διασκεδάζει με επισκέψεις στα γειτονικά σπίτια, ή πηγαίνοντας στην εκκλησία, ή για μπάνιο από το πρωί μέχρι αργά το απόγευμα της Κυριακής; Υπήρχε βέβαια η κρυστάλλινη θάλασσα που είχε εκείνα τα απίστευτα χρώματα, υπήρχαν τα φρέσκα ψάρια, όστρακα που δεν είχε δει ποτέ, υπήρχε η δροσιά από κάποιο αγέρι που τη δρόσιζε, υπήρχαν εκείνες οι υπέροχες μυρωδιές από τα γιασεμιά και τα νυχτολούλουδα, υπήρχε ένα κάτι... όμως όχι, δεν ήθελε να το παραδεχτεί. Έβλεπε μόνο εκείνα που ήθελε να δει και, κυρίως, να μισήσει. Ακόμη και η γλώσσα τής φάνηκε πρωτόγονη. Οι μόνες ελληνικές λέξεις που έμαθε ήταν «καλημέρα», «ευχαριστώ», «στην υγειά σου» και «αντίο». Κυρίως το «αντίο», τη μοναδική λέξη που δεν ξέχασε ποτέ. Τίποτε άλλο. Αντίο είπε την τελευταία μέρα και ξέχασε την Ελλάδα και τα ελληνικά χρώματα μια για πάντα. Ακόμη και την κόρη της από την πρώτη στιγμή τη φώναξε «Κάσι», χάριν συντομίας, όπως δικαιολογήθηκε στον Νικ. Στην ουσία, όμως, δεν ήθελε τίποτε να της θυμίζει το κακορίζικο και απολίτιστο νησί του άνδρα της.

Μάταια προσπάθησε ο Νικ να την πείσει για το αντίθετο και να πάνε και τον επόμενο χρόνο στην Αμοργό. Στάθηκε αδύνατον. Έτσι, δεν πήγε ούτε εκείνος. Αργότερα έμεινε έγκυος στο δεύτερο παιδί τους, τον Άλμπερτ, και το ανέβαλε πάλι. Και μετά στον Τζον. Την τέταρτη χρονιά όμως, σαν η Κάσι έγινε πέντε, ο Νικ την πήρε μαζί του και έφυγαν οι δυο τους για το νησί. Το κοριτσάκι ξετρελάθηκε με τη γιαγιά της, τις κατσίκες, τις κοτούλες, τις γάτες και όποιο ζώο έβλεπε. Πήρε χρώμα, ψήλωσε απότομα, ζωντάνεψε, θαρρείς. Η μικρή μέχρι τότε έτρωγε με το σταγονόμετρο, δεν είχε καθόλου όρεξη και ήταν τραγικά αδύνατη, αρρώσταινε συνεχώς, κάτι που έκανε τους γονείς της να επισκέπτονται πολύ συχνά τον παιδίατρο. Τώρα όμως έτρωγε ό,τι κι αν της έβαζε η γιαγιά της στο τραπέζι, και σαν ζουζούνι, ζουζούνιζε όλη τη μέρα. Αλλά και η γιαγιά ένιωσε απόλυτα ευτυχισμένη με την παρουσία της εγγονής της. Έτσι ο Νικ αποφάσισε το επόμενο καλοκαίρι, τον Ιούνιο, να στείλει τη μικρή στην Αμοργό με τη συνοδεία ενός φίλου του και υπαλλήλου του, που του 'χε δώσει δουλειά, και να τη γύριζε πίσω τέλη Αυγούστου, όταν θα πήγαινε να την πάρει ο ίδιος. Η Τζένιφερ δεν μπόρεσε παρά να παραδεχτεί ότι το νησί είχε βοηθήσει πολύ την κόρη της να ξεπεράσει την περίεργη ανορεξία της και ήταν η πρώτη φορά που δεν αρρώστησε ούτε μία μέρα όλο το χρόνο. Αν το νησί, για κάποιον περίεργο λόγο, έκανε καλό στη μικρή, τότε δεν είχε παρά να αποδεχτεί την επίσκεψή της εκεί τα καλοκαίρια. Και κάθε φορά που γύριζε από κει, ήταν κάποιους πόντους ψηλότερη και φαινόταν πιο υγιής. Το μόνο πρόβλημα πια ήταν ότι η γιαγιά της στο νησί τη φώναζε «Κασσάνδρα», και θύμωνε με το γιο της όταν την αποκαλούσε «Κάσι». Έτσι συνήθιζε να τη φωνάζει κι εκείνος «Κασσάνδρα», κι όταν επέστρεφαν στην Αμερική, η γυναίκα του στραβομουτσούνιαζε με το όνομα και φτου κι απ' την αρχή να συνηθίσουν πατέρας και κόρη το «Κάσι». Η μικρή ήταν η Κασσάνδρα στην Αμοργό και η Κάσι στο Λος Άντζελες.

Για οκτώ συνεχόμενες χρονιές, το κορίτσι, μόνο του ή με τα αδέλφια του, έδινε το «παρών» στην Αμοργό κάθε καλοκαίρι για τρεις ολόκληρους μήνες. Είχε μάθει να μιλάει αρκετά καλά τα ελληνικά, κάτι που δε συνέβη ποτέ ούτε με τον Τζον ούτε με τον Άλμπερτ. Η Κάσι δεν έμοιαζε με εκείνους, ούτε στην εμφάνιση ούτε στο χαρακτήρα. Τα δύο αγόρια είχαν πάρει από τη μάνα τους, έτσι όπως ήταν κατάξανθα, με κάτασπρη επιδερμίδα και γαλάζια μάτια. Ήταν Αμερικανάκια με όλη τη σημασία της λέξης και φρόντιζε για αυτό πολύ καλά και η Τζένιφερ. Δεν πολυσυμπαθούσαν το σπίτι της γιαγιάς τους, παρότι όσο βρίσκονταν εκεί διασκέδαζαν με την ψυχή τους. Ενώ η καταμελάχρινη Κάσι, γεμάτη ζωή, έτρεχε σαν το αγριοκάτσικο πέρα-δώθε οληημερίς, γελώντας δυνατά, και ήταν πολύ καταδεκτική με όλους.

Για την Κάσι το νησί ήταν ο παράδεισος. Είχε αποκτήσει μόνιμους φίλους εκεί, περίπου στην ηλικία της, όπως την Ποθητή, ένα λεπτοκαμωμένο μελαχρινό κοριτσάκι που όλο γελούσε, την ξανθομαλλούσα Μόσχα, που δε φορούσε ποτέ παπούτσια, τη ζωηρή Κορονιά, που τσίριζε σαν δεν περνούσε το δικό της, το Βεργούδι, που ήταν τρία χρόνια μικρότερη από όλους και έκλαιγε εύκολα, τον Ρουσσέτο, τον μικρότερο αδελφό της Ποθητής, που όλο τσακωνόταν μαζί της για το ποιος θα είναι ο αρχηγός, και τον ντροπαλό Νικόλα. Κάθε φορά έφερνε δώρα για τους φίλους της –σοκολάτες, γλειφιτζούρια και γεμιστά μπισκότα– και δε δίσταζε να τους χαρίζει όλα τα παιχνίδια της, ακόμη και τα ρούχα και τα παπούτσια της, κάτι που εκνεύριζε τη μάνα της. Τα παιδιά περίμεναν με περίσσια χαρά τις επισκέψεις της φίλης τους από το Αμέρικα, μα ακόμη περισσότερο τα δώρα της. Ο μικρός Νικόλας έμενε πάντα έκθαμβος στη θέα των μπισκότων με τη γέμιση βανίλιας, σοκολάτας ή μπανάνας, και δε χόρταινε να τα μασουλάει με τις ώρες. Η Ποθητή, η Κορονιά και το Βεργούδι είχαν μαγευτεί από τις τρεις κούκλες Barbie της Κάσι και ολημερίς τις έντυναν, τις έγδυναν, τις στόλιζαν και τις χτένιζαν, ενώ ο Ρουσσέτος είχε πέσει με τα μούτρα στο κυνηγητό εκείνου του αυτοκίνητου που είχε μπαταρίες και τσουλούσε μόνο του, ενώ άναβε ένα περίεργο φως από πάνω που έκανε θόρυβο και που δεν μπορούσε να καταλάβει τι ήταν. Βέβαια, η Κάσι του εξήγησε ότι ήταν αυτοκίνητο της αστυνομίας, όμως ο Ρουσσέτος δεν ήξερε τι ήταν αυτό.

Ο Νικ απλώς καμάρωνε το κοριτσάκι του, που ήταν μια γνήσια Ελληνοπούλα, έτοιμη να γκρεμίσει στο διάβα της ακόμη και δράκους των παραμυθιών για να προσφέρει χαρά στους φίλους της. Κι όσο μεγάλωνε, τόσο ψήλωνε, τόσο ομόρφαινε και τόσο πεταγόταν το κοκαλάκι στη μύτη της, κάτι που έκανε τον πατέρα της να φουσκώνει από περηφάνια όταν του 'λεγαν πως ήταν φτυστός εκείνος. Η μύτη αυτή ήταν χαρακτηριστική στην οικογένειά του και την είχαν κληρονομήσει, εκτός από τον ίδιο, και η αδελφή του και οι ξαδέλφες του. Οι γιοι του είχαν πάρει από τη γυναίκα του, και μάλλον θα είχαν τη δική της μύτη, που ήταν καλοσχηματισμένη. Αργότερα, σαν έγινε η Κάσι δεκατριών χρόνων, ήρθαν τα μαντάτα. Η γερόντισσα αρρώστησε καταχείμωνο βαριά και πέθανε ξαφνικά. Δεν είχε αρρωστήσει ποτέ στη ζωή της, παρ' όλες τις ταλαιπωρίες και την πείνα που είχε περάσει. Έπεσε μία και μοναδική φορά και δεν ξανασηκώθηκε. Ο Νικ το πήρε κατάκαρδα και δύσκολα ξεπέρασε το χαμό της. Της έστελνε συχνά χρήματα για να ζει καλά, όμως η αδελφή του η Πολυτίμη τα βρήκε όλα κρυμμένα μες στο στρώμα της. Πάντα φρόντιζε να στέλνει χρήματα και στη μάνα και στην αδελφή του, αλλά οικονόμες καθώς ήταν και οι δυο από τις στερήσεις, δεν τα ξόδευαν. Ο Νικ της είπε να τα κρατήσει για να επισκευάσει και να επεκτείνει το σπίτι της στα Θολάρια όπως έπρεπε και όχι όπως ήταν τώρα. Το πατρικό τους στη Χώρα ας το 'παιρνε εκείνη. Ωστόσο η γριά είχε μηνύσει στο δήμαρχο του νησιού, που ήταν και μακρινός ξάδελφος, πως το σπίτι ανήκε στην Κασσάνδρα, την εγγονή της, και μόνο σ' αυτήν. Μάλιστα, είχε υπογράψει με σταυρό πάνω στα χαρτιά του σπιτιού. Ο Νικ, που ήταν έντιμος και δεν το 'θελε αυτό, είπε τότε στην αδελφή του ότι θα της στείλει το αντίτιμο του πατρικού, και έτσι το σπιτάκι της γιαγιάς Κασσάνδρας έμεινε στην Κάσι, που ποτέ όμως μετά το θάνατό της δεν το τίμησε ξανά. Πού να πάει; Και πού να μείνει χωρίς τη γιαγιά της; Ούτε όμως και ο Νικ ξαναπάτησε το πόδι του στην Αμοργό. Η μάνα του ήταν η Αμοργός. Χωρίς εκείνη δε θα άντεχε λεπτό. Περίμενε πρώτα να καταλαγιάσει ο πόνος μέσα του και ύστερα... πώς να ζήσει στο σπίτι χωρίς την κυρα-Κασσάνδρα να τον περιμένει στο κατώφλι;

Με τα χρόνια, οι μνήμες της Κάσι άρχισαν σιγά σιγά να ξεθωριάζουν, οι εικόνες να ξεφτίζουν, οι μυρωδιές της αυλής να ξεχνιούνται, μπήκε και στην εφηβεία, άρχισαν τα πρώτα φλερτ, ξέχασε και τα ελληνικά της και αμερικανοποιήθηκε σαν τα αδέλφια της. Ο Νικ άρχισε πια να προτιμά το Μεξικό, τη Χαβάη, την Ταϊτή και τη Λατινική Αμερική για τις διακοπές του, προορισμούς που βρίσκονταν πιο κοντά στο σπίτι τους. Οι μνήμες από τη γιαγιά ήταν κάποιες ελάχιστες φωτογραφίες που της είχε βγάλει ο πατέρας της, όταν την έπειθε να ποζάρει. Διαφορετικά, πού να βρεθεί φωτογράφος εκεί. Και αυτές όμως τις καταχώνιασε κάπου η μάνα της, και όχι στα οικογενειακά άλμπουμ που μπορούσαν να τα χαζέψουν οι φίλες της και να μάθουν για τον άθλιο τόπο καταγωγής του άνδρα της.

Έτσι η Κάσι, σαν τελείωσε το σχολείο, πήγε στο κολέγιο, στο τμήμα δημοσίων σχέσεων, παράλληλα, δε, βοηθούσε και τον πατέρα της στην επιχείρηση, προσπαθώντας να μάθει τα μυστικά της δουλειάς, ενώ πολλές φορές συζητούσε μαζί του τις δικές της ιδέες για τον εκσυγχρονισμό των δύο εστιατορίων τους. Κι εκείνος καμάρωνε για το κορίτσι του. Η μάνα της ήταν αντίθετη με όλα αυτά και προτιμούσε η κόρη της να ασχολείται μόνο με τις σπουδές της, παροτρύνοντάς την να μπει σε παρέες ηθοποιών, που ίσως της άνοιγαν το δρόμο για τον κόσμο του θεάματος. Γιατί να μην έχει κάποια διάσημη κόρη; Κοντά της θα μπορούσε να πηγαίνει στις τελετές των βραβείων Όσκαρ, ή και στα πιο κοσμικά πάρτι και ίσως… ίσως και τώρα, στα σαράντα έξι της, να της πρόσφεραν κάποιο ρόλο μιας ώριμης γυναίκας προκειμένου να αποδείξει το ταλέντο της.

Η Κάσι, σαν τον πατέρα της, απεχθανόταν αυτά τα κυκλώματα. Έβρισκε τους σταρ βαρετούς, εγωκεντρικούς, περίεργους, απαιτητικούς και μανιακούς με την εμφάνισή τους και την προβολή τους. Δεν την ενδιέφεραν ούτε τα φώτα, ούτε η λάμψη, ούτε οι κόλακες που τους περιτριγύριζαν. Για εκείνη το νόημα της ζωής βρισκόταν αλλού. Ήθελε την ανωνυμία της, την ησυχία της και τους φίλους της. Τα ωραία ρούχα την άφηναν αδιάφορη, το ίδιο και το μακιγιάζ. Προτιμούσε τα απλά τζιν ρούχα της, τις μίνι φούστες της, τα κοντομάνικα μακό μπλουζάκια και τα ίσια απλά παπούτσια της, κάτι που έφερνε τη μάνα της στα όρια της απελπισίας και τον πατέρα της στα όρια του εγκεφαλικού, όταν έβλεπε τα γυμνά πόδια της κόρης του εκτεθειμένα κάτω από τις μίνι φούστες που φορούσε. Ωστόσο η Κάσι, ως αθλητικός τύπος που ήταν, μια και είχε κάνει αρκετά χρόνια μπαλέτο και έπαιζε βόλεϊ, δε θεωρούσε το σώμα της τίποτε το ιδιαίτερο ώστε να δημιουργεί τέτοια αναστάτωση και σαφώς δεν της άρεσε να προκαλεί.

Ώσπου γνωρίστηκε με τον Σταν. Ήρθε μια μέρα στο ρέστοραν CASSANDRA συνοδευόμενος από ένα φιλικό του ζευγάρι και από μια ξανθιά με προκλητικό σιλικονάτο μπούστο, όμως τα μάτια του δεν ξεκόλλησαν στιγμή από τα πόδια της Κάσι, που πήρε την παραγγελία. Φορούσε μια μίνι λευκή φούστα και τα εξαίσια γυμνασμένα και ψηλά πόδια της αιχμαλώτισαν αμέσως το βλέμμα του. Στη συνέχεια, τα γαλάζια μάτια της κατόρθωσαν να τράβηξαν το βλέμμα του από τα πόδια, μέχρι που εστίασε στη μύτη της. Αυτό που είδε δεν του άρεσε καθόλου. Το κορίτσι ήταν πολύ όμορφο και, αν διόρθωνε τη μύτη του, τότε θα γινόταν μια πραγματική καλλονή. Την πέρασε για σερβιτόρα, αλλά αυτό τον άφηνε αδιάφορο. Κάπνιζε αργά το τσιγάρο του, απολαμβάνοντας το όμορφο θέαμα που του πρόσφεραν οι αέρινες κινήσεις της, το διακριτικό άρωμά της, τα μακριά εβένινα μαλλιά της. Όταν ένας άνδρας γοητεύεται από μια γυναίκα, το τελευταίο πράγμα που τον απασχολεί είναι η δουλειά της και πόσα χρήματα κουβαλάει στην τσέπη της. Εκείνο που τον καίει είναι να την κατακτήσει. Η ξανθιά όμως συνοδός του πήρε χαμπάρι το ενδιαφέρον του για τη νεαρή σερβιτόρα και αντέδρασε άσχημα. Καβγάδισαν και ο Σταν σηκώθηκε και έφυγε σέρνοντάς την από το χέρι, καθώς εκείνος είχε χάσει κάθε έλεγχο. Η Κάσι είδε τον καβγά, όμως δεν κατάλαβε ότι είχε γίνει εξαιτίας της.

Μία εβδομάδα αργότερα, ο Σταν ξαναπήγε στο μαγαζί, αλλά αυτή τη φορά συντροφιά με δυο άνδρες φίλους του. Την ξανάδε και διακριτικά της έπιασε την κουβέντα. Πήγε και ξαναπήγε και στο τέλος της ζήτησε το τηλέφωνό της. Η Κάσι, αν και διστακτική, του το έδωσε. Μόλις είχε χωρίσει από το αγόρι της, τον Γουόρεν, έπειτα από δύο χρόνια σχέσης, και το μόνο που επιθυμούσε ήταν να μείνει μόνη και να σκεφτεί. Η ίδια επεδίωξε αυτόν το χωρισμό, μια και θεωρούσε τον Γουόρεν τελείως ανώριμο και υπερβολικά εγωιστή. Εκείνη ωρίμαζε μέρα με τη μέρα, ενώ εκείνος παρέμενε ίδιος· ένα παιδί.

Ο Σταν την κάλεσε για φαγητό και τότε μόνο έμαθε ότι ήταν η κόρη του ιδιοκτήτη του μαγαζιού όπου δούλευε. Αυτό τον έκανε να την εκτιμήσει περισσότερο. Δεν ήταν ένα καλομαθημένο πλουσιοκόριτσο που τα περίμενε όλα έτοιμα, αλλά μια σκληρά εργαζόμενη κοπέλα, που όταν δεν είχε μαθήματα στο κολέγιο, βοηθούσε τον πατέρα της. Η Κάσι γνώριζε ότι ήταν πλαστικός χειρουργός, γιατί της το είχε αναφέρει. Στην αρχή μίλησαν για τις δουλειές τους, τη ζωή τους, και στη συνέχεια ανακάλυψαν ότι είχαν πολλά κοινά ενδιαφέροντα, όπως τα σπορ, την καλή μουσική, τις εκδρομές στη φύση, τις ταινίες δράσης. Τα ραντεβού τους συνεχίστηκαν, ώσπου ένα μήνα μετά κατέληξαν στο διαμέρισμά του. Η χημεία τους έδεσε κι εκεί, και μέχρι να τη γυρίσει σπίτι της, η Κάσι κατάλαβε ότι ήταν ερωτευμένη μαζί του. Το ίδιο όμως και ο Σταν.

Την έπεισε να κάνει πλαστική στη μύτη της, και, παρότι η ίδια γνώριζε ότι δεν είχε και το πιο γοητευτικό προφίλ, αυτό δεν την ενοχλούσε καθόλου. Τη χειρούργησε ο ίδιος. Κι ενώ ήταν να γίνει η εγχείρηση από το δόκτορα Χέιζ, εκείνος την άφησε στα χέρια του Σταν. Όταν της έβγαλε το νάρθηκα, αν και ήταν ακόμη μελανιασμένη και πρησμένη, παρατήρησε αμέσως τη διαφορά. Το πρόσωπό της είχε γλυκάνει πολύ, κάτι που διαπίστωσε όταν ανέρρωσε πλήρως. Ποτέ της δεν περίμενε ότι η σμίκρυνση της μύτης της θα έκανε το πρόσωπό της τόσο γοητευτικό, τόσο εντυπωσιακό. Μαζί με τη μύτη της άλλαξαν πολλά πράγματα επάνω της, με πρώτη και καλύτερη την γκαρνταρόμπα της. Τα απλά τζιν αντικαταστάθηκαν από κομψά αέρινα φορέματα. Τα παπούτσια της, από λιτά και ίσια, έγιναν ψηλοτάκουνα. Άρχισε να μακιγιάρεται και να φοράει κοσμήματα, τα περισσότερα δώρα του Σταν. Μέσα σε έξι μήνες από τη μέρα της γνωριμία τους, ήταν ήδη μια διαφορετική γυναίκα. Γυναίκα στην κυριολεξία.

Η Τζένιφερ ένιωσε ιδιαίτερα ευχαριστημένη από αυτές τις αλλαγές στη ζωή της κόρης της. Πάντα την ενοχλούσε η έλλειψη κοκεταρίας της Κάσι, κάτι που η ίδια θεωρούσε ιερή υποχρέωση κάθε θηλυκού που σέβεται τον εαυτό του. Γι' αυτό και ενθάρρυνε την κόρη της να δει ακόμη πιο σοβαρά αυτόν τον νεαρό χειρουργό, του οποίου το μέλλον διαγραφόταν λαμπρότατο έπειτα από τέτοια πετυχημένη δουλειά που είχε κάνει στη μύτη της. Ύστερα, ένας πλαστικός χειρουργός είναι πάντα απαραίτητος σε γυναίκες που η ομορφιά τους αποτελεί καθημερινή μέριμνά τους. Η ίδια, μπαίνοντας πια στην κλιμακτήριο, είδε τα πρώτα σημάδια χαλάρωσης στο πρόσωπο και το σώμα της. Καιρό τώρα την απασχολούσε έντονα η σκέψη ότι κάτι έπρεπε να κάνει, τουλάχιστον με το πρόσωπό της, προτού φθάσει στα πενήντα.

Ένα χρόνο αργότερα και μόλις πήρε το πτυχίο της από το κολέγιο, ο Σταν της έκανε πρόταση γάμου. Αν και ήταν μόλις είκοσι ενός, η Κάσι δέχτηκε αμέσως, πλέοντας σε πελάγη ευτυχίας. Λίγο αργότερα έμεινε έγκυος και στα είκοσι δύο της είχε αποκτήσει τον Άλεξ-Νικήτα, το γιο της, ένα πανέμορφο μελαχρινό αγοράκι με γαλάζια μάτια σαν τα δικά της και κατάλευκο δέρμα σαν του πατέρα του. Σύντομα έμεινε ξανά έγκυος, όμως απέβαλε στον τέταρτο μήνα, κάτι που της στοίχισε τόσο πολύ, ώστε αποφάσισε να μην κάνει άλλο παιδί. Στο μεταξύ, ο Σταν είχε πια το δικό του ιατρείο και τα πήγαινε πολύ καλά με τη δουλειά του.

Όταν ο γιος του ήταν περίπου πέντε χρόνων, η διάσημη σταρ της εποχής, Αμάντα Ρίβερς, αποφάσισε πως ο ρόλος της εικοσιεπτάχρονης Μόργκαν Γουίλσον, ηρωίδας ενός μπεστ σέλερ βιβλίου που θα μεταφερόταν στη μεγάλη οθόνη, έπρεπε να γίνει πάση θυσία δικός της. Ο παραγωγός της ταινίας, Τζορτζ Φρίμαν, με τον οποίο είχε συνεργαστεί στο παρελθόν, δε θα είχε καμία αντίρρηση, μια και ήταν φτασμένη ηθοποιός, με πολλές επιτυχίες στο ενεργητικό της, αν η Αμάντα δεν είχε πατήσει πια τα σαράντα πέντε. Όσο καλή ηθοποιός κι αν ήταν, δεν μπορούσε να παίξει το ρόλο μιας εικοσιεπτάχρονης γοητευτικής γυναίκας, όταν μάλιστα είχε και κάποιες καυτές ερωτικές σκηνές και έπρεπε να εκτεθεί ολόγυμνη. Η Ρίβερς, όμως, δεν το έβαλε κάτω. Είχε ακούσει καλά λόγια από δύο φίλες της για κάποιον καινούργιο και πολύ καλό πλαστικό χειρουργό, τον Σταν Πάλμερ. Τρεις μήνες προτού γίνει το casting[13] για την ταινία, τον επισκέφτηκε και του είπε ότι ήταν διατεθειμένη να υποστεί τα πάντα και να πληρώσει όσο όσο, αρκεί να την έκανε εικοσιεπτά χρόνων.

---

13. Διαδικασία κατά την οποία επιλέγονται οι ηθοποιοί που θα συμμετάσχουν σε μια παραγωγή.

Ο Σταν την εξέτασε προσεκτικά και έβαλε στοίχημα με τον εαυτό του. Ήταν η ευκαιρία της ζωής του. Αν πετύχαινε αυτό το θαύμα, να αφαιρέσει από πάνω της δεκαοκτώ ολόκληρα χρόνια, τότε δεν είχε να φοβηθεί κάτι. Χρειαζόταν μερικό face lifting[14], βλεφαροπλαστική, ανόρθωση στήθους, ανόρθωση γλουτών και λιποαναρρόφηση στην κοιλιά. Οι επεμβάσεις ήταν πολλές, αν όμως η υγεία της Αμάντα ήταν καλή, δεν είχαν να φοβηθούν τίποτε. Και η Αμάντα δεν έχε απολύτως κανένα πρόβλημα. Εκτός αυτού, ήταν αποφασισμένη και αισιόδοξη, κάτι που τον ενθάρρυνε ακόμη περισσότερο. Αν ο πελάτης είναι αισιόδοξος, τότε και η έκβαση μιας επέμβασης θα είναι καλή. Οι επεμβάσεις έγιναν κάτω από άκρα μυστικότητα και η πλήρης ανάρρωση της πήρε πάνω από ενάμιση μήνα. Κι ενώ εκείνη ανάρρωνε στο εξοχικό της στο Μαλιμπού, ο κόσμος και οι συνεργάτες της πίστευαν ότι ταξίδευε με ιδιωτικό γιοτ κάπου στη Μεσόγειο.

Η πρώτη δημόσια εμφάνισή της έγινε στο πάρτι του παραγωγού Φρίμαν, όπου και ήταν καλεσμένη. Η Αμάντα εμφανίστηκε στην κατάμεστη αίθουσα συνοδευόμενη από τον τελευταίο και κατά αρκετά χρόνια μικρότερο εραστή της και φυσικά κανένας δεν την αναγνώρισε. Ντυμένη με μια αέρινη πορφυρένια τουαλέτα Valentino[15] και βαμμένα πλατινέ –όπως περιγραφόταν η ηρωίδα του βιβλίου– τα άλλοτε καστανοκόκκινα μαλλιά της, ήταν ολόιδια η Μόργκαν Γουίλσον. Ακόμη και ο ίδιος ο παραγωγός το πρόσεξε και ρώτησε ποια είναι αυτή η νέα και εντυπωσιακή γυναίκα. Όταν τον πλησίασε η Αμάντα, που ως εκείνη τη στιγμή έπαιζε το παιχνίδι της και του συστήθηκε σαν Μόργκαν Γουίλσον,

---

14. Πλαστική επέμβαση στο πρόσωπο κατά την οποία τεντώνεται το δέρμα ώστε να απαλειφθούν οι ρυτίδες και η χαλάρωση.
15. Διάσημος Ιταλός σχεδιαστής.

ο Φρίμαν έχασε τη φωνή του. Φυσικά η Αμάντα πήρε το ρόλο. Ένα χρόνο αργότερα, πήρε και το βραβείο Όσκαρ για την ερμηνεία της. Την επόμενη μέρα της βράβευσης, οι εφημερίδες δεν παρέλειψαν να σχολιάσουν την τεράστια αλλαγή στην εμφάνισή της και πως το Όσκαρ κανονικά ανήκε στον πλαστικό χειρουργό της, Σταν Πάλμερ, που είχε κατορθώσει να της χαρίσει το ρόλο, ένα Όσκαρ, τα χαμένα νιάτα της και ένα νεαρό εραστή.

Ο Σταν απέκτησε τεράστια φήμη την ίδια κιόλας στιγμή. Μέσα σε τρεις μέρες μόνο κλείστηκαν ραντεβού για έξι μήνες συνεχούς δουλειάς. Ξαφνικά, όλες οι γυναίκες, όχι μόνο του Λος Άντζελες, αλλά όλης της Αμερικής, επιθυμούσαν να περάσουν από το χειρουργικό τραπέζι του... και όχι μόνο. Βέβαια, οι πειρασμοί ήταν μεγάλοι, όμως ο Σταν πρώτον, αγαπούσε πολύ την Κάσι και, δεύτερον, δεν είχε ούτε δευτερόλεπτο ελεύθερο χρόνο. Χειρουργούσε σχεδόν καθημερινά και βρισκόταν ατελείωτες ώρες στο νοσοκομείο, κάνοντας θαύματα και χαρίζοντας νιάτα και ομορφιά σαν άλλος θεός. Ο λογαριασμός του στην τράπεζα άρχισε να φουσκώνει μέρα με τη μέρα και οι Πάλμερ, που μέχρι τότε ζούσαν σ' ένα ευρύχωρο διαμέρισμα στο κεντρικό Λος Άντζελες, μετακόμισαν στο Μπέβερλι Χιλς, την πιο ακριβή ίσως περιοχή της πόλης, σε μια τεράστια έπαυλη δέκα δωματίων με πισίνα, τζακούζι, ιδιωτική αίθουσα κινηματογραφικών προβολών, γήπεδο τένις και διάφορες άλλες ανέσεις, που ποτέ πριν δεν είχαν ελπίσει.

Η Κάσι οδηγούσε τώρα πότε μια ασημιά Porsche, πότε μια κάμπριο Mercedes και πότε ένα τζιπ Wrangler. Είχε πια τη Μαργκαρίτα και τη Γιολάντα, δύο μόνιμες οικιακές βοηθούς, μια μαγείρισσα, τη Ροζαλίντα, τον Τσίκο τον κηπουρό, όλοι Μεξικανοί, είχε προσωπική κομμώτρια, μανικιουρίστα, μασέρ. Συναναστρεφόταν πολλές διασημότητες και συμπεριλαμβανόταν πάντα στη guest list τους. Ανάμεσα στους πελάτες του Σταν ήταν και αρκετοί άνδρες σταρ, μια και η πλαστική χειρουργική είχε γίνει μόδα που βοηθούσε όχι μόνο στην καλύτερη ψυχολογία τους, αλλά και τη βράβευσή τους με Όσκαρ. Αν ο ηθοποιός νιώθει καλά στο δικό του πετσί, τότε μπορεί να νιώσει καλά σε οποιοδήποτε ρόλο κληθεί να ερμηνεύσει. Και όσο πιο καλά νιώθει στο ρόλο, τόσο πιο κοντά στο Όσκαρ βρίσκεται. Αν ο Σταν Πάλμερ μπορούσε να κάνει το ακατόρθωτο πραγματικότητα, τότε ναι, γιατί όχι στο νυστέρι; Η εξωτερική εμφάνιση είναι το πενήντα τοις εκατό της επιτυχίας ενός ηθοποιού. Το άλλο πενήντα είναι το ταλέντο του, οι δημόσιες σχέσεις του, ο μάνατζέρ του και σε πόσα κρεβάτια ξάπλωσε. Τουλάχιστον μέχρι να θεωρηθεί επιτυχημένος και σταρ.

Η Κάσι στα σαράντα δύο της τα είχε όλα... Όλα; Χαμογέλασε και έγειρε το κεφάλι της προς τα πίσω, ώσπου εκείνο σχεδόν ακούμπησε στη γωνία της πισίνας, η οποία ήταν επενδυμένη με φίνα μαρμάρινα πλακάκια. Ξαφνικά οι αγκώνες των χεριών της γλίστρησαν από το βάρος και βρέθηκε με την πλάτη μέσα στο νερό. Το κεφάλι της καλύφθηκε από αυτό σε μισό μέτρο βάθος. Πέντε δευτερόλεπτα... Πέντε δευτερόλεπτα ώσπου να ισορροπήσει, να σταθεί στα πόδια της και να σηκωθεί όρθια. Τινάζοντας το κεφάλι έξω από το νερό, έβγαλε μια δυνατή κραυγή αγωνίας και ανέπνεε με δυσκολία, σαν να είχε μείνει εκεί μέσα πέντε ολόκληρα λεπτά και όχι δευτερόλεπτα. Η Μαργκαρίτα, ακούγοντας την κραυγή της από το ανοιχτό παράθυρο του ισογείου όπου καθάριζε τα τζάμια, έτρεξε αμέσως έξω προς το μέρος της και τη ρώτησε με τα σπαστά αγγλικά της γεμάτη αγωνία: «Είστε καλά, σενιόρα;»

Η Κάσι την κοίταξε σαν χαμένη, ενώ προσπαθούσε να συνέλθει, διώχνοντας με τα χέρια της τα νερά από το πρόσωπό της. «Ναι, καλά είμαι, Μαργκαρίτα», είπε με σβησμένη φωνή ενώ τραβούσε τα βρεγμένα μαλλιά πίσω από τα αυτιά της.

«Να σας φέρω κάτι να πιείτε;»

«Όχι... όχι, δε χρειάζομαι τίποτε, σ' ευχαριστώ».

Η οικιακή βοηθός τής χαμογέλασε και απομακρύνθηκε. Πάντα της έκανε εντύπωσε που η κυρία της δε βουτούσε ποτέ στην πισίνα, αλλά παρέμενε με τις ώρες στη σεζλόνγκ κάτω από την ομπρέλα. Γιατί δεν κολυμπούσε ποτέ; Μάλλον δε θα ήξερε κολύμπι. Δεν καθόταν παρά στην άκρη της πισίνας, από τη ρηχή μεριά. Κρίμα, και ήταν τόσο όμορφη και μεγάλη πισίνα. Η ίδια θα έδινε τα πάντα για να μπορεί να χαλαρώνει εκεί μέσα. Τη μοναδική φορά που το έκανε ήταν όταν τα αφεντικά της έλειπαν ένα μήνα διακοπές στην Καραϊβική. Ήταν πολύ άδικο εκείνη να μην έχει καν μπανιέρα στο σπιτικό της να ξεκουράσει το πονεμένο κορμί της και η κυρά της να έχει αυτή την πολυτέλεια και να μην την απολαμβάνει.

Η Κάσι βγήκε από την πισίνα και ξάπλωσε στη φαρδιά σεζλόνγκ. Έτρεμε ελαφρώς, κι ας μην έκανε ψύχρα. Έκλεισε τα μάτια και έγειρε το κεφάλι προς τα πλάγια. Τελικά δεν τα είχε όλα. Κάτι αμαύρωνε τη ζωή της χρόνια τώρα... από παιδί. Ελάχιστα άτομα γνώριζαν το μυστικό της. Η Κάσι φοβόταν το νερό. Δεν μπορούσε να διανοηθεί ότι το κεφάλι της θα βρισκόταν κάτω από την επιφάνεια νερού. Οποιουδήποτε νερού. Το πρόβλημά της εντοπίστηκε από τότε που ήταν μωρό, όταν η μάνα της έδινε μάχη για να τη βάλει στην πλαστική παιδική μπανιέρα, και σταδιακά θέριεψε και άρχισε να της κάνει τη ζωή δύσκολη. Πρώτα στη θάλασσα με τους γονείς της, που δεν τολμούσε να προχωρήσει πιο βαθιά πέρα από το ύψος της μέσης, μετά με τις πισίνες, που της πλησίαζε μόνο για ηλιοθεραπεία και πάντα από τη ρηχή πλευρά τους, και στο τέλος με την μπανιέρα στο σπίτι, που αρνιόταν να μπει έτσι και την έβλεπε γεμάτη. Κι ενώ οι γονείς και τα αδέλφια της ήταν όλοι καλοί κολυμβητές και έκαναν σαν τρελοί για μια βουτιά στο νερό, η Κάσι καθόταν πάντα απόμακρη, κοιτάζοντάς τους με δέος. Δεν έμπαινε ποτέ σε βάρκα ή σε μικρά πλοιάρια. Μόνο με τα μεγάλα πλοία συμβιβαζόταν, αλλά πάντα καθόταν ανήσυχη και κάθε φορά έσπευδε να σιγουρευτεί ότι το σωσίβιο βρισκόταν πολύ κοντά της.

Όταν οι γονείς της διαπίστωσαν τη σοβαρότητα του προβλήματος, μην μπορώντας να βρουν πού οφειλόταν, αφού δεν είχε υποστεί κάποιο ατύχημα στο νερό, απευθύνθηκαν σε έναν ψυχολόγο για να τη βοηθήσει. Εκείνος αποφάνθηκε ότι η μικρή υπέφερε από ανεξήγητη υδροφοβία. Έτσι το πήραν απόφαση και την άφησαν στην ησυχία της. Αργότερα, στα ταξίδια της στην Αμοργό με το πλοίο δε δημιούργησε προβλήματα, πρώτον, γιατί το καράβι ήταν μεγάλο και, δεύτερον, γιατί πήγαινε στο σπίτι της γιαγιάς που λάτρευε.

Όταν γεννήθηκε ο γιος της, ο Άλεξ, το πρώτο πράγμα που έκανε ήταν να του μάθει κολύμβηση με δάσκαλο. Δε χρειάστηκαν πολλά μαθήματα. Ο μικρός το είχε μέσα του και αμέσως έμαθε να κολυμπά σαν δελφινάκι. Τώρα, κοντά στα είκοσι ένα του, ήταν επαγγελματίας και, μάλιστα, μέλος ομάδας κολύμβησης, με πολλές διακρίσεις. Εκεί ήταν που τον ξεχώρισε ένας διάσημος φωτογράφος και του έκανε πρόταση να ποζάρει ως μοντέλο γι' αυτόν. Ο Άλεξ δέχτηκε περισσότερο για την πλάκα του, όμως οι φωτογραφίες γρήγορα βρέθηκαν σε ένα πρακτορείο και οι προτάσεις για διαφημιστικά σποτ και φωτογραφίσεις έπεσαν βροχή, κυρίως όταν έγινε γνωστό ότι ήταν γιος του διάσημου πλαστικού χειρουργού Σταν Πάλμερ. Ήταν πια ένας γοητευτικός νέος άνδρας με κατάμαυρα πυκνά μαλλιά, σαγηνευτικό βλέμμα με αυτό το βαθύ γαλάζιο χρώμα, φαρδιές πλάτες και υπέροχο ψηλό κορμί. Και παρότι είχε κληρονομήσει μια ελαφριά καμπουρίτσα στη μύτη του, αυτό τον έκανε ακόμη πιο γοητευτικό. Οι επιτυχίες του στις γυναίκες ήταν γεγονός αναμφισβήτητο. Ωστόσο ο Άλεξ, όπως δήλωνε, δεν ήταν γεννημένος ούτε για γιατρός ούτε για play boy[16], και αυτό φάνηκε από νωρίς. Ύστερα από αυτή την επιτυχία του ως φωτομοντέλο, δήλωσε ότι ήθελε να γίνει σκηνοθέτης, κάτι που χαροποίησε ιδιαίτερα τη γιαγιά του, την Τζένιφερ, η οποία ακόμη και τώρα, στα εξήντα εφτά της, ευελπιστούσε σε ένα ρόλο, οποιοσδήποτε και αν ήταν αυτός. Βέβαια, μόνο εξήντα εφτά δεν έδειχνε, έπειτα από το δεύτερο πετυχημένο ολικό λίφτινγκ προσώπου που της είχε κάνει ο γαμπρός της μόλις έκλεισε τα πενήντα πέντε. Τώρα σκεφτόταν ότι είχε έρθει ο καιρός για ένα τρίτο, αν και δε φαινόταν παραπάνω από πενήντα· μια ελαφρώς κουρασμένη πενηντάρα.

Ο Άλεξ δεν ήταν ο τύπος που άλλαζε τις γυναίκες σαν τα πουκάμισα, αν και θα μπορούσε να το κάνει άνετα. Βαθιά συναισθηματικός, πήγαινε κόντρα στην εποχή του, που ήταν σκληρή, απάνθρωπη, και με το ενδιαφέρον στραμμένο στο χρήμα, στο σεξ, στο αλκοόλ και στην κοκαΐνη. Οι περισσότεροι φίλοι του από το σχολείο και το κολέγιο ήταν πρεζόνια και παντού στα σπίτια τους υπήρχαν καταχωνιασμένα ναρκωτικά. Δεν ήταν λίγες οι φορές που παρήγγελναν σε γνωστούς dealers[17] προσκλήσεις για πάρτι. «Μπορώ να έχω τρεις προσκλήσεις για το πάρτι σήμερα;» έλεγαν και εννοούσαν: «Τσακίσου να μου φέρεις τρία γραμμάρια κοκαΐνης τώρα». Στη συνέχεια, ενώ μπεκρούλιαζαν, έστρωναν και τις γραμμές πάνω σε οποιαδήποτε καθαρή επιφάνεια και τραβούσαν μυτιές με το στριμμένο εκατοδόλαρο. Και αυτό γινόταν ξανά και ξανά, ώσπου έχαναν την αίσθηση του χρόνου και του τόπου. Και το σκηνικό το συμπλήρωναν

---

16. Καρδιοκατακτητής.
17. Βαποράκια, δηλαδή άνθρωποι που διακινούν ναρκωτικά.

σταρλετίτσες, οι περισσότερες βίζιτες, που τα έκαναν όλα για λίγα δολάρια και ένα ρόλο στον κινηματογράφο· από μυτιές μέχρι στριπτίζ και παρτούζες. Γιατί όχι; Το Λος Άντζελες, ή αλλιώς η Μέκκα του κινηματογράφου, είχε γίνει πόλος έλξης για κάθε επίδοξη σταρ, που τα μοναδικά προσόντα της ήταν όρθια βυζιά και στητός κώλος. Αν αυτά τα δυο ήταν εφόδια, έστω και με τη βοήθεια της σιλικόνης, και μπορούσαν να προσφέρουν τη χολιγουντιανή λάμψη, τότε δεν υπήρχε κανένας λόγος να μην τα χρησιμοποιήσουν. Η silicone valley[18] ήταν γεμάτη από τέτοιες Barbie, που ήθελαν να χτίσουν εκεί τα κουκλόσπιτά τους και να βρουν κάποιον Τζον Τζον να τις υποστηρίζει και, φυσικά, να τις ενισχύει οικονομικά ώσπου να γίνουν τα υπέρλαμπρα αστέρια που πάντα ονειρεύονταν και το κουκλόσπιτό τους να γίνει μια πραγματική έπαυλη με πισίνα και πολλούς υπηρέτες. Και Τζον Τζον υπήρχαν πολλοί και όλων των ηλικιών. Αυτό έκαναν οι περισσότεροι στις παρέες του. Πλουσιόπαιδα όλοι τους, με τρανταχτά ονόματα, γόνοι γνωστών ηθοποιών, παραγωγών, σκηνοθετών, μεγαλοεπιχειρηματιών, δικηγόρων ή γιατρών, βαριεστημένοι από τις ανέσεις της ζωής τους και αποκτώντας με ευκολία οτιδήποτε επιθυμούσαν, έπλητταν αφόρητα, με μόνη διέξοδο στην ανία τους την υπέρβαση των ορίων τους. Έμεναν σε παλάτια, κυκλοφορούσαν τα ακριβότερα αυτοκίνητα, είχαν όποια γκόμενα ήθελαν, κι όμως σπαταλούσαν τα νιάτα τους ακριβοπληρώνοντας προσκλήσεις για πάρτι και παρτούζες. Πλήρωναν και είχαν όποια ήθελαν, με τη διαφορά ότι, μόλις την αποκτούσαν, δεν τη γούσταραν περισσότερο.

Ο Άλεξ δεν το άντεχε αυτό, δεν μπορούσε όμως να κάνει και διαφορετικά. Αυτός ήταν ο κόσμος του, αυτοί ήταν οι φίλοι του,

---

18. Η κοιλάδα με τη σιλικόνη.

με αυτούς είχε μεγαλώσει και αυτούς γνώριζε από παιδί. Ίσως γι' αυτό και θέλησε να ασχοληθεί με τη σκηνοθεσία, για να σκηνοθετεί τις ζωές των άλλων έτσι όπως όριζε αυτός και όχι οι άλλοι να σκηνοθετούν τη δική του ζωή. Θα μπορούσε άνετα να έχει πέσει κι αυτός με τα μούτρα στην κόκα, όμως οι ηθικές αρχές και αξίες με τις οποίες είχε γαλουχηθεί, κυρίως από τη μάνα του που υπεραγαπούσε, καθώς και η ενασχόλησή του με τον αθλητισμό τον είχαν βοηθήσει να είναι εγκρατής και πειθαρχημένος. Είχε πάρει πολλά στοιχεία, όχι μόνο από την εμφάνιση, αλλά και από το χαρακτήρα της Κάσι, που ήταν μονογαμική και αφοσιωμένη στο σύντροφό της. Είχε μια σχέση από το σχολείο με την Κλερ, ως τη στιγμή που την είδε σε φωτογραφία κιτρινοφυλλάδας στην αγκαλιά ενός γνωστού και πολύ γοητευτικού ανερχόμενου νεαρού ηθοποιού, που έγινε διάσημος χάρη σε ένα ρόλο του στην τηλεόραση, και αυτό σήμανε και το τέλος της σχέσης τους. Όσο κι αν εκείνη προσπάθησε να τον πείσει να τη συγχωρήσει, λέγοντας ότι ήταν το τραγικότερο λάθος της ζωής της, εκείνος δε γύρισε ποτέ πίσω.

Η Κάσι αναστέναξε. Μισούσε τον εαυτό της. Τον μισούσε εξαιτίας αυτής της φοβίας που δεν μπορούσε να ξεπεράσει, χαλώντας πολλές φορές όχι μόνο τη δική της διάθεση, αλλά και τη διάθεση της παρέας. Όταν ο άνδρας της αγόρασε την έπαυλή τους, επισκεύασε την πισίνα, φέρνοντάς τη στα μέτρα της γυναίκας του. Τη μεγάλωσε κατά πολύ στο μήκος, έτσι ώστε η Κάσι να έχει αρκετό χώρο να περιφέρεται, με βάθος όχι μεγαλύτερο από ενάμισι μέτρο, δηλαδή το πολύ μέχρι το στήθος της. Από εκείνο το σημείο και πέρα όμως τα πλακάκια αποκτούσαν σκούρα μπλε απόχρωση, πράγμα που σήμαινε ότι η πισίνα άρχιζε να βαθαίνει σταδιακά, φθάνοντας το βάθος των τεσσάρων μέτρων, όπως ήταν σχεδιασμένο για τις βουτιές του γιου τους.

Η Κάσι ήξερε ότι μετά την πρώτη μπρούντζινη σκαλίτσα που σε βοηθούσε να βγεις έξω, η πισίνα γινόταν επικίνδυνη, και έτσι δεν πλησίαζε ποτέ εκεί. Συνήθως καθόταν πάντα στην αγαπημένη της γωνιά, στο σημείο εκείνο της πισίνας όπου άρχιζαν τα μαρμάρινα οβάλ σκαλοπατάκια να σε οδηγούν μέσα. Εκεί στη γωνία καθόταν και πλατσούριζε, ή στηριζόταν στα χέρια της και άφηνε το κορμί της να επιπλέει.

Ο Σταν, θαλασσινός τύπος σαν τον Άλεξ, αγαπούσε πολύ τον ωκεανό και γι' αυτό δεχόταν με ιδιαίτερη χαρά τα καλέσματα φίλων ή πελατών του για αποδράσεις στα κοντινά νησάκια με τα ιδιωτικά ή νοικιασμένα κότερά τους. Η Κάσι όμως, αφού είχε δεχτεί μια-δυο φορές από ευγένεια και αναστάτωσε τη ζωή όλων με τις φοβίες της, αποφάσισε να μην αποδεχτεί άλλη πρόσκληση, ακόμη και αν ήταν από τον ίδιο τον Πρόεδρο της Αμερικής. Έτσι, με βαριά καρδιά ο Σταν αναγκαζόταν πολλές φορές να αρνηθεί κάποια κρουαζιέρα για να μην την αφήσει μόνη, κάτι που τον στενοχωρούσε. Ο ίδιος ήθελε πάρα πολύ να αγοράσει δικό του σκάφος, ειδικά τώρα που τα οικονομικά του του επέτρεπαν να πραγματοποιήσει κάθε τρέλα του, όμως από τη μια οι φοβίες της γυναίκας του και από την άλλη η πολλή δουλειά και η φροντίδα που χρειάζεται ένα σκάφος, τον είχαν αποτρέψει από αυτό το σχέδιο. Προς το παρόν, γιατί μελλοντικά, μια και είχε αποκτήσει συνεργάτες και δυο άριστους βοηθούς, σκεφτόταν σιγά σιγά να αρχίσει να αποφεύγει κάποια χειρουργεία ρουτίνας και να τα αναθέτει στα χέρια των βοηθών του.

Η Κάσι άφησε ξανά έναν αναστεναγμό. Το τελευταίο πράγμα που ήθελε ήταν να βρίσκεται μακριά από τον άνδρα της. Ήδη εκείνος απουσίαζε αρκετές ώρες από το σπίτι τους, δουλεύοντας σκληρά, και από την άλλη δεν μπορούσε, όποτε εκείνος είχε ελεύθερο χρόνο, να του στερεί τις βόλτες στη θάλασσα, που τόσο τον χαλάρωναν από το στρες και την κούραση της δουλειάς του. Ξυπνούσε σχεδόν χαράματα και από νωρίς το πρωί έως αργά το απόγευμα ήταν κλεισμένος στα χειρουργεία. Κατόπιν άρχιζαν οι επισκέψεις στα κρεβάτια των χειρουργημένων πελατών του και από κει συνέχιζε στο γραφείο του, έως πολύ αργά το βράδυ, να συνομιλεί με υποψήφιους πελάτες, ένα πρόγραμμα που δεν ήταν τελικά και ό,τι πιο ευχάριστο. Όσο κι αν αγαπούσε τη δουλειά του, έπειτα από τόσα χρόνια είχε αρχίσει να παρουσιάζει κάποια δείγματα κούρασης. Η συνεχόμενη επιτυχία απαιτεί καθημερινή προσπάθεια και κυρίως ευθύνη. Υπήρχαν και κάποιες φορές, ευτυχώς ελάχιστες, που επακολουθούσαν μετεγχειρητικές επιπλοκές και τον κρατούσαν επί ποδός όλη τη νύχτα. Μπορεί να τον αποκαλούσαν θεό, όμως δεν ήταν ο Θεός. Και λάθη μπορούσαν να συμβούν και να καταστραφεί το όνομά του. Οι πλαστικοί χειρουργοί είχαν αυξηθεί πολύ τα τελευταία χρόνια και υπήρχε μεγάλος ανταγωνισμός μεταξύ τους για το καλό τους όνομα και την άριστη δουλειά τους. Βέβαια, ο Σταν άντεχε ακόμη και είχε δρόμο μπροστά του, που δεν ήταν όμως και ατελείωτος. Αν κάποιος χειρουργός ένιωθε το πρώτο τρέμουλο στα χέρια του, αυτό σήμαινε ότι θα έπρεπε να παραχωρήσει το θρόνο του και να παραδώσει το σκήπτρο στο διάδοχό του. Οποιοσδήποτε άλλος γιατρός μπορεί να προσφέρει τις υπηρεσίες του για πολλά πολλά χρόνια. Ένας χειρουργός, όχι. Αυτό ο Σταν το γνώριζε πολύ καλά και για το λόγο αυτόν φρόντιζε πολύ για τη σωματική και κυρίως την ψυχική του υγεία.

Το κινητό της τηλέφωνο χτύπησε δυνατά στους ήχους του τραγουδιού της Μαντόνα *Hung up,* που ήταν το αγαπημένο κομμάτι της Σάρον Φόρεστ, της πιο καλής της φίλης, από τα χρόνια του κολεγίου, όταν σπούδαζαν μαζί. Τώρα πια ήταν μια πετυχημένη κτηματομεσίτρια και, μάλιστα, αυτή της είχε βρει τη βίλα τους, προσαρμοσμένη στα γούστα του ζευγαριού. Η Σάρον είχε μοναδικό ταλέντο να προσφέρει αυτό που πραγματικά ήθελε ο πελάτης. Ακόμη και το ζώδιό του ρωτούσε μαζί με όλες τις άλλες ερωτήσεις που έκανε. Λόγου χάρη, γνώριζε ότι οι Υδροχόοι και οι Δίδυμοι αγαπούσαν τη μοντέρνα αρχιτεκτονική, τις λιτές ευθείες γραμμές, το μέταλλο, το γυαλί, το δέρμα, το άσπρο και μαύρο χρώμα, την τεχνολογία γενικά και τα «διαστημικά» σπίτια. Αντίθετα, οι Λέοντες και οι Σκορπιοί λάτρευαν τις αυτοκρατορικού τύπου κατασκευές, τις καμπύλες γραμμές, το σκούρο παλιό ξύλο, το πορφυρό και χρυσό χρώμα, τις αντίκες και οτιδήποτε θύμιζε παλάτι που απέπνεε μυστήριο. Οι Αιγόκεροι και οι Ταύροι, από την άλλη, προτιμούσαν τα αυστηρού ρυθμού και λειτουργικά κτίρια, το ξύλο και την πέτρα, τα σκούρα χρώματα, όπως το καφέ και το γκρίζο, την αυστηρή γραμμή που παρέπεμπε σε προεδρική, χλιδάτη οικία. Οι Παρθένοι λάτρευαν το λευκό χρώμα και τα μάρμαρα, οι Κριοί το κόκκινο, οι Ιχθύες το μπλε, οι Καρκίνοι το ρομαντικό στιλ, όπως για παράδειγμα τα ισπανικού ρυθμού κτίσματα, οι Τοξότες ήταν πιο προσαρμοστικοί, γιατί δεν έμεναν σχεδόν ποτέ σπίτι, και οι Ζυγοί ήταν της αρμονίας. Μπορούσαν να μείνουν παντού, αρκεί να υπήρχε αρμονία στα χρώματα και στο περιβάλλον. Έβρισκε για τον κάθε πελάτη της, ανάλογα με τα χρήματα που διέθετε, τη δουλειά του, την κοινωνική του θέση και το ζώδιό του, το σπίτι ακριβώς που του άρμοζε και ποτέ της δεν είχε πέσει έξω.

Η Κάσι σήκωσε το κινητό της χαμογελώντας.

«Κάσι, πού σε βρίσκω;» τη ρώτησε δυνατά.

«Στην πισίνα του σπιτιού μου και χαλαρώνω».

«Μήπως θυμάσαι ότι είχαμε ραντεβού σήμερα για να δούμε εκείνες τις κρυστάλλινες απλίκες που είχες δει σ' ένα περιοδικό για διακόσμηση και τις ήθελες για την κρεβατοκάμαρά σου; Το ξέχασες;»

Η Κάσι ανασηκώθηκε ξαφνιασμένη από τη σεζλόνγκ της.

«Μα δεν ήταν για την Πέμπτη το ραντεβού μας;»

«Σήμερα είναι Πέμπτη, γλυκιά μου, και είμαι στημένη σαν μαλάκας έξω από το μαγαζί εδώ και δεκαπέντε λεπτά».

Η Κάσι κοίταξε το κινητό και το απομάκρυνε λίγο από το αυτί της. Τόσα χρόνια φίλες και ακόμη να συνηθίσει τις αγριοφωνάρες και τις βρισιές της Σάρον, ειδικά όταν θύμωνε.

«Ω, Θεέ μου, Σάρον, μπέρδεψα τις μέρες. Μ' αυτό το πάρτι και τις ετοιμασίες έχει θολώσει το μυαλό μου».

«Κατάλαβα... τζίφος το ραντεβού μας. Και είπα ψέματα και σ' έναν πελάτη για να μη σε στήσω».

«Θα κάνω όσο το δυνατόν γρηγορότερα. Μπορείς να περιμένεις;»

«Μέχρι να έρθεις, θα χρειαστεί πάνω από ώρα. Άσ' το, θα ρίξω εγώ μια ματιά και θα σου πω αν αξίζει ο κόπος. Ξέρεις τι κίνηση έχει σήμερα στους γαμημένους δρόμους; Αυτή η πόλη έχει γίνει ανυπόφορη. Άκου Πόλη των Αγγέλων. Των χιλίων διαβόλων έπρεπε να λέγεται και λίγο τής είναι».

«Ακούγεσαι πολύ εκνευρισμένη. Λυπάμαι πολύ, Σάρον, που σε έβαλα στον κόπο. Θα με συγχωρήσεις;»

«Μπορώ να κάνω κι αλλιώς;» Η φωνή της ακούστηκε τώρα πιο γλυκιά. «Βλέπεις, έχω το προνόμιο να είμαι η καλύτερή σου φίλη, άρα θα το υποστώ κι αυτό. Μήπως όμως έχεις προσέξει, χρυσή μου, ότι τελευταία παραείσαι αφηρημένη; Τι συμβαίνει, Κάσι; Έπαψε να σε πηδάει ο Σταν;»

Η Κάσι δεν μπόρεσε να μη βάλει τα γέλια. Η Σάρον ήταν το πιο γλυκό και πιστό πλάσμα του κόσμου, έτσι όμως και γκάζωνε, μιλούσε χειρότερα και από νταλικιέρη.

«Όχι, δεν έχω κανένα πρόβλημα με τον Σταν, και εκτελεί μια χαρά τα συζυγικά του καθήκοντα».

«Με τον Άλεξ τότε;»

«Σάρον, σε θεωρώ αδελφή μου και να είσαι σίγουρη ότι, αν είχα το παραμικρό πρόβλημα, θα ήσουν η πρώτη που θα το μάθαινε. Απλώς φοβάμαι ότι μεγαλώνω και αρχίζω να ξεχνάω κάποια πραγματάκια».

«Τι να πω τότε εγώ, χρυσή μου, που έχω τόσα πράγματα στο κεφάλι μου; Όλα και όλοι εμένα περιμένουν. Πόσο να φορτώσει πια ο έρημος εγκέφαλος; Κι όμως, αν πρόκειται για την κολλητή μου, υπάρχει πάντα χώρος να το θυμηθεί».

«Το ξέρω αυτό, Σάρον, γι' αυτό και σ' έχω πάντα στην καρδιά μου. Ίσως ναι, κάτι να με βασανίζει και δεν το έχω εντοπίσει. Ίσως χρειάζομαι να μιλήσω σε κάποιον. Τι λες; Έρχεσαι από το σπίτι μόλις τελειώσεις με τη δουλειά να φάμε παρεΐτσα; Ο Σταν θα αργήσει πολύ απόψε και ο Άλεξ θα βγει έξω, όπως πάντα με την Νταϊάν».

«Σαν πολύ δεν αργεί ο άνδρας σου τελευταία;»

«Το ξέρω... όμως τι μπορεί να κάνει κι αυτός; Όλοι από αυτόν ζητάνε να τους χειρουργήσει, και όχι τους βοηθούς του, διαφορετικά πάνε αλλού».

«Εντάξει τότε. Ίσως περάσω το βράδυ από το σπίτι σου να τα πούμε. Προς το παρόν, όμως, μια και ήρθα ως εδώ, θα ρίξω μια ματιά σ' αυτές τις ηλίθιες απλίκες και θα σου πω αν αξίζουν το κόπο. Μετά έχω ραντεβού με το δικηγόρο μου και δε θα τελειώσω πριν από τις οκτώ. Κατά τις εννιά θα είμαι στο cottage[19] σου». (Έτσι συνήθιζε να αποκαλεί περιπαικτικά τα μεγάλα σπίτια η Σάρον.)

---

19. Αγροτόσπιτο, και σε ελεύθερη μετάφραση το πολύ μικρό σπίτι.

«Εντάξει, θα είμαι στο cottage μου και θα σε περιμένω», της απάντησε πάντα γελώντας.

Η Κάσι έκλεισε το καπάκι του Motorola κινητού της. Η διάθεσή της είχε φτιάξει αυτομάτως. Αυτό ήταν και το μεγαλύτερο προσόν της Σάρον· να την κάνει να γελάει. Κοίταξε το κινητό της, που έφερε τα αρχικά του ονόματός της και ήταν διακοσμημένο με πέτρες Swarovski. Ήταν το τελευταίο δώρο του άνδρα της και ένα από τα πολλά που της έκανε συχνά. Ποιος ξέρει πάλι τι κόσμημα θα της είχε αγοράσει για την επέτειό τους. Ο Σταν αγαπούσε τα ακριβά κοσμήματα και θεωρούσε ότι εκτός από το να στολίζουν μια γυναίκα, ήταν και μια πολύ έξυπνη επένδυση. Και παρότι, ως τη στιγμή που τον γνώρισε, δεν τα πολυσυμπαθούσε, τώρα τα εκτιμούσε. Και είχε μια αξιόλογη συλλογή από αυτά, καλά φυλαγμένη στο χρηματοκιβώτιο του σπιτιού της, το συνδυασμό του οποίου γνώριζαν η ίδια φυσικά, ο άνδρας της, ο γιος της και ο πατέρας της. Κανένας άλλος.

Η Σάρον είχε ήδη δύο διαζύγια στην πλάτη της και τώρα προχωρούσε στο τρίτο. Αυτός ήταν και ο λόγος του ραντεβού με το δικηγόρο της. Ήταν τόσο περίεργο να τα καταφέρνει θαυμάσια στη δουλειά της και να αποτυγχάνει παταγωδώς με τους άνδρες. Διάλεγε πάντα τον πιο ακατάλληλο και, φυσικά, στο τέλος τον χώριζε. Είχε ένα γιο, τον Λόρενς, από τον δεύτερο γάμο της, που τώρα πλησίαζε τα δώδεκα, ένα σοβαρό και λίγο παχουλό αγοράκι. Τον είχε βαφτίσει Λόρενς από την ταινία *Ο Λόρενς της Αραβίας*, προς τιμήν του ηθοποιού Πίτερ Ο' Τουλ που πρωταγωνιστούσε. Είχαν δει μαζί την ταινία, πιτσιρίκες ακόμη, και η Σάρον είχε ερωτευτεί τον αρρενωπό ηθοποιό. «Αν αποκτήσω ποτέ γιο, θα τον βαφτίσω Λόρενς», της είχε ψιθυρίσει στο αυτί και ξέσπασαν σε γέλια. Το 'πε και το 'κανε. Όχι, δε στενοχωριόταν καθόλου για τη φίλη της. Η Σάρον δε θα θρηνούσε για πολύ. Σίγουρα θα ξαναπαντρευόταν και, ακόμη πιο σίγουρα, θα ξαναχώριζε. Θα ήταν όντως αξιοπερίεργο να βρει τον σωστό άνθρωπο και να κρατήσει ο γάμος της. Ο δε λόγος διαζυγίου ήταν πάντα ο ίδιος: μοιχεία. Οι άνδρες της είχαν ερωμένη. Και πώς να μην αποκτήσουν άλλωστε, όταν δεν την έβλεπαν σχεδόν ποτέ στο σπίτι με τους ρυθμούς που δούλευε; Ύστερα η Σάρον είχε μια μεγάλη αδυναμία· το φαγητό. Κι ενώ είχε νόστιμο πρόσωπο και όμορφα πυκνά μαλλιά στο χρώμα της πικρής σοκολάτας με μελί ανταύγειες, από έφηβη ακόμη έτρωγε περισσότερο από το κανονικό, με αποτέλεσμα να βρίσκεται σε μόνιμη δίαιτα. Είχε δοκιμάσει τις περισσότερες δίαιτες που κυκλοφορούν σ' αυτό τον πλανήτη· τη χημική δίαιτα Άτκινς, τη δίαιτα Σκάρσντεϊλ, τη δίαιτα ζώνης, τη δίαιτα Hey, τη δίαιτα βάση ομάδας αίματος, τη δίαιτα Ornish, τη δίαιτα του αστροναύτη, τη δίαιτα της σούπας των επτά λαχανικών, τη δίαιτα κοπανιστού αέρα, που λένε, και πάει λέγοντας. Τις είχε υποστεί όλες, τις είχε χρυσοπληρώσει όλες. Αποτέλεσμα; Να παίρνει περισσότερα κιλά. Στην ουσία, η Σάρον έκανε μία και μοναδική δίαιτα, αυτή της πάπιας, που βασιζόταν στο ότι τρως στα μουλωχτά τα πάντα και ύστερα κάνεις την πάπια. Τώρα βρισκόταν στο μέσον μιας χημικής δίαιτας, που καθώς υποστήριζε, ως συνήθως, έκανε θαύματα. Βέβαια, μέχρι στιγμής η Κάσι, πέρα από πολλά νεύρα, δεν είχε δει κανένα θαύμα.

Η Σάρον φορούσε πάντοτε έγχρωμους φακούς επαφής, γιατί είχε τόσο μεγάλη μυωπία που δεν έβλεπε ούτε πόρτα, εκτός κι αν τράκαρε επάνω της. Πότε σε σμαραγδένιες ή βαθυπράσινες αποχρώσεις, πότε γαλάζιους, πότε σε χρυσαφένιους τόνους, και άλλοτε γκρι, μοβ ή λιλά, ανάλογα με τα μελτέμια των νεύρων της και το χρώμα των ρούχων που φορούσε, όλα επώνυμα, που παρήγγελνε ειδικά στα μέτρα της. Κανένας δε γνώριζε πια το φυσικό χρώμα των ματιών της, που ήταν καστανό ανοιχτό, πέρα από την ίδια και τον εκάστοτε άνδρα που παντρευόταν. Και για τον τελευταίο δεν ήταν και σίγουρο. Κάθε χρόνο έπαιρνε και ένα μόνιμο κιλό παραπάνω και κάθε χρόνο ορκιζόταν ότι βρισκόταν δύο κιλά παρακάτω. Παρ' όλα τα παραπανίσια κιλά της, όμως, ήταν τόσο σβέλτη στις κινήσεις της και αισθανόταν τόσο άνετα με το σώμα της, που στο τέλος πρόσεχες περισσότερο τα μάτια της ή τις ανταύγειες των μαλλιών της παρά τα κιλά της. Τελευταία είχε ανακαλύψει και κάτι μαγικούς, όπως τους αποκαλούσε, κορσέδες, που μάντρωναν ό,τι λίπος ξεχείλιζε και τη σουλούπωναν αρκετά. Μάλιστα, είχε βάλει την Κάσι να της ορκιστεί ότι δε θα μαρτυρούσε ποτέ σε κανέναν το μυστικό της. Και η Κάσι το έκανε, ξεκαρδισμένη στα γέλια. Η Σάρον ήταν τόσο έξυπνη, ικανή και πειστική, ώστε μπορούσε να σου πουλήσει το ίδιο σου το σπίτι, αλλά και να σε παραμυθιάσει ότι είχε την πιο όμορφη σιλουέτα του κόσμου. Η αυτοπεποίθεσή της ήταν ασυναγώνιστη, το ίδιο και η μεταδοτική της αισιοδοξία. Έβλεπε πάντα το ποτήρι μισογεμάτο και ποτέ μισοάδειο. Ήταν μια όαση χαράς και θετικής ενέργειας, και ευχαριστιόσουν να την έχεις στη συντροφιά σου.

Η ωραία όμως αυτή συνταγή χαλούσε μόλις ερωτευόταν. Τότε όχι μόνο δεν έλεγχε τα λόγια της, αλλά ούτε και τις πράξεις της, με αποτέλεσμα να κάνει γάμους με ημερομηνία λήξης. Στην ουσία, οι σύζυγοί της την εκμεταλλεύονταν. Δεν είχαν τα χρήματά της και βολεύονταν με τις ανέσεις που τους πρόσφερε στο παραμυθένιο σπίτι της, στην περιοχή του Χόλιγουντ, που διέθετε και πισίνα και υπηρεσία και νταντά. Παρά τη διαφορετική στάση ζωής, όμως, οι δυο τους έδεναν απόλυτα ως φίλες. Η αισιοδοξία και μόνο της Σάρον την έκανε αγαπητή σε όλους. Η ευχάριστη παρουσία της και το μόνιμο χαμόγελό της την έκαναν παντού ευπρόσδεκτη. Ακόμη και τα πιο σοβαρά προβλήματά της τα αντιμετώπιζε με χιούμορ και, φυσικά, τα ξεπερνούσε πολύ γρήγορα. Το μεγαλύτερο προσόν της, βέβαια, ήταν πως ήξερε να είναι φίλη, πιο πιστή κι από σκύλο, και το κυριότερο, ήξερε να κρατάει μυστικά.

«Α, εδώ είσαι, μαμά;» ακούστηκε πίσω της η φωνή του Άλεξ που μπήκε με φόρα φορώντας μια λευκή βερμούδα με σκούρα μπλε ψαράκια επάνω. Ήταν αγουροξυπνημένος έπειτα από το χθεσινοβραδινό πάρτι γενεθλίων της δεκαεξάχρονης Άλισον Μπρουκς, που ήταν η αδελφή της κοπέλας του, της Νταϊάν. Η Νταϊάν, ένα πανέμορφο δεκαοκτάχρονο κορίτσι, ήταν κόρη του διάσημου παραγωγού τηλεοπτικών σειρών Άλαν Μπρουκς και της βραβευμένης με το τηλεοπτικό βραβείο ΕΜΜΥ Τέρι Μπλακ. Ήταν από τις σπάνιες περιπτώσεις ζευγαριών του Χόλιγουντ που είχαν έναν ήρεμο γάμο δίχως σκάνδαλα, αν και τα κουτσομπολιά έλεγαν πως ο γάμος τους είχε τελειώσει προ πολλού και ότι μόνο η τεράστια περιουσία τους και οι κοινές επαγγελματικές τους υποχρεώσεις τους κρατούσαν μαζί. Τα ξενοπερπατήματα του Άλαν σε διάφορα ροζ κρεβάτια ήταν γνωστά, ωστόσο η γυναίκα του κρατούσε τα προσχήματα και τον συγχωρούσε κάθε φορά που εκείνος της έδινε έναν από τους πρωταγωνιστικούς ρόλους στις τηλεοπτικές σειρές του. Η Τέρι είχε πια πατήσει τα σαράντα πέντε και είχε αρχίσει να έχει όλο και περισσότερες ανασφάλειες, παρότι ήταν πολύ καλή ηθοποιός. Γι' αυτό και είχε ζητήσει τη βοήθεια του Σταν πέρυσι, προκειμένου να αντεπεξέλθει στο ρόλο μιας τριανταπεντάρας στην καινούργια σειρά του άνδρα της. Το αποτέλεσμα ήταν παραπάνω από ικανοποιητικό και για τους δύο, και η οικογένεια Πάλμερ συμπεριλήφθηκε αυτομάτως στη λίστα των καλεσμένων τους. Στο πάρτι που οργάνωσαν για να γιορτάσουν την καινούργια τηλεοπτική σειρά που ξεκινούσε, *Till to Heaven*[20], ο Άλεξ γνωρίστηκε με την Νταϊάν και ο έρωτας ήταν κεραυνοβόλος και αμοιβαίος.

Η Νταϊάν, ένας ξανθός άγγελος με γκρίζα μάτια, άνετα θα μπορούσε να διαπρέψει ως μοντέλο, κάτι άλλωστε που της είχαν προτείνει, όμως ο πατέρας της δε θα το επέτρεπε ποτέ, τουλάχιστον όσο ήταν ζωντανός. Πολλά είχαν δει τα μάτια του κατά τη διάρκεια της τριανταπεντάχρονης πορείας του στο χώρο του θεάματος κι ένα από αυτά ήταν η κάτω βόλτα που δυστυχώς έπαιρναν τα περισσότερα μοντέλα, μόλις έσβηναν τα φώτα της πασαρέλας. Γι' αυτό και έστειλε και τις δύο πανέμορφες κόρες του σε αυστηρό καθολικό σχολείο και απαίτησε να σπουδάσουν. Ο περίγυρος ήταν πολύ βρόμικος και οι υποψήφιοι κηφήνες προικοθήρες άφθονοι. Δεν είχαν μοχθήσει τόσα χρόνια αυτός και η γυναίκα του για να αφήσουν την περιουσία τους στα χέρια χαραμοφάηδων. Οι γαμπροί του θα έπρεπε να είναι το ίδιο αξιόλογοι με τις κόρες του. Διαφορετικά, ήταν ικανός να τις φυλακίσει μέσα στο ίδιο το σπίτι τους, που θύμιζε κάστρο.

Ο Άλεξ πληρούσε πολλά από αυτά που επιθυμούσε ο Άλαν, γι' αυτό και είδε τη σχέση τους με πολύ καλό μάτι και τον πήρε υπό την προστασία του, δίνοντάς του έναν πολύ μικρό ρόλο στο καινούργιο σίριαλ, δίπλα στη γυναίκα του, υποδύομενο τον προσωπικό γυμναστή της. Εκείνος τον δέχτηκε περισσότερο για να παρακολουθεί από κοντά τα γυρίσματα της σειράς, ενώ συγχρόνως γράφτηκε και σε μια σχολή σκηνοθεσίας, προκειμένου να εκπληρώσει το όνειρό του. Ήθελε να σκηνοθετήσει κάποια μέρα ταινίες αξιόλογες, σπουδαίες, που θα τον καθιέρωναν και, γιατί όχι, θα του χάριζαν και ένα Όσκαρ. Ωστόσο, η συμμετοχή του στο σίριαλ, αν και διάρκειας ελάχιστων λεπτών,

---

20. *Μέχρι τον Παράδεισο.*

είχε τέτοια απήχηση στο γυναικείο κοινό, που άρχισε να βομ-
βαρδίζει το στούντιο με γράμματα θαυμασμού, με αποτέλεσμα
ο Άλαν να του προτείνει επίμονα να επεκτείνει το ρόλο του. Ο
Άλεξ δέχτηκε απρόθυμα, περισσότερο για να μη χαλάσει το χα-
τίρι του παραγωγού που τον σεβόταν και, φυσικά, επειδή ήταν
ο πατέρας της κοπέλας που αγαπούσε. Η επιτυχία του όμως
ήταν άνευ προηγουμένου, και κάθε φορά που εμφανιζόταν στη
μικρή οθόνη, τα μηχανάκια μέτρησης της τηλεθέασης βαρού-
σαν κόκκινο.

Έσκασε ένα ηχηρό φιλί στο μάγουλο της μητέρας του, έτρεξε
με φόρα στην απέναντι πλευρά της πισίνας και έπεσε στο νερό,
διαγράφοντας μια εντυπωσιακή τροχιά στον αέρα. Ύστερα χά-
θηκε στο βάθος της πισίνας χωρίς ν' αφήσει ίχνος παφλασμού πί-
σω του. Η Κάσι έμεινε ακίνητη, κρατώντας την αναπνοή της και
μην αφήνοντας από τα μάτια της την παραμικρή κίνησή του. Τί-
ποτε δεν τη γοήτευε περισσότερο στη ζωή της όσο ο τρόπος που
δάμαζε το νερό ο γιος της. Έμεινε κοκαλωμένη, με ίσια την πλά-
τη, να θωρεί το σώμα του καθώς διέσχιζε το νερό σαν χέλι,
ώσπου ήρθε στα πόδια της και μόνο τότε έβγαλε το κεφάλι του,
χαρίζοντάς της το πιο γοητευτικό του χαμόγελο. Μα την αλή-
θεια, ήταν το πιο όμορφο πλάσμα του κόσμου, έτσι όπως ήταν
ηλιοκαμένος, βρεγμένος, με τα μαλλιά κολλημένα πίσω στο κρα-
νίο του και τις σταγόνες νερού να κυλούν από όλες τις μεριές.

«Καλά, δεν είχες ραντεβού σήμερα με τη Σάρον; Γιατί δεν
πήγες;» τη ρώτησε.

«Ε… γιατί ακυρώθηκε την τελευταία στιγμή από κάτι που
προέκυψε», απέφυγε να του πει την αλήθεια. «Εσύ πώς τα πέ-
ρασες χθες στο πάρτι;»

«Όπως πάντα υπέροχα…»

«Και τι λέει το πρόγραμμά σου για σήμερα;»

«Θα πάμε με την Νταϊάν σινεμά. Θέλω να δω την τελευταία δουλειά του Στόουν».

«Είναι καλή η ταινία;»

«Για τον Όλιβερ Στόουν μιλάμε, μαμά! Είναι δυνατόν να μην είναι καλή η ταινία;»

Η Κάσι χαμογέλασε. Γνώριζε την αδυναμία του γιου της προς τον διάσημο σκηνοθέτη. Ακόμη και να ήταν η πιο άθλια ταινία όλων των εποχών, ο γιος της δε θα την έχανε με τίποτε, μόνο και μόνο επειδή ήταν σκηνοθετημένη από αυτόν.

«Δε θα βουτήξεις μαζί μου;» της είπε περιπαικτικά.

«Μακάρι να μπορούσα να το κάνω», του απάντησε με παράπονο.

«Μα, μαμά, αφού θα είμαι δίπλα σου. Τι φοβάσαι λοιπόν;»

«Α, όχι, να χαρείς, Άλεξ. Και μόνο που το σκέφτομαι, με πιάνει ταχυπαλμία».

Ο Άλεξ χαμογέλασε και δεν επέμεινε περισσότερο. Γνώριζε πολύ καλά τη φοβία της μητέρας του με το νερό, αν και δεν μπορούσε να την καταλάβει. Για κείνον το νερό σήμαινε ζωή, οξυγόνο, χαλάρωση. Τι κρίμα που έχανε αυτή τη μοναδική αίσθηση η μάνα του. Ξαναβούτηξε με μεγάλη διάθεση να φθάσει μέχρι κάτω, στον πυθμένα. Κατόπιν ανέβηκε με φόρα επάνω και άρχισε να κολυμπά με δυνατές απλωτές. Η Κάσι γνώριζε πολύ καλά ότι δε θα ξανάβγαινε προτού κάνει τουλάχιστον είκοσι διαδρομές στην πισίνα. Αυτό ήταν κάτι που επαναλάμβανε κάθε μέρα και του έπαιρνε γύρω στη μισή ώρα. Χαλάρωσε και άρχισε να απολαμβάνει το θέαμα, σκεπτόμενη πως η ζωή τής είχε χαρίσει πολύ περισσότερα από αυτά που είχε ζητήσει.

5

❧

υτή τη φορά το πάρτι ξεπέρασε σε επιτυχία όλα τα προηγούμενα. Πολλοί σταρ και διασημότητες είχαν κατακλύσει τον κήπο τους, ενώ τα φλας των φωτογράφων είχαν κάνει τη νύχτα μέρα. Αύριο κιόλας οι φωτογραφίες τους θα κοσμούσαν όλα τα περιοδικά και τις εφημερίδες της χώρας, κάνοντας εκτεταμένες αναφορές στην πετυχημένη δουλειά του Σταν. Η αλήθεια ήταν ότι αρκετές ηθοποιοί θα προτιμούσαν να μη δώσουν λαβές με την παρουσία τους για τέτοιου είδους υπαινιγμούς, όμως από την άλλη δε θα έχαναν με τίποτε την ευκαιρία να συναντηθούν με τους περισσότερους μεγαλοπαράγοντες του θεάματος και να συζητήσουν για κάποια προσοδοφόρα μελλοντική δουλειά, που θα ανέβαζε τις μετοχές τους ή το κασέ τους, ή, ακόμη καλύτερα, θα τους πρόσφερε μια ευκαιρία για ένα Όσκαρ. Δεν υπάρχει ηθοποιός στον πλανήτη που να μην έδινε τα πάντα για να κρατήσει αυτό το πολυπόθητο χρυσό αγαλματίδιο στα χέρια του. Εκτός ίσως από τον Μάρλον Μπράντο, που κάποτε το αρνήθηκε και που μάλλον αργότερα το μετάνιωσε, αν και δεν το παραδέχτηκε ποτέ.

Και παρά την τεράστια επιτυχία και τα τρανταχτά ονόματα που εμφανίστηκαν εκείνο το βράδυ στο πάρτι, την προσοχή της Κάσι τράβηξε η παρουσία μιας γυναίκας, η οποία φορούσε ένα περίεργο φόρεμα. Ήταν μια τουαλέτα ρομαντικού ύφους σε κυπαρισσί χρώμα, που άφηνε εκτεθειμένους τους ώμους, έτσι που ο λαιμός, οι ώμοι και το ντεκολτέ να είναι σε κοινή θέα. Το μόνο κόσμημα που φορούσε ήταν μια φαρδιά χρυσοκίτρινη κορδέλα στο λαιμό, στο κέντρο της οποίας υπήρχε μία καρφίτσα-αντίκα. Η Κάσι δεν μπορούσε να πάρει το βλέμμα της από το φόρεμα. Της έφερε στο νου έντονα ένα όνειρο που είχε δει πριν από τρεις μέρες και την είχε αναστατώσει. Δεν μπορούσε να το θυμηθεί καλά, αλλά το είχε ζήσει πολύ έντονα. Μια γυναίκα με γυρισμένη την πλάτη χόρευε στην αγκαλιά ενός μελαχρινού άνδρα. Το φόρεμά της, από βαρύ βελούδο σε έντονο κυπαρισσί χρώμα, ήταν στολισμένο κατά τόπους με κορδέλες σε βαθύ κροκί χρώμα. Τα πλούσια κυματιστά κόκκινα μαλλιά της έπεφταν στους καλοφτιαγμένους γυμνούς ώμους της. Χόρευε και γελούσε, όμως ξαφνικά το σκηνικό άλλαξε και την είδε πάλι από πίσω, αυτή τη φορά σφιγμένη στην αγκαλιά ενός ξανθού άνδρα, να κλαίει και να είναι τόσο τρομαγμένη, που η Κάσι ξύπνησε απότομα. Τελικά η καλεσμένη χάθηκε στο πλήθος και η Κάσι ξέχασε και το φόρεμα και το όνειρο. Η επιτυχία του πάρτι ήταν τόσο μεγάλη, που εξέπληξε ευχάριστα τόσο τον Σταν όσο και την ίδια. Αυτό σήμαινε ότι το όνομα «Πάλμερ» είχε βαρύτητα σ' έναν κόσμο πολύ δύσκολο και απαιτητικό ως προς την επιλογή φίλων. Και παρότι η Κάσι ποτέ της δεν επεδίωξε αυτό τον κόσμο, για χάρη της δουλειάς του Σταν αναγκάστηκε σταδιακά όχι μόνο να τον αποδεχτεί, αλλά και να τον συμπαθήσει.

Δύο βράδια μετά το πάρτι, το όνειρο επαναλήφθηκε. Αυτή τη φορά είδε κάτι σαν ομίχλη και μετά μια περίεργη βιτρίνα γεμάτη από παλιομοδίτικα καπέλα. Ακούμπησε το πρόσωπό της στο τζάμι και πρόσεξε στο βάθος το πράσινο φόρεμα με τις κίτρινες κορδέλες να κρέμεται σε μια γωνιά. Κρύωνε και τότε είδε το κορίτσι με τα κόκκινα μαλλιά να περπατάει μέσα στην παγωνιά. Ύστερα ένιωσε να βρέχεται από παγωμένο νερό και ξύπνησε. Ήταν ιδρωμένη, παρότι δεν έκανε ζέστη, και έτρεμε. Δίπλα της ο Σταν ροχάλιζε ελαφρώς. Η καρδιά της χτυπούσε δυνατά. Κοίταξε το ρολόι με τους φωσφορίζοντες δείκτες στο κομοδίνο. Ήταν τέσσερις το πρωί. Η Κάσι έκλεισε τα μάτια της και προσπάθησε να ξανακοιμηθεί. Γιατί είχε τρομάξει τόσο πολύ; Τι είχε δει και δεν το θυμόταν; Ο ύπνος, όμως, είχε φύγει.

Άναψε το φωτιστικό και κοίταξε τον Σταν· κοιμόταν βαθιά και είχε το δεξί χέρι του πάνω στην καρδιά του, σαν να φοβόταν μην του την κλέψουν, ενώ το γυμνασμένο στήθος του ανεβοκατέβαινε ρυθμικά. Η Κάσι προσπάθησε να χαμογελάσει. Εξακολουθούσε να είναι θελκτικός άνδρας. Γυμναζόταν συστηματικά παίζοντας τένις και, μάλιστα, διοργάνωνε και τουρνουά με τους φίλους του. Και η ίδια έπαιζε πολύ καλό τένις και δεν ήταν λίγες οι φορές που διεκδικούσε τη νίκη και την έπαιρνε. Κι ενώ τον πρώτο καιρό του γάμου τους η ερωτική τους ζωή ήταν γεμάτη, σταδιακά τα τελευταία χρόνια είχε χαλαρώσει αρκετά, κάτι που απέδιδε στις πολλές ευθύνες της δουλειάς του. Γενικότερα βέβαια δεν είχε παράπονα από τον άνδρα της. Άκουγε από γνωστές της για τη σεξουαλική αποχή των συζύγων, γεγονός που τις ανάγκαζε να ψάχνονται για νεότερους εραστές. Ούτε που να σκεφτεί κάτι τέτοιο η ίδια. Στη ζωή της υπήρξαν όλοι κι όλοι δύο άνδρες και, παρότι τη φλέρταραν πολλοί, δεν της πέρασε ποτέ από το μυαλό να κοιτάξει άλλον άνδρα. Ο Σταν την κάλυπτε σε όλους τους τομείς. Για την ηλικία της κρατιόταν ακόμη σε πολύ καλή φόρμα χάρη στο τένις και στη γυμναστική που έκανε τρεις φορές την εβδομάδα. Η μόνη αισθητική επέμβαση που είχε κάνει επάνω της ήταν οι ενέσεις μπότοξ[1]. Πετάχτηκε από το κρεβάτι της. Ο Σταν συνέχισε να κοιμάται βαθιά. Κάθισε σε μια από τις δύο πολυθρόνες που βρίσκονταν απέναντι από το κρεβάτι και προσπάθησε να κατευνάσει το φόβο της. Στην ουσία δε γνώριζε γιατί ήταν φοβισμένη και τι ήταν εκείνο που την είχε τρομάξει. Παρ' όλα αυτά, ένιωθε περίεργα, σαν να είχε συμβεί κάτι τρομερό.

Σηκώθηκε από την πολυθρόνα, προχώρησε κατά μήκος του τεράστιου δωματίου και σταμάτησε μπροστά στον ολόσωμο καθρέφτη, που πλαισιωνόταν από ξύλο επιχρυσωμένο και κοσμημένο με φύλλα χρυσού. Κοίταξε το είδωλό της. Τα μαύρα μαλλιά της έφθαναν στο ύψος των ώμων της και ήταν κομμένα μπροστά σε μια κοντή φράντζα που την κολάκευε πολύ, δίχως να καλύπτει τα καλοσχηματισμένα φρύδια της. Τα μάτια της είχαν πάντα το υπέροχο καταγάλανο του ουρανού της πατρίδας της, όπως έλεγε συχνά η γιαγιά Κασσάνδρα, όταν εκείνη ήταν παιδί. Πού τη θυμήθηκε τώρα αυτή; Είχε πολλά χρόνια να τη φέρει στο νου της. Πλησίασε πιο κοντά το πρόσωπό της και πρόσεξε μια ελαφριά πτώση των βλεφάρων της. Μήπως είχε έρθει καιρός να επέμβει ο άνδρας της; Τόσα χρόνια παντρεμένοι και η μοναδική επέμβαση επάνω της ήταν οι ενέσεις μπότοξ που της έκανε περίπου κάθε πέντε με έξι μήνες. Κι αυτό πρόσφατα, μόλις έκλεισε τα σαράντα ένα. Ο λαιμός της καλά κρατούσε ακόμη, όπως και το περίγραμμα του προσώπου της. Βέβαια χρη-

---

1. Ενέσεις αλλαντοτοξίνης Α, που αδρανοποιούν τους μυς. Η διάρκεια δράσης τους είναι τρεις με έξι μήνες και το αποτέλεσμα προσωρινό.

σιμοποιούσε τα καλύτερα προϊόντα ομορφιάς και έβλεπε την αισθητικό της συχνά. Το σώμα της ήταν εξίσου καλό με το πρόσωπο. Είχε μακριά λεπτά πόδια, αρκετά γυμνασμένα από το τένις και τη γυμναστική, τόσο στο ιδιωτικό της γυμναστήριο όσο και σε υπερπολυτελές γυμναστήριο του Μπέβερλι Χιλς, όπου έκανε γιόγκα, ή αερόμπικ, ή πιλάτες με τις διάσημες φίλες της. Η Σάρον τη συνόδευε αρκετά συχνά, όμως δεν ήταν φαν της γυμναστικής· περισσότερο πήγαινε για να χαλαρώσει από το στρες της δουλειάς της, να κάνει δημόσιες σχέσεις και, αν στεκόταν τυχερή, να γνώριζε τον επόμενο σύζυγο. Η καλύτερη γυμναστική της Σάρον γινόταν στα εστιατόρια.

Η Κάσι πρόσεξε πως οι κοιλιακοί της δε διαγράφονταν τόσο έντονοι όπως πριν από δέκα χρόνια, όμως ακόμη ήταν σε αξιοπρεπή κατάσταση. Το στήθος της, αν και μικρό, ήταν πάντα στητό και έμοιαζε με εφηβικό. Ο Σταν χαιρόταν ιδιαίτερα που δεν του είχε ζητήσει ποτέ να της βάλει σιλικόνη. Είχε δει και είχε αγγίξει τόσο πολλή σιλικόνη στη ζωή του, ώστε το τελευταίο πράγμα που επιθυμούσε ήταν να την αγγίζει και επάνω στη γυναίκα του. Γενικά διατηρούνταν σε αυτό που λένε άριστη φόρμα και, το κυριότερο, δεν είχε το παραμικρό πρόβλημα με την υγεία της.

«Είναι απλό! Έχεις άγχος», της είπε με σιγουριά η Σάρον, σαν να ήταν ειδική πάνω σ' αυτά τα θέματα, ενώ απολάμβανε μια γενναία πιρουνιά από την αστακομακαρονάδα της. Έτρωγαν οι δυο τους στο ρουφ γκάρντεν ενός ρέστοραν στο Μπέβερλι Χιλς. Είχαν συναντηθεί για να γιορτάσουν το τέλος του γάμου της Σάρον. Η φίλη της ήταν ιδιαίτερα ενθουσιασμένη, γιατί το διαζύγιο έβγαινε υπέρ της, επομένως, δε θα πλήρωνε κανένα χρηματικό ποσό στον ακαμάτη πρώην σύζυγό της που απειλούσε να της πάρει το σπίτι. Είχαν πάει πρώτα για ψώνια και είχαν σαρώσει όλες τις ακριβές μπουτίκ της Ροντέο Ντράιβ[2] με τις πλατινένιες κάρτες τους. Ύστερα η Σάρον επέμενε να της κάνει το τραπέζι και να γιορτάσουν όχι μόνο το γεγονός ότι επιτέλους είχαν υπογράψει για το διαζύγιο, αλλά και για να την ευχαριστήσει, μια και στο πάρτι της είχε τσιμπήσει τέσσερις αξιόλογους πελάτες.

«Άγχος; Δεν καταλαβαίνω... Και γιατί να έχω άγχος, αφού όλα στη ζωή μου είναι καλά;»

«Τα ίδια έλεγε και μια πελάτισσά μου. Πήγε όμως να τρελαθεί η ανόητη από κάτι περίεργα όνειρα που έβλεπε καιρό και δεν τους έδινε σημασία. Τελικά επισκέφτηκε ψυχαναλυτή και ηρέμησε».

«Και τι της είπε ο ψυχαναλυτής;»

«Ότι ο γάμος της είχε πιάσει πάτο, τρύπια βάρκα, που λένε, και ότι χρειαζόταν μια τονωτική ένεση».

«Και το κατάλαβε ο ψυχαναλυτής από τα όνειρα που έβλεπε;»

«Ακριβώς».

«Και τι έβλεπε, δηλαδή;»

«Εκείνη ονειρευόταν ότι πετούσε, μέχρι που γκρεμοτσακιζόταν, πότε πάνω σε βουνό, πότε πάνω σε ουρανοξύστες, πότε πάνω σε δέντρα. Ο χορός, το πέταγμα και το κολύμπι δηλώνουν την ανάγκη κάποιου να ξεφύγει από κάπου ή κάτι που τον πιέζει. Τα χρώματα, επίσης, στέλνουν μηνύματα. Το πράσινο, για παράδειγμα, φανερώνει ελπίδα, το κόκκινο πάθος, το μαύρο στενοχώρια, το λευκό καλά νέα και χαρά, το κίτρινο φόβο. Προφανώς υποσυνείδητα έχεις κουραστεί από τον δικό σου γάμο. Από τη μια φοβάσαι να το παραδεχτείς και από την άλλη ελπίζεις ότι όλα είναι καλά. Γι' αυτό βλέπεις αυτό το κυπαρισσί φόρεμα με τα κίτρινα τριαντάφυλλα και τις κορδέλες».

---

2. Ο πιο ακριβός εμπορικός δρόμος του Μπέβερλι Χιλς.

«Μα τι λες τώρα, Σάρον;» διαμαρτυρήθηκε η Κάσι. «Είμαι απόλυτα ευτυχισμένη με τον Σταν».

«Τότε, χρυσή μου, περνάς πρώιμη κλιμακτήριο. Δεν εξηγείται διαφορετικά. Όταν ένας άνθρωπος χωρίς προβλήματα, όπως λες, αρχίζει να βλέπει περίεργα και επαναλαμβανόμενα όνειρα, θεωρείς ότι είναι καλά; Εμένα μου φαίνεται ότι εκπέμπει μηνύματα SOS γιατί η ψυχή του πνίγεται. Μπορεί να μην είμαι ψυχολόγος, όμως χειρίστηκα άψογα τόσες θεόμουρλες πελάτισσες, που κανονικά θα έπρεπε να μου δώσουν τιμής ένεκεν το δίπλωμα ψυχολογίας. Τόσα χρόνια στην πιάτσα λες να μην έμαθα κάτι; Ξέρεις πόσες τρέλες κυκλοφορούν ελεύθερες στην πόλη μας; Από τότε που οι άνδρες έπαψαν να πηδάνε τις γυναίκες τους και προτιμούν τις σιλικονάτες βίζιτες, είναι να μην τρελαθούν οι άμοιρες; Τώρα θα μου πεις, εσένα σε πηδάει μια χαρά ο Σταν, αλλά δεν μπορεί, κάπου μπάζει νερά το σκαρί», είπε αρκετά φωναχτά.

«Σάρον! Για όνομα του Θεού. Δεν είμαστε μόνες. Χαμήλωσε τη φωνή σου. Μας άκουσε όλο το ρέστοραν», είπε ενοχλημένη η Κάσι.

«Να πάνε να γαμηθούν όλοι τους. Να μην ακούν», απάντησε χαμηλόφωνα.

«Κάποιες φορές ξεπερνάς τα όρια. Απορώ πώς σε αντέχω».

«Με αντέχεις γιατί είμαι η μόνη που σ' αγαπάει και νοιάζεται για σένα. Έχω άδικο;» της είπε τρυφερά και της έπιασε το χέρι.

Η Κάσι χαμογέλασε και την κοίταξε κατάματα. Δεν είχε και άδικο. Δεκαοκτώ χρόνια σ' αυτή τη δουλειά είχε βιώσει πολλά και δεν ήταν λίγες οι πελάτισσές της που της είχαν εξομολογηθεί τα εσώψυχά τους και τι τους είχε συμβουλεύσει ο ψυχαναλυτής τους, όταν έψαχναν άλλο σπίτι λόγω χωρισμού. Σίγουρα ο γάμος της δεν της δημιουργούσε προβλήματα, από την άλλη όμως η Σάρον είχε δίκιο. Όταν η ψυχή πιέζεται, τότε στέλνει μηνύματα. Από τι πιεζόταν, αλήθεια, η ψυχή της; Δεν μπορούσε να δώσει κάποια απάντηση.

Η Κάσι επέστρεψε στο σπίτι γύρω στις τέσσερις το απόγευμα περισσότερο προβληματισμένη. Ένιωθε κουρασμένη κι ήταν περίεργο, γιατί είχε κοιμηθεί αρκετές ώρες τη νύχτα που πέρασε. Ο Σταν είχε τρία χειρουργεία, ρουτίνας όπως τα αποκαλούσε, δηλαδή τοποθέτηση σιλικόνης, ή ίσιωμα μύτης, ή βλεφαροπλαστική, ή κάτι τέλος πάντων από αυτά που είχε κάνει χιλιάδες φορές και δε θα επέστρεφε πριν από τις δέκα το βράδυ. Ο Άλεξ βρισκόταν στο γύρισμα και μετά θα συναντούσε την Νταϊάν. Ήταν μόνη, με μοναδική της παρέα τη Μόλι, τη γάτα της, να τρίβεται στα πόδια της νιαουρίζοντας απαιτητικά για την προσοχή της. Τη λάτρευε τη Μόλι. Τις ένωνε κάτι πολύ σημαντικό. Είχαν και δύο την ίδια απέχθεια· το νερό. Και παρότι η γάτα της το μισούσε ακόμη πιο πολύ, δεν παρέλειπε να τη συντροφεύει στην πισίνα και να κάθεται με τις ώρες κάτω από τη σεζλόνγκ της, αποφεύγοντας και τον ήλιο. Το μόνο πράγμα που μπορούσε να την αποσπάσει από τη θέση της ήταν η μυρωδιά κάποιου φαγητού που ψηνόταν.

Η Κάσι ξάπλωσε στο κρεβάτι έτσι όπως ήταν με τα ρούχα, βγάζοντας μόνο τις Manolo Blahnic[3] γόβες της, που έπεσαν πάνω στην παχιά εκρού μοκέτα. Η Μόλι δεν περίμενε ιδιαίτερη πρόσκληση και σκαρφάλωσε κι εκείνη πάνω στο κρεβάτι. Νιαούρισε μια-δυο φορές και μετά άραξε δίπλα στα πόδια της. Σε λίγο το χαρακτηριστικό της γουργούρισμα ακουγόταν ρυθμικά. Η Κάσι χαμογέλασε και έκλεισε τα μάτια ακούγοντας το «χχρρρρρρ» της Μόλι να τη νανουρίζει. Ήθελε μόνο να χαλαρώσει, αλλά σε λίγο κοιμόταν βαθιά.

---

3. Διάσημος σχεδιαστής παπουτσιών.

Το κορίτσι με τα κόκκινα πυκνά μαλλιά προχωρούσε μέσα στην ομίχλη σ' ένα πλακόστρωτο δρομάκι. Όπου να 'ναι θα χάραζε, όμως ακόμη ήταν σκοτάδι. Κατά διαστήματα περνούσαν από δίπλα της κλειστές μαύρες άμαξες που τις έσερναν πότε δύο και πότε τέσσερα άλογα. Φορούσε ένα σκούρο γκρίζο παλτό που έφθανε ως τους αστραγάλους της, καφέ σκούρο καπέλο που κάλυπτε τα αυτιά και ένα χοντρό γκρίζο πλεκτό κασκόλ στο λαιμό. Ελάχιστοι άνθρωποι, ντυμένοι περίεργα, περπατούσαν βιαστικά στον ίδιο δρόμο. Σταμάτησε έξω από μια βιτρίνα γεμάτη φανταχτερά καπέλα και στάθηκε εκεί σαν να περίμενε κάποιον. Ύστερα, το ίδιο κορίτσι περπατούσε σε μια περιοχή με άθλια σπίτια και λασπωμένους δρόμους. Κάποια παιδιά, ντυμένα με κουρέλια, έπαιζαν σε μια γωνιά. Μπήκε σ' ένα μισογκρεμισμένο σπίτι και ένας ψηλός ξανθός άνδρας την αγκάλιασε και τη φίλησε με θέρμη. Στη συνέχεια άρχισε να κάνει αφόρητο κρύο και κάτι υγρό και παγωμένο άρχισε να την αγκαλιάζει όλο και πιο δυνατά, ώσπου σκέπασε το κεφάλι της. Τα πνευμόνια της άρχισαν να πονούν αφόρητα. Δεν μπορούσε να αναπνεύσει.

Η Κάσι άνοιξε απότομα τα μάτια. Το κορμί της έτρεμε και τα δόντια της κροτάλιζαν. Πετάχτηκε έντρομη από το κρεβάτι ρίχνοντας κάτω τη Μόλι, που νιαούρισε γκρινιάρικα. Μπήκε στο πολυτελές μπάνιο με τα ροδοχρυσαφένια πλακάκια στολισμένα κατά τόπους με πέτρες Swarovsky και άνοιξε τη χρυσή βρύση της ντουζιέρας. Πέταξε όπως όπως τα ρούχα της στο δάπεδο και στάθηκε κάτω από το καυτό νερό, ώσπου ένιωσε το σώμα της να ξεπαγώνει και να ξεμουδιάζει. Ύστερα τρίφτηκε καλά με την πετσέτα και κουκουλώθηκε μέσα στο ζεστό χνουδωτό ροζ-μοβ μπουρνούζι της που είχε κεντημένο στο αριστερό στήθος ένα ολόχρυσο C, το μονόγραμμά της. Βγήκε από το μπάνιο

και κάθισε σε μια από τις δύο πολυθρόνες καλυμμένες με γού-
να λεοπάρδαλης. Η θερμοκρασία είχε επανέλθει στα φυσιολο-
γικά επίπεδα στο σώμα της. Θυμήθηκε κάθε σκηνή από το όνει-
ρό της, ένα όνειρο τόσο ζωντανό, σαν να το είχε ζήσει η ίδια. Μα
ποιο ήταν τέλος πάντων αυτό το κορίτσι που επέμενε να εμφα-
νίζεται τελευταία στα όνειρά της; Ποιο ήταν αυτό το περίεργο
μέρος, που δεν της θύμιζε τίποτε από αυτά που είχε δει όπου εί-
χε ταξιδέψει; Σίγουρα, κρίνοντας από τα ρούχα και τις άμαξες,
τα όνειρά της την παρέπεμπαν σε μια άλλη εποχή, σε κάποιο
μακρινό παρελθόν. Η Κάσι, όμως, δεν είχε σπουδάσει ποτέ Ιστο-
ρία ώστε να μπορεί να δώσει κάποιες απαντήσεις. Δεν είχε ιδέα
από αυτά τα πράγματα και, πέρα από κάποια τρανταχτά ιστο-
ρικά γεγονότα, δεν είχε ασχοληθεί περισσότερο με λεπτομέρειες.
Άρα, πώς μπορούσε να διακρίνει τόσες λεπτομέρειες σε ρούχα,
καπέλα, σπίτια, δρόμους, έπιπλα; Και ποια εποχή ήταν αυτή; Σε
ποιο μέρος;

    Πήγε να σηκώσει το κινητό της και να τηλεφωνήσει στη Σά-
ρον, όμως αρκετά την είχε ζαλίσει από το πρωί και σίγουρα δε θα
'χε όρεξη να τα ξανακούσει. Σε ποιον να μιλούσε; Στον Σταν; Ερ-
χόταν τόσο κουρασμένος, ώστε το τελευταίο πράγμα που θα εί-
χε διάθεση να κάνει ήταν να αναλύει τα όνειρα της γυναίκας του.
Στον Άλεξ; Τι να της έλεγε ο γιος της; Το πολύ πολύ να έβαζε τα
γέλια με τη φαντασία της μάνας του. Ψυχανάλυση δεν είχε κάνει
ποτέ και ένιωθε πολύ υπερήφανη που δεν είχε χρειαστεί μέχρι τώ-
ρα, τη στιγμή που οι περισσότεροι κάτοικοι στο Λος Άντζελες εί-
χαν τον ψυχαναλυτή τους.

    Ξαφνικά την έπιασε μια ακατανίκητη επιθυμία να φάει κάτι
γλυκό, παρότι τα απέφευγε εδώ και χρόνια. Προσπάθησε να θυ-
μηθεί το όνομα του αγαπημένου της γλυκίσματος αλλά δεν τα
κατάφερνε. Πώς το 'λεγε η γιαγιά; Όχι, δεν μπορούσε να το θυ-

μηθεί, όμως την ίδια τη θυμόταν πολύ καλά καθώς κοσκίνιζε το αλεύρι και μετά, σαν έπλαθε τη ζύμη, την άνοιγε με τον πλάστη κι ύστερα την έκοβε λωρίδες λωρίδες και έκανε διάφορα σχέδια, όπως φιογκάκια, ζωάκια, μελισσούλες και ό,τι άλλο άρεσε της ίδιας, δίνοντας εντολές στη γιαγιά σκασμένη στα γέλια. Μετά έβαζε πάνω απ' τη φωτιά ένα βαθύ τηγάνι γεμάτο με μπόλικο αγνό λάδι και τηγάνιζε τη γλυκιά ζύμη. Εκείνη από άσπρη αποκτούσε ένα ρόδινο χρώμα και γινόταν τραγανή. Στη συνέχεια η γιαγιά βουτούσε τα κομμάτια ένα ένα σε ζεσταμένο μέλι με μια τρυπητή κουτάλα και, αφού τα τοποθετούσε σε μια μεγάλη γυάλινη πιατέλα, γύρω γύρω και μετά το ένα πάνω στο άλλο, έβαζε τη γαρνιτούρα: καβουρδισμένο σουσάμι, καρύδια και λίγη κανέλα. Και μοσχοβολούσε η γειτονιά, και τα πιτσιρίκια μαζεύονταν και κοίταζαν από τη μισάνοιχτη πόρτα με λαίμαργα ματάκια. Τότε η γιαγιά Κασσάνδρα χαμογελούσε και τα καλούσε γύρω από το τραπέζι να φάνε κι εκείνα από ένα κομμάτι, και το γλυκό τραγάνιζε και έλιωνε απολαυστικά μέσα στο στόμα, και έτρεχαν σάλια και σιρόπια στα ρούχα και στο δάπεδο, και έγλειφαν τα πιτσιρίκια τα δάχτυλά τους, με μισόκλειστα μάτια και τεράστιο χαμόγελο ευτυχίας.

Έσμιξε τα φρύδια, όσο μπορούσαν να σμίξουν από το μπότοξ που κρατούσε ακίνητο το μέτωπο, απορημένη με τη σκέψη της. Άλλο και πάλι τούτο. Είχε να σκεφτεί αυτό το γλυκό από τα δεκατρία της, και πολύ περισσότερο να το φάει. Κι όμως, ήταν το αγαπημένο της όταν επισκεπτόταν τα καλοκαίρια την Ελλάδα. Πώς το έλεγαν; Μα πώς το έλεγαν; Αμ εκείνο το κοκκινιστό κρέας με τις πατάτες; Πώς το έλεγαν κι αυτό; Να πάρει η οργή, η γιαγιά έφτιαχνε τόσα πράγματα που τώρα δεν τα θυμόταν καθόλου, τόσα πεντανόστιμα ελληνικά φαγητά που έγλειφε και τα δάχτυλά της. Αλήθεια, γιατί τα είχε λησμονήσει όλα μετά το θάνατό της; Ακόμη και τα ελληνικά της, που τα μιλούσε τότε αρκετά καλά. Πώς λέγεται το νησί της γιαγιάς; Θεέ και Κύριε! Το 'χε ξεχάσει κι αυτό. Ζορίστηκε να θυμηθεί. Τίποτε, όμως.

Σήκωσε το τηλέφωνο αποφασιστικά και πήρε στο ρέστοραν του πατέρα της. Ο Νικ, αν και ήταν πια κοντά στα εβδομήντα, κρατιόταν ακόμη καλά και συνέχιζε να πηγαίνει στο AMORGI, στο πρώτο μαγαζί του, το γουρλίδικό του, όπως το αποκαλούσε, ενώ ο Άλμπερτ και ο Τζον, τα αδέλφια της, είχαν αναλάβει τα ηνία της δεύτερης επιχείρησης. Τώρα, χάρη στις δικές τους δημόσιες σχέσεις και τις γνωριμίες του Σταν, στο CASSANDRA σύχναζαν οι περισσότεροι αστέρες του Χόλιγουντ, και για να κλείσεις τραπέζι εκεί, έπρεπε να κάνεις κράτηση οπωσδήποτε δύο με τρεις εβδομάδες νωρίτερα, ή να συνοδεύεσαι από μια διασημότητα.

«Γεια σου, μπαμπά», είπε χαρούμενα μόλις άκουσε τη βαριά φωνή του.

«Κάσι, κοριτσάκι μου!» της είπε έκπληκτος. Είχε μέρες να ακούσει νέα της. Με τη μάνα της μιλούσε περισσότερο. «Πώς ήταν αυτό;»

«Πώς είσαι; Πάνε καλά οι δουλειές;»

«Δόξα τω Θεώ, παιδί μου, και οι δουλειές πάνε καλά και η υγεία όλων μας καλύτερα».

«Χαίρομαι που το λες αυτό. Δε μου λες, μπαμπά, το νησί της γιαγιάς πώς λέγεται;»

Έγινε μια παύση. Μετά ακούστηκε ένας παραπονεμένος αναστεναγμός.

«Ξέχασες την Αμοργό μας, κόρη μου;»

«Αμοργός! Μα ναι!» Πώς μπόρεσε να ξεχάσει το όνομα;

«Με συγχωρείς, πατέρα, αλλά κόλλησε το μυαλό μου. Μεγαλώνω κι εγώ, μην το ξεχνάς. Δε μου λες, μπαμπά μου, φτιάχνεις ακόμη στο μαγαζί σου αυτό το γλυκό που έκανε η γιαγιά; Να δεις πώς το λένε...»

«Εννοείς το παστέλι στο λεμονόφυλλο; Το γλυκό από σουσάμι;»

«Όχι, όχι, το άλλο».

«Α, τα ξεροτήγανα;»

«Ναι, αυτά. Τα φτιάχνεις ακόμη;»

Δεύτερη παύση.

«Μη μου πεις ότι θέλεις να φας ξεροτήγανο;»

«Ακριβώς όπως το είπες. Θέλω να φάω ξεροτήγανο. Μήπως μπορείς να μου στείλεις μερικά κομμάτια σπίτι;»

«Μνήσθητί μου, Κύριε», είπε στα ελληνικά ο Νικ.

«Τι είπες τώρα στα ελληνικά;» τον ρώτησε.

«Τι να πω, Κάσι μου; Είπα πως μου φαίνεται περίεργο να ζητάς εσύ να φας γλυκό, και μάλιστα σιροπιαστό. Ποτέ δε σου άρεσαν τα σιροπιαστά».

«Θα μου στείλεις τώρα το γλυκό ή να έρθω να το πάρω εγώ;»

«Καλά. Θα πω του βοηθού μου να σου φέρει ένα king size κουτί. Μήπως θέλεις περισσότερα;»

«Όχι, ένα είναι αρκετό. Σ' ευχαριστώ... και, μπαμπά, την Κυριακή θα έρθουμε όλοι σπίτι σου να φάμε αμοργιανό φαγητό. Φρόντισε να μας μαγειρέψεις κάτι νόστιμο. Τι προτείνεις;»

«Χμ... Τι λες για γιαπράκια;»

«Τι είναι αυτά;»

«Ντολμαδάκια σε αμπελόφυλλο με ρύζι και μάραθο, ντε. Τα 'τρωγες στη γιαγιά σου».

«Α, ναι, τα γιαπράκια. Να βάλεις και κιμά. Μπόλικο. Εντάξει, μπαμπά; Δε βλέπω την ώρα να έρθω εκεί».

Έκλεισε ο Νικ το ακουστικό και έκανε το σταυρό του.

Ο Φιλ, ένας υπάλληλός του, τον κοίταξε περίεργα. «Όλα καλά, κύριε Νικ;» τον ρώτησε.

«Τι να σου πω, Φιλ. Μόλις μου τηλεφώνησε η κόρη μου και μου ζήτησε να της στείλω ξεροτήγανα και να μαγειρέψω γιαπράκια για την Κυριακή».

«Και είναι περίεργο αυτό;»

«Αν είναι; Από παιδί έχει να ζητήσει να φάει αμοργιανό φαγητό ή οτιδήποτε ελληνικό. Αυτή δεν αγγίζει τίποτε άλλο πέρα από οτιδήποτε αμερικανικό. Είναι να μην κάνω το σταυρό μου;» Ο Φιλ κούνησε με συγκατάβαση το κεφάλι του. «Οι γυναίκες είναι μυστήρια πλάσματα. Άλλα λένε, άλλα εννοούν και άλλα κάνουν. Άντε να βρεις άκρη. Εμένα, να σκεφτείς, η δικιά μου τρελαινόταν για χρόνια με οτιδήποτε είχε χρώμα ροδακινί: σπίτια βαμμένα ροδακινί, κουρτίνες ροδακινί, σεντόνια ροδακινί, ρούχα ροδακινί, κραγιόν ροδακινί, μέχρι πίνακες με ροδάκινα κρέμασε στους τοίχους. Και ξαφνικά μια μέρα αποφάσισε ότι το πράσινο του μήλου τής έκανε περισσότερο. Γυρίζω σπίτι μου και τι να δω; Τα είχε βάψει όλα πράσινα και είχε κρεμάσει στους τοίχους πίνακες με πράσινα μήλα. Είναι λοιπόν να μην τρελαίνεσαι;»

«Έβαλε και πράσινο κραγιόν;»

«Αν υπήρχε, θα το έκανε. Έτσι είναι το μόνο ροδακινί που κράτησε. Πάλι καλά. Τώρα μόνο εύχομαι να μη γυρίσω καμιά μέρα και τα δω όλα μαύρα εκεί μέσα».

Το κορίτσι με τα κόκκινα μαλλιά ήταν γυμνό και κοιτούσε με έκπληξη ένα μεγάλο πακέτο. Με γρήγορες κινήσεις το άνοιξε και άφησε μια κραυγή χαράς να ξεφύγει από το ζουμερό στόμα της. Σήκωσε στα χέρια της το πράσινο φόρεμα με τις κίτρινες κορδέλες και τα υφασμάτινα τριαντάφυλλα στο μπούστου από μέσα και το έβαλε μπροστά στο γυμνό της σώμα. Έπειτα το πέταξε στο κρεβάτι και χύθηκε στην αγκαλιά του ξανθού άνδρα που την κοίταζε χαμογελαστός. Εκείνος έβαλε το χέρι του γύρω από τον αυχένα της και την έκλεισε στην αγκαλιά του. Ύστερα τριγύρω της παντού σκοτάδι. Το παγωμένο νερό την έκανε να μουδιάσει. Προσπαθούσε να επιπλεύσει. Ανέπνεε με δυσκολία. Μετά το νερό σκέπασε το κεφάλι της. Δεν μπορούσε να δει τίποτε ούτε να ανασάνει. Πνιγόταν... Πνιγόταν...

Η Κάσι έβγαλε μια κραυγή αγωνίας και πετάχτηκε από τον ύπνο της, φέρνοντας το χέρι της στο ύψος της καρδιάς. Ο Σταν δίπλα της άνοιξε τα μάτια του και μετά το φως του δωματίου. Είδε τη γυναίκα του να τρέμει, ανήμπορη να αναπνεύσει.

«Κάσι, τι είναι, μωρό μου; Τι έπαθες;»

Η Κάσι κουλουριάστηκε στην αγκαλιά του σαν μικρό φοβισμένο παιδί. Εκείνος την αγκάλιασε προστατευτικά. Έτρεμε και ήταν ιδρωμένη.

«Τι συνέβη, αγάπη μου; Δεν αισθάνεσαι καλά;»

«...Πάλι αυτό το κορίτσι με τα κόκκινα μαλλιά...»

«Κορίτσι; Για ποιο κορίτσι μού μιλάς;»

«Τη βλέπω δύο εβδομάδες τώρα».

Ο Σταν την απομάκρυνε από την αγκαλιά του και την κοίταξε. Ήταν πιο χλωμή και από πεθαμένη. Κατάλαβε ότι πρέπει να της είχε πέσει η πίεση και ήταν σοκαρισμένη. Μέτρησε το σφυγμό της κρατώντας τον καρπό της και κοιτάζοντας το ρολόι του. Είχε εκατό παλμούς το λεπτό, όμως δεν ήταν ανησυχητικό. Το πολύ σε πέντε με δέκα λεπτά θα της έπεφταν. Της έδωσε να πιει μια γουλιά νερό και της έτριψε τα χέρια να ζεσταθεί. Σε λίγο το πρόσωπό της είχε ξαναβρεί το χρώμα του και η καρδιά της τους κανονικούς παλμούς της.

«Θέλεις να μου μιλήσεις γι' αυτό το κορίτσι;» τη ρώτησε εκείνος γλυκά.

«Έρχεται στα όνειρά μου και με τρομάζει».

«Τι ακριβώς βλέπεις;»

«Πότε ότι χορεύει, πότε ότι περπατάει, βλέπω συνεχώς ένα πράσινο φόρεμα με κίτρινες κορδέλες, καπέλα, έναν ξανθό νέο άνδρα και μετά...»

«Μετά;»

«Μετά βρίσκομαι σε παγωμένο νερό. Τόσο παγωμένο που σου κόβεται η ανάσα... Και δεν μπορώ να αναπνεύσω».

Η Κάσι σταμάτησε απότομα και έπεσε πάλι στην αγκαλιά του.

«Ξέρεις ότι δεν το αντέχω το νερό, Σταν. Δεν αντέχω να βρίσκομαι κάτω από το νερό...»

«Ένας εφιάλτης ήταν μόνο, μωρό μου. Τίποτε δε συνέβη πραγματικά. Δεν είσαι παιδάκι να τρέμεις τόσο πολύ με τα όνειρά σου».

«Μα ήταν τόσο πραγματικό. Το ένιωσα το παγωμένο νερό. Άγγιξα εκείνο το βελούδινο φόρεμα. Ακόμη νιώθω το άγγιγμά του».

«Αύριο κιόλας θα το 'χεις ξεχάσει. Και, αγάπη μου, χαλάρωσε λιγάκι. Πάψε να τα θέλεις όλα στη θέση τους και στην ώρα τους. Μην είσαι τόσο πολύ προγραμματισμένη. Αν δεν πας μια φορά στο γυμναστήριο, ή δεν είσαι στην ώρα σου στα ραντεβού σου, ή χαλάσει το πρόγραμμά σου, δε χάθηκε ο κόσμος. Μου φαίνεται ότι έχεις περισσότερο άγχος απ' ό,τι πρέπει. Γιατί; Αφού εγώ είμαι εδώ για να σου λύσω κάθε σου πρόβλημα. Ποιος ο λόγος να σπας το κεφαλάκι σου με περιττές σκέψεις; Έλα, κοιμήσου τώρα και από αύριο όλα θα είναι καλύτερα».

Το κυριακάτικο ελληνικό γεύμα στο πατρικό της η Κάσι τιμήθηκε για πρώτη φορά από όλη την οικογένεια με μεγάλο ενθουσιασμό. Ίσως να οφειλόταν στην πολύ καλή διάθεση της

Κάσι, η οποία ενθάρρυνε όλους να δοκιμάσουν τα φαγητά που με τόσο μεράκι είχε ετοιμάσει ο πατέρας της ειδικά για εκείνη. Ο Νικ είχε ετοιμάσει πατατάτο[4] ως κυρίως πιάτο και γιαπράκια, κατσούνι[5], έφτιαξε και αρανιστά[6], ετοίμασε ξεροτήγανα και κατημέρι. Μέχρι ρακόμελο[7] τους έβαλε να πιουν, ένα αμοργινό ποτό, λίγο βαρύ για όποιον δεν το έχει συνηθίσει, και ήρθε και άναψε το γλέντι μαζί με ελληνική μουσική, που για πρώτη φορά ήταν ευχάριστη σε όλους. Ο Νικ ένιωσε μεγάλη αγαλλίαση, και δε σταμάτησε να πίνει και να γελάει όλη την ώρα. Είχε χρόνια να δει μια τόσο ζεστή οικογενειακή συγκέντρωση, με χρώμα καθαρά ελληνικό. Ακόμη και η γυναίκα του, η Τζένιφερ, που αντιπαθούσε οτιδήποτε της θύμιζε Ελλάδα, τίμησε το τραπέζι. Το ίδιο και οι δυο γιοι του, που είχαν έρθει με τις οικογένειές τους. Ο Άλμπερτ είχε παντρευτεί πριν από πέντε χρόνια και είχε δύο μικρά παιδιά, και ο Τζον ήταν αρραβωνιασμένος. Οι σχέσεις με τα αδέλφια της ήταν καλές, όχι όμως ιδιαιτέρα στενές όπως θα επιθυμούσε η ίδια. Και οι δύο είχαν πέσει από νωρίς με τα μούτρα στις επιχειρήσεις του πατέρα τους και αφιέρωναν όλο το χρόνο τους εκεί μέσα, εκτός από τις Κυριακές, που έδιναν ρεπό στον εαυτό τους, και αυτό από τότε που απέκτησαν συντρόφους. Και οι δύο ήταν περισσότερο κολλημένοι πάνω στη μάνα τους, που της έμοιαζαν πολύ όχι μόνο στην εμφάνιση, αλλά και στον τρόπο συμπεριφοράς και σκέψης. Οι συναναστροφές τους ήταν μόνο με διάσημους, πράγμα που επεδίωκαν με κάθε τρόπο.

---

4. Κατσίκι κοκκινιστό με πατάτες.
5. Είδος φάβας.
6. Ένα παλιό φαγητό που το έφτιαχναν κυρίως οι ναυτικοί στα καΐκια τους.
7. Βρασμένη ρακή με μέλι και γαρίφαλα.

Η γυναίκα του Άλμπερτ, η Μαρίζα, ήταν τηλεοπτική σταρ, που προσωρινά είχε αποσυρθεί για να φροντίσει τα δυο παιδιά της, και η αρραβωνιαστικιά του Τζον, η Κέιτ, ήταν κόρη γνωστού σκηνοθέτη και εκκολαπτόμενη ηθοποιός. Η Κάσι είχε τυπικές σχέσεις μαζί τους. Και οι δύο ήταν σνομπ και τα μόνα ενδιαφέροντά τους ήταν τα ψώνια, τα κουτσομπολιά του Χόλιγουντ και τα πάρτι. Τις έβρισκε ψεύτικες και ανούσιες, γι' αυτό και κρατούσε αποστάσεις. Κατάξανθες και ανόητες και οι δύο, αναλώνονταν σε πράγματα που εκείνη θεωρούσε χάσιμο χρόνου. Συχνά αναρωτιόταν τι έλεγαν όταν βρίσκονταν μεταξύ τους, γιατί η Μαρίζα με την Κέιτ έκαναν στενή παρέα. Η Μαρίζα μισούσε θανάσιμα αυτές τις κυριακάτικες συγκεντρώσεις, που ευτυχώς δε γίνονταν συχνά, και τις ανεχόταν μόνο για χάρη του συζύγου της. Η ίδια θα προτιμούσε να βρίσκεται καλεσμένη σε κάποια από τις υπερπολυτελείς επαύλεις ενός παραγωγού ή κάποιου διάσημου σταρ του Χόλιγουντ, ή σε κάποιο κότερο διάσημου κάνοντας κρουαζιέρα. Είχε παραμελήσει την καριέρα της τα τελευταία χρόνια για χάρη των παιδιών της, όπως συχνά έλεγε, όμως η αλήθεια ήταν πως δεν είχε καμιά πρόταση της προκοπής. Οι πρώτοι γυναικείοι ρόλοι δίνονταν σε καινούργια και ολόφρεσκα πρόσωπα, κάτι που είχε αρχίσει να την ανησυχεί πολύ. Η μητρότητα ήταν ένα μεγάλο ρίσκο για την καριέρα μιας μη φτασμένης ηθοποιού και εκείνη πλήρωνε τώρα το τίμημα. Μπορεί να ήταν ακόμη νέα, μόλις τριάντα δύο χρόνων, όμως στο Χόλιγουντ, όπου συνέρρεαν ολοένα και περισσότερες επίδοξες καλλονές, ένιωθε πως τα περιθώριά της στένευαν επικίνδυνα και οι ευκαιρίες για έναν καλό ρόλο ήταν πολύ περιορισμένες. Η ίδια είχε γεννηθεί από μια πάμφτωχη οικογένεια σε μια πόλη του Τέξας και είχε υπάρξει υπάλληλος σε σούπερ μάρκετ και φαστφουντάδικο, κάτι που έκρυβε επιμελώς. Είχε φτύσει αίμα

για να φθάσει εκεί όπου έφθασε και είχε περάσει ώρες γονατι-
σμένη να γλείφει τα απωθημένα κάθε βρομιάρη παραγωγού ή
κάποιου που θα τις άνοιγε της πόρτες των μεγάλων στούντιο
παραγωγής ταινιών. Ήταν κάτι που δεν ήθελε να θυμάται με τί-
ποτε. Όταν άρχισε να γίνεται αναγνωρίσιμη χάρη σ' έναν τηλεο-
πτικό ρόλο, αποκήρυξε μια και καλή το παρελθόν της, παθαί-
νοντας μόνιμη αμνησία. Δεν είχε καν σχέσεις με τους γονείς της
και έλεγε σε όλους ότι ως παιδί χωρισμένων γονιών, που είχαν
δημιουργήσει άλλες οικογένειες, είχε χάσει την επαφή μαζί
τους. Και ήταν αλήθεια. Η μόνη της παρηγοριά ήταν πως του-
λάχιστον ως κυρία Άλμπερτ Γεράκη δε θα πεινούσε ποτέ.

Η Κέιτ, αντίθετα, ήταν τυχερή. Ο πατέρας της, ένας Ουαλός
μετανάστης και πρώην ηθοποιός, είχε εξελιχθεί ανέλπιστα, έπει-
τα από δύο απανωτές κινηματογραφικές επιτυχίες που του χάρι-
σαν δύο υποψηφιότητες για Όσκαρ, σε έναν από τους καλύτε-
ρους σκηνοθέτες. Αυτό, εκτός από δόξα, του έφερε και πολλά
χρήματα στις τσέπες του. Έτσι, όταν πια γεννήθηκε η Κέιτ, τα
είχε όλα. Γι' αυτό και η Μαρίζα κόλλησε επάνω της και την έκα-
νε κολλητή της. Η Κέιτ είχε όλα αυτά που εκείνη ονειρευόταν
από παιδί. Κατά βάθος, μπορεί και να τη μισούσε. Κάποιες φο-
ρές δεν ήξερε τι ακριβώς ένιωθε για την Κέιτ. Τα συναισθήμα-
τα ήταν ανάμεικτα. Με την Κάσι όμως ένιωθε άβολα. Το αθλη-
τικό στιλάκι της την εκνεύριζε, όπως και το γεγονός ότι μπορού-
σε να έχει άποψη για τα πάντα, ακόμη και για την πολιτική, κά-
τι που η ίδια δεν καταλάβαινε ποτέ. Με την πεθερά της, αντίθε-
τα, ταίριαζαν περισσότερο, αλλά κι εκεί κρατούσε αποστάσεις.
Η Τζένιφερ ήταν πολύ περίεργη και τις άρεσε να σκαλίζει τις
ζωές των άλλων. Γι' αυτό και δεν ξανοιγόταν πολύ μαζί της. Δεν
ήθελε να μάθει κανείς και για κανένα λόγο τίποτε από το πα-
ρελθόν της. Προτιμούσε την Κέιτ, που πέρα από τα ψώνια στη

Ροντέο Ντράιβ και στην Πέμπτη Λεωφόρο της Νέας Υόρκης, δεν την ενδιέφερε τίποτε άλλο.

Την επόμενη μέρα η Κάσι κατέβηκε σε ένα εμπορικό κέντρο του Λος Άντζελες και ζήτησε βιβλία ελληνικής κουζίνας και έναν οδηγό εκμάθησης της ελληνικής γλώσσας. Ύστερα έκανε άνω-κάτω το τμήμα με τη μουσική, ψάχνοντας cd με ελληνική μουσική, ακόμη και dvd με ελληνόγλωσσες ταινίες. Βρήκε αρκετό υλικό και κατενθουσιασμένη επέστρεψε στο σπίτι της. Άπλωσε με σεβασμό όλα όσα αγόρασε επάνω στο κρεβάτι, κοιτάζοντας προσεκτικά. Δε γνώριζε κανέναν από τους δημιουργούς που έβλεπε εκεί. Μετά έβαλε ένα στην τύχη που έγραφε επάνω «MARINELLA». Η υπέροχη γυναικεία φωνή πλημμύρισε το χώρο και η μαγική μουσική χάιδεψε την καρδιά της. Δεν καταλάβαινε λέξη από τα λόγια που άκουγε, όμως για κάποιο περίεργο λόγο γνώριζε το νόημά τους. Μιλούσαν για έρωτα, για αγάπη, για πόνο. Η Κάσι ένιωσε όμορφα. Έβαλε ένα ποτήρι λευκό κρασί και άρχισε να χαζεύει τις φωτογραφίες με τα ελληνικά φαγητά, διαβάζοντας τις συνταγές τους στα αγγλικά. Αύριο κιόλας, μαζί με τη μαγείρισσά της θα έφτιαχνε παπουτσάκια, δηλαδή τα… little shoes. Ήταν μελιτζάνες με γέμιση από τσιγαρισμένα κρεμμύδια μαζί με λιωμένη ντομάτα, λίγο σκόρδο, ανακατεμένα με την ψίχα της μελιτζάνας, πράσινη, κίτρινη και κόκκινη πιπεριά και από πάνω τριμμένο kasseri, ένα είδος κίτρινου τυριού και μετά στο φούρνο. Φαινόταν υγιεινό, ελαφρύ και νόστιμο. Θα συνοδευόταν από σαλάτα με αγγούρι, ντομάτα, ελιές και ελληνικό τυρί φέτα. Το πρωί κιόλας θα έδινε μια μεγάλη παραγγελία στο σούπερ μάρκετ που της έφερνε τα τρόφιμα. Αν δεν έβρισκε εκεί τα ελληνικά προϊόντα, θα έψαχνε αλλού.

Ο Σταν και ο Άλεξ έμειναν άναυδοι να κοιτάζουν στο πιάτο της τις μαυριδερές μελιτζάνες με γέμιση από κρεμμύδι. Είχε μηνύσει και στους δύο ότι θα μαγείρευε η ίδια, κάτι που είχε να κάνει χρόνια, και πως επιθυμούσε να τιμήσουν το τραπέζι μαζί της το βράδυ, γι' αυτό να φρόντιζαν να είναι στο σπίτι νωρίς. Ήθελε να τους μιλήσει.

«Γλυκιά μου, τι είναι αυτό;» ρώτησε ο Σταν.

«Little shoes λέγονται στη γλώσσα μας και papoutsakia στα ελληνικά. Είναι ένα ωραιότατο παραδοσιακό ελληνικό φαγητό. Και αυτή εδώ είναι ελληνική σαλάτα με το ελληνικό τυρί feta. Κι αυτό εδώ είναι κόκκινο agioritiko ελληνικό κρασί, φτιαγμένο από τους μοναχούς του Αγίου Όρους από δικούς τους αμπελώνες», είπε γεμίζοντας τα ποτήρια τους με το βαθυκόκκινο σαν αίμα κρασί. «Μου είπαν ότι είναι από τα καλύτερα».

«Ελληνική βραδιά έχουμε και σήμερα; Εσύ ζήτησες αυτό το φαγητό, Άλεξ;» χαμογέλασε αχνά ο Σταν κοιτάζοντας απορημένα το γιο του.

«Όχι, πατέρα, πού να ξέρω εγώ από... πώς το είπες, μαμά;»

«Papoutsakia».

«Παπουτσάκια, τέλος πάντων...»

«Πώς σου ήρθε να φάμε τώρα παπουτσάκια, αγάπη μου;» τη ρώτησε κοιτάζοντας με μισό μάτι το πιάτο του. Αυτό το μαυριδερό χρώμα του λαδιού δεν του άρεσε. Ωστόσο μύριζε εξαίσια το πιάτο.

«Γιατί δεν τα δοκιμάζετε πρώτα;» απάντησε εκείνη και, κόβοντας ένα τεράστιο κομμάτι από τη μελιτζάνα της, άρχισε να μασάει με περισσή ευχαρίστηση.

Οι δύο άνδρες ξανακοιτάχτηκαν. Μετά ο Άλεξ τόλμησε να κάνει την πρώτη κίνηση. Έκοψε ένα κομμάτι και το έβαλε διστακτικά στο στόμα του. Μάσησε ελαφρώς και μετά χαμογέλασε και κατάπιε την μπουκιά.

«Ωραίο είναι», είπε και αμέσως δοκίμασε και μια πιρουνιά

από τη φέτα. «Μμμ... μου φαίνεται ότι μόλις ανακάλυψα καινούργιες απολαύσεις», είπε αυτή τη φορά και τσούγκρισε το ποτήρι του.

Η Κάσι ύψωσε το ποτήρι της και μετά τσούγκρισε με τα δικά τους. «Στην υγειά σας», είπε στα ελληνικά. Είχε βρει τη λέξη στο βιβλίο ελληνικών και τη θυμήθηκε με ευκολία, μια και ο πατέρας της την έλεγε συχνά στους Έλληνες φίλους του. «Τι σημαίνει τώρα αυτό;» ρώτησε ο Σταν απορημένος. «Εις υγείαν, αγάπη μου, στα ελληνικά», του απάντησε. «Εμπρός, λοιπόν. Πες το κι εσύ. Δεν είναι δύσκολο».

Ο Σταν αποφάσισε να τη μιμηθεί. Περίεργο που η γυναίκα του ήθελε ξαφνικά να περάσουν μια ελληνική βραδιά στο σπίτι τους. Τόσα χρόνια μαζί της και ποτέ δεν είχε κάνει αναφορά στην πατρίδα του πατέρα της. Σχεδόν δε θυμόταν ότι είχε και ελληνικές ρίζες. Τι την είχε πιάσει ξαφνικά; Νοσταλγία; Μόνο μία φορά τού είχε μιλήσει για κάποιο ελληνικό νησί, της γιαγιάς της, που πήγαινε εκεί τα καλοκαίρια, ώσπου πέθανε όταν η Κάσι ήταν κοντά στα δεκατρία. Τίποτε άλλο. Και ποτέ μα ποτέ δεν είχε δείξει την παραμικρή επιθυμία να φάει ελληνικό φαγητό. Τέλος πάντων. Αν κάτι του είχαν μάθει η ζωή και η επιστήμη του ήταν ότι οι γυναίκες μπορούν να σε τρελάνουν. Αν δεν είχε τόση υπομονή και αντοχή με τη δουλειά που έκανε, θα έπρεπε να τρέχει και ο ίδιος σε ψυχαναλυτή. Τα πιο τρελά και παράλογα πράγματα τα είχαν ζητήσει μόνο γυναίκες. Να, όπως πριν από ένα μήνα, που είχε αρνηθεί να χειρουργήσει μια πολύ όμορφη τριαντάχρονη, η οποία επέμενε ότι χρειαζόταν λίφτινγκ. Τότε εκείνη πήγε σε άλλο χειρουργό, που δέχτηκε να κάνει την επέμβαση, αλλά δυστυχώς με ολέθριο αποτέλεσμα. Τώρα του γύρευε τα ρέστα, κατηγορώντας τον ότι την κατέστρεψε, επειδή δεν προσπάθησε αρκετά να την πείσει να μην το κάνει.

Τσούγκρισε το ποτήρι του χαμογελώντας. «Στην υγειά σου», είπε στα αγγλικά. «Λοιπόν, τι ήταν αυτό που ήθελες να μας πεις σήμερα και επέμενες να ήμασταν στο σπίτι;» τη ρώτησε τρώγοντας μια μεγάλη μπουκιά από το φαγητό του.

Η Κάσι κατέβασε το πιρούνι και τους κοίταξε πολύ σοβαρά. «Ναι... ήθελα να σας πω ότι σας αγαπάω πολύ και τους δύο». Οι άνδρες την κοίταξαν ταυτόχρονα ξαφνιασμένοι. «Μαμά, είσαι καλά;» τη ρώτησε τρυφερά ο Άλεξ.

«Γιατί το ρωτάς αυτό, παιδί μου; Δε φαίνομαι καλά;» «Δεν ξέρω τι να πω... Μας μαγειρεύεις ένα περίεργο φαγητό, μας καλείς να φάμε όλοι μαζί για να μας πεις κάτι που θες και τώρα λες ότι ο λόγος ήταν για να μας πεις πως μας αγαπάς... Δεν είναι λίγο περίεργο;»

«Είναι περίεργο να θέλω να πω ότι σας αγαπάω; Εγώ, αντίθετα, αισθάνομαι πολύ άσχημα που δεν το είχα κάνει χρόνια νωρίτερα».

«Μα... μας το δείχνεις κάθε μέρα».

«Δε σας το λέω, όμως. Έχει διαφορά. Ίσως εγώ είχα την ανάγκη να σας το πω».

Ο Σταν χαμογέλασε με κατανόηση. Η γυναίκα του μάλλον άρχισε να φοβάται το χρόνο. Έμπαινε στα σαράντα τρία και άρχισε να αισθάνεται ανασφάλεια. Ο χρόνος είναι το μόνο πράγμα που φοβούνται όλες οι γυναίκες του πλανήτη μόλις περνούν τα σαράντα. Το είχε ζήσει πολλές φορές από τις πελάτισσές του και την καταλάβαινε. Βέβαια, η Κάσι δεν είχε να φοβηθεί τίποτε. Είχε πολύ καλό σκαρί, γυμναζόταν, δεν ξενυχτούσε, δεν κάπνιζε, δεν έπινε ιδιαίτερα, πρόσεχε τη διατροφή της. Στο κάτω κάτω, είχε τον ίδιο κοντά της και τα νυστέρια του θα επενέβαιναν σοφά όπου και όταν χρειαζόταν. Απλώς ήθελε να βεβαιωθεί ότι οι άνθρωποί της την αγαπούν ακόμη.

«Έχει δίκιο η μητέρα σου, Άλεξ», είπε γλυκά. «Αυτό που έκανε σήμερα το βρίσκω πολύ όμορφο και γενναιόδωρο εκ μέρους της. Τα τελευταία χρόνια δε συναντιόμαστε συχνά σε αυτό το τραπέζι. Συνήθως τρώμε χωριστά. Εσύ με τις δουλειές σου και την προσωπική σου ζωή, εγώ με τα χειρουργεία μου και η μητέρα σου μόνη εδώ, να μας περιμένει πότε θα την προσέξουμε. Κι εμείς σε αγαπάμε, γλυκιά μου», της είπε τρυφερά. «Έτσι δεν είναι, Άλεξ;»

«Μα φυσικά... εννοείται», απάντησε λίγο αμήχανα εκείνος. «Η μητέρα είναι όλος ο κόσμος. Στην υγειά σου, μαμά», έκανε πρόποση και τσούγκρισε το ποτήρι της.

Λίγο αργότερα απολάμβανε το φαγητό του με μεγάλη όρεξη. Ό,τι κι αν ήταν αυτό που έτρωγε άξιζε τον κόπο. Θα της ζητούσε να το ξαναφτιάξει.

6

෪

Τζένιφερ κοίταξε την κόρη της έκπληκτη. Τι τις ήθελε τώρα εκείνες τις φωτογραφίες από το νησί; Τις είχε καταχωνιάσει κάπου πριν από πολλά χρόνια και ούτε μπορούσε να θυμηθεί πού. Πάντα η Κάσι ήταν περίεργη, όμως αυτό παραπήγαινε.

«Είσαι με τα καλά σου, Κάσι; Πώς περιμένεις να θυμηθώ τώρα πού βρίσκονται εκείνες οι φωτογραφίες; Πάνε πια τριάντα χρόνια από τότε που τις μάζεψα. Κάπου τις έχω βάλει και δε θυμάμαι καθόλου».

«Το καλό που σου θέλω, να μην τις έχεις πετάξει. Θα γυρίσω το σπίτι ανάποδα αν χρειαστεί να τις ξετρυπώσω».

«Όχι, δεν τις έχω πετάξει. Είμαι σίγουρη γι' αυτό. Πού να πρωτοψάξω τώρα; Σίγουρα θα βρίσκονται σε κάποια κούτα στην αποθήκη. Έχω τόσο πολλά πράγματα εκεί μέσα που θα χρειαστούν μέρες για να τις ανοίξω όλες».

«Θα το κάνουμε μαζί ώσπου να τις βρούμε».

Το ύφος της δε σήκωνε αντιρρήσεις. Ήταν αποφασισμένη να

τις βρει και θα το έκανε. Το καλύτερο που είχε να κάνει λοιπόν ήταν να προσπαθήσει να θυμηθεί σε ποια κούτα τις είχε βάλει. Ευτυχώς που στις περισσότερες είχε ετικέτες κολλημένες επάνω όπου ανέγραφε το περιεχόμενό τους.

Πέντε μέρες μετά τις ανακάλυψαν σ' ένα μεγάλο φάκελο μέσα σε ένα χαρτόκουτο με τα παλιά παιχνίδια των παιδιών. Η Κάσι έκανε σαν τρελή από τη χαρά της. Τόσο, που κάποιος θα πίστευε ότι είχε βρει ένα μικρό θησαυρό. Δεν ήταν πολλές. Καμιά τριανταριά ασπρόμαυρες φωτογραφίες να απεικονίζουν την Κάσι στο νησί, από την ηλικία των έξι μέχρι τα δεκατρία. Από πίσω ο πατέρας της είχε γράψει ημερομηνίες, τοποθεσίες, ονόματα των φίλων της. Να, εδώ με το Βεργούδι, τον Νικόλα και την Κορονιά στη θάλασσα. Σε μια άλλη με τον Ρουσσέτο και τη Μόσχα. Ευτυχώς που είχε γράψει τα ονόματα πίσω, γιατί η ίδια δε θυμόταν τίποτε. Σταμάτησε σε μία και η καρδιά της χτύπησε δυνατά. Εκείνη δέκα ετών, χωμένη στην αγκαλιά της γιαγιάς, στην αυλή του σπιτιού, να χαμογελούν. Χάιδεψε με τα δάχτυλα το πρόσωπο της γιαγιάς και μετά φίλησε τη φωτογραφία με ευλάβεια.

Κοίταξε προσεκτικά για ώρα μία μία τις φωτογραφίες. Άλλες στο σπίτι της γιαγιάς, άλλες στη θάλασσα, και άλλες στο σπίτι της θείας Πολυτίμης. Τώρα πια είχε πεθάνει κι εκείνη από αρρώστια, σχετικά νέα, αφήνοντας τρία παιδιά πίσω της. Τα ξαδέλφια της είχαν φύγει από το νησί. Τα δυο κορίτσια ζούσαν παντρεμένα στην Αθήνα και το αγόρι είχε έρθει πριν από χρόνια κοντά στον πατέρα της, και τώρα είχε το δικό του ρέστοραν στη Νέα Υόρκη. Παντρεύτηκε με Νεοϋορκέζα και μετακόμισε εκεί. Είχε να τον δει χρόνια. Και παρότι ο πατέρας της τον βοήθησε πολύ, αυτός μόλις δικτυώθηκε, έκοψε τις επαφές μαζί τους και αφοσιώθηκε στην οικογένειά του και στις δουλειές του. Αυτό όμως δεν τη στενοχωρούσε ιδιαιτέρα. Πάντα τον έβλεπε σαν ξένο και όχι συγγενή της.

Η Κάσι, καθισμένη στον καναπέ του σαλονιού του πατρικού της, είχε βυθιστεί στο παρελθόν, χαζεύοντας βουβή τον πολύτιμο θησαυρό της, συγκινημένη. Η μάνα της κούνησε το κεφάλι έκπληκτη.

«Δεν μπορώ να σε καταλάβω. Τι είναι τώρα αυτό που σε έχει κάνει να συγκινηθείς τόσο πολύ;»

Η Κάσι την κοίταξε θλιμμένα κουνώντας το κεφάλι. «Και να σου πω, δε θα καταλάβεις. Έτσι κι αλλιώς, ποτέ σου δεν αγάπησες το νησί».

«Τι ν' αγαπήσω από αυτό; Ένα άθλιο ξερονήσι ήταν, γεμάτο αγριάνθρωπους. Αμφιβάλλω αν έχουν βάλει ηλεκτρικό ακόμη στα σπίτια τους».

«Τότε κι εσύ παντρεύτηκες έναν αγριάνθρωπο».

«Ο πατέρας σου δεν έχει καμιά σχέση με τους Έλληνες».

«Ο μπαμπάς είναι πολύ πιο Έλληνας απ' όλους. Και τη γλώσσα του δεν την ξέχασε ποτέ, και ελληνικά φαγητά τρώει, και την ελληνική σημαία έχει πάντα στο μαγαζί του».

«Νομίζεις ότι όλα αυτά τον κάνουν Έλληνα; Ο πατέρας σου, Κάσι, είναι Αμερικανός εδώ και πενήντα χρόνια. Έχει αμερικανική υπηκοότητα, αμερικανικό διαβατήριο, ψηφίζει Αμερικανούς προέδρους και δεν έχει ιδέα ποιος κυβερνάει στην Ελλάδα».

«Τότε γιατί εγώ τον βλέπω πολύ Έλληνα; Γιατί μιλάει μόνο ελληνικά όταν βρει κάποιον που γνωρίζει τη γλώσσα; Ο μπαμπάς είναι πολύ πιο Έλληνας από αυτούς που ζούνε στην Ελλάδα. Αχ, μαμά, ποτέ σου δεν τον κατάλαβες τον πατέρα... Και ξέρεις κάτι άλλο, μαμά; Από σήμερα θέλω να με φωνάζεις "Κασσάνδρα"».

Τα μάτια της Τζένιφερ γούρλωσαν από την έκπληξη. «Τι είπες; Να σε φωνάζω "Κασσάνδρα"; Όχι, δεν μπορώ να το κάνω αυτό. Α, εσύ μου φαίνεται ότι τρελάθηκες. Μήπως έχεις προβλήματα με το γάμο σου; Μήπως ήρθε η ώρα να επισκεφτείς έναν καλό ψυχαναλυτή;»

«Δεν ξέρω αν πρέπει να βρω έναν καλό ψυχαναλυτή, εκείνο όμως που ξέρω σίγουρα είναι ότι πρέπει να βρω έναν καλό δάσκαλο».

«Δάσκαλο; Τι είδους δάσκαλο; Για ποιο λόγο;»

«Ένα δάσκαλο ελληνικών. Καιρός είναι να μάθω αυτή τη γλώσσα. Κάποτε τη μιλούσα αρκετά καλά».

«Ε, ναι, λοιπόν εσύ σίγουρα τρελάθηκες. Κάσι, ανησυχώ για σένα. Τελευταία φέρεσαι περίεργα».

«Μην ανησυχείς. Μια χαρά είμαι. Και θα εκτιμούσα πολύ αν με αποκαλούσες "Κασσάνδρα". Το προτιμώ από το "Κάσι". Λέω να πηγαίνω όμως. Έχω πολλές δουλειές να κάνω».

«Δε θα περιμένεις τον πατέρα σου; Μου είχες πει ότι θα τρώγαμε μαζί σήμερα το μεσημέρι».

«Ζήτησέ του συγγνώμη και πες του ότι κάτι προέκυψε. Θα περάσω αύριο από το μαγαζί να τα πούμε».

Η Κάσι άρπαξε την τσάντα της, φίλησε την Τζένιφερ στο μάγουλο και έφυγε βιαστικά. Ο θόρυβος από την εξάτμιση της Porsche ακούστηκε μέχρι μέσα στο σπίτι. Η Τζένιφερ ίσα που πρόλαβε να δει το πίσω μέρος του αυτοκινήτου να στρίβει στη γωνία. Σίγουρα κάτι συνέβαινε στην κόρη της. Άκου εκεί Κασσάνδρα. Όρεξη που είχε να προφέρει το όνομα της γριάς. Άσε που ήταν και δύσκολο. Ποτέ της δεν τη συμπάθησε. Ούτε όμως κι εκείνη. Μπορεί να μην της το έδειξε, όμως η Τζένιφερ το εισέπραξε. Για την πεθερά της ήταν μια ξένη. Σίγουρα θα προτιμούσε ο γιος της να είχε παντρευτεί μια από εκείνες τις άθλιες χωριάτισσες του νησιού που όλη μέρα μαγείρευαν, σκούπιζαν, ξεσκόνιζαν, έπλεναν τα ρούχα στην ίδια σκάφη όπου ζύμωναν το ψωμί και, σαν είχαν λίγο ελεύθερο χρόνο από το ξεσκάτισμα και το ντάντεμα των παιδιών τους, κεντούσαν, έπλεκαν, έκαναν κάτι περίεργα κεντήματα από κουκούλια μεταξοσκώληκα και μετά τα έστρωναν με ιδιαίτερη περηφάνια στα σπιτικά τους ή τα κρεμούσαν σε κάδρα στους τοίχους.

Μα ήταν γυναίκες αυτές; Ούτε πεντικιούρ, ούτε μανικιούρ, ούτε καν κομμωτήριο δεν υπήρχε στο νησί. Μόνες τους κουρεύονταν και έλουζαν τα μαλλιά τους με πράσινο σαπούνι και κρύο νερό. Πάλι καλά που είχε κουβαλήσει τότε μαζί της τα αρωματικά αφρόλουτρα και τα σαμπουάν της από την Αμερική, διαφορετικά θα είχε τρελαθεί. Και ευτυχώς που είχε πάρει μαζί της βιβλία και περνούσε ο χρόνος της στη θάλασσα, μια και ο άνδρας της έπιανε ατελείωτες κουβέντες με τους συντοπίτες του στα ελληνικά, μια γλώσσα άγρια και δύσκολη. Ω, πόσο τα μισούσε τα ελληνικά. Ακούς εκεί να έχουν τρεις διαφορετικές κλήσεις ονομάτων! Άλλη κατάληξη για τον άνδρα, άλλη για τη γυναίκα, άλλη για το παιδί και τα πράγματα. Προσπάθησε να θυμηθεί. Ναι, ναι, τώρα θυμόταν τη λέξη «orea». Έτσι τη φώναζε τα πρώτα χρόνια ο άνδρας της και πολλές φορές ακόμη και τώρα. Orea mou, δηλαδή «my beautiful». Για τον άνδρα όμως ήταν άλλη κατάληξη και άλλη για τα αντικείμενα. Χώρια ο πληθυντικός, πάλι τρεις διαφορετικές καταλήξεις που δεν τις θυμόταν πια. Ενώ στα αγγλικά χρησιμοποιούσαν μία λέξη για όλα τα πρόσωπα, ενικό και πληθυντικό. Αυτή ήταν γλώσσα, όχι τα ελληνικά.

Όταν γεννήθηκε η κόρη της και είδε το σκούρο χρώμα της και τα μαύρα μαλλιά της, έκλαψε κρυφά απ' όλους. Τι άσχημο μωρό που ήταν. Ευτυχώς που είχε γαλάζια μάτια. Μέχρι που έφθασε στην εφηβεία και άρχισε να σχηματίζεται και να ομορφαίνει μέρα με τη μέρα όλο και περισσότερο. Κι όταν έκανε και

την πλαστική στη μύτη, έγινε καλλονή. Θα μπορούσε να δια-
πρέψει στον κινηματογράφο. Εκείνη όμως ήταν ανόητη. Δεν εί-
χε φιλοδοξίες. Ευτυχώς που ο εγγονός της της έμοιαζε. Στο χρώ-
μα της επιδερμίδας και των ματιών. Σε όλα, εκτός από τα ξανθά
μαλλιά της. Στον άνδρα, όμως, το μελαχρινό ήταν πολύ γοητευ-
τικό. Η μόνη έξυπνη κίνηση που είχε κάνει ήταν να παντρευτεί
τον Σταν. Τι πιο σπουδαίο από το να έχεις δίπλα σου έναν πλα-
στικό χειρουργό. Κοίταξε τον καθρέφτη απέναντί της. Πλησία-
σε με γοργά βήματα και πρόσεξε το είδωλό της. Το διπλοσάγο-
νο κρεμόταν κάτω από πιγούνι της και οι παρειές της σαν να εί-
χαν χαλαρώσει από πέρυσι. Μήπως είχε έρθει ο καιρός για ένα
τρίτο λίφτινγκ; Τράβηξε με τις άκρες των δαχτύλων της το δέρ-
μα της προς τα πίσω ώσπου εκείνο τέντωσε σαν σιδερωμένο πα-
νί. Όλη η λάμψη της νιότης ξεπρόβαλε μπροστά της σε δευτε-
ρόλεπτα. Έμεινε άναυδη να θαυμάζει το νέο κορίτσι που τη θω-
ρούσε κι αυτό με έκπληξη μέσα από το κρύσταλλο. Τι υπέροχο
πράγμα η νιότη... Ένιωθε κιόλας έτοιμη να κατακτήσει τον κό-
σμο, να κάνει μια καριέρα από την αρχή, φθάνοντας στον κολο-
φώνα της δόξας, και χαμογέλασε, όσο μπορούσε να χαμογελά-
σει. Κατόπιν πρόσεξε τα ζαρωμένα χέρια της με τις καφετιές κη-
λίδες πάνω τους και άθελά της ανατρίχιασε. Όσες ώρες και να
ξάπλωνε πάνω σ' ένα χειρουργικό τραπέζι, όσα χρόνια και να
αφαιρούσε ένα νυστέρι, υπήρχαν πράγματα που πάντα θα πρό-
διδαν το χρόνο, πάντα θα γίνονταν οι εφιάλτες της. Σαν φύγει η
νιότη, κανένα νυστέρι δεν μπορεί να την αντικαταστάσει, κανέ-
να φάρμακο να την αναπληρώσει, κανένα μαγικό βοτάνι να την
επαναφέρει. Μόνο η ματαιοδοξία μένει να αναζητά πρόσκαιρες
λύσεις, πίστωση χρόνου, ψεύτικη ελπίδα, ότι ναι, μπορεί να εί-
μαι γριά, αλλά μοιάζω με κοριτσάκι... Γριά; Όχι, ούτε που να σκε-
φτόταν κάτι τέτοιο. Τα γεράματα είναι γι' αυτούς που θέλουν να

γεράσουν. Αύριο κιόλας θα επισκεπτόταν το γαμπρό της. Το μόνο που την ενοχλούσε ήταν ότι ακόμη και αν τον έπειθε να τη χειρουργήσει, θα περίμενε στη waiting list[1] έξι με οκτώ μήνες, που ήταν ο μέσος όρος αναμονής, ή μήπως θα έκανε μια εξαίρεση για χατίρι της; Να μιλούσαν και λίγο για την Κάσι. Άραγε, ο Σταν είχε προσέξει όλα αυτά τα τερτίπια της γυναίκας του, ή έτσι όπως ήταν τόσο απασχολημένος αδυνατούσε να δει κάποιες αλλαγές στη συμπεριφορά της;

Η Κάσι, αραγμένη στην πισίνα, προσπαθούσε να λύσει κάποιες από τις ασκήσεις των ελληνικών που της είχε βάλει ο δάσκαλος τον οποίο είχε προσλάβει. Ήταν κάτι παραπάνω από ενθουσιασμένος με την πρόοδό της. Μόλις σ' ένα μήνα εντατικών μαθημάτων και μπορούσε να μιλάει για απλά καθημερινά πράγματα. «Είστε σίγουρη, κυρία Πάλμερ, ότι δε μιλάτε καθόλου ελληνικά;» την είχε ρωτήσει έκπληκτος. Έλληνας με σπουδές στην Αμερική. Δίδασκε στο Λος Άντζελες σε ελληνικό σχολείο και μιλούσε και τις δύο γλώσσες άπταιστα. Η Μόλι δίπλα της, ενοχλημένη με την πλήρη αδιαφορία της κυράς της τον τελευταίο καιρό, νιαούρισε και μετά έφυγε επιδεικτικά σε ένδειξη διαμαρτυρίας. Η Κάσι την κοίταξε χαμογελώντας. «Μόλι, πού πας;» της φώναξε.

Η Μόλι κοντοστάθηκε κουνώντας τα αυτιά προς τα πίσω, όμως δε γύρισε το κεφάλι. Η μυρωδιά από τα καλαμαράκια που τηγάνιζε η μαγείρισσα στην κουζίνα ήταν πολύ δελεαστική για να την κάνει ν' αλλάξει γνώμη. Εξάλλου, δεν υπήρχε λόγος. Έτσι κι αλλιώς, η αφεντικίνα της φαινόταν πολύ απασχολημένη με κάτι που έκανε, ώστε να τη χαϊδέψει λιγουλάκι. Νιαούρισε και μετά συνέχισε το δρόμο της.

---

1. Λίστα αναμονής.

Το κινητό της χτύπησε στη μελωδία του *Hung up* της Μαντόνα, πράγμα που σήμαινε ότι την καλούσε η Σάρον. Είχε βάλει διάφορους ήχους κλήσης στο κινητό της σε διάφορα πρόσωπα αντίστοιχα ώστε να ξεχωρίζει ποιος την καλεί χωρίς καν να κοιτάξει την οθόνη. Ο ήχος κλήσης για τον Σταν ήταν *Η Λίμνη των Κύκνων* του Τσαϊκόφσκι, για τον Άλεξ ένα τραγούδι των U2, ο *Ζορμπάς* για τον πατέρα της, και γενικά δέκα διαφορετικές μελωδίες για δέκα πολύ δικά της πρόσωπα.

«Έλα, Σάρον», απάντησε ευδιάθετα αμέσως.

«Πώς πάνε τα μαθήματα;» ακούστηκε το ίδιο χαρούμενη η φωνή της φίλης της.

Η Κάσι κατάλαβε αμέσως πως κάτι πολύ ιδιαίτερο της συνέβαινε. Συνήθως η Σάρον έβριζε, αγανακτισμένη από τους ιδιότροπους πελάτες της, που ακύρωναν τελευταία στιγμή ραντεβού ή συμφωνίες, ή άλλα έλεγαν και άλλα εννοούσαν.

«Τα μαθήματα πάνε μια χαρά. Κι εσύ ακούγεσαι πολύ καλά. Τι έγινε, Σάρον; Έκλεισες κάποιο πανάκριβο σπίτι;»

«Κάτι καλύτερο. Ερωτεύτηκα!»

«Μπα! Και ποιος είναι ο λεγάμενος αυτή τη φορά; Ελπίζω να είναι κανένα χρόνο μεγαλύτερός σου και να 'χει λεφτά, ώστε να μην κινδυνεύουν τα δικά σου».

«Σταμάτα τις μπηχτές. Εντάξει, δεν έχει και τα λεφτά μου ο Ρίκι, όμως είναι θαυμάσιο παιδί».

«Ρίκι; Πολύ εξωτικό όνομα μου ακούγεται».

«Πορτορικανός είναι. Γεννήθηκε μεν στο Πουέρτο Ρίκο, αλλά μεγάλωσε εδώ».

«Και τι επαγγέλλεται αυτός ο Ρίκι;»

«Ε, τι επαγγέλλεται τώρα... μπάτσος είναι».

«Για κάν' το μου λιανά».

«Παιδί μου, πριν από μία εβδομάδα με σταμάτησε ένα περιπολικό για έλεγχο. Ο αστυνομικός ήταν ίδιος ο Αντόνιο Μπαντέρας[2]. Κούκλος, σου λέω. Φυσικά, μου έκοψε μια κλήση, γιατί δε γινόταν διαφορετικά και, φυσικά, του έδωσα την κάρτα μου. Και φυσικά με πήρε τηλέφωνο. Και φυσικά βγήκαμε για φαγητό και προέκυψε».

«Σαν πολλά "φυσικά" μου λες και μάλλον κάτι αφύσικο πρέπει να συμβαίνει εδώ. Και γιατί δε μου είπες τίποτε;»

«Γιατί θα με κατσάδιαζες να μη βγω ραντεβού μαζί του».

«Και γιατί θα σε κατσάδιαζα;»

«Ε, γιατί είναι λίγο πιο νέος από μένα...»

«Δηλαδή, όταν λες νεότερος, πόσα χρόνια να υπολογίσω; Τέσσερα, πέντε;»

«Βάλε κάτι παραπάνω... Τσιγκουνιές θα κάνουμε τώρα;»

«Για λέγε την ηλικία του».

«Ε, να μην είναι τριάντα... είκοσι επτά χρόνων;»

«Για όνομα του Θεού, Σάρον!» φώναξε δυνατά η Κάσι. «Πότε επιτέλους θα βάλεις μυαλό; Είπαμε να παντρευτείς τον Σαμ που τον περνούσες μόνο έξι χρόνια, όμως να σαλιαρίζεις και με το γιο σου, παραπάει».

«Γι' αυτό δε σου είπα τίποτε. Είμαι όμως τόσο ερωτευμένη που δε με νοιάζει όσο και να φωνάξεις. Και επί τη ευκαιρία, πώς λέγεται στα ισπανικά "σ' αγαπώ";»

«Και πού θες να ξέρω εγώ;»

«Ρώτα τη Γιολάντα».

«Μου φαίνεται ότι έχεις αποτρελαθεί».

«Γιατί, εσύ πας πίσω; Φαίνεται ότι μετά τα σαράντα κάτι μας πιάνει».

«Μια χαρά είμαι εγώ».

---

2. Διάσημος Ισπανός ηθοποιός που έκανε καριέρα στην Αμερική.

«Εμένα μου λες; Είσαι μια χαρά που θες να μάθεις ξαφνικά ελληνικά, που μαγειρεύεις μόνο ελληνικά φαγητά και ακούς ελληνική μουσική; Για ποιο λόγο; Πού θα σου χρειαστούν; Μήπως σκοπεύεις να πας να μείνεις στην Ελλάδα;»

«Όπως το είπες. Περίπου δηλαδή. Πράγματι, σκοπεύω να πάω στην Ελλάδα».

«Τι; Και πότε το αποφάσισες αυτό;»

«Μόλις χθες το βράδυ».

«Α, κι ύστερα μιλάς για μένα. Λοιπόν, έρχομαι αμέσως από το σπίτι σου. Πρέπει να μιλήσουμε. Μην το κουνήσεις ρούπι. Σε μισή ώρα θα είμαι εκεί».

Ο Σταν έμεινε με το πιρούνι μετέωρο, να κρέμεται επάνω του μια γενναία δόση μουσακά. Το τιμούσε ιδιαίτερα αυτό το φαγητό. Στρώσεις τσιγαρισμένου κιμά, πατάτας και μελιτζάνας εναλλάξ, περιχυμένο με μπεσαμέλ και τριμμένο τυρί στο φούρνο, ήταν σκέτη απόλαυση, μια πανδαισία γεύσεων επάνω στη γλώσσα. Από τότε που η Κάσι είχε αρχίσει να μαγειρεύει όλο και πιο συχνά ελληνικές συνταγές, είχε πάρει ο ίδιος πέντε κιλά, κάτι που είχε αρχίσει να φαίνεται και στο σώμα και στο πρόσωπό του. Κι αν συνέχιζε με τους ίδιους ρυθμούς, σίγουρα πάνω στο χρόνο θα ήταν αγνώριστος. Αυτό έπρεπε να σταματήσει. Τουλάχιστον να έτρωγε μικρότερες μερίδες. Και δεν είχε παχύνει μόνο αυτός, αλλά και Ροζαλίντα, η μαγείρισσα, και η Μαργκαρίτα, και η Γιολάντα, και ο Τσίκο, ο κηπουρός τους. Η γυναίκα του έτρωγε μεν απ' όλα, όμως ελάχιστη ποσότητα. Όσο για τον Άλεξ, ό,τι κι αν καταβρόχθιζε, ήταν μόλις είκοσι ενός και σ' αυτή την ηλικία, ειδικά αν ασχολείσαι με την κολύμβηση, δεν πρόκειται να παχύνεις, ακόμη κι αν τρως τόνους φαγητού.

«Πώς σου ήρθε τώρα αυτό; Εσύ πέρα από τη Χαβάη, την Καραϊβική και τα γύρω εξωτικά νησιά δε σου αρέσει κανένα άλλο μέρος για διακοπές. Και τώρα θες να πάμε Ελλάδα; Τόσο μακριά; Να κάνουμε τι εκεί;» απόρησε ο Σταν.

«Μα, Σταν, καιρός είναι να δω σε τι κατάσταση βρίσκεται το σπίτι της γιαγιάς. Ακόμη και να βρω τους παιδικούς μου φίλους».

«Μα, αγάπη μου, γνωρίζεις πολύ καλά ότι δεν μπορώ να απομακρυνθώ τόσο πολύ από τη δουλειά μου. Τόσα χρόνια τώρα, όποιο προορισμό κι αν επιλέγουμε για τις διακοπές μας, φροντίζουμε να απέχει το πολύ τέσσερις ώρες από δω, ώστε σε περίπτωση που με χρειαστούν, να είμαι πίσω αμέσως. Ενώ η Ελλάδα είναι πολύ μακρινό ταξίδι, τουλάχιστον δεκαπέντε ώρες πτήσης. Με τη διαφορά της ώρας χρειάζεται μία ολόκληρη μέρα για να επιστρέψουμε. Και ποιος ο λόγος; Για να βρεθούμε σ' ένα ξερονήσι χωρίς ανέσεις. Ξέχασες τι μας έλεγε η μητέρα σου όταν πήγε εκεί;»

«Μα, Σταν, αυτό ήταν πριν από σαράντα δύο χρόνια. Λες τα πράγματα να έχουν παραμείνει ίδια; Θυμάσαι πέρυσι στους Ολυμπιακούς Αγώνες που έγιναν στην Αθήνα πόση οργάνωση υπήρχε και τι εικόνες έδειξε η τηλεόραση από τα νησιά; Καμιά σχέση με αυτό που έζησα εγώ ως παιδί».

«Μπορεί να έχεις δίκιο, νομίζεις όμως ότι η τηλεόραση δείχνει πάντα την πραγματική εικόνα; Δείχνουν αυτά που θέλουν να δείξουν».

«Δεν πιστεύω ότι σκέφτεσαι έτσι. Η Ελλάδα έχει εκσυγχρονιστεί και οι καιροί που οι άνθρωποι δεν είχαν τουαλέτες και μπάνια μέσα στα σπίτια τους έχουν παρέλθει. Εγώ θέλω να πάω και θα πάω, έστω και μόνη μου».

Ο Σταν την κοίταξε σαστισμένος. Ήταν από τις πολύ σπάνιες φορές που διαφωνούσαν, και κυρίως που επέμενε να κάνει του κεφαλιού της. Την ήξερε όμως καλά πια τη γυναίκα του. Έτσι και αποφάσιζε κάτι, δύσκολα της άλλαζες γνώμη.

«Και πότε σκέφτεσαι να γίνει αυτό το ταξίδι;»

«Τι λες για μέσα Ιουνίου;»

«Εντάξει, να δω και το πρόγραμμά μου. Ο Άλεξ τι είπε;»

«Δε νομίζω πως θα 'χει αντίρρηση. Ίσα ίσα, μετά τους Ολυμπιακούς εκδήλωσε την επιθυμία να επισκεφτεί την Ελλάδα. Μπορούμε να πάρουμε και την Νταϊάν μαζί μας, αρκεί να της επιτρέψει ο πατέρας της να λείψει για τρεις-τέσσερις εβδομάδες τόσο μακριά».

«Τέσσερις εβδομάδες; Δεν είναι μεγάλο διάστημα; Γιατί να μην πάμε και κάπου αλλού;»

«Α, όχι, να χαρείς, αγάπη μου. Έπειτα από τόσα χρόνια απουσίας, θέλω να το ευχαριστηθώ. Άλλωστε, μπορούμε να κάνουμε κάποιες εκδρομές και στα νησιά εκεί γύρω. Έχω ακούσει ότι η Μύκονος είναι σχεδόν δίπλα. Τουλάχιστον μας έχουν πει καλά λόγια για το νησί».

«Αυτό είναι αλήθεια. Όσοι έχουν πάει στη Μύκονο μόνο καλά λόγια έχουν να πουν».

«Ε, λοιπόν, ευκαιρία να πάμε να το διαπιστώσουμε».

Ο Σταν κατάλαβε ότι οποιαδήποτε αντίσταση από μέρους του ήταν περιττή. Η Κάσι ήταν αποφασισμένη να πάει και θα πήγαινε. Τώρα που το σκεφτόταν, δεν ήταν και τόσο άσχημη η ιδέα της. Εντάξει, για την Αμοργό δε γνώριζε τίποτε, όμως για τη Μύκονο, τη Σαντορίνη και την Κρήτη είχε ακούσει τα καλύτερα. Ο ήλιος της Ελλάδας ήταν το ίδιο ζεστός με της Καλιφόρνια, μόνο που όπως του είχαν πει όλοι, ήταν περισσότερο λαμπερός, περισσότερο φωτεινός και ήταν περίεργο, αλλά τον ένιωθες να κυλά στο αίμα σου, να σε αναζωογονεί, να σε ανασταίνει στην κυριολεξία. Είχε μια μαγεία αυτή η χώρα που σου δημιουργούσε τη διάθεση να κάνεις τρέλες, να πιεις, να χορέψεις, να φλερτάρεις, να ερωτευτείς ξανά. Κάποιοι φίλοι του κόντεψαν να λερώσουν το γάμο τους μόλις έμειναν λίγο μόνοι τους, κάποιοι το έκαναν στα μουλωχτά και, το περίεργο, δεν το μετάνιωσαν. Στην Ελλάδα, του είπαν, υπήρχαν αόρατες Σειρήνες που σου τραγουδούσαν στα αυτιά τόσο γοητευτικά, ώστε ήταν αδύνατον να αντισταθείς. Γι' αυτό και ο Οδυσσέας, επιστρέφοντας από την Τροία, μετά τον Τρωικό Πόλεμο, είχε βάλει τους ναύτες του να τον δέσουν στο κατάρτι του πλοίου του, από το φόβο μήπως τον αποπλανήσουν οι Σειρήνες. Δεν τις έβλεπες, όμως υπήρχαν και ξεμυάλιζαν τους άνδρες.

Χαμογέλασε. Τόσα χρόνια με τόσους πειρασμούς γύρω του από πάμπολλες γοητευτικές γυναίκες να τον φλερτάρουν απροκάλυπτα κάποιες φορές και δεν υπέκυψε... Εντάξει, μια-δυο φορές μόνο, και τώρα θα τον ξεμυάλιζαν οι Σειρήνες; Την αγαπούσε την Κάσι και το τελευταίο πράγμα που επιθυμούσε ήταν να διαλυθεί ο γάμος του για την ηδονή μιας βραδιάς. Γι' αυτό υπήρξε πολύ προσεκτικός και ποτέ δεν έδωσε το παραμικρό δικαίωμα να υποψιαστεί κάτι. Η γυναίκα του θα έβαζε το χέρι της στη φωτιά για το πόσο πιστός τής ήταν. Όσο για τη δική της αφοσίωση και πίστη στο γάμο τους, θα έμπαινε ολόκληρος στη φωτιά. Ήταν παραπάνω από σίγουρος ότι η Κάσι ήταν η τέλεια σύζυγος, άσπιλη και αμόλυντη σε σχέση με οποιαδήποτε γυναίκα στο Λος Άντζελες. Είχε παντρευτεί το κατάλληλο κορίτσι, είχε έναν υπέροχο γιο, μια ευτυχισμένη οικογένεια, μια θαυμάσια καριέρα. Είχε όλα αυτά που θα επιθυμούσε κάθε άνδρας. Δεν υπήρχε κανένας λόγος να ξενοπηδάει, να χαραμίζεται πάνω σε κρεβάτια με σιλικονάτα κορμιά. Τη μισούσε τη σιλικόνη, παρότι την έπιανε κάθε μέρα στα χέρια του, και χαιρόταν ιδιαίτερα που η Κάσι δεν τη χρειάστηκε ποτέ. Τώρα πια, ακόμη κι αν έπεφτε στα γόνατά του για να της βάλει αυτό το υλικό, εκείνος θα αρνιόταν πεισματικά. Όχι σιλικόνη στο σπίτι του. Δεν υπήρχε τίποτε πιο γοητευτικό από μια φυσιολογική γυναίκα. Σίγουρα προτιμούσε ένα πεσμένο φυσικό στήθος παρά ένα ψεύτικο. Εντάξει, κάποιες φορές η χρήση της ήταν δικαιολογημένη, σε περίπτωση σχεδόν ανύπαρκτου στήθους. Το να έχουν όμως όλες εμμονή με τη σιλικόνη, ακόμη και όταν δεν υπήρχε λόγος... Ήταν τόσο ανόητο να γίνεται τόση κατάχρηση εμφυτευμάτων, κι αν δεν ήταν η δουλειά του, σίγουρα θα είχε κηρύξει πόλεμο εναντίον της.

Η Κάσι άπλωσε το χάρτη της Ελλάδας επάνω στο τραπέζι της κουζίνας και προσπάθησε να εντοπίσει την Αμοργό. Δεν είχε ιδέα προς τα πού έπεφτε. Έψαξε δυτικά, περνώντας από το νησί της Ζακύνθου, της Κεφαλλονιάς, της Κέρκυρας, μετά κοίταξε νότια και βρήκε την Κρήτη. Έψαξε τριγύρω, κοίταξε βόρεια στο Αιγαίο, ανατολικά, στο κέντρο και στο τέλος εντόπισε το νησί βγάζοντας μια κραυγή χαράς που έκανε τη Ροζαλίντα, τη μαγείρισσα, να την κοιτάξει απορημένα. Τελευταία η κυρά της έκανε πολλά παράξενα πράγματα που δεν μπορούσε να εξηγήσει, όπως η μανία της να μάθει να μαγειρεύει ελληνικά φαγητά. Με αποτέλεσμα να παιδεύονται και οι δυο να πετύχουν τις συνταγές. Ποιος; Η κυρά της, που αν τη ρωτούσες τι χρώμα είχε η κουζίνα της, δε θα θυμόταν. Ποτέ της δεν είχε ενδιαφερθεί τι φαγητό θα φάνε και το μόνο που ζητούσε ήταν να ετοιμάζει ειδικά για κείνη διάφορες σαλάτες, που ήταν η μεγάλη αδυναμία της. Και τώρα έτρωγε όλα αυτά τα περίεργα κατασκευάσματα χωρίς να διαμαρτύρεται και, κυρίως, χωρίς να παίρνει κιλά. Εντάξει, δεν έτρωγε ποσότητες και γυμναζόταν, όμως η ίδια είχε παχύνει αρκετά με όλα αυτά. Μπορεί να στραβομουτσούνιαζε που ήταν υποχρεωμένη να μάθει όλες αυτές τις συνταγές, δεν μπορούσε όμως να μην παραδεχτεί ότι της άρεσαν οι γεύσεις τους.

«Εδώ είναι», είπε δυνατά η Κάσι.

«Ποιος είναι εδώ;» ρώτησε η Ροζαλίντα.

«Η Αμοργός, Ροζαλίντα».

«Τι είναι αυτό;» ξαναρώτησε η γυναίκα.

«Το νησί του πατέρα μου. Να, εδώ. Κοίταξε», της είπε. Η Ροζαλίντα πλησίασε, αφήνοντας να τσιγαρίζεται το κοτόπουλο στη φωτιά. Σήμερα θα έκανε μεθυσμένο κοτόπουλο. Ναι, έτσι λεγόταν η συνταγή. Κανονικά αυτό γινόταν με κόκορα, όμως και η κότα καλή ήταν. Το μυστικό ήταν μπόλικο κόκκινο κρασί στην κατσαρόλα για τη σάλτσα. Τόσο πολύ, που σίγουρα μεθούσε το κοτόπουλο. Έστω και σφαγμένο. Κοίταξε ένα καφετί κομμάτι γης στη μέση μιας θάλασσας και τριγύρω πάμπολλα άλλα καφετιά κομμάτια γης μεγαλύτερα ή μικρότερα.

«Τι είναι όλα αυτά;» ρώτησε πραγματικά απορημένη.

«Νησιά της Ελλάδας. Κι αυτό εδώ είναι η Αμοργός. Όμορφη δεν είναι;»

«Τι να πω εγώ τώρα; Το μόνο που βλέπω είναι καφετιές κηλίδες σε γαλάζιο χρώμα... Και όλα αυτά είναι νησιά;»

«Νησάκια, ανόητη Ροζαλίντα μου. Νησιά μικρά και μεγάλα».

«Κι έχει η Ελλάδα τόσα νησιά; Μα τι μέρος είναι αυτό; Πού βρίσκεται; Είναι κοντά μας;»

Η Κάσι γέλασε. «Πολύ μακριά, Ροζαλίντα. Δεκαπέντε ώρες και βάλε με αεροπλάνο από το Λος Άντζελες».

«Α, πρέπει να είναι πολύ μακριά», σχολίασε αδιάφορα και γύρισε πίσω στην κατσαρόλα της. Έτσι κι αλλιώς, δεν μπορούσε να υπολογίσει την απόσταση. Μήπως είχε ταξιδέψει και ποτέ της με αεροπλάνο; Το μόνο ταξίδι που είχε κάνει στη ζωή της ήταν από το χωριό της στο κεντρικό Μεξικό έως εδώ. Και χρειάστηκε μία εβδομάδα. Πότε με λεωφορείο, πότε με τα πόδια, πότε με οτοστόπ, διέσχισε τα σύνορα Αμερικής-Μεξικού παράνομα, πριν από δεκαοκτώ χρόνια μαζί με τον αδελφό της, για μια καλύτερη τύχη. Βέβαια η ζωή της δεν ήταν αυτή που είχε ονειρευτεί, όμως δόξα τω Θεώ είχε πάντα δουλειά σε σπίτια. Στην αρχή δούλεψε ως παραδουλεύτρα, ώσπου ανακάλυψε το ταλέντο της στη μαγειρική. Στο σπίτι των Πάλμερ δούλευε τα τελευταία πέντε χρόνια και ήταν περισσότερο ευχαριστημένη από ποτέ. Τα αφεντικά της ήταν καλοί άνθρωποι και, το κυριότερο, την πλήρωναν πάντα στην ώρα της και χωρίς τσιγκουνιές. Κι αν είχε πέσει σε τσιγκούνηδες. Να 'χουν σπίτια παλάτια και να παζαρεύουν το μισθό της. Ανήκουστο!

Η Κάσι κάλεσε στο κινητό τη Σάρον. Στο ακουστικό της ήχησαν οι λάτιν χορευτικοί ρυθμοί της Τζένιφερ Λόπεζ.

«Εμπρός;» ακούστηκε χαρούμενα η φωνή της φίλης της.

«Μπα, άλλαξες γούστα; Από τη Μαντόνα πήγες στη Λόπεζ; Πρέπει να είσαι πολύ ερωτευμένη. Έχεις εξαφανιστεί τελευταία... Μήπως έτυχε να το παρατηρήσεις;»

Η Κάσι προχώρησε και βγήκε έξω από την κουζίνα, ενώ το βλέμμα της τσάκωσε τη Ροζαλίντα τη στιγμή που έχυνε σχεδόν ολόκληρο το μπουκάλι με το κόκκινο κρασί στην κατσαρόλα. Μα τι στο καλό έκανε; Τόσο πολύ κρασί χρειαζόταν γι' αυτό το κοτόπουλο; Η Ροζαλίντα την κοίταξε ζαλισμένη μέσα από τις αναθυμιάσεις.

«Το ξέρω ότι έχω εξαφανιστεί, όμως νομίζω ότι ποτέ άλλοτε δεν έχω νιώσει τόσο όμορφα στη ζωή μου. Δώσε μου άφεση αμαρτιών».

«Γιατί έχω την εντύπωση ότι έχω ακούσει πολλές φορές αυτή τη φράση;»

«Πάψε να ειρωνεύεσαι και άκουσε τα ευχάριστα».

«Μη μου πεις ότι ξαναπαντρεύεσαι;»

«Μπίνγκο! Χθες βράδυ ο Ρίκι μου έκανε πρόταση γάμου».

«Με διαμαντένιο δαχτυλίδι;»

«Χωρίς αυτό. Εξάλλου έχω πολλά διαμαντένια δαχτυλίδια. Άνδρα χρειάζομαι, Κάσι, και όχι διαμάντια».

«Σάρον, πότε θα λογικευτείς επιτέλους; Ο Ρίκι είναι δεκαπέντε χρόνια μικρότερός σου, είναι πάμφτωχος, είναι Πορτορικανός, και τέλος πάντων ο τελευταίος που θα έπρεπε να σκεφτείς για γάμο».

«Δεν το ήξερα ότι είσαι ρατσίστρια».

«Δεν είμαι ρατσίστρια και το ξέρεις πολύ καλά. Γλυκιά μου, πρέπει να παραδεχτείς ότι ετοιμάζεσαι να κάνεις ακόμη ένα λάθος. Το διαζύγιο είναι σίγουρο. Αν σου αρέσει αυτός ο άνδρας τόσο πολύ, τότε ζήσε τον έρωτά σου χωρίς να τον παντρευτείς. Και, το κυριότερο, μη βάζεις σε δοκιμασία το γιο σου να συνηθίζει κάθε φορά και κάποια άλλη ανδρική παρουσία μέσα στο σπίτι».

«Μα δε θέλουμε να ζούμε χωριστά. Ούτε και ο Ρίκι το θέλει».

«Τότε ζήσε μαζί του χωρίς να παντρευτείτε».

«Αδύνατον. Μου το δήλωσε καθαρά ότι θέλει γάμο. Μ' αγαπάει σαν τρελός».

«Σύνελθε, Σάρον. Την καλοπέρασή του θέλει. Ύστερα πώς μπορείς να παντρευτείς κάποιον που είναι τόσα χρόνια μικρότερός σου; Τι σ' έπιασε τώρα, σ' αυτή την ηλικία;»

«Ο έρωτας χρόνια δεν κοιτά. Με κάνει να νιώθω νέα. Πιο μικρή και από τον ίδιο. Ποτέ μου δεν ένιωσα πιο ζωντανή».

«Ζωντανή και κάθε φορά το πληρώνεις με κάποιο ακριβό δώρο αυτό. Σε ξέρω πολύ καλά πια».

«Σιγά τα λεφτά που έδωσα για τον Ρίκι. Ένα ατσάλινο Rolex του πήρα όλο κι όλο και το λες έξοδο;»

«Α, του πήρες και Rolex; Αρχίσαμε από τη μηχανή στα γενέθλιά του και τώρα πήγαμε σε Rolex. Σπίτι πότε θα του πάρεις;»

«Μερικές φορές γίνεσαι κυνική. Εγώ πήρα να σου πω τη χαρά μου κι εσύ μόνο που δε με έβρισες. Πού είναι η φίλη μου;»

«Εδώ είναι η φίλη σου, Σάρον, και θα είναι για πάντα. Πρέπει να καταλάβεις πως όλα αυτά τα λέω για το καλό σου. Δε θα αντέξω πάλι να σε δω να καταρρέεις στον ώμο μου. Κατάλαβες;»

«Αυτή τη φορά δεν πρόκειται να σου κάνω τη χάρη».

«Μακάρι, Σάρον... Μακάρι».

«Λοιπόν, δε θα με συγχαρείς;»

«Μπορώ να κάνω διαφορετικά; Είσαι η καλύτερη μου φίλη. Τα θερμά μου συγχαρητήρια και σου εύχομαι να είσαι περισσότερο ευτυχισμένη από ποτέ».

«Σ' ευχαριστώ, Κάσι, και θα δεις που δε θα σε διαψεύσω. Πότε θα τα πούμε από κοντά;»

«Το συντομότερο. Έχω κι εγώ να σου πω νέα».

«Νέα; Τι νέα;»

«Φεύγουμε τον Ιούνιο οικογενειακώς διακοπές για την Ελλάδα».

«Αλήθεια; Μα αυτό είναι θαυμάσιο. Μαγείρεψε κάτι ελληνικό και αύριο το βραδάκι θα έρθω στο σπίτι σου να μάθω τα νέα».

«Και ο Ρίκι;»

«Έχει νυχτερινή βάρδια».

«Ωραία. Θα σε περιμένω...»

Οι προετοιμασίες για το ταξίδι στην Ελλάδα έγιναν μέσα σε ατμόσφαιρα ενθουσιασμού και χαράς απ' όλους, παρότι ξαφνιάστηκαν αρχικά. Κυρίως ο Νικ, που όταν το έμαθε δάκρυσε. Από τότε που έχασε τη μάνα του, την κυρα-Κασσάνδρα, η ιδέα να επισκεφτεί την Αμοργό άρχισε σταδιακά να ξεθωριάζει από τη σκέψη του, μέχρι που σχεδόν την ξέχασε. Κάπου τον βόλευε αυτό. Δεν ήθελε να πονά περισσότερο. Ο χαμός της μάνας του του είχε στοιχίσει πολύ. Τώρα που εκείνη είχε φύγει, ένιωσε πως δεν είχε άλλη πατρίδα πέρα από την Αμερική. Δεν ήθελε να πονά άλλο. Έπρεπε να λησμονήσει. Χρόνια τώρα τον κατέτρωγε η νοσταλγία και ο καημός που ζούσε μακριά της, μακριά από την πατρίδα. Σταδιακά τον ξέχασαν και οι δικοί του. Τα ανίψια του άφησαν το νησί και χάθηκαν, το ίδιο και οι παλιοί του φίλοι. Άραγε, πόσοι από αυτούς να ζούσαν; Και μετά ένα ξερό γράμμα, ότι πέθανε και η αδελφή του, και τότε έσπασε κι ο τελευταίος συνδετικός κρίκος με την Αμοργό. Τίποτε όμως δεν είχε σπάσει τελικά. Μόλις η Κάσι του μίλησε για το ταξίδι της, τα μάτια του βούρκωσαν και τον πήραν τα ζουμιά. Εκεί στην τραπεζαρία του σπιτιού του, στο κυριακάτικο τραπέζι, μπροστά σε όλους. Εκείνο όμως που τον συγκίνησε περισσότερο ήταν τη στιγμή που η κόρη του, μόλις κάθισαν στο τραπέζι, αφού χτύπησε πρώτα με το μαχαίρι της το κρυστάλλινο ποτήρι κρασιού, παίρνοντας πολύ σοβαρό ύφος, σηκώθηκε όρθια και είπε: «Έχω να πω κάτι στον πατέρα μου, αλλά μη με παρεξηγήσετε αν το πω μόνο σ' αυτόν». Όλοι, και περισσότερο ο Νικ, την κοίταξαν απορημένοι. Η Κάσι, απτόητη, κοίταξε τον πατέρα της και του χαμογέλασε πλατιά. Στη συνέχεια, αργά και καθαρά, του είπε στα ελληνικά: «Πατέρα, θέλω να σου πω ότι σ' αγαπώ πολύ και σ' ευχαριστώ για όλα όσα έχει κάνεις για μένα... Θέλω να σου ανακοινώσω ότι μαζί με τον άνδρα μου και τον Άλεξ φεύγουμε για διακοπές στην Ελλάδα, στην Αμοργό μας». Ύστερα κάθισε ήρεμα στη θέση της. Είχε κάνει πάμπολλες πρόβες στο σπίτι της μέχρι να βεβαιωθεί ότι δε θα κάνει το παραμικρό λάθος. Και τα είχε καταφέρει περίφημα. Τα μάτια του Νικήτα Γεράκη βούρκωσαν μονομιάς κι ένας λυγμός τον έπνιξε. Το τελευταίο πράγμα που περίμενε σ' αυτή τη ζωή ήταν να ακούσει την Κάσι να μιλάει τη μητρική του γλώσσα. Στην αρχή δεν το συνειδητοποίησε ότι μιλούσε ελληνικά. Μόλις όμως είπε τη λέξη «Αμοργό», τόσο καθαρά και δυνατά, μόνο τότε το αντιλήφθηκε. Και κατάπληκτος, της απάντησε κι αυτός στην ίδια γλώσσα: «Κόρη μου, μιλάς ελληνικά... Σ' ευχαριστώ για αυτό το υπέροχο δώρο που μου έκανες σήμερα». Κατόπιν, κοιτάζοντας όλους στο τραπέζι, μετέφρασε αυτά που είχαν ειπωθεί. Όλοι χειροκρότησαν αυθόρμητα, εκτός από την Τζένιφερ που στραβομουτσούνιασε. Μα τι στο καλό ήθελε η παλαβή η κόρη της και γύρευε να πάει σ' εκείνο το ξερονήσι; Ακόμη κι αν της έταζαν τον πρώτο ρόλο σε ταινία, εκείνη δε θα ξαναπατούσε το πόδι της εκεί. Και τώρα ο ανόητος ο άνδρας της έκλαιγε σαν μωρό παιδί επειδή η Κάσι θα πήγαινε σ' αυτόν το βρομότοπο. Σαράντα τέσσερα χρόνια μαζί και όμως ποτέ της δεν μπόρεσε να καταλάβει αυτό το πάθος του για αυτό το άθλιο κομμάτι γης, που λεγόταν Αμοργός. Αν δεν είχε παντρευτεί Έλληνα, αμφέβαλλε αν θα γνώριζε πού βρισκόταν αυτή η χώρα, ακόμη και στο χάρτη. Τελικά η Κάσυ είχε δίκιο. Τόσα χρόνια στην Αμερική ο άνδρας της και ακόμη ήταν Έλληνας. Και τώρα ήθελε να γίνει Ελληνίδα και η κόρη της. Αν ήταν δυνατόν, να είχε προσλάβει και δάσκαλο για να μάθει ελληνικά, αυτή τη βάρβαρη γλώσσα, και μάλιστα κρυφά απ' όλους. Έκανε πρώτα έκπληξη στον πατέρα της και από εκείνη τη στιγμή μιλούσε μαζί του περισσότερο ελληνικά παρά τη γλώσσα τους, κάτι που την εκνεύριζε πολύ.

«Πριν φύγω από τον μάταιο τούτο κόσμο, θέλω να επισκεφτώ την Αμοργό και να προσκυνήσω τον τάφο της μάνας μου», είπε συγκινημένος στην κόρη του, «και ορκίζομαι στο Θεό, ότι αυτό πρέπει να γίνει με οποιοδήποτε τίμημα». Μέσα του όμως γνώριζε ότι αυτό ήταν λίγο δύσκολο. Έπειτα από κάποιες ενοχλήσεις στην καρδιά που είχε τα τελευταία τρία χρόνια, ο γιατρός τού είχε συστήσει ξεκούραση και όχι μακρινά ταξίδια. Δεν είχε πει όμως τίποτε σε κανένα. Σταδιακά και διακριτικά άρχισε να απομακρύνεται από τη δουλειά και τα ανέθεσε όλα στους γιους του. Δικαιολογήθηκε ότι είχε παρακουραστεί. Και ήταν αλήθεια. Για το πρόβλημα της καρδιάς δεν ανέφερε τίποτε, αν και ο Σταν του είπε πως το χρώμα του προσώπου του δεν του άρεσε καθόλου και του ζήτησε να περάσει από το νοσοκομείο για εξετάσεις. Ο γέρος όμως ήταν περήφανος και δεν ήθελε να θορυβήσει κανένα. Όπως και το νησί όπου γεννήθηκε. Γι' αυτό και επισκεπτόταν κρυφά τον καρδιολόγο.

«Να το κάνεις, πατέρα, όμως πριν από σένα θα το κάνω εγώ».

«Ναι, παιδί μου, και να μου φέρεις φωτογραφίες. Όσο περισσότερες μπορείς. Να δω το πατρικό μου ξανά».

«Και φωτογραφίες και βίντεο και τα πάντα θα σου φέρω. Εγώ όμως σου το προτείνω τώρα. Έλα μαζί μας».

«Δεν μπορώ αυτή την περίοδο. Έχω διάφορες εκκρεμότητες να τακτοποιήσω. Του χρόνου όμως θα μπορέσω. Τι λες; Θα πάμε μαζί του χρόνου;»

«Δε σταματάτε πια αυτή τη συζήτηση;» τους διέκοψε η Τζένιφερ ενοχλημένη. «Το καλοκαίρι θα πάμε στο Κανκούν[3] στο Μεξικό. Σιγά μην τρέχουμε στην άλλη άκρη του κόσμου. Ύστερα, δεν αντέχουμε πια για τόσο μακρινά ταξίδια».

Η Κάσι την κοίταξε αυστηρά. Εντάξει, ποτέ της δε συμπάθησε την Ελλάδα, δεν ήταν και ανάγκη να το δείχνει τόσο αποκάλυπτα. Ήταν περίεργο, όμως από τότε που ξύπνησε μέσα της η νοσταλγία της για την Αμοργό, άρχισε να νιώθει Ελληνίδα για πρώτη φορά. Κάθε μέρα που περνούσε, τα ελληνικά κύτταρα λες και πολλαπλασιάζονταν στο σώμα της, κατατρώγοντας τα αμερικανικά. Ακόμη και οι εφιάλτες της μ' εκείνο το παράξενο κορίτσι είχαν εξαφανιστεί από τα όνειρά της. Κι όσο περισσότερο μιλούσε για την Ελλάδα τόσο πιο όμορφα ένιωθε. Αυτός ο τόπος την καλούσε. Μπορούσε να δει τα χρώματά του, να μυρίσει τις ευωδιές του, να αισθανθεί τη ζεστασιά του ήλιου του. Ποτέ της δεν είχε νιώσει αυτή την περίεργη αδημονία να

---

3. Πόλη και θέρετρο του Μεξικού.

την κατακλύζει και να τη μαγνητίζει, όμοια με ερωτικό κάλεσμα ενός ακαταμάχητου εραστή, που για χάρη του είσαι αποφασισμένη να κάνεις και τη μεγαλύτερη τρέλα. Σχεδόν άκουγε το κάλεσμά του και τότε η καρδιά της χτυπούσε αλλόκοτα και ίδρωναν οι παλάμες της. Μα τι είχε πάθει; Γιατί τόση ταραχή στη σκέψη αυτού του ταξιδιού; Τι ήταν εκείνο που την αναστάτωνε τόσο πολύ;

Αυτά σκεφτόταν ξαπλωμένη στο κρεβάτι της, ενώ ο Σταν κοιμόταν ήδη δίπλα της. Μόνο δύο εβδομάδες απέμεναν και θα περπατούσε στη μαγική χώρα, αγναντεύοντας το πέλαγος από το ψηλότερο σημείο του νησιού. Το θυμόταν εκείνο το γαλάζιο. Ή μάλλον όλες τις αποχρώσεις του γαλάζιου. Από κει πάνω δεν τη φοβόταν τη θάλασσα. Το αντίθετο· τη λάτρευε. Τόση ομορφιά δε χωρούσε στο μυαλουδάκι της. Κι ας ήταν ακόμη παιδί. Είχε χαραχθεί μέσα της σαν στάμπα που αφήνει πάνω στο δέρμα το καυτό σίδερο. Οι μυρωδιές, ο αγέρας, η ομορφιά του τοπίου. Πώς μπόρεσε να τα λησμονήσει όλα αυτά; Τόσα χρόνια διπλωμένα σε κάποιο συρτάρι του μυαλού της, ώσπου έτσι, στα καλά καθούμενα, το άνοιξε και βρήκε το θησαυρό. Και πλημμύρισαν οι μνήμες και φύσηξε ο άνεμος, κι άνθισαν τα λουλούδια, και βγήκε ο χρυσαφένιος ήλιος πάνω στ' άρμα του κι άστραψε ο τόπος, χρύσισαν τα όνειρα, πήραν φωτιά οι επιθυμίες, ξύπνησε η Ελληνίδα… Η Κασσάνδρα. Ναι, ήταν η Κασσάνδρα Γεράκη. Χαμογέλασε και σφάλισε τα μάτια της.

Ο άνδρας ήταν γεροδεμένος, μελαχρινός και πολύ όμορφος. Της χαμογελούσε και τα δόντια του άστραφταν τόσο πολύ, που σχεδόν τυφλώθηκε. Προσπάθησε να τον κοιτάξει, όμως δεν μπορούσε να ξεχωρίσει καθαρά τη μορφή του. «Ποιος είσαι;» τον ρώτησε. Εκείνος δεν απάντησε. Προχώρησε προς το μέρος της και την άδραξε με το ένα χέρι από τον αυχένα. Με το άλλο έπιασε τη μέση της και την έκλεισε στην αγκαλιά του. Τα χέρια του ήταν τεράστια και την είχαν ακινητοποιήσει. Ένιωθε να ανατριχιάζει. Της ήταν αδύνατον να αντισταθεί, να του αρνηθεί οτιδήποτε. Έκλεισε τα μάτια της. Δεν άντεχε τη λάμψη του. Ένιωσε τα χείλη του πάνω στα δικά της και η γεύση τους τη νάρκωσε. Ακόμη κι αν η γλώσσα του είχε δηλητήριο, εκείνη δε θα αρνιόταν το φιλί του. Αλλά δεν ήταν δηλητήριο. Είχε τη γεύση της μέντας ανάκατης με μέλι. Είχε τη γεύση των γιασεμιών, της κανέλας, της βροχής, του θυμαριού, της θαλασσινής αλμύρας. Αναστέναξε. Πόσο μπορεί να αντέξει η καρδιά τόση ευτυχία; Πόσο μπορεί να αντέξει το σώμα τόση ηδονή; Τα χείλη του την πίεσαν περισσότερο και ένιωσε τη γλώσσα του να την ψάχνει παντού, για όλες τις γεύσεις που έχυνε το στόμα της. Ένιωσε να χάνεται... να χάνεται...

Η Κάσι άνοιξε τα μάτια της. Η καρδιά της χτυπούσε σε ξέφρενους ρυθμούς, οι σπασμοί στον κόλπο της ήταν έντονοι. Ανασηκώθηκε προσπαθώντας να ανασάνει. Δεν ήταν δυνατόν! Κι όμως. Μόλις είχε πάθει ονείρωξη που την οδήγησε σε οργασμό. Ένα δυνατό οργασμό. Είχε μια σεξουαλική επαφή με έναν άγνωστο άνδρα στο όνειρό της. Ποτέ άλλοτε δεν της είχε συμβεί αυτό. Σχεδόν ένιωθε τα μεγάλα του χέρια, που είχαν ακινητοποιήσει τον αυχένα και το κορμί της. Αισθανόταν τη δύναμη του. Κοίταξε τριγύρω ψάχνοντας για τα ίχνη του. Ήταν τόσο ζωντανός που θα ορκιζόταν ότι είχε απατήσει τον άνδρα της. Για πρώτη φορά. Λούφαξε στο κρεβάτι. Οι σπασμοί υποχώρησαν, το ίδιο και οι χτύποι της καρδιάς. Αυτή τη φορά δεν τρόμαξε. Μάλλον το απόλαυσε. Αλήθεια, γιατί δεν είχε αισθανθεί έτσι ποτέ με τον Σταν; Έως τότε πίστευε ότι είχε μια εκπληκτική ερωτική ζωή μαζί του. Απόψε ανακάλυπτε ότι η ηδονή που βίωσε ήταν πολύ μεγαλύτερη από αυτή που πίστευε ότι είχε ζήσει μέχρι τώρα. Ή μήπως ακόμη περισσότερο; Δεν τόλμησε να εξομολογηθεί πουθενά αυτό που της συνέβη. Ούτε και στη Σάρον. Τώρα ντρεπόταν. Αν ήταν δυνατόν, στην ηλικία της, με ένα γιο είκοσι ενός χρόνων, να παθαίνει ονειρώξεις. Αυτά ήταν για το γιο της, όχι για την ίδια. Ήταν ανόητη που το απόλαυσε, που σύγκρινε τις επιδόσεις του άνδρα της. Ό,τι κι αν είχε πάθει, πρέπει να ήταν από την υπερένταση της αναμονής του ταξιδιού της. Πολλές φορές, μια πολύ έντονη αναμονή μπορεί να διεγείρει περίεργα τον εγκέφαλο. Το είχε ακούσει από τον Σταν, που εκτός από καλός πλαστικός ήταν και καλός ψυχολόγος. Ναι, αυτό της είχε συμβεί. Ήταν φυσιολογικό. Τότε όμως γιατί η ερωτική επιθυμία δεν έλεγε να καταλαγιάσει στο κορμί της; Όσο κι αν γυμνάστηκε, όσο κι αν έκανε διάφορες δουλειές για να κουραστεί, η επιθυμία δεν την εγκατέλειψε. Αργά το βράδυ, μόλις έπεσε στο κρεβάτι, γύρεψε το κορμί του Σταν. Έτσι, χωρίς προειδοποίηση, χωρίς προκαταρκτικά. Πέταξε το νυχτικό της και ανέβηκε επάνω του. Τον φίλησε σχεδόν άγρια. Εκείνος ξαφνιάστηκε. Για λίγο. Ποτέ άλλοτε η γυναίκα του δεν ήταν τόσο ποθητή. Αυτή η επιθετικότητα τον ερέθισε. Τελευταία οι ερωτικές τους συνευρέσεις είχαν αραιώσει. Ένιωσε τη στύση του πιο σκληρή από ποτέ. Σαν εικοσάρης δίπλα σε μια ζουμερή γυναίκα. Η Κάσι το κατάλαβε και με μια απότομη κίνηση του κατέβασε την πιτζάμα μαζί με το εσώρουχό του. Κοίταξε τη στύση του με θαυμασμό και μετά εκείνον. Έσκυψε και τον έγλειψε αργά εκεί πάνω, ρουφώντας τον με πόθο, κάτι που το έκανε πολύ σπάνια και μόνο έπειτα από παρακάλια του Σταν. Εκείνος βόγκηξε δυνατά. Εκείνη συνέχισε να τον φιλάει προς τα πάνω, παντού στο κορμί του, ώσπου τα χείλη της συνάντησαν τα δικά του, ενώ την ίδια στιγμή βυθιζόταν επάνω του αργά, κουνώντας κυκλικά τους γοφούς της, μέχρι που τον ένιωσε όλο μέσα της. Και τότε άρχισε ένα άγριο ανεβοκατέβασμα, αφήνοντας βογκητά ηδονής, σχεδόν μουγκρητά άγριου ζώου που έχει τρελαθεί. Ο Σταν, ερεθισμένος ακόμη περισσότερο, αφέθηκε στο παιχνίδι της, ξεχνώντας την κούρασή του, τα χειρουργεία που τον περίμεναν νωρίς το πρωί, ώσπου ένιωσε τον οργασμό της, τις συσπάσεις του κόλπου της, την απίστευτη υγρασία της και, μεθυσμένος από ηδονή, άφησε το σπέρμα του να χυθεί μέσα της, βγάζοντας μια δυνατή κραυγή που τρόμαξε και τον ίδιο. Τι στο καλό είχαν πάθει νυχτιάτικα; Ό,τι κι αν ήταν πάντως, ευχαριστούσε τον Θεό για την ασύγκριτη ηδονή που είχε χρόνια να ζήσει. Η Κάσι ξύπνησε σχεδόν μεσημέρι με ένα χαμόγελο στα χείλη. Ο Σταν έλειπε από δίπλα της. Ούτε που πήρε είδηση πότε είχε φύγει. Συνήθως το καταλάβαινε και δεχόταν πάντα με ευχαρίστηση το φιλί του στο μέτωπό της. Αυτή τη φορά όμως δεν κατάλαβε τίποτε. Δεν είχε μόνο παρακοιμηθεί, είχε κοιμηθεί και βαθιά. Τέντωσε τα χέρια της και αμέσως μετά με ένα σάλτο σηκώθηκε όρθια και τράβηξε τις κουρτίνες. Το δυνατό φως του ήλιου τρύπωσε στο δωμάτιο σαν κλέφτης ψάχνοντας παντού. Η Κάσι μπήκε στο μπάνιο και άφησε το νερό να τη βρέξει από το κεφάλι μέχρι τα πόδια για τα καλά. Μετά τύλιξε τα μαλλιά της με μια πετσέτα, φόρεσε το μπουρνούζι της και ξυπόλυτη, με χαρούμενα γρήγορα βήματα κατέβηκε από τις σκάλες στο κεντρικό σαλόνι. Η Μαργκαρίτα, που καθάριζε εκείνη την ώρα, την κοίταξε ξαφνιασμένη. Ποτέ άλλοτε η κυρία Πάλμερ δεν είχε εμφανιστεί με μπουρνούζι εκτός κρεβατοκάμαρας και, ακόμη σπανιότερα, δεν κυκλοφορούσε ξυπόλυτη μέσα στο σπίτι. Η Κάσι πρόσεξε το έκπληκτο βλέμμα της, όμως την αγνόησε και μπήκε στην κουζίνα ξαφνιάζοντας και τη Ροζαλίντα. Είπε μια γλυκιά «καλημέρα» και μετά πήρε μια κούπα και έβαλε ζεστό καφέ από το θερμός που είχε πάντα έτοιμο η μαγείρισσα, ώστε μόλις ξυπνήσει, να της φέρει αμέσως το πρωινό της στο δωμάτιο. Πήρε την κούπα της και χωρίς άλλη κουβέντα βγήκε στον κήπο και άρχισε να προχωράει πάνω στο γρασίδι, πίνοντας τον καφέ της. Η Ροζαλίντα και η Μαργκαρίτα κοιτάχτηκαν κατάπληκτες, ενώ την παρακολουθούσαν πίσω από τα παράθυρα του σπιτιού. Το ίδιο και Τσίκο, ο κηπουρός, που κλάδευε ένα δέντρο. Η κυρά τους με μπουρνούζι, ξυπόλυτη, και μια κούπα καφέ αντί για το καθιερωμένο πρωινό της, να βαδίζει σιγοτραγουδώντας και με τη Μόλι να τρέχει νευρικά πίσω της.

Η Κάσι προχώρησε προς την πισίνα, κάθισε σε μια μπαμπού πολυθρόνα και βούλιαξε στις παχιές λευκές μαξιλάρες κρατώντας πάντα την κούπα με τον καφέ της. Ήπιε μια γουλιά και ατένισε συνεπαρμένη το γαλάζιο του ουρανού, που παραδόξως σήμερα ήταν πεντακάθαρο και όχι μουτζουρωμένο, όπως συνήθως συνέβαινε λόγω του νέφους στο Λος Άντζελες. Χαμογέλασε ευχαριστημένη και έκλεισε τα μάτια για λίγα δευτερόλεπτα. Ύστερα τα άνοιξε και αυτή τη φορά κοίταξε το γαλάζιο του νερού της πισίνας. Και τι δε θα 'δινε να μπορούσε να πετάξει το μπουρνούζι της και να κάνει μια βουτιά εκεί μέσα... Τίποτε δεν είχε ζηλέψει περισσότερο στη ζωή της όσο έναν καλό κολυμβητή. Άραγε, πώς είναι να βρίσκεσαι κάτω από το νερό, στο βάθος μιας θάλασσας; Ποια να είναι αυτή η μοναδική αίσθηση που κάνει τους ανθρώπους να μη θέλουν να βγουν από κει μέσα;

Αναστέναξε. Ποιος καταραμένος μύχιος φόβος την κρατούσε έξω από το νερό; Τι την είχε πανικοβάλει στο μακρινό παρελθόν, όταν ήταν παιδί, ώστε να τρομάζει τόσο πολύ; Κούνησε το κεφάλι σαν να 'θελε να αποδιώξει αυτή τη μνήμη. Η σκέψη εκείνου του γοητευτικού άνδρα που έκανε έρωτα μαζί της χθες στα όνειρά της κατέκλυσε πάλι το μυαλό της. Ήταν τόσο έντονες οι στιγμές, που σχεδόν ένιωσε πως πραγματικά έκανε έρωτα με κάποιον άλλο άνδρα. Κι εκεί που πίστεψε ότι ο γάμος της είχε μπει σε μια φάση ερωτικής στασιμότητας, τα πράγματα τη διέψευσαν. Κι όλα αυτά εξαιτίας μιας ονείρωξης. Κάπου είχε διαβάσει ότι οι ονειρώξεις οφείλονταν στην εμφάνιση κάποιων αόρατων πνευμάτων, που επισκέπτονταν γυναίκες κατά τη διάρκεια του ύπνου τους και έκαναν έρωτα μαζί τους. Αλήθεια ή ψέματα, δεν είχε σημασία. Σημασία είχε ότι είχε βιώσει ένα πρωτόγνωρο συναίσθημα. Έφερε στη θύμησή της το πρόσωπό του και σχεδόν ένιωσε το βαρύ χέρι του στο σβέρκο της. Ήταν τόσο μα τόσο ζωντανός, σαν να βρισκόταν εκεί δίπλα της. Έγειρε το κεφάλι προς τα πίσω. Η μελωδία από τη *Λίμνη των Κύκνων* στο κινητό της, στην τσέπη του μπουρνουζιού της, την επανέφερε στην πραγματικότητα. Το σήκωσε αμέσως.

Η φωνή του Σταν ακούστηκε χαρούμενη: «Τι κάνει το κορίτσι μου;»

«Καλά είναι το κορίτσι σου. Εσύ πώς είσαι, αγάπη μου; Όλα καλά με το χειρουργείο;»

«Τέλεια. Αν και με κούρασες λιγάκι χθες, μπορώ να πω ότι αισθάνομαι καλύτερα από ποτέ... Ήταν υπέροχα, μωρό μου. Ήσουν απίστευτη. Ακόμη νιώθω το κορμί σου...»

«Κι εσύ ήσουν υπέροχος, μωρό μου... Σ' αγαπώ».

«Κι εγώ σ' αγαπώ, μικρή μου. Δε βλέπω την ώρα να φύγουμε διακοπές. Κάτι μου λέει ότι θα περάσουμε καταπληκτικά», της είπε τονίζοντας τα λόγια του.

«Συμφωνώ», του απάντησε γελώντας.

«Δεν ξέρω τι σου συμβαίνει, αλλά από τότε που ξύπνησε η Ελληνίδα μέσα σου, μου αρέσεις περισσότερο. Νιώθω να σε ερωτεύομαι ξανά», της είπε τρυφερά.

«Δεν είναι και άσχημο να ερωτευτούμε ξανά».

«Καθόλου. Τώρα, όμως, πρέπει να μπω μέσα. Έχω μια μύτη να λιμάρω και να προσγειώσω δυο αυτιά».

Η Κάσι άφησε ένα γελάκι να ακουστεί χαρούμενα. Είχε πια μάθει να μεταφράζει τις χαριτωμένες δικές του ιατρικές ορολογίες. Λιμάρισμα ήταν η σμίκρυνση μύτης, προσγείωση σήμαινε να πάνε τα αυτιά προς τα πίσω.

«Ευτυχώς είναι απλή επέμβαση», συνέχισε εκείνος. «Τι λες για το βράδυ; Θέλεις να φάμε έξω ή να μείνουμε σπίτι;»

«Λέω να φάμε έξω».

«Καλώς. Φρόντισε να είσαι πολύ όμορφη».

Η γραμμή έκλεισε και η Κάσι τέντωσε τα πόδια της, θαυμάζοντας το άψογο πεντικιούρ της. Είχε μεγάλα κέφια σήμερα και ο καιρός ταίριαζε απόλυτα στη διάθεσή της. Όχι, δε θα έμενε στο σπίτι. Είχε όρεξη να κατεβεί στο κέντρο και να χαθεί με τις ώρες μέσα στις πανάκριβες μπουτίκ της Ροντέο Ντράιβ. Μετά θα τηλεφωνούσε στη Σάρον να τσιμπήσουν μαζί και να τα πούνε. Όλα ήταν έτοιμα για το ταξίδι τους. Η πτήση τους ήταν προγραμματισμένη για τις 10 Ιουνίου, από το Λος Άντζελες με ενδιάμεση στάση στο Λονδίνο και από κει στην Αθήνα. Θα έμεναν τρεις μέρες στην Αθήνα και μετά με το πλοίο της γραμμής από Πειραιά θα πήγαιναν στην Αμοργό. Δυστυχώς δεν υπήρχε αεροδρόμιο στο νησί. Όλα ήταν τέλεια προγραμματισμένα. Θα έφτιαχνε τις βαλίτσες τους τρεις μέρες πριν από την αναχώρησή τους. Ήδη η Κάσι είχε φτιάξει τη λίστα όλων αυτών που θα έπαιρναν μαζί τους. Δε θα έπαιρνε και πολλά. Σε ένα απλό νησί πήγαινε και όχι σε κοσμικό θέρετρο. Της χρειάζονταν απλά και πρακτικά ρούχα. Το πολύ πολύ να ψώνιζε από κει ό,τι της ήταν απαραίτητο.

Η μελωδία ενός τραγουδιού του Έμινεμ αυτή τη φορά στο κινητό της την έκανε να χαμογελάσει. Ο γιος της την έψαχνε. Της φάνηκε λίγο παράξενο. Τέτοια ώρα είχε γύρισμα στο στούντιο και συνήθως δεν την καλούσε ποτέ, εκτός κι αν ήθελε να της ζητήσει κάποια χάρη.

«Καλημέρα, αγόρι μου», του είπε τρυφερά.

«Μαμά...» ακούστηκε η φωνή του γεμάτη αγωνία.

«Τι θα μου ζητήσεις πάλι;» τον ρώτησε γλυκά. «Πώς πάει το γύρισμα;»

«Δεν είμαι στο στούντιο, μαμά, στο νοσοκομείο είμαι...»

«Στο νοσοκομείο; Εννοείς στον πατέρα σου;»

«Όχι εκεί. Στο Hoag Memorial Hospital[4].

Η Κάσι ανασηκώθηκε από την ξαπλώστρα της ανήσυχη.

«Νοσοκομείο;» Η καρδιά της χτύπησε δυνατά. «Τι συμβαίνει, Άλεξ; Είσαι καλά;»

«Εγώ καλά είμαι... Η Νταϊάν δεν είναι. Έσπασε το πόδι της και μάλλον πρέπει να χειρουργηθεί».

«Μα τι συνέβη, παιδί μου; Πώς το 'παθε αυτό;»

«Έπεσε από τις σκάλες στο σπίτι τους. Είχε ραντεβού με το δάσκαλο του τένις και επειδή είχε αργήσει, έφυγε βιαστικά, παραπάτησε, έπεσε και χτύπησε άσχημα». Η φωνή του της ράγισε την καρδιά. Ο γιος της ήταν πολύ ερωτευμένος και πονούσε μαζί με το κορίτσι του.

«Έρχομαι από κει», του είπε και σηκώθηκε αμέσως από τη θέση της.

«Καλύτερα να έρθεις, μαμά. Οι γονείς της έχουν καταρρεύσει και η Νταϊάν κλαίει ασταμάτητα».

Έκλεισε τη συσκευή και έτρεξε με σβελτάδα ζαρκαδιού προς το σπίτι. Η Μαργκαρίτα μόλις που πρόλαβε να τη δει να ανεβαίνει τις σκάλες με ταχύτητα αστραπής. Κούνησε το κεφάλι της πάνω-κάτω. Τελευταία τα καμώματα της κυράς της ήταν

_____

4. Ένα από τα καλύτερα νοσοκομεία του Λος Άντζελες.

πολύ περίεργα. Καλά είχε βολευτεί τρία χρόνια τώρα στο σπίτι τους. Δεν είχε καμιά όρεξη να χάσει τη δουλειά της, γι' αυτό ας πρόσεχε περισσότερο. Η Κάσι άρχισε να ντύνεται όσο πιο γρήγορα μπορούσε, ενώ διάφορες σκέψεις σφυροκοπούσαν το μυαλό της και ένιωθε να την πνίγει η αγανάκτηση, όπως την έπνιγε το νερό στα όνειρά της. Ποιος διάολος είχε μπλεχτεί στα πόδια τους και τους εμπόδιζε να πραγματοποιήσουν τα σχέδιά τους; Ήταν περισσότερο από σίγουρο ότι η Νταϊάν δε θα τους ακολουθούσε, και αυτό θα μάτωνε την καρδιά του γιου της, που προφανώς δε θα την εγκατέλειπε.

Δε γινόταν διαφορετικά. Το ταξίδι του Άλεξ και της Νταϊάν στην Ελλάδα έπρεπε να ακυρωθεί. Ούτε λόγος να τους ακολουθήσει εκείνος μόνος του. Και δεν ήταν σωστό. Η κατάσταση του κοριτσιού, τόσο η σωματική όσο και η ψυχολογική, ήταν άσχημη και ο Άλεξ δε θα μπορούσε σε καμιά περίπτωση να την αφήσει μόνη και να πάει με τους γονείς του διακοπές στην Ελλάδα. Και ας είχε κάνει τόσα σχέδια γι' αυτό το ταξίδι, κι ας είχε φροντίσει να απέχει από τα γυρίσματα για δύο εβδομάδες. Γιατί τόσο μόνο μπορούσε να λείψει. Ο Σταν, από την πλευρά του, φρόντισε εγκαίρως να μετακινήσει όλα τα ραντεβού του για αργότερα, και σε όσα δεν ήταν απαραίτητη η παρουσία του τα ανέθεσε στους βοηθούς του.

«Λυπάμαι πολύ, μαμά, αλλά όπως καταλαβαίνεις, δεν μπορώ να αφήσω την Νταϊάν μόνη της τώρα που με χρειάζεται».

«Μα φυσικά και δε θα το κάνεις. Το ωραίο βέβαια θα ήταν να πάμε όλοι μαζί, να γνωρίσεις κι εσύ τον τόπο καταγωγής του παππού σου και να δεις αυτό το όμορφο νησί… Τέλος πάντων. Προέχει η υγεία της Νταϊάν… Εμείς μπορούμε να πάμε του χρόνου», του είπε σαν επαγγελματίας ηθοποιός κρύβοντας με εύσχημο τρόπο την απογοήτευσή της. Δεν ήθελε με τίποτε να τον στενοχωρήσει περισσότερο.

Ο Σταν, όμως, δεν πείστηκε από το τάχα ανέμελο ύφος της γυναίκας του και της έπιασε τρυφερά το χέρι. Την καταλάβαινε απόλυτα. Δεν υπήρχε τίποτε χειρότερο από να βγάλεις την Κάσι από το πρόγραμμά της. Τότε ένιωθε σαν χαλασμένο ρομπότ. Η όμορφη γυναίκα του είχε μάθει χρόνια τώρα να προγραμματίζει τα πάντα στη ζωή της με την ακρίβεια ρολογιού. Μερικές φορές μετρούσε και τα δευτερόλεπτα. Γι' αυτό, όταν ορισμένες φορές έκανε πράγματα εκτός προγράμματος, ήταν άξιο απορίας.

«Δηλαδή, η παρουσία μου δε μετράει;» της έκανε χιούμορ.

Η Κάσι χαμογέλασε. «Μα φυσικά, γλυκέ μου, όμως ήθελα τόσο πολύ να είναι και ο Άλεξ μαζί μας».

«Τότε προγραμμάτισε το ταξίδι μας και για του χρόνου», της πρότεινε προσπαθώντας να απομακρύνει την απογοήτευσή της.

Η Κάσι κρύφτηκε στην αγκαλιά του, ενώ ο Άλεξ ετοιμαζόταν να φύγει για το νοσοκομείο. Δεν ήθελε να τον αφήσει μόνο του και σκέφτηκε να ακυρώσει το ταξίδι της, όμως εκείνος της είπε πως δε θα την άφηνε για τίποτε στον κόσμο να το κάνει αυτό. Δεν υπήρχε λόγος, μια και όλες τις ελεύθερες ώρες του θα τις περνούσε κοντά στην Νταϊάν.

Μόλις πέντε μέρες μετά το ατύχημα της Νταϊάν, ο Σταν γύρισε ασυνήθιστα νωρίς στο σπίτι και ιδιαίτερα αγχωμένος. Εκείνη τη στιγμή, η Κάσι εξέταζε τα πράγματα που έπρεπε να συμπληρώσει στη λίστα των αποσκευών της.

«Σταν!» έκανε έκπληκτη. «Μα είναι μόλις έξι η ώρα», είπε κοιτάζοντας το ρολόι της για να βεβαιωθεί ότι δεν είχε κάνει λάθος.

«Έλα, κάθισε, Κάσι. Προέκυψε ένα πολύ σοβαρό πρόβλημα».

«Τι συμβαίνει, αγάπη μου;» ρώτησε ανήσυχη. Το ύφος του δεν της άρεσε καθόλου.

«Δεν ξέρω πώς να σ' το πω…» έκανε λυπημένα.

«Μα τι συμβαίνει, Σταν;»
«Η Άλις Μακ Στίβενς...»
«Η Μακ Στίβενς;» Η Κάσι τον κοίταξε με ενδιαφέρον. Τα τελευταία πέντε χρόνια, η Άλις ήταν το ισχυρότερο χαρτί του Χόλιγουντ. Είχε κερδίσει δύο Όσκαρ και από ηθοποιός δεύτερων, άχρωμων ρόλων, η φήμη και το κασέ της είχαν εκτοξευτεί στα ύψη. Οι μεγαλοπαραγωγοί τής πρόσφεραν γη και ύδωρ για μια θετική της απάντηση και οι υπόλοιποι ηθοποιοί σφάζονταν για ένα ρόλο πλάι της. Η φήμη, βέβαια, ήρθε κάπως καθυστερημένα, κοντά στα σαράντα της, κι αυτό οφειλόταν στο γεγονός ότι ο άνδρας της, ένας ασήμαντος δικηγόρος, την είχε πείσει να αφοσιωθεί στο γάμο τους και στα τρία παιδιά τους, με αποτέλεσμα να παίζει σποραδικά στον κινηματογράφο κάποιους μικρούς ρόλους, σχεδόν αδιάφορους. Ωστόσο η Άλις, έπειτα από δεκαπέντε συνεχόμενα χρόνια έγγαμου βίου και μιας ήρεμης και χαμηλών τόνων ζωής, αποφάσισε ότι δεν άντεχε περισσότερο το ρόλο της νοικοκυράς, γι' αυτό και δέχτηκε την πρόταση για ένα δεύτερο αλλά διόλου ασήμαντο ρόλο δίπλα σε δύο μεγάλα ονόματα του θεάματος. Η ταινία βραβεύτηκε ως η καλύτερη της χρονιάς και η Άλις πήρε το Όσκαρ δεύτερου ρόλου και μαζί με αυτό και το διαζύγιό της. Επιτέλους, έστω και αργά την πρόσεξαν και, το κυριότερο, ήταν ελεύθερη πια να κάνει ό,τι θέλει. Τα παιδιά της είχαν ήδη μεγαλώσει αρκετά και υπήρχε προσωπικό που μπορούσε πλέον να το καλοπληρώνει για να τα προσέχει με τον καλύτερο τρόπο. Οι προτάσεις για αξιόλογους ρόλους, και μάλιστα πρωταγωνιστικούς, άρχισαν να πέφτουν βροχή και η Μακ Στίβενς έκανε ακόμη μια φορά τη σωστή επιλογή. Τον επόμενο χρόνο ήταν και πάλι υποψήφια, για Όσκαρ πρώτου ρόλου αυτή τη φορά, αλλά δεν το πήρε επειδή δόθηκε σε μια παλαίμαχη ηθοποιό, που υπήρξε υποψήφια πολλές φο-

ρές, για να τιμήσουν τη συνολική προσφορά της στο χώρο της έβδομης τέχνης. Την επόμενη χρονιά, όμως, ξανακέρδισε το χρυσό αγαλματίδιο και μαζί μ' αυτό την καταξίωση στη συνείδηση του κόσμου· ένα νέο αστέρι εδραίωνε την παρουσία του πανηγυρικά.

Η Μακ Στίβενς καβάλησε για τα καλά το καλάμι και άρχισε να φέρεται όχι απλώς σαν σταρ, αλλά σαν σούπερ σταρ, με καπρίτσια και ιδιοτροπίες. Ο χρόνος είχε αρχίσει πια να την κυνηγά και δεν είχε περιθώρια να κάνει λάθη. Τα λεφτά ήταν τώρα πάρα πολλά και οι φιλοδοξίες της ασυγκράτητες· έπρεπε να αποκτήσει ακόμη ένα Όσκαρ, που θα έπαιρνε τη θέση του πάνω στο μαρμάρινο περβάζι του τζακιού της στην υπερπολυτελή βίλα της στο Μπελ Έαρ. Βέβαια, το τζάκι δεν είχε ανάψει ποτέ, μια και η Καλιφόρνια έχει σχεδόν όλο το χρόνο ζεστό κλίμα, όμως ένα τζάκι σήμαινε ότι «έχω χρήματα, είμαι πάμπλουτη κι άμα το θελήσω, μπορώ να πείσω και το χειμώνα να μετακομίσει σπίτι μου». Πριν από λίγες εβδομάδες, της είχε προταθεί να πρωταγωνιστήσει σε μια ταινία με θέμα τη βιογραφία μιας ηθοποιού, που είχε περάσει πολλά στη ζωή της και στο τέλος αυτοκτόνησε, όπως εικάζουν, αν και πολλοί υποστηρίζουν ότι ήταν δολοφονία. Η Άλις δεν ήθελε επ' ουδενί να γυρίσει κάποια άλλη πρωταγωνίστρια τα πρώτα χρόνια της νιότης της ηθοποιού. Φοβόταν ότι μπορεί να της έκλεβε όχι μόνο τη δόξα, αλλά και το Όσκαρ. Ήταν παραπάνω από σίγουρο ότι με μια τέτοια παραγωγή, η ταινία θα συγκαταλεγόταν στις υποψήφιες για βράβευση από την Αμερικανική Ακαδημία Κινηματογράφου. Λίγο προτού κλείσει τα σαράντα πέντε, αποφάσισε να κάνει ολικό λίφτινγκ προσώπου και κάποιες άλλες μικροεπεμβάσεις, προκειμένου να ερμηνεύσει, και με τη βοήθεια του μακιγιάζ φυσικά, μια εικοσιπεντάρα. Είχε ήδη μιλήσει με έναν πολύ γνωστό χειρουργό, όμως για κάποιο λόγο την τελευταία στιγμή άλλαξε γνώμη και αποφάσισε ότι ο μόνος κατάλληλος ήταν ο Σταν Πάλμερ. Μια και τα γυρίσματα λοιπόν θα ξεκινούσαν μέσα Αυγούστου στον Καναδά, η επέμβαση έπρεπε να γίνει αμέσως. Ο Σταν είχε ειδοποιηθεί μόλις σήμερα το μεσημέρι. Η ηθοποιός ήρθε μάλιστα να τον επισκεφτεί ινκόγκνιτο, μεταμφιεσμένη, και τον έπεισε πως άξιζε τον κόπο να αναβάλει τις διακοπές με τη γυναίκα του. Η επέμβαση ορίστηκε για τις 20 Ιουνίου, και φυσικά μέχρι την πλήρη ανάρρωση της ηθοποιού ο ίδιος θα έπρεπε να παραμείνει στο Λος Άντζελες.

Η Κάσι σχεδόν κατέρρευσε. Τα μάτια της βούρκωσαν. Δεν μπορούσε να πιστέψει ότι τα σχέδιά της ακυρώνονταν το ένα μετά το άλλο. Από την άλλη, όμως, γνώριζε πολύ καλά ότι για τον Σταν η δουλειά του και, κυρίως, η φήμη του έπαιζαν κάποιες φορές πρωτεύοντα ρόλο. Όχι πως αν είχε ανάγκη η οικογένειά του θα τους εγκατέλειπε, όμως οι διακοπές δεν ήταν σοβαρός λόγος για να αρνηθεί μια τέτοια ευκαιρία. Αν η Μακ Στίβενς έβγαινε ευχαριστημένη από το χειρουργείο του, αυτό θα ενίσχυε αυτομάτως τη φήμη του και την ικανότητά του ως γιατρού. Γιατί η αλήθεια ήταν πως τελευταία του χρειαζόταν μια τονωτική ένεση, μια και δύο άλλοι ικανοί πλαστικοί χειρουργοί εμφανίστηκαν στο προσκήνιο και άρχισαν να κερδίζουν έδαφος στον λαμπερό και ματαιόδοξο κόσμο του θεάματος. Δεν μπορούσε να του αρνηθεί αυτή την ευκαιρία. Όταν είσαι γυναίκα γιατρού, εκείνο που μαθαίνεις καλά είναι ότι ο άνδρας σου ανήκει πρώτα στους ασθενείς του και μετά σε σένα.

Παρ' όλα αυτά, ο Σταν την ενθάρρυνε να κάνει μόνη της αυτό το ταξίδι. Το πολύ πολύ, μόλις η Μακ Στίβενς ανέρρωνε πλήρως, να πήγαινε εκείνος να τη βρει στην Αμοργό, έστω και για μία εβδομάδα, και να επέστρεφαν μαζί πίσω. Η Κάσι το σκέφτηκε πολύ όλο το βράδυ προτού αποφασίσει να μην ακυρώσει το δικό της εισιτήριο. Ο άνδρας της είχε δίκιο. Ο Άλεξ βρισκόταν στο προσκεφάλι της Νταϊάν και τώρα ο Σταν θα ήταν στο προσκεφάλι της Μακ Στίβενς. Ποιος ο λόγος να κάθεται στο σπίτι και να περνάει άσκοπα τον καιρό της; Βέβαια, ποτέ της δεν είχε ταξιδέψει μόνη της τόσο μακριά, όμως, διάολε, στο κάτω κάτω, θα βρισκόταν στην Ελλάδα, θα ήταν στη δική της γη, μιλούσε κάπως τη γλώσσα, μπορούσε να συνεννοηθεί με κάποιο τρόπο. Γιατί όχι λοιπόν; Ξαφνικά, μέχρι το ξημέρωμα η επιθυμία της θέριεψε και τελικά πήρε την απόφασή της. Τίποτε δε θα την έβγαζε εκτός προγράμματος. Θα πήγαινε στην Ελλάδα, θα πήγαινε στην Αμοργό και θα προσκυνούσε και τον τάφο της γιαγιάς Κασσάνδρας.

Αντί να δυσανασχετήσει λόγω της πολύωρης πτήσης πάνω από τον Ατλαντικό, αισθανόταν όμορφα. Καθισμένη στην άνετη πολυθρόνα της πρώτης θέσης, η Κάσι νανουριζόταν από το ελαφρύ τράνταγμα του τεράστιου αεροσκάφους. Χαμογέλασε καθώς είδε με την άκρη του ματιού της τη μεσόκοπη κυρία της ακριανής θέσης στον διπλανό διάδρομο, φορτωμένη με πανάκριβα κοσμήματα, να χαπακώνεται διακριτικά για πολλοστή φορά, ενώ ήδη είχε γίνει φέσι από τα πάμπολλα ποτήρια σαμπάνιας που είχε καταναλώσει. Ήταν ολοφάνερο ότι φοβόταν, και στον παραμικρό θόρυβο ή κραδασμό του αεροπλάνου, γράπωνε αμέσως τα μπράτσα του καθίσματός της και το πρόσωπό της πέτρωνε και άσπριζε σαν να την είχαν ασβεστώσει. Μάταια ο σύντροφός της προσπαθούσε να την ηρεμήσει κρατώντας το χέρι της. Τι παράξενο. Η ίδια δε φοβόταν καθόλου τα αεροπλάνα. Το αντίθετο, μάλιστα· τα λάτρευε. Αν δεν ήταν η κυρία Σταν Πάλμερ με τα πολλά λεφτά, θα μπορούσε άνετα να είναι μια χαριτωμένη αεροσυνοδός που θα γυρνούσε τον κόσμο πετώντας με ένα αεροπλάνο. Η αλήθεια ήταν ότι κάποτε της είχε περάσει αυτή η ιδέα από το μυαλό. Αλλά δε γνώριζε άλλη γλώσσα πέρα από τα αγγλικά και δεν είχε διάθεση και να μάθει. Αν τότε της έλεγαν ότι κάποτε θα προσλάμβανε δάσκαλο για να μάθει ελληνικά, θα είχε ξεκαρδιστεί στα γέλια. Ναι, ίσως και να γινόταν. Κανένα κενό αέρος δε θα μπορούσε να την τρομάξει όσο η ιδέα να μην πατώνει στο νερό. Βέβαια, κάτω από τα πόδια της εκείνη τη στιγμή έχασκε ένας ολόκληρος ωκεανός, όμως οι πιθανότητες να βρεθεί εκεί μέσα ήταν μηδαμινές. Η Κάσι πίστευε στην ασφάλεια των πτήσεων, όσο και ένας καλός πιστός στον Θεό του.

Κοίταξε το πανάκριβο ολόχρυσο Vacheron Constantin ρολόι της. Σε λιγότερο από δύο ώρες θα προσγειωνόταν στο Λονδίνο. Από εκεί, σε μία ώρα το αργότερο θα απογειωνόταν για την Αθήνα και τρεισήμισι ώρες μετά θα προσγειωνόταν στην ελληνική πρωτεύουσα. Τα πάντα μέχρι στιγμής πήγαιναν όπως ήταν προγραμματισμένα και η ίδια αισθανόταν πανευτυχής γι' αυτό. Έκλεισε τα μάτια της ευχαριστημένη. Πόσο παράξενο ήταν να νιώθει τόσο ασφαλής στον αέρα και τόσο τρομοκρατημένη σε μια σταλιά νερό. Οι περισσότεροι φυσιολογικοί άνθρωποι προτιμούσαν το πλοίο και μετά το αεροπλάνο. Γιατί άραγε της συνέβαινε αυτό; Όσο κι αν είχε ψάξει στα άδυτα του μυαλού της για απαντήσεις, δεν πήρε καμιά. Όσο όμως θυμόταν τον εαυτό της, παιδί ακόμη, την έπιανε ένας αδικαιολόγητος φόβος στη θέα του νερού, ένα ανεξέλεγκτο αίσθημα πανικού, τρόμου και φυγής. Ακόμη και στην Αμοργό, το μόνο μέρος στον κόσμο όπου η θάλασσα τη γαλήνευε, αρνιόταν πεισματικά να ακολουθήσει τα άλλα παιδιά και να προχωρήσει πιο βαθιά από το σημείο όπου το νερό έφθανε στη μέση της. Και πολύ ήταν. Ευτυχώς που το χωριό της γιαγιάς δεν ήταν παραθαλάσσιο και οι επισκέψεις στην ακρογιαλιά γίνονταν μόνο κάθε Κυριακή, όταν ο πατέρας της Ποθητής τις κατέβαζε στο γιαλό με ένα σαράβαλο τρίκυκλο που είχε. Φόρτωνε στην καρότσα όσα πιτσιρίκια μπορούσε να χωρέσει, έβαζε και τη γυναίκα του στο πίσω κάθισμα και κατέβαιναν όλοι μαζί από νωρίς στην πλησιέστερη ακρογιαλιά. Εκεί έμεναν όλη τη μέρα, έτρωγαν τα φαγητά που είχαν μαγειρέψει η γυναίκα του ή η γιαγιά της και αργά το απόγευμα, λίγο προτού δύσει ο ήλιος, επέστρεφαν όλοι πίσω ξεθεωμένοι από τον ήλιο και τα ατελείωτα παιχνίδια.

Η Κάσι αναστέναξε. Όμορφα χρόνια, ξέγνοιαστα, ευτυχισμένα. Κι ας μην είχε τις ανέσεις της Αμερικής. Κι ας μην είχε τα παιχνίδια του σπιτιού της. Κι ας μην είχε καν τους γονείς της μαζί. Για εκείνη όλος ο κόσμος ήταν η γιαγιά της, οι φίλοι, τα ατελείωτα τσιροκοπήματά τους στους χωματόδρομους του χωριού. Τριγύριζε ξυπόλυτη, όπως τα περισσότερα παιδιά, με ένα σορτσάκι και μια μακό μπλούζα, και ήταν γεμάτη ενέργεια και όρεξη για κάθε πρόκληση της ζωής. Θυμόταν, το ίδιο ζωντανά ακόμη, εκείνη την κατάβαση σ' ένα φαράγγι, ανάμεσα από βράχους, πέτρες και φίδια για να φθάσουν σε μια άγρια ακρογιαλιά, με τεράστια βράχια γύρω γύρω μέχρι μέσα, στο βάθος της θάλασσας. Αλήθεια, ποιο μέρος ήταν εκείνο; Θυμόταν ακόμη εκείνο το μοναστήρι που ήταν χτισμένο στην εσοχή ενός βράχου, στην πλαγιά του βουνού, και που μέχρι να ανεβούν τα πάμπολλα σκαλοπάτια του, της είχε φθάσει η ψυχή στο στόμα. Πώς το έλεγαν; Δε θυμόταν καθόλου. Εκείνο που την έμελε ήταν να βρει πρώτα τους φίλους της στο χωριό της γιαγιάς και μετά, με τη βοήθειά τους, να τα θυμηθούν όλα. Είχε μαζί της κοπιαρισμένες τις παλιές φωτογραφίες τους, τους είχε φέρει δώρα.

Καθώς το ταξί τη μετέφερε από το Διεθνές Αεροδρόμιο Αθηνών στο ξενοδοχείο *Μεγάλη Βρετανία*, στην καρδιά της Αθήνας, η Κάσι είχε μείνει άναυδη με όλα αυτά που αντίκριζαν τα μάτια της. Ήταν απίστευτο πόσο πολύ είχε αλλάξει η πόλη. Καμία σχέση με εκείνη των παιδικών της χρόνων. Την τελευταία φορά που είχε έρθει ήταν το 1974, όταν ήταν κοντά δεκατριών χρόνων. Οι δρόμοι σχεδόν άδειοι από αυτοκίνητα και όσα κυκλοφορούσαν ήταν παλιά και αστεία, τα κτίρια σχετικά μικρά και αδιάφορα, τα καταστήματα απλά, χωρίς φανταχτερές βιτρίνες, οι άνθρωποι απρόσωποι, σχεδόν αόρατοι. Τώρα το κυκλοφοριακό ήταν απίστευτο, τα αυτοκίνητα ακριβά και σύγχρονα, οι γυναίκες οδηγοί πάμπολλες, η Αθήνα απλωμένη και τεράστια, τα κτίρια μοντέρνα και πανύψηλα, οι βιτρίνες εντυπωσιακές, οι άνθρωποι στους δρόμους καλοντυμένοι και όμορφοι. Η παρουσία της νεολαίας παντού, ντυμένοι όλοι με τα χρώματα της νιότης, γεμάτοι ζωντάνια, θυμίζοντας έντονα Αμερική. Και ένας ήλιος χρυσός, μοναδικός, υπέροχος, το μόνο πράγμα που δεν είχε αλλάξει, το μόνο που της θύμιζε την Ελλάδα των παιδικών της χρόνων. Το ταξί σταμάτησε στην κεντρικότερη πλατεία της πόλης, την πλατεία Συντάγματος, που όπως έλεγε ο ταξιδιωτικός της οδηγός, εκεί βρίσκονταν τα ανάκτορα των βασιλέων της Ελλάδας, Όθωνα και Αμαλίας, που κάποτε κυβερνούσαν τη χώρα, και τώρα ήταν η Βουλή των Ελλήνων.

Όταν τακτοποιήθηκε στην πολυτελή σουίτα που της είχε κλείσει ο ταξιδιωτικός πράκτορας από το Λος Άντζελες, το πρώτο πράγμα που έκανε ήταν να σταθεί στο παράθυρο του πρόσφατα ανακαινισμένου υπερπολυτελούς ξενοδοχείου και να αντικρίσει τον Παρθενώνα. Τον θυμόταν κάπως αμυδρά, όταν έμεναν τότε στην Αθήνα για μια-δυο μέρες μέχρι να πάνε Αμοργό, όμως ποτέ δεν είχαν το χρόνο να επισκεφτούν από κοντά το αρχαίο μνημείο. Αυτή τη φορά θα το έκανε, και ήταν το πρώτο πράγμα που φρόντισε να προγραμματίσει. Αύριο κιόλας, θα ερχόταν ο προσωπικός της ξεναγός με αυτοκίνητο, που τον είχε κλεισμένο μαζί με το πακέτο της πανάκριβης διαμονής της. Μόνο για την Αθήνα. Την Αμοργό ήθελε να την εξερευνήσει η ίδια, σπιθαμή προς σπιθαμή, χωρίς τη βοήθεια ξεναγών, ίσως μόνο των πρώην φίλων της, ή των Αμοργιανών. Εδώ, όμως, χρειαζόταν βοήθεια. Προς το παρόν τής χρειαζόταν ένα δροσερό ντους, λίγη χαλάρωση και αργότερα μια απογευματινή βόλτα στον πιο γνωστό εμπορικό δρόμο της πόλης, την οδό Ερμού, όπως έγραφαν τα χαρτιά της. Η απογευματινή δροσούλα την έκανε να αισθάνεται ξεκούραστη, παρά τη διαφορά της ώρας. Έριξε μια ματιά στο ρολόι της. Η ώρα πλησίαζε έξι το απόγευμα. Την ίδια στιγμή στο Λος Άντζελες η ώρα ήταν οκτώ το πρωί. Αυτή τη στιγμή ο Σταν συνήθως έφθανε στο νοσοκομείο και, ανάλογα με την επέμβαση που είχε να κάνει, γύρω στις εννιά ή στις δέκα έμπαινε στο χειρουργείο. Με τις πολύωρες πτήσεις και την αλλαγή της ώρας δεν είχε μιλήσει καθόλου μαζί του, είχε φροντίσει όμως να στείλει σε όλους μηνύματα για να τους ενημερώσει ότι είχε φθάσει πια στην Αθήνα και ήταν πολύ καλά. Έβγαλε το κινητό της και σχημάτισε τον αριθμό του κινητού του. Απάντησε σχεδόν αμέσως.

«Επιτέλους, αγάπη μου, ανησύχησα. Είσαι καλά;»

«Μη μου πεις ότι άρχισα να σου λείπω;»

«Και βέβαια μου λείπεις. Από το πρώτο λεπτό».

«Δεν είσαι καλός ψεύτης, Σταν. Η δουλειά σου είναι εκείνη που θα σου λείπει πάντα».

«Γιατί έχω την εντύπωση ότι μου κρατάς κακία που δεν ήρθα μαζί σου;»

«Δε σου κρατώ καμιά κακία, χαζούλη μου. Το ξέρω ότι έπρεπε να μείνεις. Και να ξέρεις ότι σε αγαπάω και μου λείπεις πολύ».

«Κι εγώ σ' αγαπάω και σε έχω στη σκέψη μου συνεχώς. Πού είσαι τώρα; Ακούω φασαρία».

«Έξω, σε μια κεντρική αγορά. Λέω να χαζέψω λιγάκι και ίσως και να ψωνίσω κάποια πράγματα».

«Και πολύ καλά θα κάνεις. Να μην υπολογίσεις τα χρήματα. Ό,τι σου αρέσει να το χρεώσεις στις κάρτες σου. Γι' αυτό δουλεύω τόσο πολύ. Για να έχεις ό,τι σου αρέσει».

«Σ' ευχαριστώ, αγάπη μου», του είπε συγκινημένη. «Σ' ευχαριστώ για όλα. Είμαι μια πολύ τυχερή γυναίκα».

«Πώς σου φαίνεται η Αθήνα;»

«Τι να σου πω. Δεν πρόλαβα να τη δω. Από αύριο αρχίζει η περιήγηση. Ο Άλεξ είναι καλά; Δε θέλω να τον ξυπνήσω ακόμη».

«Πολύ καλά είναι. Τώρα που δε δουλεύει για δύο εβδομάδες, ξημεροβραδιάζεται στο προσκεφάλι της Νταϊάν. Για να είμαι ειλικρινής, τέτοια αφοσίωση δεν την περίμενα από το γιο μας».

«Μοιάζει της μάνας του».

«Προσπαθείς να μου πεις κάτι;» ακούστηκε ενοχλημένη η φωνή του Σταν.

«Μα, αγάπη μου, τι έχεις πάθει; Ένα αστείο έκανα».

«Μωρό μου, δυστυχώς πρέπει να κλείσω. Με καλούν από το χειρουργείο».

«Εντάξει. Καλή επιτυχία και να μην παρακουράζεστε. Κι εσύ και ο Άλεξ. Σ' αγαπάω».

Η γραμμή έκλεισε και η Κάσι κοίταξε το κινητό της. Μετά έβαλε την υπενθύμιση σε δύο ώρες για να τηλεφωνήσει στον Άλεξ, στη Σάρον και στους γονείς της. Η Κάσι δεν είχε πια λόγο να αισθάνεται άσχημα. Ο πεζόδρομος της Ερμού ήταν γεμάτος από χαρούμενο κόσμο που βάδιζε χωρίς να βιάζεται, χαζεύοντας τις βιτρίνες ή συζητώντας. Βέβαια, καμία σχέση με τη Ροντέο Ντράιβ στο Μπέβερλι Χιλς. Εκεί τα κτίρια ήταν χαμηλά και υπήρχαν παντού φοίνικες. Οι βιτρίνες πανάκριβες και οι πωλήτριες και οι πωλητές καλοντυμένοι, σαν να πήγαιναν σε κινηματογραφική πρεμιέρα. Και φυσικά μόνο μια πλατινένια βίζα μπορούσε να αντεπεξέλθει στο ύψος τέτοιων αγορών. Αντίθετα, εδώ τα πράγματα ήταν απλά και οι τιμές αστείες. Οι πωλήτριες ήταν κάπως χύμα και φώναζαν πολύ. Όχι πως δεν ήταν ευγενικές, αλλά έδιναν την εντύπωση ότι δούλευαν σε κάποιο καμπαρέ και όχι σε κατάστημα ρούχων. Κάποιες, μάλιστα, κάπνιζαν ή τσιμπολογούσαν. Αν ήταν ποτέ δυνατόν να συμβεί κάτι τέτοιο στην Αμερική. Είχαν δίκιο που έλεγαν ότι η Ελλάδα είχε μια δόση τρέλας.

Έξω από τα καταστήματα στον πεζόδρομο, μαύροι πραματευτές είχαν στρώσει στο δρόμο το εμπόρευμά τους, κυρίως απομιμήσεις επώνυμων τσαντών, και ειδικότερα Louis Vuitton. Η Κάσι δεν άντεξε στον πειρασμό να ψαχουλέψει μερικές από δαύτες για να διαπιστώσει ότι κάποιες ήταν πολύ καλές για απομιμήσεις. Δεν μπήκε όμως στον κόπο καν να σκεφτεί να αγοράσει κάποια. Θα ήταν αστείο, όταν στο προσωπικό βεστιάριό της, εμβαδού πενήντα τετραγωνικών μέτρων, είχε περίπου διακόσιες επώνυμες τσάντες όλων των σχεδίων και χρωμάτων, ενώ κάθε σεζόν φρόντιζε να εμπλουτίζει τη συλλογή της. Βέβαια, μαζί της είχε πάρει μόνο μία μεγάλη Gucci, ώστε να χωράει αρκετά, μία τσάντα μέσης Gucci, καθώς και μία βραδινή καλοκαιρινή Vuitton. Τίποτε άλλο. Ήθελε αυτή η παραμονή της να είναι όσο πιο απλή γινόταν. Εξάλλου, η Αμοργός δε φημιζόταν για την κοσμικότητά της, όπως η Μύκονος και η Σαντορίνη, αν και σκεφτόταν να πεταχτεί για λίγες μέρες στα δυο νησιά. Το πολύ πολύ, αν χρειαζόταν κι άλλη τσάντα, θα την αγόραζε από εκεί. Απ' ό,τι είχε πληροφορηθεί, η Μύκονος ειδικά ήταν ένα μικρό Παρίσι στα ψώνια.

Πέρασε όλο το απόγευμα χαζεύοντας στα μαγαζιά, ψώνισε κάποια πράγματα και δε σταμάτησε παρά όταν έκλεισαν τα καταστήματα και οι δρόμοι άρχισαν να αδειάζουν. Δεν επέστρεψε όμως στη μοναξιά της υπερπολυτελούς σουίτας της παρά προτίμησε, αν και φορτωμένη με σακούλες, να συνεχίσει τη βόλτα της στα στενά της περίφημης Πλάκας με τη βοήθεια του χάρτη και των σημειώσεων που είχε μαζί της. Η Πλάκα ήταν η πρώτη και επομένως η πιο παλιά γειτονιά της Αθήνας σε απόσταση αναπνοής από το Σύνταγμα, και διατηρούσε ακόμη τα κτίσματα και το χρώμα των αλλοτινών χρόνων της. Είχε κηρυχθεί φυσικά διατηρητέα, μια ανάσα δροσιάς ανάμεσα από τα ψηλά τσιμεντένια κτίρια, που είχαν πια αντικαταστήσει τα άλλοτε αρχοντικά με τα περίφημα σκαλίσματά τους και την ιδιαίτερη αρχιτεκτονική τους. Ήταν από τα μεγαλύτερα εγκλήματα που έκανε ποτέ άνθρωπος σ' αυτό τον τόπο. Δυστυχώς στο όνομα του εύκολου πλουτισμού, είχαν θυσιαστεί τα όνειρα και η μοναδική μαεστρία κάποιων σπουδαίων ανθρώπων που πίστεψαν ότι θα μείνουν αθάνατα. Ο Νεοέλληνας όμως δεν είχε την αισθητική και το γούστο που θα έπρεπε και, όταν κατάλαβε το μέγεθος της καταστροφής, ήταν πια πολύ αργά. Ευτυχώς που για κάποιο περίεργο λόγο η Πλάκα σώθηκε. Όλα αυτά της τα είχε πει ο πατέρας της, που διάβαζε και μελετούσε πάντα οτιδήποτε αφορούσε τον ελληνικό πολιτισμό.

Την Πλάκα τη βρήκε έτσι όπως ακριβώς την είχε αφήσει τότε, όταν γευμάτιζαν εδώ με τον πατέρα της, κατά την παραμονή τους στην Αθήνα. Κάθισε σ' ένα γραφικό ταβερνάκι και ζήτησε να της φέρουν τζατζίκι, εκείνη τη φοβερή συνταγή με γιαούρτι, πολύ σκόρδο, αγγούρι και ξίδι, μελιτζανοσαλάτα, δηλαδή μια σαλάτα με λιωμένες ψητές μελιτζάνες, γεμιστά, δηλαδή ντομάτες και πιπεριές στο φούρνο με γέμιση ρυζιού και κιμά, και ένα καραφάκι ρετσίνα, δηλαδή ντόπιο λευκό κρασί. Αυτό και αν ήταν γεύμα. Και παρότι είχε φτιάξει πολλές φορές γεμιστά στο σπίτι της, τούτα εδώ δεν είχαν καμιά σχέση με τα δικά της. Άλλη γεύση, άλλη μυρωδιά, άλλη νοστιμιά. Τα απόλαυσε μέχρι και την τελευταία μπουκιά, χαζεύοντας το πολύβουο πλήθος γύρω της. Ύστερα, μισοζαλισμένη από το κρασί και χαμογελώντας συνεχώς, πήρε το δρόμο για το ξενοδοχείο της. Ήταν το πρώτο όμορφο βράδυ της στην πιο μαγευτική πόλη του κόσμου.

Την επομένη, νωρίς το πρωί, εφοδιασμένη με την Olympus, την ψηφιακή φωτογραφική μηχανή της, και με μια βιντεοκάμερα σε μέγεθος παλάμης, ήταν πανέτοιμη να ακολουθήσει τον ξεναγό της, ένα χαριτωμένο νεαρό που είχε πολλές γνώσεις όχι μόνο για τη ζωή των αρχαίων Ελλήνων, που δημιούργησαν έναν αξεπέραστο πολιτισμό, αλλά και για τη ζωή των σύγχρονων Ελλήνων, που άραζαν στα υπαίθρια καφέ και λιάζονταν με τις ώρες, προκαλώντας το εύλογο ερώτημα: Μα, καλά, στην Ελλάδα δεν εργάζεται κανείς; Ο Παρθενώνας της άρεσε πολύ και έβγαλε πολλές φωτογραφίες, τράβηξε βίντεο, έμαθε πολλά για την ιστορία των αρχαίων προγόνων της, που τη μάγεψαν με τον πολιτισμό τους και τις φιλοσοφικές τους αντιλήψεις για τη ζωή. Γιατί η ίδια δε γνώριζε τίποτε από όλα αυτά;

Μόλις ανακάλυπτε ότι οι Αμερικανοί δεν είχαν να επιδείξουν κάποιον αξιόλογο πολιτισμό σε σύγκριση με τους Έλληνες, και ότι οι γνώσεις τους περιορίζονταν μόνο σε θέματα σχετικά με τη χώρα τους, σαν να μην υπήρχε άλλο κράτος στον πλανήτη. Οι κάτοικοι του Λος Άντζελες αναλώνονταν σε ατέρμονες συζητήσεις γύρω από τα μεγάλα ονόματα των σταρ του Χόλιγουντ, ποια ταινία θα γυριστεί, ποιος σταρ ερωτεύτηκε ή παντρεύτηκε ποιον, ενδιαφέρονταν για τα γυμνασμένα μαυρισμένα κορμιά τους, πού θα φάνε και με ποιον, πού θα ψωνίσουν και τι, πώς θα γίνουν πλούσιοι ή πώς θα παντρευτούν κάποιον πλούσιο και πώς θα ξεφύγουν από την αφάνεια. Αν ο τάδε ατζέντης μπορεί να τους κάνει διάσημους ή όχι, αν ο δείνα παραγωγός θα γοητευτεί μαζί τους και θα τους δώσει ένα ρόλο, έστω κι αν χρειαστεί να του κάνουν την καλύτερη πίπα της ζωής του ή να τους την κάνει αυτός, αν ο τάδε σκηνοθέτης θα παραβρεθεί σε εκείνο το πάρτι όπου εργάζονται περιστασιακά ως σερβιτόροι και θα τους προσέξει, αν ο άνδρας τους είναι ένας επιτυχημένος πολίτης αυτής της μαγικής πόλης που ονομάζεται L.A., αν, αν, αν.... Κάπως έτσι συμπεριφερόταν και η ίδια, πιστεύοντας ότι ήταν στην κορυφή του κόσμου, και τώρα μόλις ανακάλυπτε ότι ήταν μια αμόρφωτη πλούσια Αμερικανίδα με ένδοξες ελληνικές ρίζες για τις οποίες έπρεπε να είναι πολύ υπερήφανη και ότι έπρεπε να φροντίσει να μάθει περισσότερα. Όπως το όνομά της, για παράδειγμα.

Η Κασσάνδρα ήταν η κόρη του βασιλιά της Τροίας, Πριάμου, και αδελφή του Πάρη, που έκλεψε την ωραία Ελένη της Ελλάδος. Ήταν ξακουστή για την ομορφιά της και ο μύθος λέει πως ο θεός Απόλλωνας την ερωτεύτηκε και, για να την πείσει να δεχτεί τον έρωτά του, της υποσχέθηκε να της χαρίσει τη μαντική τέχνη. Εκείνη αρχικά δέχτηκε, αλλά αφού της δόθηκε το δώρο της μαντικής, αρνήθηκε να ενδώσει στον Απόλλωνα, ο οποίος θύμωσε μαζί της και την καταράστηκε να προλέγει μεν τις συμφορές αλλά να μη γίνονται πιστευτές οι προφητείες της από κανένα. Έτσι, όταν προέβλεψε τον αφανισμό της Τροίας, προσπαθώντας να πείσει τους Τρώες να μη βάλουν μέσα στην πόλη τον Δούρειο Ίππο, κανένας δεν άκουσε τις προειδοποιήσεις της. Η ιστορία λέει πως ο βασιλιάς του Άργους, Αγαμέμνονας, την πήρε μαζί του στο Άργος ως παλλακίδα, προκαλώντας το μένος της γυναίκας του, Κλυταιμνήστρας, που ένα βράδυ έσφαξε με τσεκούρι την όμορφη πριγκίπισσα. Τελικά το όνομά της κουβαλούσε μια βαριά ιστορία, που την αγνοούσε παντελώς, αν και η ιστορία του Τρωικού Πόλεμου της ήταν λίγο πολύ γνωστή και αυτό χάρη στην επική ταινία του Χόλιγουντ με πρωταγωνιστή τον Μπραντ Πιτ[1].

Βομβάρδισε με όσο πιο πολλές ερωτήσεις μπορούσε τον ξεναγό της, του ζήτησε να της προτείνει βιβλία, συζήτησε μαζί του. Φυσικά δεν έχασε την ευκαιρία για βόλτες με το αυτοκίνητο μέχρι τη θάλασσα, στα νότια προάστια, περίπου δεκαπέντε με είκοσι λεπτά από το κέντρο, γευμάτισε στον Πειραιά, στο Πασαλιμάνι, στις ταβέρνες όπου σέρβιραν ολόφρεσκα σπαρταριστά ψάρια και αστακούς, ενώ τα μικρά κότερα που ήταν αραγμένα μπροστά στην προβλήτα λικνίζονταν στο απαλό αεράκι. Ο περίπατός της συνεχίστηκε μέχρι τα βόρεια προάστια, καταλήγοντας στην Κηφισιά· εκεί η αγορά τής θύμισε λίγο το Μπέβερλι Χιλς. Τα κτίρια ήταν χαμηλά, υπήρχε πράσινο και κυρίως οι τιμές στις μπουτίκ ήταν αντάξιες αυτών της Ροντέο Ντράιβ. Γενικά χάζεψε τους κεντρικότερους δρόμους της Αθήνας, ήπιε έναν καφέ φρέντο στην πλατεία Κολωνακίου, την πιο σικ περιοχή του κέντρου, όπου οι κοσμικοί συναντούσαν τους διανοούμενους, οι πλούσιοι τους φτωχούς, οι πολιτικοί τους οπαδούς τους, οι διάσημοι τους άσημους και όλοι μαζί τη μόδα. Δεν υπήρχε περίπτωση να δεις ούτε έναν κακοντυμένο στο Κολωνάκι. Έτσι της είχε πει ο ξεναγός, όμως εκείνη είδε αρκετούς. Όχι κακοντυμένους, αλλά φτωχοντυμένους που παρίσταναν τους πλούσιους...

Για τρεις μέρες απόλαυσε την περιήγησή της στην Αθήνα από το πρωί ως το βράδυ, ενώ τη σουίτα της, που την είχε χρυσοπληρώσει, την έβλεπε μόνο για ύπνο. Την τέταρτη μέρα το μεσημέρι βρέθηκε στο λιμάνι του Πειραιά, να επιβιβάζεται στο τεράστιο πλοίο που θα τη μετέφερε στο νησί των παιδικών της

---

1. Διάσημος Αμερικανός ηθοποιός.

χρόνων. Μπήκε στην καμπίνα της και μετά, αφού άφησε τα πράγματά της, βγήκε για σεργιάνι στον κάτω όροφο, όπου βρισκόταν το σαλόνι των επιβατών της δεύτερης θέσης, σνομπάροντας τους επιβάτες της πρώτης. Πήρε έναν καπουτσίνο και μια τάρτα μήλου από το μπαρ και άραξε σ' ένα μονό τραπεζάκι δίπλα στα μεγάλα παράθυρα. Το μεγαθήριο είχε ήδη ξεμακρύνει και ο Πειραιάς φάνταζε σαν κουκκίδα. Κοίταξε τη σκούρα θάλασσα και σκέφτηκε ότι έπλεαν σε πολύ βαθιά νερά. Ασυναίσθητα έβαλε το χέρι της κάτω από το κάθισμα ώσπου τα δάχτυλά της εντόπισαν το σωσίβιο. Ήταν πάντα το πρώτο πράγμα που έλεγχε στα θαλάσσια ταξίδια της. Αισθάνθηκε καλύτερα. Λίγο αργότερα της έκανε εντύπωση που το χρώμα του νερού, παρότι είχε σκουρύνει ακόμη περισσότερο και ήταν σχεδόν μαύρο, τη γοήτευσε παρά τη φόβισε. Κι ήταν στ' αλήθεια περίεργο, γιατί αυτό το συναίσθημα το ένιωθε για πρώτη φορά. Άρχισε να σκοτεινιάζει πια και το ταξίδι των πέντε ωρών θα τελείωνε στα Κατάπολα, το ένα από τα δύο λιμάνια του νησιού, γύρω στις δέκα το βράδυ. Επέστρεψε στην καμπίνα της και ξεκουράστηκε λιγάκι, διαβάζοντας ένα βιβλίο στα αγγλικά, το οποίο αγόρασε από το πλοίο, και αφορούσε την ελληνική Ιστορία.

Η αναγγελία για την άφιξη στο νησί την ξύπνησε από τον ελαφρύ υπνάκο που είχε πάρει αγκαλιά με το βιβλίο. Πετάχτηκε από το διπλό κρεβάτι της και βγήκε έξω στο κατάστρωμα. Από μακριά τα αμυδρά φώτα του νησιού την καλωσόρισαν. Ένιωσε την καρδιά της να χτυπά σαν ταμπούρλο, τόσο δυνατά, που την κράτησε με το χέρι της. Μια περίεργη ευφορία την κυρίευσε και την έκανε σχεδόν να δακρύσει από χαρά και νοσταλγία.

Στο λιμάνι των Καταπόλων ξεχώρισε με άνεση τον άνδρα με την πινακίδα στα χέρια που έγραφε με τεράστια γράμματα «MRS. CASSY PALMER». Ο γεροδεμένος άνδρας την καλωσόρισε και άδραξε τη μεγάλη βαλίτσα της, αφήνοντας στην Κάσι να τσουλάει μια μικρότερη, και την οδήγησε μέχρι το λευκό κλειστό φορτηγάκι που έγραφε επάνω του το όνομα του ξενοδοχείου όπου θα διέμενε στη Χώρα, όπως έλεγαν την πρωτεύουσα κάθε ελληνικού νησιού. Κατόπιν φόρτωσε τα πράγματά της και ξεκίνησαν για το ξενοδοχείο, ακολουθώντας ένα φιδογυριστό δρόμο που οδηγούσε στο βουνό, σε απόσταση πέντε χιλιομέτρων από το λιμάνι.

Μάταια προσπαθούσε να ξεχωρίσει από τον ελάχιστα φωτισμένο δρόμο σημάδια του παρελθόντος. Εξάλλου τότε, ποτέ δεν ξεμυτούσε από το σπίτι βράδυ και κοιμόταν σχετικά νωρίς, για να ξυπνήσει με το πρώτο φέγγισμα του ήλιου. Το δεκαπεντάλεπτο ταξίδι τής φάνηκε αιώνιο, τυλιγμένη καθώς ήταν στις σκιές των σκέψεών της, ψάχνοντας για τη δική της Αμοργό, ώσπου το φορτηγάκι σταμάτησε μπροστά από το μεγάλο ολόλευκο κτίριο. Λίγο αργότερα βρισκόταν στο δωμάτιό της, προφανώς το καλύτερο του ξενοδοχείου, το οποίο όμως της φάνηκε πάρα πολύ λιτό σε σχέση με τα εκπληκτικά ξενοδοχεία όπου συνήθιζε να διαμένει. Παρ' όλα αυτά, ήταν αρκετά ευρύχωρο, είχε δύο μπαλκονόπορτες που κοίταζαν σε δύο διαφορετικά σημεία του νησιού, είχε ξύλινα δοκάρια στο ταβάνι, βαμμένα στο χρώμα της θάλασσας, διπλό σιδερένιο λευκό κρεβάτι που έμοιαζε με αντίκα, με ουρανό πάνω του απ' όπου κρέμονταν αραχνοΰφαντες λευκές κουρτίνες, ήταν πεντακάθαρο, είχε ψυγείο, έστω και μικρό, κλιματιστικό, τηλεόραση και τηλέφωνο. Μα τι στο καλό έψαχνε να βρει στο νησί; Την πολυτέλεια ή τη χαμένη της αθωότητα; Συμφώνησε ότι έψαχνε το δεύτερο και συμβιβάστηκε με την ιδέα ότι καιρός να συνηθίσει και στην απλότητα, κάτι που είχε ξεχάσει εδώ και πάρα πολλά χρόνια. Διαπίστωσε έκπληκτη ότι η ιδέα αυτή την κέντριζε ευχάριστα και σκέφτηκε ότι ένα από τα λάθη των ανθρώπων είναι να πιστεύουν ότι ο πλούτος είναι συνώνυμο της ευτυχίας. Γυρίζοντας πίσω και σε σύγκριση με το παρόν, ίσως τη μεγαλύτερη ευτυχία την ένιωσε εδώ, στο σπίτι της γιαγιάς. Δεν το είχε συνειδητοποιήσει ποτέ της παρά μόνο όταν αφυπνίστηκαν τα ελληνικά γονίδιά της, οδηγώντας τα βήματά της στην πατρώα γη.

Βγήκε στο μπαλκόνι και αγνάντεψε προς τη μεριά της θάλασσας. Δεν μπορούσε να τη δει καλά, μπορούσε όμως να τη μυρίσει. Μαζί και τις μυρωδιές κάποιων φαγητών εκεί κοντά, που της θύμισαν ότι πεινούσε πολύ. Αλήθεια, προς τα πού έπεφτε το σπίτι της γιαγιάς της; Δεν μπορούσε να προσανατολιστεί. Έριξε ένα σάλι στους ώμους της, πήρε την Gucci τσάντα μέσης και βγήκε, ακολουθώντας το ένστικτό της στο νοσταλγικό ταξίδι, με τη βαθιά ικανοποίηση ότι είχε βρεθεί στο σωστό μέρος. Σύντομα τα βήματά της την οδήγησαν σε μια πλατεΐτσα γεμάτη κόσμο, ντόπιους και τουρίστες. Κοντοστάθηκε. Κάτι εδώ πέρα τη γύρισε πίσω στο χρόνο.

Κάθισε σ' ένα άδειο τραπέζι της ταβέρνας που βρισκόταν εκεί και προσπάθησε να θυμηθεί. Μα ναι, σ' εκείνο εκεί το δέντρο, αν και τώρα ήταν τεράστιο, έπαιζε παιδί, σ' εκείνο το άλλοτε παλιό σπίτι απέναντι, με το μικρό πέτρινο μπαλκόνι, ζούσε εκείνος ο περίεργος παππούς με τη μαγκούρα, που όλο φώναζε πως δεν τον άφηναν να κοιμηθεί τα μεσημέρια... και να, το παρελθόν άρχισε να φανερώνεται. Μπορεί τώρα να 'ταν φρεσκοβαμμένο, όμως ήταν πάντα το ίδιο. Είδε τον εαυτό της, μελαχρινό κοριτσάκι με δυο σφιχτά πλεγμένες κοτσίδες, να παίζει κυνηγητό με τα άλλα παιδάκια και να τρέχει γύρω γύρω από το δέντρο φωνάζοντας δυνατά. Ναι, ναι, δε γνώριζε πού ακριβώς βρισκόταν, όμως ήξερε πως το σπίτι της γιαγιάς δεν απείχε πολύ. Η άλλοτε χωμάτινη πλατεία, που έτσι κι έβρεχε λάσπωνε ο τόπος, ήταν τώρα πλακόστρωτη, φωταγωγημένη, περιποιημένη, και γεμάτη από μαγαζάκια, εστιατόρια, μπαράκια. Να, όπως το σπίτι του παππού που είχε γίνει τώρα μπαράκι. Καμία σχέση με εκείνη την πλατεία που είχε αφήσει πίσω της. Ωστόσο, εξακολουθούσε να υπάρχει ένα κοινό στοιχείο· ήταν το ίδιο όμορφη και τότε και τώρα. Το στομάχι της γουργούρισε. Προς το παρόν, εκείνο που χρειαζόταν ήταν ένα καλό γεύμα. Από αύριο θα είχε όλο το χρόνο να ανακαλύψει, να θυμηθεί, να αναπολήσει όλα αυτά που κάποτε την έκαναν τόσο χαρούμενη. Από αύριο ήταν μια άλλη μέρα. Προς το παρόν πεινούσε.

Κοίταξε με ενδιαφέρον τον κατάλογο με τα φαγητά. Ήταν γραμμένα και στα αγγλικά, εξηγώντας τι περιείχε κάθε πιάτο. Παρήγγειλε xydato (ξιδάτο), δηλαδή βρασμένα κατσικίσια εντόσθια με ξίδι και σκόρδο, patatato (πατατάτο), κατσίκι κοκκινιστό στη γάστρα με πατάτες και αρωματικά βότανα, malaka (μαλάκα), φρέσκο κατσικίσιο τυρί, katsouni (κατσούνι), φάβα αμοργιανή, και ζήτησε να πει brousko (μπρούσκο), τοπικό «λιαστό» κρασί. Το τραπέζι γέμισε από πιάτα και η Κάσι τα δοκίμασε όλα, ώσπου ένιωσε ότι θα σκάσει από το πολύ φαγητό. Χαλάλι όμως. Θυμήθηκε τη γιαγιά της. Εκείνη μαγείρευε ακόμη πιο νόστιμα, ή τουλάχιστον έτσι της φάνηκε. Για επιδόρπιο ήπιε ένα rakomelo (ρακόμελο), το τοπικό ποτό των Αμοργιανών, καυτό ρακί με μέλι και γαρίφαλο. Κατόπιν έκανε μια μεγάλη βόλτα στα στενοσόκακα και πήγε για ύπνο.

Ξύπνησε από το χαρούμενο τιτίβισμα κάποιων πουλιών που ήταν κρυμμένα στο πυκνό φύλλωμα ενός δέντρου στην αυλή. Η ώρα ήταν εννιάμισι. Τέντωσε τα χέρια της και ένιωσε να την πλημμυρίζει μια απίστευτη ενέργεια και διάθεση, όπως τότε που ήταν παιδί. Πετάχτηκε από το κρεβάτι και βγήκε στο μπαλκόνι. Το γαλάζιο της θάλασσας τη χαιρέτησε, έστω και από μακριά. Κοίταξε γύρω της και μόνο τότε είδε τις πολύχρωμες μπουκαμβίλιες σκαρφαλωμένες στους λευκούς τοίχους να φθάνουν μέχρι το σκούρο μπλε ξύλινο κιγκλίδωμα του μπαλκονιού της. Μαγεύτηκε από τα παραδεισένια χρώματα και τις απίθανες αποχρώσεις, από το λευκό, το ροζ, το μοβ-ροζ, το λιλά, το φούξια, το βαθύ μοβ, το κόκκινο, το ροδί. Ζαλίστηκε από τη χρωματική πανδαισία και έκοψε ένα κλαράκι από τη φούξια ομορφιά και το στερέωσε στα μαλλιά της, έτσι όπως τότε που ήταν παιδί. Ένα μικρό μπεζ σαμιαμίδι ξετρύπωσε από το φύλλωμα και χάθηκε με ταχύτητα αστραπής. Τις θυμόταν πολύ καλά αυτές τις μικρές γκριζοασημιές σαύρες που ήταν παντελώς ακίνδυνες και μάταια προσπαθούσε να τις πιάσει. Πιο κάτω το γκάρισμα μιας γαϊδουρίτσας την ξάφνιασε, ενώ το κακάρισμα από κότες που έβοσκαν εκεί κοντά και το βέλασμα προβατίνων την έκανε να βάλει τα γέλια. Θεέ μου, είχε να ακούσει αυτούς τους ήχους από τότε που ήρθε τελευταία φορά στο νησί, και στ' αλήθεια είχε ξεχάσει πόσο πολύ της άρεσε να παίζει με τα ζώα. Η σκέψη της γάτας της την έκανε να σουφρώσει για λίγο τα χείλη. Εντάξει, δεν ήταν η πρώτη φορά που άφηνε τη Μόλι πίσω της, αλλά τόσο μακριά ποτέ. Ένα νιαούρισμα ακούστηκε δίπλα της και ένας ασπρόμαυρος γατούλης την κοίταξε ερωτηματικά με τα πράσινα μάτια του.

«Ποιος είσαι εσύ; Από πού σκαρφάλωσες εδώ πάνω;» τον ρώτησε κι εκείνος έτριψε τη μουσούδα του στο χέρι της. Η Κάσι θυμήθηκε το σάντουιτς με ζαμπόν και τυρί που είχε αγοράσει στο πλοίο και τελικά δεν το έφαγε. Πήγε στο δωμάτιο και το πήρε από την τσάντα της. Ο γατούλης την περίμενε υπομονετικά και μόλις την είδε, σαν να κατάλαβε, νιαούρισε ανυπόμονα. Η Κάσι το ξετύλιξε από τη ζελατίνα του, το άνοιξε στα δύο και το ακούμπησε στην κουπαστή του μπαλκονιού. Ο γατούλης έπεσε με τα μούτρα κυριολεκτικά πάνω του και άρχισε να καταβροχθίζει με βουλιμία την απρόσμενη λιχουδιά, ενώ εκείνη χαμογελούσε ευχαριστημένη. Το κινητό της χτύπησε. Η Κάσι άκουσε τον λάτιν σκοπό να την καλεί και λικνίστηκε στους ρυθμούς του προτού το σηκώσει.

«Έλα, Σάρον», είπε με δυνατή, χαρούμενη φωνή.

«Πώς πάει η Ελλάδα;» ακούστηκε η Σάρον το ίδιο χαρούμενη.

«Εδώ είναι, στη θέση της. Τι ώρα είναι εκεί;»

«Έντεκα και σαράντα το βράδυ. Μόλις γύρισα από δείπνο με τον Ρίκι».

«Είναι μαζί σου;»

«Όχι. Έπρεπε να φύγει, γιατί είχε νυχτερινή βάρδια στο τμήμα».

Το γκάρισμα της γαϊδουρίτσας ακούστηκε δυνατά.

«Τι ήταν αυτός ο ήχος;» ρώτησε η Σάρον ξαφνιασμένη.

«Ένας γάιδαρος», είπε η Κάσι και ξεκαρδίστηκε στα γέλια.

«Τι πράγμα; Γάιδαρος; Πού βρέθηκε εκεί ο γάιδαρος;»

«Μα, γλυκιά μου Σάρον, δε βρίσκομαι στο Χόλιγουντ. Στην Ελλάδα είμαι και στα νησιά έχει και γαϊδάρους, και κότες, και κατσίκες, και αγελάδες, και σαύρες και φίδια...»

«Φίδια!» ακούστηκε αηδιασμένη η φωνή της. Η Σάρον και μόνο στη φωτογραφία ενός φιδιού λιποθυμούσε. Υπέφερε από ερπετοφοβία. «Να ένας λόγος για να μην έρθω ποτέ στην Ελλάδα».

«Τότε εσύ θα χάσεις, γλυκιά μου».

«Τι λέει το πρόγραμμα για σήμερα;»

«Κοίτα, μόλις ξύπνησα και λέω να πάρω πρώτα ένα γερό πρωινό και μετά να αρχίσω την εξερεύνηση του παρελθόντος μου».

«Θαυμάσια. Κι εγώ λέω να πάρω ένα γερό ύπνο, γιατί έχω δύο πρωινά ραντεβού αύριο και με περιμένει πολύ φορτωμένο πρόγραμμα. Φρόντισε να περάσεις όμορφα και να ξέρεις ότι ήδη μου λείπεις πολύ».

«Σου λείπω κι εσένα; Και ο Ρίκι; Δεν είναι καλή συντροφιά;»

«Άλλο ο Ρίκι κι άλλο εσύ. Σ' αγαπώ πολύ. Να προσέχεις. Θα σε πάρω αύριο. Σ' αφήνω να χαρείς τη μέρα σου».

Η Κάσι ντύθηκε με κέφι και κατέβηκε στη Χώρα. Λίγο αργότερα, καθισμένη σε ένα καταπληκτικό καφέ που είχε το όνομα λουλουδιού, *Το Γιασεμί*, απολάμβανε στη βεράντα ένα πλούσιο πρωινό με φρέσκα αυγά, χειροποίητο φρεσκοψημένο κρουασάν, ντόπιο θυμαρίσιο μέλι και εκλεκτό καφέ φίλτρου. Αν και πρόσεχε τη σιλουέτα της, εδώ δεν είχε καμιά διάθεση να προσέξει τίποτε και ήθελε να τα γευτεί όλα. Το μαγαζί αυτό, που ήταν προφανώς κάποτε σπίτι, ίσως παλιό αρχοντικό, την ενθουσίασε όχι μόνο με την καλαίσθητη αρχιτεκτονική του, αλλά και με την καταπληκτική ποικιλία του μενού του. Μια άσπρη γατούλα ξετρύπωσε από το πουθενά και, σαν να γνωρίζονταν από παλιά, σκαρφάλωσε με άνεση στα γόνατά της και κοίταξε με ενδιαφέρον το πιάτο της. Η Κάσι, ξαφνιασμένη λιγάκι, έβαλε τα γέλια και μετά την τάισε με το μπέικον της ομελέτας της. Τελικά ο τόπος ήταν γεμάτος με γάτες. Ήταν αδέσποτες, είχαν αφεντικά, δε γνώριζε. Πάντως σίγουρα ήταν πολύ φιλικές και κυρίως πεινασμένες. Αργότερα, χορτασμένη και η ίδια και ιδιαίτερα ευδιάθετη, ξεκίνησε για την περιήγησή της στα στενά δρομάκια της Χώρας, κρατώντας τον ταξιδιωτικό της οδηγό και τη βιντεοκάμερα στα χέρια της.

Προχώρησε ανάμεσα στα στενοσόκακα προσπαθώντας να προσανατολιστεί. Σ' ένα άνοιγμα είδε από μακριά επάνω σε ύψωμα εκείνα τα παράξενα πέτρινα κτίσματα που έμοιαζαν με μικρούς πύργους και η καρδιά της σκίρτησε. Και βέβαια θυμόταν την τεράστια ρόδα με πανιά, στερεωμένη στο πλάι στον τοίχο, να γυρίζει πότε αργά και πότε γρήγορα, ανάλογα με τη δύναμη του ανέμου. Εκεί μέσα έφερναν οι χωριανοί το σιτάρι τους και η πέτρα που το άλεθε το 'κανε αλεύρι, για το ζυμωτό ψωμί που το έψηναν στους χτιστούς φούρνους στις αυλές τους. Ακόμη θυμόταν εκείνη την υπέροχη μυρωδιά του, αλλά πολύ περισσότερο τη φοβερή γεύση του. Ποτέ άλλοτε δεν ξανάφαγε τόσο νόστιμο ψωμί. Καμιά σχέση με τα τυποποιημένα αρτοσκευάσματα, που σου έδιναν την εντύπωση ότι μασάς αέρα κι όχι τροφή. Θυμόταν τους άνδρες με τα ασπρισμένα πρόσωπα και ρούχα τους από τη λευκή σκόνη να φορτώνουν στα μουλάρια ή στα άλογα τα σακιά με το αλεύρι. Τώρα όμως οι μύλοι φαίνονταν ερειπωμένοι και θύμιζαν μόνο άγρυπνους φρουρούς ενός παρελθόντος που δεν απείχε πολύ. Άρχισε να τους μετράει. Ένας, δύο, τρεις... εννιά. Μετά δεν μπορούσε να ξεχωρίσει περισσότερους, ίσως δε φαίνονταν από εκεί όπου βρισκόταν. Αριστερά της διέκρινε τον περίεργο σκούρο βράχο που έδινε την εντύπωση πως ήταν γρανιτένιος και, όπως της έλεγε ο πατέρας της, ήταν κάποτε εκεί χτισμένο ένα κάστρο.

Συμβουλεύτηκε τον οδηγό της. Κάστρο τον έλεγαν και στην κορυφή του κυμάτιζε περήφανη η ελληνική σημαία. Ναι, τώρα που ξυπνούσαν οι μνήμες της, θυμήθηκε αυτόν το βράχο. Τότε βέβαια ήταν αδιάφορος, ένας απλός βράχος, και δεν του 'χε δώσει σημασία. Προχώρησε βιντεοσκοπώντας ό,τι της τραβούσε την προσοχή, ώσπου σταμάτησε σ' ένα κτίριο με την επιγραφή RENT A CAR. Και φυσικά χρειαζόταν ένα αυτοκίνητο. Δε θα περνούσε τις διακοπές της μόνο στη Χώρα. Είχε να δει πολλά. Ο εύσωμος άνδρας με το μουστάκι, που πρέπει να ήταν γύρω στα σαράντα, την υποδέχτηκε με χαμόγελο και μιλούσε πολύ καλά αγγλικά. Της πρότεινε ένα χαριτωμένο τζιπάκι και μετά ζήτησε την άδεια οδήγησής της. Κοίταξε τη φωτογραφία της και ύστερα άρχισε να γράφει τα στοιχεία της.

«Κασσάνδρα Πάλμερ;» της είπε ενώ έγραφε. «Το ξέρετε ότι έχετε ελληνικό όνομα;»

«Ο πατέρας μου είναι Έλληνας, και μάλιστα Αμοργιανός. Βέ-

βαια, έφυγε από δω σχεδόν παιδί. Εγώ γεννήθηκα στην Αμερική».
Ο άνδρας σήκωσε το κεφάλι του και την κοίταξε με ενδια-
φέρον. «Αλήθεια; Και ποιο είναι το όνομα του πατέρα σας;»
«Γεράκης Νικ, ή μάλλον Νικήτας Γεράκης. Μήπως σας θυμί-
ζει κάτι το όνομά του;»
Ο άνδρας την κοίταξε με ακόμη περισσότερο ενδιαφέρον.
«Μη μου πεις ότι είσαι η εγγόνα της συχωρεμένης της κυρα-
Κασσάνδρας».
«Ναι, εγώ είμαι. Γνωρίζετε τη γιαγιά μου;»
«Κασσάνδρα... ο Ρουσσέτος είμαι, ο αδελφός της Ποθητής,
που παίζαμε μαζί όταν ερχόσουν τα καλοκαίρια στο νησί».
Η Κάσι έσμιξε τα φρύδια, όσο μπορούσε να τα σμίξει λόγω του
πρόσφατου μπότοξ που είχε κάνει στο μέτωπό της. Θυμήθηκε
εκείνο το παχουλό μελαχρινό αγοράκι που όλο τσακωνόταν μα-
ζί της όταν δεν περνούσε το δικό του και τότε την αποκαλούσε
«ξένη». Θυμήθηκε όμως και πώς την προστάτευε και της έδει-
χνε ιδιαίτερη αφοσίωση στα δύσκολα, όπως τότε που έπεσε από
ένα δέντρο και έγδαρε για τα καλά το γόνατό της. Ο ίδιος της
έβαζε κάτι γιατροσόφια της γιαγιάς από βότανα και τη βοη-
θούσε να περπατήσει ώσπου να γειάνει. Και μόλις έγινε καλά,
ξανάρχισαν οι καβγάδες.
«Ρουσσέτο!» είπε με συγκίνηση και ένιωσε τα μάτια της να
βουρκώνουν.
Ο άνδρας σηκώθηκε από το γραφείο του και αυθόρμητα την
έκλεισε στην αγκαλιά του, το ίδιο συγκινημένος. «Μάνα... Μά-
να», φώναξε στη συνέχεια δυνατά.
Μια παχουλή γυναίκα κατέβηκε από μια εσωτερική ξύλινη
σκάλα με το τσεμπέρι στα κάτασπρα μαλλιά της. Η Κασσάνδρα
αναγνώρισε τη γυναίκα που έτρεχε πίσω από το γιο της με το
σκουπόξυλο να του τις βρέξει, σαν εκείνος δεν την άκουγε.

«Μάνα, τη γνωρίζεις την κυρία;»

Η ηλικιωμένη γυναίκα κοίταξε την Κάσι αμήχανα, περισσότερο γιατί την αγκάλιαζε ο γιος της.

«Η Κασσάνδρα είναι, μάνα, η εγγόνα της κυρα-Κασσάνδρας που ερχόταν τα καλοκαίρια από την Αμερική. Η κόρη του Νικήτα».

«Άιιι!» έκανε η γυναίκα και έβαλε τα κλάματα. Με τη συχωρεμένη τη γιαγιά της ήταν αχώριστες φιλενάδες από τα γεννοφάσκια τους και γειτόνισσες. «Το Αμερικανάκ'; Άι, να σε χαρώ, κοπελούδα μ'», έκανε η γυναίκα και άνοιξε την αγκαλιά της. Μολονότι η Κάσι δεν κατάλαβε τα ελληνικά της, δε δίστασε να την αγκαλιάσει το ίδιο στοργικά. Αισθάνθηκε ένα ξάφνιασμα αναμειγμένο με πρωτόγνωρη συγκίνηση και, παρότι οι οικειότητες αυτού του είδους δεν υπήρχαν στη ζωή της, η Κασσάνδρα ένιωσε σαν να μην έλειψαν ποτέ. Περίεργος λαός οι Έλληνες. Κάνουν αμέσως τον ξένο φίλο τους, τον άγνωστο κολλητό τους. Πολύ περισσότερο τους ανθρώπους που γνωρίζουν. Η αγκαλιά τους έτοιμη να ανοίξει στο πρώτο κάλεσμα, όπως και το σπίτι τους. Και κάθε χαρά είναι λόγος για τραπέζωμα.

Το ίδιο κιόλας βράδυ έγινε μεγάλο γλέντι σε ταβέρνα στην κεντρική πλατεία της Λόζας. Ειδοποιήθηκαν όλοι. Γνώρισε τη γυναίκα και τα δύο παιδιά του Ρουσσέτου, που ήταν δεκατεσσάρων και δώδεκα χρόνων, ήρθε η Ποθητή με τον άνδρα της και τα παιδιά τους, που ήταν είκοσι, δεκαοκτώ και δέκα, ήρθε η Μόσχα, που είχε γεράσει απότομα, με τη μεγάλη κόρη της και το νεογέννητο εγγονάκι της. Έλειπαν το Βεργούδι, που ζούσε στη Γερμανία, και ο Νικόλας, που ζούσε στη Ρόδο γιατί είχε παντρευτεί Ροδίτισσα. Είχαν έρθει όμως κάποιοι γείτονες που τους θυμόταν κάπως αμυδρά και ένας δεύτερος ξάδελφός της, που δεν τον γνώριζε καθόλου, γιατί τότε ζούσε στον Ποταμό, ένα χωριό πίσω από την Αιγιάλη. Το γλέντι άρχισε στις εννιά και τελείωσε στις δύο το πρωί, μέσα σε κρασοκατάνυξη και απίστευτη ποικιλία φαγητών που σε έστελναν στον παράδεισο και μόνο με τις μυρωδιές τους.

Ήταν ένα από τα ωραιότερα βράδια της ζωής της, ισάξιο με την πιο χλιδάτη χολιγουντιανή συγκέντρωση, και της έκανε εντύπωση που μπόρεσε να κάνει αυτή τη σύγκριση. Τελικά στη ζωή δεν έχει αξία πού διασκεδάζεις και πόσο διάσημοι είναι αυτοί που συναναστρέφεσαι, όσο τα συναισθήματα που σου προκαλούν, η ατμόσφαιρα που δημιουργείται, οι καλές τους προθέσεις, η διάθεσή τους και πάνω απ' όλα η αγάπη που δείχνουν στο πρόσωπό σου. Και οι παλιοί παιδικοί της φίλοι χαίρονταν πραγματικά που την είχαν και πάλι κοντά τους. Μέσα σε ένα εικοσιτετράωρο, από έρημη και μόνη, βρέθηκε να έχει πλήθος από γνωστούς και φίλους, σαν να ζούσε όλη της τη ζωή εδώ πέρα.

Την άλλη μέρα ήπιε καφεδάκι στο γραφείο του Ρουσσέτου κι εκείνος την κατεύθυνε πού να πάει και τι να επισκεφτεί. Δεν ήταν μεγάλο το νησί και μια μέρα αρκούσε για να το γυρίσει όλο. Μόνο που η Κάσι δε βιαζόταν καθόλου. Μαζί με την Ποθητή και τη μάνα της, την κυρα-Μαριγούλα, επισκέφτηκε το σπίτι της γιαγιάς της. Η εικόνα του εγκαταλειμμένου σπιτιού τη μελαγχόλησε. Ο άλλοτε πλουμιστός κήπος της αυλής είχε χορταριάσει και οι πολύχρωμες γλάστρες, που κάποτε στέκονταν στη σειρά καμαρωτές, είχαν μοιραστεί στους γείτονες. Ο χώρος τής φάνηκε πολύ μικρός, μια σταλιά, ενώ όταν ήταν παιδί είχε την εντύπωση ότι ήταν σχεδόν τριπλάσιος, τετραπλάσιος. Το μεγάλο λουκέτο στην εξώπορτα, σκουριασμένο από τις βροχές, έδειχνε πως το σπίτι είχε να ανοιχτεί χρόνια. Η κυρα-Μαριγούλα, όμως, είχε το κλειδί κι έτσι οι τρεις γυναίκες βρέθηκαν στο μουχλιασμένο, σκονισμένο εσωτερικό του.

Η Ποθητή άνοιξε τα παραθυρόφυλλα και ο ήλιος τρύπωσε παντού. Η Κάσι ένιωσε μια μελαγχολία, μια θλίψη να της σφίγγει την καρδιά καθώς αντίκρισε όλα αυτά τα αντικείμενα που κάποτε φρόντιζε η γιαγιά της. Είδε εκείνο το μπαουλοντίβανο που τη φιλοξενούσε τα καλοκαίρια, είδε τον μεγάλο μπουφέ όπου η γιαγιά φυλούσε τα πιατικά και τα καλά της ποτήρια, είδε τον σκαλιστό ξύλινο καθρέφτη, είδε τα χειροποίητα κεντήματα της γιαγιάς από κουκούλι μεταξοσκώληκα και κλωστή καδραρισμένα στους τοίχους, είδε τη μικρή κουζίνα με το τζάκι όπου μαγείρευαν, είδε ακόμη και τα παιχνίδια της αραγμένα σε μια γωνιά να περιμένουν την επιστροφή της. Σήκωσε μια βρόμικη Barbie με ξανθά μαλλιά και τη χάιδεψε. Μετά ζήτησε να φύγουν. Δεν άντεχε τόση εγκατάλειψη. Το σπίτι, με λίγα χρήματα, μπορούσε να γίνει αγνώριστο, όπως άλλωστε είχαν γίνει τα περισσότερα σπίτια στη Χώρα. Μήπως έπρεπε να το ανακαινίσει; Θα το σκεφτόταν σοβαρά. Μπορεί να ερχόταν συχνότερα στο νησί. Γιατί όχι; Από το να μένει σε ξενοδοχεία σαν πλούσια τουρίστρια, θα προτιμούσε να ζει σαν απλή νησιώτισσα και να χαίρεται όλη αυτή την απλότητα που μόλις διαπίστωνε ότι κάποτε την έκανε πολύ ευτυχισμένη.

Στη συνέχεια πήγαν ως το νεκροταφείο, άναψε ένα κεράκι στη μνήμη της γιαγιάς και της άφησε ένα μπουκέτο από λουλούδια. Είδε πως ο τάφος, αν και λιτός, ήταν πεντακάθαρος από τις φροντίδες της κυρα-Μαριγούλας και ζήτησε από την Ποθητή να βρει ένα μαρμαρά για να της φτιάξει μια ταφόπλακα της προκοπής. Ευτυχώς που ο πατέρας της είχε φροντίσει να τον αγοράσει, κι έτσι τα κόκαλα της γιαγιάς θα παρέμεναν για πάντα να αναπαύονται στον αιώνιο ύπνο τους. Αποφάσισε να επισκεφτεί τα Κατάπολα και να θυμηθεί το λιμάνι των παιδικών της χρόνων. Πολλά είχαν αλλάξει από τότε. Ο μικρός παραλιακός δρόμος, όπου άλλοτε έκαναν το μπάνιο τους οι κάτοικοι, είχε μεγαλώσει πολύ· ήταν γεμάτος από καφετέριες και ταβέρνες. Τώρα για να τον περπατήσεις με τα πόδια από άκρη σε άκρη, χρειαζόσουν γύρω στα είκοσι λεπτά, ενώ άλλοτε το πολύ τρία λεπτά έφθαναν. Η παραλία είχε μεταφερθεί και τα νερά δεν ήταν τόσο καθαρά σ' εκείνο το σημείο λόγω του λιμανιού.

Η Κάσι, αφού έκανε μια αναγνωριστική βόλτα με το αυτοκίνητο πάνω-κάτω, το άφησε σε μια αλάνα και πήρε το καραβάκι της γραμμής που θα την οδηγούσε στην πλησιέστερη παραλία, το Μαλτέζι, όπως της είχαν πει. Την τρόμαζε το γεγονός ότι έπρεπε να μπει σε ένα πλοιάριο και ρώτησε τον καπετάνιο αν ήταν ασφαλές. Εκείνος χαμογέλασε και της είπε ότι ποτέ στα τόσα χρόνια που το κυβερνούσε αυτός δεν είχε συμβεί το παραμικρό. Πείστηκε, έστω και με μισή καρδιά, και κάθισε ζαρωμένη σε ένα από τα καθίσματα, δίπλα στα σωσίβια, να το βλέπει να γλιστρά στο νερό, όμοιο με δελφίνι, και να διασχίζει περήφανο τη θάλασσα, ενώ από το μεγάφωνο ακούγονταν νησιώτικα τραγούδια.

Παρ' όλες τις ανησυχίες της δεν μπόρεσε να μην απολαύσει τη διαδρομή. Μόνο στην περιοχή Πλάκες, στη στάση που έκαναν για να πάρουν και να αφήσουν επιβάτες, την τρόμαξαν οι τεράστιες φυσικές πλάκες, όμοιες με δάπεδο σπιτιού, που οδηγούσαν τους κολυμβητές κατευθείαν σε βαθιά μαύρα νερά. Γι' αυτό εκεί κολυμπούσαν συνήθως δύτες, όπως της είχε πει ο Ρουσσέτος. Την προσοχή της τράβηξε η παρουσία ενός ηλιοκαμένου μελαχρινού άνδρα με κόκκινο σορτς, που στεκόταν με σιγουριά και άνεση στην άκρη μιας πλάκας, κρατώντας μια μάσκα στα χέρια του. Άθελά της θαύμασε το γυμνασμένο κορμί του. Η απόσταση μεταξύ τους ήταν γύρω στα τριάντα μέτρα. Πρόλαβε να τον δει να βουτάει με τη χάρη ενός ακροβάτη. Το κορμί του σχημάτισε μια καμπύλη στον αέρα και μετά χάθηκε στα βα-

θιά νερά. Η Κάσι κράτησε την αναπνοή της, περιμένοντάς τον
να εμφανιστεί στην επιφάνεια. Φορούσε μόνο τη μάσκα του,
όμως το καραβάκι ήδη ξεκινούσε και αυτός δε φαινόταν που-
θενά, αν και είχαν περάσει τουλάχιστον δύο λεπτά. Ήταν έτοιμη
να ειδοποιήσει τον καπετάνιο ότι κάποιος πνιγόταν, όταν τον
εντόπισε πολύ μακριά από το σημείο όπου είχε βουτήξει, να εμ-
φανίζεται και να κολυμπά με τόση άνεση που θα 'λεγε κανείς ότι
ήταν ανθρωπόμορφο ψάρι. Τίποτε δεν είχε ζηλέψει περισσότε-
ρο στη ζωή της από έναν καλό κολυμβητή. Μέχρι τώρα πίστευε
ότι ο γιος της ήταν ο καλύτερος. Σήμερα διαπίστωνε ότι υπήρ-
χαν πολύ καλύτεροι από αυτόν.

Μα ποιος ήταν αυτός ο απίστευτος κολυμβητής; Μήπως κά-
ποιος ολυμπιονίκης που έκανε τις προπονήσεις του για να μη
χάσει τη φόρμα του; Η Κάσι ποτέ δεν πρόσεχε τους άνδρες πέ-
ρα από τον Σταν και τον Άλεξ. Κι όμως, αυτός εδώ ο άνδρας με
το σκούρο κόκκινο σορτς τής εντυπώθηκε αμέσως στο μυαλό.
Η εικόνα του χαράχθηκε στη μνήμη της με τέτοια λεπτομέρεια
που την αιφνιδίασε, γιατί αυτό συνέβαινε πρώτη φορά. Μήπως
αυτά που κατά καιρούς είχε ακούσει για την περίεργη μαγεία
που ασκούσε ο ήλιος της Ελλάδας πάνω στους ανθρώπους και
τους έκανε υπερβολικούς ήταν αλήθεια τελικά; Χαμογέλασε σο-
καρισμένη και μόνο με τη σκέψη της. Αν ήταν ποτέ δυνατόν, να
τραβήξει κάποιος άλλος άνδρας την προσοχή της. Αγαπούσε
τον άνδρα της, ήταν ευτυχισμένη, δεν υπήρχε περίπτωση να
κοιτάξει κάποιον άλλον. Απλώς της είχε τραβήξει την προσοχή
επειδή ήταν καλός κολυμβητής. Κι όμως...

Η παραλία στο Μαλτέζι ήταν μικρή αλλά πολύ χαριτωμένη.
Και το κυριότερο, είχε ξαπλώστρες και ένα υπαίθριο μπαράκι
κατασκευασμένο από κορμούς δέντρων και καλαμιές, που σέρ-
βιρε παγωμένους καφέδες, ποτά και σάντουιτς. Η απαλή μου-

σική ακουγόταν από τα μεγάλα μεγάφωνα παντού και το αεράκι δημιουργούσε μια ευχάριστη ατμόσφαιρα. Άραξε σε μια ξαπλώστρα, ήπιε τον παγωμένο καφέ της, μετά ένα ελαφρύ κοκτέιλ τροπικών φρούτων, γνωρίστηκε με δύο κυρίες από την Αθήνα που έκαναν κι εκείνες τις διακοπές τους και της σύστησαν να επισκεφτεί το μοναστήρι της Παναγιάς της Χοζοβιώτισσας οπωσδήποτε. Η Κάσι τότε θυμήθηκε αμυδρά εκείνο το μοναστήρι χτισμένο μέσα στα βράχια. Φυσικά δεν κολύμπησε. Μπήκε όμως στο νερό μέχρι τη μέση, αρκετές φορές μάλιστα. Μίλησε στο τηλέφωνο με τον Άλεξ και έμαθε ότι η Νταϊάν έβγαινε από το νοσοκομείο και θα ανάρρωνε σπίτι της. Αργότερα της τηλεφώνησε ο Σταν, που αύριο χειρουργούσε τη Μακ Στίβενς. Χάρηκε που η γυναίκα του περνούσε καλά και είχε βρει τους παιδικούς της φίλους και της υποσχέθηκε πως, μόλις ξεμπέρδευε με τα χειρουργεία, θα ερχόταν αμέσως στην Αμοργό, έστω και για πέντε μέρες. Μίλησε με τη Σάρον, με τη μάνα της, που δεν μπορούσε να πιστέψει ότι υπήρχαν αυτοκίνητα στην Αμοργό, και μάλιστα πολλά και ακριβά, ότι οι δρόμοι ήταν ασφαλτοστρωμένοι και ότι τα γαϊδούρια και τα μουλάρια δεν είχαν πλέον το ρόλο μεταφορικών μέσων. Ο πατέρας της συγκινήθηκε όταν του μίλησε για το πατρικό σπίτι και σε τι κατάσταση το βρήκε, για τον τάφο της μάνας του, που ευτυχώς τον φρόντιζε η κυρα-Μαριγούλα, για το νησί που είχε αλλάξει απίστευτα.

Επέστρεψε στη Χώρα γύρω στις πέντε το απόγευμα, αφού πρώτα γευμάτισε σε ένα ταβερνάκι στα Κατάπολα. Αύριο θα πήγαιναν μαζί με την Ποθητή στο μοναστήρι, όμως σήμερα το βράδυ θα της έκανε το τραπέζι η Μόσχα. Δυστυχώς η Ποθητή, που διατηρούσε μαζί με τον άνδρα της ένα μικρό τουριστικό μαγαζί με σουβενίρ, δεν είχε καθόλου ελεύθερο χρόνο για βόλτες

και παραλίες, γιατί εκτός από τα τρία παιδιά της είχε να φροντί-
σει και το σπιτικό της. Από την άλλη, και από τις λίγες συζητή-
σεις που είχαν κάνει, κατάλαβε ότι τίποτε πια δε συνέδεε τις άλ-
λοτε φιλενάδες εκτός από τις παιδικές τους αναμνήσεις. Η Πο-
θητή είχε παραμείνει μια νησιωτοπούλα, και το μόνο ενδιαφέ-
ρον της ήταν να υπάρχει φαγητό στο σπίτι της. Δεν είχε γνώσεις,
δεν είχε ταξιδέψει, δε γνώριζε καν τι ήταν το Χόλιγουντ. Ακό-
μη κι αν ερχόταν στο μαγαζί της ο Τομ Κρουζ[2], θα περνούσε
απαρατήρητος. Δε γνώριζε καλά καλά τι σήμαινε πλαστικός χει-
ρουργός. Το ίδιο και η Μόσχα, και ακόμη χειρότερα. Ο μόνος
που μπορούσε να συζητήσει άνετα ήταν ο Ρουσσέτος, που είχε
σπουδάσει στην Αθήνα τρία χρόνια σε σχολή μηχανικών και εί-
χε ταξιδέψει κομματάκι εκτός Ελλάδος.

Δυστυχώς τα φαντάσματα του παρελθόντος είχαν γίνει όντως
φαντάσματα. Οι άνθρωποι είχαν αλλάξει, είχαν τις έγνοιες και
τα προβλήματά τους, και οι πανάκριβες τσάντες Chanel που εί-
χε φέρει δώρα δεν εκτιμήθηκαν όπως θα έπρεπε από τις άλλο-
τε φιλενάδες της, και μάλλον καταχωνιάστηκαν σε κάποια συρ-
τάρια διά παντός, τη στιγμή που άλλες γυναίκες θα έδιναν τα
πάντα για να αποκτήσουν ένα τέτοιο αξεσουάρ.

Κάπου όμως ζήλεψε την απλότητα και την αδιαφορία των
δύο γυναικών για τέτοιου είδους υλικές απολαύσεις. Μακάρι να
μπορούσε κι αυτή να νιώσει την ίδια αδιαφορία μπροστά στη
θέα μιας επώνυμης τσάντας, μακάρι να μην την ενδιέφεραν όλα
αυτά. Και η αλήθεια είναι πως κάποτε δεν την ενδιέφεραν. Τι εί-
χε προκύψει στο μεταξύ; Απλώς είχε γίνει πάμπλουτη και οι και-

---

2. Διάσημος Αμερικανός ηθοποιός.

νούργιες φίλες της άρχισαν να την παρασύρουν σε ένα καταναλωτικό όργιο, στη συνεχή αναζήτηση των διάσημων υπογραφών σε ό,τι αγόραζαν. Έτσι λοιπόν επιδιδόταν κι εκείνη μετά μανίας στο shopping therapy[3], όπως αποκαλούσαν τον ασυγκράτητο καταναλωτισμό τους, εννοείται πάντα σε είδη επώνυμα και πανάκριβα. Αύριο κιόλας θα αγόραζε μια ψάθινη τσάντα και θα καταχώνιαζε όλες τις Gucci στον πάτο της επώνυμης βαλίτσας της. Μακάρι να μπορούσε να την εξαφανίσει κι αυτή.

Πέρασε πρώτα από τον Ρουσσέτο κι εκείνος την ενημέρωσε ότι αύριο το πρωί, κατά τις έντεκα, θα ερχόταν από το γραφείο του ένας μαρμαράς για να της δείξει κάποια σχέδια τάφων. Η Κάσι τον ευχαρίστησε και του είπε ότι θα βρισκόταν στην ώρα της. Ύστερα έψαξε στην αγορά να βρει μια ψάθινη τσάντα και μια μακριά μαύρη φούστα, γιατί στο μοναστήρι απαγορευόταν η είσοδος στις γυναίκες που φορούσαν μίνι ή παντελόνια. Βρήκε και τα δύο και πανευτυχής επέστρεψε στο ξενοδοχείο να ξαποστάσει.

Την επομένη μετά το γλέντι τακτοποίησε την παραγγελία της με το μαρμαρά και μετά πήγε για μπάνιο στην παραλία της Αγίας Άννας, που βρισκόταν κοντά στο μοναστήρι. Η Ποθητή θα ερχόταν να τη βρει με το λεωφορείο της γραμμής και μετά θα επέστρεφαν μαζί. Η απόσταση από τη Χώρα ήταν περίπου δέκα λεπτά με το αυτοκίνητο. Η παραλία της Αγίας Άννας ήταν ακόμη μικρότερη από το Μαλτέζι, χωρίς ξαπλώστρες, μουσική και μπαράκι. Είχε όμως απίστευτα κρυστάλλινα γαλάζια νερά και δε βάθαινε απότομα, κάτι που την ενθουσίασε. Άπλωσε την επώνυμη πετσέτα της πάνω στο χοντρό χαλίκι και άφησε το κορμί της να ξεροψηθεί αργά στον ήλιο, βουτώντας συχνά πυκνά μέχρι τη μέση στο νερό, κάτι που την ξάφνιασε ευχάριστα.

_____

3. Ψώνια που λειτουργούν αγχολυτικά και ανακουφιστικά.

Μελετώντας το χάρτη της, πρόσεξε πως είχε πολλές παραλίες να επισκεφτεί, κάτι που θα έκανε την επόμενη εβδομάδα, ώσπου να αποφασίσει ποια της άρεσε περισσότερο. Μέχρι τις τεσσεράμισι, η επιδερμίδα της είχε αποκτήσει ένα βαθύ μπρούντζινο χρώμα που ποτέ άλλοτε δε θυμόταν να είχε. Στην Καλιφόρνια γινόταν κατάμαυρη σαν σοκολάτα, ενώ εδώ η επιδερμίδα της είχε το χρώμα της σκουριάς. Στη λέξη «σκουριά», σκέφτηκε τους εφιάλτες με την κοκκινομάλλα κοπέλα που τόσο την τρόμαζαν. Από τότε που είχε φθάσει στην Ελλάδα, σχεδόν μία εβδομάδα, όχι μόνο δεν είχε παρόμοια όνειρα, αλλά το αντίθετο, κοιμόταν σαν πουλάκι, βλέποντας μόνο λιβάδια με πολύχρωμα λουλούδια και χρυσαφένιους ήλιους. Έφερε στο μυαλό της τον άνδρα που τόσο πολύ την αναστάτωσε στον ύπνο της, ώστε να ξυπνήσει με οργασμό. Τι όνειρο κι αυτό! Ύστερα άθελά της σκέφτηκε εκείνο τον υπέροχο κολυμβητή με το κόκκινο σορτς και έκανε μια γρήγορη σύγκριση. Τώρα που το σκεφτόταν, έμοιαζαν πολύ μεταξύ τους. Μα ναι, ήταν σχεδόν ο ίδιος άνδρας. Ίσως γι' αυτό τράβηξε τόσο πολύ την προσοχή της. Άραγε ποιος να 'ταν; Τι σημασία είχε, όμως; Όποιος κι αν ήταν, Έλληνας ή ξένος, θα έμενε στο μυαλό της σαν ένας καλός κολυμβητής, σαν μια ωραία φιγούρα και τίποτε περισσότερο.

Έφθασε έξω από το μοναστήρι της Παναγιάς λίγο νωρίτερα από το ραντεβού της με την Ποθητή και πάρκαρε το αυτοκίνητό της. Φόρεσε τη μαύρη φούστα πάνω από τη βερμούδα της και πήρε τη βιντεοκάμερα στα χέρια της. Η θέα του μοναστηριού, παρατηρώντας την ήδη από μακριά, της είχε κόψει την ανάσα. Σαν αετοφωλιά σφηνωμένη στην πλαγιά ενός απότομου βράχου, ήταν άξιο απορίας πώς μπόρεσε να χτιστεί από ανθρώπινο χέρι, σε αυτό το άγριο και αφιλόξενο σημείο που το χτυπούσαν αλύπητα άγριοι βοριάδες. Κι όλα αυτά το 1088 μ.Χ., επί αυτοκράτορος Αλεξίου Α' του Κομνηνού. Η παράδοση έλεγε ότι σε εκείνο ακριβώς το σημείο είχε βρεθεί η θαυματουργή εικόνα της Παναγιάς, που είχε ριφθεί στη θάλασσα για να σωθεί την περίοδο της Εικονομαχίας. Η εικόνα βρέθηκε από δυο Αμοργιανούς ψαράδες κάτω από το βράχο. Όταν αποφασίστηκε να χτιστεί κάποιος ναός για να τη στεγάσει, τα χτίσματα γκρεμίζονταν τα βράδια. Τότε παρακάλεσαν την Παναγιά να τους δείξει σε ποιο σημείο ήθελε να χτιστεί ο ναός προς τιμήν της. Την επομένη βρήκαν την εικόνα κρεμασμένη σε ένα καρφί, επάνω στο βράχο, μαζί με τα εργαλεία του πρωτομάστορα, και κατάλαβαν ότι εκεί έπρεπε να χτιστεί ο ναός, πράγμα που έγινε. Η θέση της μονής στον απόκρημνο βράχο και η αγριότητα του τοπίου προκαλούν δέος στον επισκέπτη. Το μοναστήρι του ενός τοίχου, όπως λέγεται διαφορετικά, λόγω του ότι όλο το μοναστήρι έχει στην ουσία έναν τοίχο, μια και βρίσκεται χτισμένο στην εσοχή του βράχου, έχει οκτώ επίπεδα-ορόφους που δε συναντιούνται σχεδόν σε κανένα σημείο εξαιτίας του μικρού πλάτους του.

Όλα αυτά τα είχε πληροφορηθεί από τον ταξιδιωτικό οδηγό που είχε αγοράσει για την Αμοργό. Το λεωφορείο έφθασε και μαζί του και η Ποθητή, ντυμένη με μακριά μαύρη φούστα και μαντίλι στο κεφάλι και κρατώντας δυο μπουκαλάκια με νερό. Έδωσε το ένα στην Κάσι. «Θα σου χρειαστεί», της είπε. Άρχισαν να ανεβαίνουν τα σκαλοπάτια ένα ένα, αγκομαχώντας και κάνοντας μικρές στάσεις για να πίνουν νερό. Ευτυχώς που η Ποθητή τα είχε σκεφτεί όλα. Πάνω από μισή ώρα χρειάστηκε για να φθάσουν στο μικρό προαύλιο που άρχισε να γεμίζει κόσμο σιγά σιγά. Στις πέντε ακριβώς η κεντρική είσοδος άνοιξε και ένας μοναχός έκανε νόημα τον κόσμο να περάσει, ελέγχοντας και το ντύσιμο των γυναικών. Η Κάσι έσκυψε για να μπει, μια και η πόρτα ήταν γύρω στο ενάμισι μέτρο ύψος και δεν μπόρεσε παρά να μείνει άναυδη από το υπέροχο δείγμα αρχιτεκτονικής που συνάντησε στα σωθικά του βράχου.

Η στενή σκάλα, που μετά βίας χωρούσε ένα άτομο, την οδήγησε στον δεύτερο όροφο, όπου οι μοναχοί πρόσφεραν λουκούμια και ρακόμελο. Η Κάσι τα τίμησε και τα δύο και μετά ανέβηκε στον επόμενο χώρο, όπου βρισκόταν το Ιερό, και προσκύνησε την εικόνα της Παναγιάς, ανάβοντας ένα κερί. Παρότι χριστιανή ορθόδοξη, δεν είχε πολλά πολλά με την ορθοδοξία, κυρίως λόγω της μάνας της, που ήταν καθολική. Βγήκε στη φαρδιά βεράντα και η μοναδική θέα την έκανε να ανοίξει το στόμα της από θαυμασμό. Μπροστά απλωνόταν το Αιγαίο ως τα βάθη του ορίζοντα. Πιο κάτω μπορούσε να δει ένα μεγάλο τμήμα του νησιού και εκεί στα δεξιά της ένα βράχο που της θύμιζε έντονα κεφάλι σκύλου. Βιντεοσκόπησε το τοπίο και τράβηξε φωτογραφίες μαζί με την Ποθητή, μέχρι που η φωνή του ηγούμενου κάλεσε τους πιστούς να μπουν και να παρακολουθήσουν τη Λειτουργία. Η σύντομη τελετή ολοκληρώθηκε έπειτα από δεκαπέντε λεπτά και κατόπιν ο ηγούμενος άρχισε να δέχεται ερωτήσεις από τους πιστούς, στις οποίες απαντούσε με ιδιαίτερη χαρά. Η Κάσι αγόρασε τρία αντίγραφα της εικόνας της Παναγιάς, στολισμένης με ημιπολύτιμους λίθους, που της άρεσαν πολύ. Τη μία θα την κρατούσε για τον εαυτό της, μία θα χάριζε στον πατέρα της και την άλλη στη Σάρον, μπας και βρει φώτιση στο δρόμο της και πάψει να κάνει άλλους αποτυχημένους γάμους.

Οι επόμενες μέρες τη βρήκαν να εξερευνά το νησί απ' άκρη σ' άκρη. Της άρεσε πολύ η Αιγιάλη, το δεύτερο λιμάνι του νησιού, γοητεύτηκε από την ομορφιά τριών υπέροχων χωριών, των Θολαρίων, της Λαγκάδας και του Ποταμού. Ειδικά στον Ποταμό δεν υπήρχε πρόσβαση με αυτοκίνητο παρά μόνο με τα πόδια, και έπρεπε να ανεβεί κάποιος αμέτρητα σκαλοπάτια μέχρι την κορυφή του. Η Κάσι έμεινε άναυδη όταν είδε μια γερόντισσα να ανεβαίνει φορτωμένη στην πλάτη με ένα σακί πατάτες και απόρησε με τη σβελτάδα της, που θύμιζε έφηβη. Πιο πάνω μια άλλη γριούλα, καβάλα στα πλάγια σε ένα γάιδαρο, κατέβαινε βιαστικά τα σκαλοπάτια με μια αταραξία και άνεση λες και ήταν Αμαζόνα. Μα πώς στο καλό το έκαναν αυτό; Η ίδια ήδη είχε λαχανιάσει από ώρα, και ας μην κάπνιζε, κι ας γυμναζόταν. Σε όλα τα χωριά τής έκανε μεγάλη εντύπωση που ήθελαν να τη φιλέψουν, να μάθουν ποια είναι. Κι εκείνη, με τα φτωχά ελληνικά της, τους ευχαριστούσε και δεχόταν τις ερωτήσεις τους, λύνοντας συνάμα και τις δικές της απορίες.

Κοντά μία εβδομάδα στο νησί δεν έκανε τίποτε άλλο παρά να τριγυρνά και να βιντεοσκοπεί ό,τι της έκανε εντύπωση. Η επικοινωνία της με το Λος Άντζελες ήταν καθημερινή, αν και η εγχείρηση της Μακ Στίβενς δεν είχε το επιθυμητό αποτέλεσμα, κάτι που σήμαινε ότι ο Σταν μάλλον δε θα ερχόταν, γιατί όπως της είπε, ίσως να τη χειρουργούσε ξανά. Η Κάσι απογοητεύτηκε λίγο, αλλά σε καμία περίπτωση δεν ένιωθε μοναξιά. Αύριο κιόλας θα επισκεπτόταν τον όρμο της Μικρής Βλυχάδας, κατεβαίνοντας το απότομο μονοπάτι, που διέσχιζε ένα φαράγγι και κατέληγε σε μια απόμερη και μικρή παραλία. Την είχε κατεβεί παιδί ακόμη και της είχε μείνει στο μυαλό. Ο Ρουσσέτος την είχε προειδοποιήσει ότι αυτό ήταν επικίνδυνο και υπήρχε το ενδεχόμενο να αποπροσανατολιστεί και να χάσει το δρόμο της. Της Κάσι, βέβαια, της φάνηκε αστείο. Σιγά τη διαδρομή που θα την έκανε να χάσει το δρόμο της. Δεν ήταν δα και το φαράγγι του Γκραν Κάνιον[4]. Εξάλλου, θα είχε το κινητό μαζί της.

---

4. Μεγάλο φαράγγι στην Αριζόνα των ΗΠΑ.

Την επομένη, φορτωμένη με ένα σακίδιο στην πλάτη με ένα μπουκάλι κρύο νερό, σάντουιτς και ό,τι άλλο της χρειαζόταν, έφθασε με το τζιπ στα Θολάρια. Από κει διέσχισε με τα πόδια τα σοκάκια μέχρι που έφθασε στη άκρη του χωριού, όπου μια πινακίδα την ενημέρωνε για τη διαδρομή της κατάβασης. Άρχισε να κατεβαίνει το στενό, μόλις ενός μέτρου χωμάτινο μονοπάτι, φορώντας ένα ζευγάρι αθλητικά παπούτσια που αγόρασε από τη Χώρα. Είχε κουβαλήσει μαζί της του κόσμου τα επώνυμα παπούτσια, για να αρκεστεί εντέλει σε ένα ζευγάρι απλές λαστιχένιες παντόφλες και στα αθλητικά, που και τα δύο τα είχε αγοράσει εδώ. Στην Αμοργό δε σου χρειάζεται κανένα άλλο είδος παπουτσιού. Η κατάβαση της φάνηκε εύκολη, ύστερα όμως από μισή ώρα, άρχισε να νιώθει τα πρώτα σημάδια κούρασης. Κάθισε σε μια μεγάλη πέτρα και κοίταξε τριγύρω. Ερημιά, βράχοι, πέτρες, σαύρες και κάτω από τα πόδια της χάος. Τρόμαξε λιγάκι, όμως δε θα το έβαζε κάτω. Ήδη έβλεπε τη θάλασσα, έστω και από μακριά. Μισή ώρα ακόμη και θα έφθανε στην παραλία της Βλυχάδας. Τελικά, έπειτα από είκοσι λεπτά και καταϊδρωμένη έφθασε στον μικρό όρμο.

Η παραλία την υποδέχτηκε έρημη και λίγο βρόμικη. Κάποιοι είχαν κατασκηνώσει εκεί· υπήρχαν άδεια πλαστικά μπουκάλια και αποκαΐδια, προφανώς από κάποια διανυκτέρευση. Έκανε πρώτα μια αναγνωριστική βόλτα. Δεν ήταν τίποτε ιδιαίτερο. Στρωμένη με χοντρό χαλίκι και βότσαλα και δύο θεόρατους βράχους που ορθώνονταν δεξιά κι αριστερά και εκτείνονταν σε απόσταση περίπου διακοσίων ή τριακοσίων μέτρων μέχρι μέσα στη θάλασσα, σχημάτιζαν αυτόν τον μικρό κόλπο. Το νερό εδώ ήταν πολύ σκούρο, κάτι που πρόδιδε το μεγάλο βάθος του. Οι βράχοι, που υπήρξαν πλευρές βουνών, ήταν πανύψηλοι και ίσως κάποτε ενωμένοι, αλλά αποκολλήθηκαν από κάποια υποχώρηση του εδάφους σε κάποιο μακρινό γεωλογικό παρελθόν, δημιουργώντας αυτόν τον φυσικό κολπίσκο. Η είσοδος ανάμεσα στους βράχους δεν επέτρεπε την πρόσβαση μεγάλων πλεούμενων, εκτός από βάρκες. Γι' αυτό η παραλία δεν ήταν ιδιαιτέρα δημοφιλής. Είχε δύσκολη κατάβαση, ακόμη πιο δύσκολη ανάβαση και νερά επικίνδυνα. Τίποτε το ιδιαίτερο, πέρα από την αγριότητα του τοπίου που έμοιαζε με σεληνιακό, όμως άξιζε τον κόπο. Έστρωσε την πετσέτα της σ' ένα υπερυψωμένο σημείο, βιντεοσκόπησε το χώρο και μετά έβγαλε τα ρούχα της και κάθισε ολόγυμνη στον ήλιο. Μόνο κάτι θαλασσοπούλια, που 'χαν χτίσει τις φωλιές τους στις εσοχές των βράχων, μπορούσαν να γίνουν μάρτυρες της γύμνιας της.

Ήταν σχεδόν κρυμμένη πίσω από ένα βράχο και στον παραμικρό θόρυβο θα φορούσε αμέσως το μαγιό της. Ήταν αδύνατον όμως να την εντοπίσει κάποιος ψηλά από τους βράχους λόγω του μεγάλου ύψους, το ίδιο κι από τη θάλασσα. Απόλαυσε λοιπόν το σάντουιτς, ήπιε τον έτοιμο χυμό της, διάβασε λίγο για την ιστορία της Μινώας, της αρχαίας πόλης της Αμοργού, που θα επισκεπτόταν αύριο. Έπειτα από τρεις ώρες παραμονής εκεί, ντύθηκε και σκέφτηκε να κάνει την τελευταία βόλτα της προτού φύγει. Βάδιζε κατά μήκος της μικρής παραλίας, που δεν ήταν περισσότερο από πενήντα με εξήντα μέτρα, όταν χτύπησε το κινητό της. Στην προσπάθειά της να το βγάλει βιαστικά από την τσέπη του σορτς που φορούσε, εκείνο της γλίστρησε και έπεσε στο νερό. Αμέσως η οθόνη της έσβησε και η συσκευή απενεργοποιήθηκε. Η Κάσι άφησε να της φύγει μια βρισιά, που όμως δεν την έσωσε. Το άνοιξε και το άπλωσε στον ήλιο να στεγνώσει. Μία ώρα αργότερα το κινητό είχε στεγνώσει όμως εξακολουθούσε να μη λειτουργεί. Η ώρα πλησίαζε έξι όταν αποφάσισε να φύγει.

Φθάνοντας στην αρχή του μονοπατιού που την είχε οδηγήσει στη θάλασσα, διαπίστωσε ότι χωριζόταν σε πολλές κατευθύνσεις. Κοίταξε ψηλά στην κορυφή της χαράδρας και πρόσεξε πως οι βουνοκορφές ήταν πέντε. Από ποια κορυφή είχε κατεβεί; Σε ποια από αυτές βρίσκονταν τα Θολάρια; Όλες έμοιαζαν καταπληκτικά μεταξύ τους. Εκείνη τη στιγμή θορυβήθηκε, ωστόσο αποφάσισε να συνεχίσει. Δεν μπορεί να ήταν τόσο άχρηστη. Θα έβρισκε το μονοπάτι. Δεκαπέντε λεπτά αργότερα, επέστρεψε πάλι στην παραλία, ανακαλύπτοντας ότι είχε πάρει λάθος δρόμο. Μία ώρα μετά και ενώ πλησίαζε επτά, η Κάσι είδε με τρόμο ότι το μονοπάτι που είχε ακολουθήσει αυτή τη φορά την οδηγούσε στην καρδιά ενός γκρεμού και όχι στην κορυφή του βουνού. Το κινητό της ήταν νεκρό και ο πανικός άρχισε να την κυριεύει. Φαγητό δεν είχε μαζί της, το νερό είχε σχεδόν τελειώσει και η νύχτα πλησίαζε. Τρομαγμένη σκαρφάλωσε στον πιο ψηλό βράχο, προσπαθώντας να προσανατολιστεί, όταν ένα καφετί φίδι πέρασε σύρριζα από τα πόδια της. Έβγαλε ένα ουρλιαχτό και άρχισε να τρέμει. Τώρα τι θα έκανε; Είχε χαθεί και δεν είχε μέσο να ειδοποιήσει κανένα. Τότε η άκρη του ματιού της έπιασε κάτι να κινείται μακριά στα δεξιά της. Έβαλε το χέρι πάνω από τα μάτια της και προσπάθησε να ξεχωρίσει τι ήταν. Και ήταν αυτό που γύρευε. Ένας άνθρωπος κατέβαινε την πλαγιά, ακριβώς αντίθετα από το μονοπάτι που εκείνη είχε διαλέξει για να φύγει. Η Κάσι δεν τον έχασε από τα μάτια της. Ήταν ένας άνδρας που είχε αποφασίσει να κατεβεί στη Βλυχάδα αργά το απόγευμα.

Περίμενε να πλησιάσει και έτρεξε προς το μέρος του φωνάζοντας. Εκείνος κοντοστάθηκε και μετά τάχυνε κάπως το βήμα του. Η Κάσι διαπίστωσε ότι ήταν ένας μελαχρινός νέος άνδρας γύρω στα τριάντα. Η όψη της φανέρωνε την αγωνία της.

«Μιλάτε αγγλικά;» τον ρώτησε. Προς το παρόν είχε ξεχάσει παντελώς τα ελληνικά της.

Εκείνος την κοίταξε ξαφνιασμένος. «Ναι, μιλάω. Μα τι πάθατε; Εσείς τρέμετε ολόκληρη».

«Μπορείτε να με βοηθήσετε, σας παρακαλώ; Δύο ώρες προσπαθώ να βρω το δρόμο για τα Θολάρια και δεν μπορώ. Και από την άλλη έχει βραχεί το κινητό μου και δεν μπορώ να ειδοποιήσω κανένα».

«Μόνη σας ήρθατε εδώ;»

«Ναι, μόνη μου».

«Ήταν πολύ επικίνδυνο αυτό που κάνατε. Δε σας ενημέρωσε κανείς;»

Η Κάσι έσκυψε το κεφάλι σαν κοριτσάκι που το μάλωνε η μαμά του. «Η αλήθεια είναι ότι με προειδοποίησαν, όμως...»

«Εντάξει, εντάξει, δεν έγινε και τίποτε σοβαρό. Όλο και κάποιος κατεβαίνει εδώ κάτω, αλλά όχι τόσο συχνά τον Ιούνιο. Λοιπόν, θα σας βοηθήσω να γυρίσετε πίσω, όμως πρώτα θα μου επιτρέψετε να κάνω μια βουτιά. Ξέρετε, κατεβαίνω εδώ γιατί είναι η αγαπημένη μου παραλία. Έχει ησυχία και αυτό μου αρέσει».

Η Κάσι δεν είπε τίποτε. Ο άνδρας έστρωσε μια πετσέτα κάτω και μετά έβγαλε το τζιν που φορούσε. Το κόκκινο σορτς φώτισε τον τόπο. Έβγαλε και το μακό μπλουζάκι και χωρίς άλλη λέξη, έτρεξε με φόρα και χάθηκε κάτω από το νερό. Τότε της ήρθε μια έκλαμψη και η μνήμη της φανέρωσε την εικόνα εκείνου του υπέροχου κολυμβητή στις Πλάκες, λίγες μέρες πριν. Ήταν ο ίδιος ή κάποιος που του έμοιαζε; Η Κάσι περίμενε να φανεί το κεφάλι του. Πέρασαν δυο λεπτά ώσπου να τον δει να ξεπροβάλλει από το νερό σε αρκετή απόσταση από την ακτή. Αυτός ήταν. Το ίδιο μαγιό, το ίδιο στιλ, η ίδια αντοχή αναπνοής.

Κάθισε στην άκρη της μαύρης πετσέτας χωρίς να τον χάνει από τα μάτια της, ώσπου τον είδε να στρίβει από τα βράχια και να χάνεται στην ανοιχτή θάλασσα. Μόνο ένας τρελός θα το 'κανε αυτό. Ο Ρουσσέτος της είχε πει πως στο σημείο εκείνο η θάλασσα είχε σχεδόν απύθμενο βάθος. Γι' αυτό και δεν μπήκε καθόλου στη θάλασσα. Η θέα της και μόνο την τρόμαζε και ένιωθε ότι θα τη ρουφήξει. Μα πώς μπορούσε να τα βάζει με τον κίνδυνο; Τι είδους ψαράνθρωπος ήταν αυτός και χανόταν έτσι μέσα στο νερό; Κι αν έφευγε; Αν πνιγόταν; Ποιος θα τη βοηθούσε τότε; Ύστερα από τρία τέταρτα τον είδε επιτέλους να κολυμπά προς το μέρος της. Δόξα τω Θεώ, είχε σωθεί.

Ο άνδρας βγήκε επιτέλους από το νερό και με τα δυο του χέρια έσπρωξε τα κοντά μαύρα μαλλιά του προς τα πίσω. Το ηλιοκαμένο σώμα του ήταν καλοφτιαγμένο και γυμνασμένο από την κολύμβηση. Της θύμισε για μια στιγμή κάποιο αρχαίο ελληνικό άγαλμα, έτσι όπως διαγράφονταν οι μύες του. Ο άνδρας πλησίασε και της χαμογέλασε. Το αστραφτερό του χαμόγελο έλαμψε και η Κάσι ένιωσε περίεργα. Της ήταν πολύ γνώριμο.

«Ελπίζω να μην άργησα πολύ», της είπε.

«Θα περίμενα όση ώρα κι αν χρειαζόταν. Δεν μπορούσα να κάνω και διαφορετικά».

«Είμαι ο Ορέστης», συστήθηκε και άπλωσε το χέρι του.

«Κι εγώ η Κασσάνδρα», του είπε αυθόρμητα και άπλωσε το δικό της χέρι, μένοντας συγχρόνως άναυδη που συστηνόταν για πρώτη φορά στη ζωή της με το ελληνικό όνομά της ολόκληρο.

«Κασσάνδρα; Μα νόμιζα ότι ήσουν ξένη», σχολίασε ενώ καθόταν στην άλλη άκρη της πετσέτας.

«Μισή Ελληνίδα από τον πατέρα μου και μισή Αμερικανίδα από τη μητέρα μου».

«Μιλάς ελληνικά;»

«Πολύ λίγο», του απάντησε στα ελληνικά αυτή τη φορά.

«Το ξέρεις ότι και οι δύο έχουμε αρχαία ελληνικά ονόματα;»

«Ξέρω για το δικό μου. Το δικό σου είναι αρχαίο;»

«Ναι. Η ιστορία λέει πως ο Ορέστης ήταν γιος του Αγαμέμνονα και της Κλυταιμνήστρας. Ο Αγαμέμνονας ήταν ο αρχηγός της ελληνικής εκστρατείας στον Τρωικό Πόλεμο. Όταν τελείωσε ο πόλεμος, η Κλυταιμνήστρα, για να εκδικηθεί τον άνδρα της για τη θυσία της κόρης τους, Ιφιγένειας, και τις απιστίες του, τον δολοφόνησε μαζί με τον εραστή της και ανέβηκε στο θρόνο, διώχνοντας τον μικρό γιο της, τον Ορέστη, μακριά. Αργότερα ο Ορέστης, σαν μεγάλωσε, σκότωσε με εντολή του θεού Απόλλωνα τη μάνα του για να εκδικηθεί το φόνο του πατέρα του και έγινε μητροκτόνος».

Η Κάσι είχε μείνει άναυδη για άλλη μια φορά. Αν ήταν ποτέ δυνατόν αυτά τα δύο ονόματα να έχουν κοινή ιστορία.

«Για την Κασσάνδρα τι ξέρεις;» τον ρώτησε.

«Ότι ήταν κόρη του βασιλιά της Τροίας, Πριάμου, και της Εκάβης».

«Ακριβώς. Το ξέρεις ότι ο θεός Απόλλωνας, που έδωσε όπως λες την εντολή στον Ορέστη να σκοτώσει τη μάνα του, είχε δώσει και στην Κασσάνδρα το χάρισμα να μαντεύει; Γνωρίζεις ότι ο Αγαμέμνονας, όταν έφυγε από την Τροία, την πήρε μαζί του και την έκανε ερωμένη του; Ότι η Κλυταιμνήστρα τη δολοφόνησε μαζί μ' αυτόν;»

Ο Ορέστης την κοίταξε κατάπληκτος. Τα σκούρα καστανά μάτια του με τις μελιές ανταύγειες μαγνήτισαν τα δικά της αμέσως και η Κάσι ένιωσε να της κόβεται η ανάσα. Αυτό το βλέμμα τής ήταν γνώριμο. Αυτό το χαμόγελο επίσης. Αυτό τον άνδρα τον γνώριζε. Πού όμως; Πώς; Πότε;

«Και πού τα ξέρεις όλα αυτά;» τη ρώτησε αμήχανα.

«Τα έμαθα εδώ στην Ελλάδα, από τον ξεναγό μου. Μετά διάβασα και λιγάκι. Τελικά η ελληνική Ιστορία και μυθολογία παρουσιάζουν πολύ μεγάλο ενδιαφέρον και νιώθω πραγματικά άσχημα που έχω άγνοια. Σήμερα, όμως, έμαθα και κάτι καινούργιο».

«Είσαι σε διακοπές εδώ;»

«Ναι».

«Μόνη;» Ο άνδρας κοίταξε το μονόπτερο στο χέρι της.

«Ο άνδρας μου, ο Σταν, έμεινε στο Λος Άντζελες. Είναι πλαστικός χειρουργός και έπρεπε να χειρουργήσει μια σπουδαία πελάτισσα. Τελευταία στιγμή ανέβαλε το ταξίδι του».

«Στο Λος Άντζελες μένετε;»

«Εκεί γεννήθηκα βασικά. Ο πατέρας μου γεννήθηκε εδώ, στην Αμοργό, όμως έφυγε για την Αμερική πολύ νέος. Μέχρι τα δώδεκα, ερχόμουν κάθε χρόνο για δύο ή και τρεις μήνες εδώ στο σπίτι της γιαγιάς μου, στη Χώρα, ώσπου εκείνη πέθανε. Από τότε δεν ξανάρθα ποτέ. Φέτος αποφάσισα ότι ήθελα να ξαναγυρίσω στο νησί, να θυμηθώ τα παλιά, να βρω τους παιδικούς μου φίλους».

«Και τους βρήκες;»

«Άλλους ναι, άλλους όχι. Στην ουσία νιώθω ότι δε βρήκα αυτά που έψαχνα. Βλέπεις, έχουν αλλάξει πολλά πράγματα από τότε, και μεγαλώσαμε διαφορετικά».

«Γι' αυτό είσαι μόνη σου;»

«Δε με πειράζει καθόλου. Το απολαμβάνω, θα έλεγα. Μου αρέσει να εξερευνώ το νησί. Εσύ διακοπές κάνεις εδώ;»

«Όχι. Έχω ένα μικρό μπαράκι στην Αιγιάλη και από το Μάιο μέχρι τα μέσα του Οκτώβρη βρίσκομαι στο νησί. Ύστερα επιστρέφω στη Θεσσαλονίκη».

«Τι είναι αυτό;»

«Η μεγαλύτερη πόλη της Ελλάδας μετά την Αθήνα. Βρίσκεται στη Μακεδονία. Να, εδώ». Ο Ορέστης σχεδίασε πρόχειρα στην άμμο το χάρτη της Ελλάδας και της έδειξε τη θέση της Θεσσαλονίκης στα βόρεια. «Είναι μια κούκλα η Θεσσαλονίκη. Δε θα την άλλαζα με καμιά άλλη πόλη στον κόσμο. Ίσως μόνο με την Αμοργό. Τυχαία βρέθηκα εδώ πριν από δέκα χρόνια, στα είκοσι τρία μου, φοιτητής ακόμη, και το ερωτεύτηκα το νησί. Άρχισα να έρχομαι κάθε καλοκαίρι. Πριν από έξι χρόνια αποφασίσαμε με ένα φίλο μου να ανοίξουμε ένα μπαράκι. Η επιχείρηση πήγε καλά και από τότε στέριωσα εδώ τα καλοκαίρια».

«Και τους χειμώνες;»

«Έχω μαζί με το συνεταίρο μου άλλο μαγαζί στη Θεσσαλονίκη. Μπαράκι κι αυτό. Ο συνεταίρος μου όμως προτιμάει να μένει Θεσσαλονίκη κι έτσι εγώ μένω περισσότερο στην Αμοργό».

Η ώρα είχε περάσει και η Κάσι το ένιωσε όταν η μικρή παραλία άρχισε να σκοτεινιάζει απ' άκρη σ' άκρη από τη βαριά σκιά των βράχων.

«Θεέ μου!» έκανε ανήσυχη. «Πήγε οκτώ και δέκα. Τώρα; Πώς θα γυρίσουμε πίσω;»

Ο Ορέστης έβαλε τα γέλια. «Ξέρω το δρόμο και με κλειστά τα μάτια», την καθησύχασε. «Μη φοβάσαι τίποτε».

Η ανάβαση ήταν πολύ πιο κουραστική και δύσκολη από την κατάβαση, και η Κάσι ανηφόριζε μόνο με τη βοήθεια του Ορέστη. Εκείνος βάδιζε με άνεση και ευκολία, σκαρφαλώνοντας από βράχο σε βράχο, σέρνοντας από το χέρι την Κάσι όπου χρειαζόταν. Εκείνη αισθανόταν σαν κουταβάκι που είδε ένα ζευγάρι πόδια και τα ακολούθησε. Ένιωθε την προστατευτική του ενέργεια και κάθε πιάσιμο του χεριού της από το δικό του την ηλέκτριζε περίεργα. Μερικές φορές την έπιασε από τη μέση και τη βοήθησε να κατεβεί από υψώματα και τότε εκείνη ένιωθε το σφιχτοδεμένο κορμί του επάνω της και αποσυντονιζόταν, κοβόταν η ανάσα της.

Μία ώρα αργότερα, και ενώ είχε πέσει το σκοτάδι, είχαν ανεβεί πια στην κορυφή, στα Θολάρια. Ήταν ολοφάνερο ότι εκείνος, μόνος του, θα χρειαζόταν τον μισό χρόνο απ' οσο χρειάστηκαν μαζί. Την πήγε μέχρι το αυτοκίνητό της. Η μηχανή του, μια τσόπερ, ήταν παρκαρισμένη ακριβώς δίπλα και αυτό την ξάφνιασε.

«Λοιπόν, Κασσάνδρα», της είπε, «χάρηκα για τη γνωριμία και, όποτε είναι ο δρόμος σου από την Αιγιάλη, πέρνα από το μπαράκι να σε κεράσω. Αυτή είναι η κάρτα μου», συμπλήρωσε και της έδωσε μια κάρτα με το όνομα του μπαρ.

Δεν πρόλαβε να τον ευχαριστήσει. Είχε ήδη βάλει μπρος τη μηχανή του και εξαφανίστηκε σαν άνεμος. Έμειναν τα καυσαέρια πίσω της κι αν δεν κρατούσε την κάρτα του, θα πίστευε ότι όλα αυτά τα είχε ονειρευτεί. Ήταν ένας ευγενικός άνδρας που της είχε κάνει εντύπωση. Ήταν σχεδόν σίγουρη πως επρόκειτο για τον κολυμβητή που την είχε μαγέψει στις Πλάκες. Ο μόνος που είχε προσέξει. Κι όταν πια συστήθηκαν και κατάλαβε ποια μοίρα έδενε τα δύο μυθολογικά πρόσωπα, τον Ορέστη και την Κασσάνδρα, τότε ξαφνιάστηκε πραγματικά με τις απίστευτες συμπτώσεις της ζωής.

Έβαλε μπρος το τζιπ και πήρε το δρόμο της επιστροφής για τη Χώρα. Αύριο είχε προγραμματίσει να επισκεφτεί τη Μινώα, την αρχαία πόλη της Αμοργού κοντά στα Κατάπολα, και μετά θα πήγαινε για μπάνιο στον Άγιο Παύλο, απέναντι από το νησί Νικουρία, και ίσως με το καραβάκι να εξερευνούσε τις γύρω ακτές. Έφθασε στο ξενοδοχείο στις έντεκα, αφού τσίμπησε κάτι πρόχειρα. Σήμερα δεν είχε διάθεση να βγει και κάθισε στη βεράντα της, αγναντεύοντας τη θάλασσα. Από πάνω της ο ολοστρόγγυλος ασημένιος δίσκος του φεγγαριού φώτιζε σαν δάδα όλο το νησί, χαράζοντας ένα ιριδίζον μονοπάτι πάνω στη σκοτεινή θάλασσα, σαν να ήθελε να προσελκύσει διαβάτες να το περιδιαβούν και να φθάσουν εκεί πάνω.

Μα τι είχε πάθει; Γιατί είχε χάσει το κέφι της; Μήπως επειδή είχε τρομάξει μ' αυτή την περιπέτεια; Μα αυτό πλέον είχε περά-

σει, ήταν ασφαλής. Τότε; Τι έφταιγε; Δεν μπορούσε να το προσ-
διορίσει. Ίσως ένιωθε κακόκεφη, ίσως να της έλειπε η οικογένειά
της, ίσως να έφταιγε το ολόγιομο φεγγάρι. Κάπου είχε ακούσει
ότι όσο πιο κοντά ήταν το φεγγάρι στη Γη τόσο πιο πολύ ανα-
στατώνει ορισμένους ανθρώπους. Κι αυτό το φεγγάρι ένιωθες ότι
θα το πιάσεις με τα χέρια σου και θα το πάρεις στην αγκαλιά σου.
Χαζομάρες. Αν ήταν δυνατόν να φταίει αυτός ο πανέμορφος αση-
μένιος δίσκος. Τότε;

Έπεσε στο κρεβάτι χαζεύοντας τα γαλάζια δοκάρια και τις αρα-
χνοΰφαντες κουρτίνες γύρω από το σιδερένιο κρεβάτι. Κατόπιν
κοίταξε την κάρτα στο κομοδίνο δίπλα της. Την πήρε και διάβασε
το όνομα του μπαρ: ARGO. Τι να σήμαινε, άραγε, αυτή η λέξη; Δεν
μπορούσε να απαντήσει. Από κάτω υπήρχε το τηλέφωνο του μπαρ
μαζί με τη διεύθυνσή του. Ήθελε να πάρει τηλέφωνο και να τον ευ-
χαριστήσει, όμως δεν το έκανε. Γιατί; Πού ήταν το κακό; Κοίταξε
το κινητό της και μετά πάτησε το κουμπί έναρξης λειτουργίας.
Εκείνο φωτίστηκε. Ευτυχώς, δούλευε. Το ενεργοποίησε και μετά
το άφησε δίπλα της. Έσβησε το φως και έμεινε να κοιτάζει από το
μπαλκόνι της την πανσέληνο, ώσπου τα μάτια της σφάλισαν.

Η θάλασσα ήταν πεντακάθαρη, τιρκουάζ, ήρεμη. Η Κάσι κο-
λυμπούσε ολόγυμνη. Ναι, κολυμπούσε πότε πρόσθιο πότε ύπτιο,
έκανε βουτιές, χανόταν κάτω από την επιφάνεια και μετά έβγαινε
πάλι επάνω γελώντας. Ήταν ευτυχισμένη, ένιωθε βασίλισσα του
κόσμου, δεν την τρόμαζε τίποτε. Ξαφνικά είδε στο βυθό μια σκιά
και αμέσως μετά το κεφάλι του Ορέστη ξεπρόβαλε δίπλα της. Τα
μάτια του έλαμπαν και το χαμόγελό του άστραφτε στον ήλιο. Η
Κάσι άρχισε να κολυμπά παιχνιδιάρικα και να απομακρύνεται, κι
εκείνος την ακολούθησε ώσπου την έφθασε και την πήρε στην
αγκαλιά του. Ήταν κι εκείνος ολόγυμνος. Την κοίταξε στα μάτια
και μετά τη φίλησε. Άρχισαν να βυθίζονται. Το νερό τούς σκέπα-

σε και άρχισε να τους καταπίνει, όμως εκείνοι εξακολουθούσαν να φιλιούνται. Το σκοτάδι τούς περικύκλωσε και η Κάσι άνοιξε τα μάτια της. Δεν μπορούσε να δει τίποτε. Πνιγόταν... Πνιγόταν... Και μετά αυτός ο περίεργος ήχος... Σαν βροντή... Σαν... Η μουσική ακουγόταν δυνατά στο δωμάτιο. Η Κάσι πετάχτηκε απότομα από το κρεβάτι. Το κινητό της βαρούσε σαν δαιμονισμένο. Μέχρι να το εντοπίσει ανάμεσα στα σεντόνια, σταμάτησε. Έπιασε το κεφάλι της με τα δυο της χέρια. Θεέ μου, τι όνειρο... Τόσο υπέροχο και τόσο φρικτό συνάμα. Υπέροχο; Ήταν υπέροχο που φιλιόταν με κάποιον άλλο άνδρα; Αν ήταν δυνατόν να είναι υπέροχο... Κι όμως. Σηκώθηκε από το κρεβάτι και πήρε το κινητό της. Είδε την αναπάντητη κλήση. Ήταν η Σάρον. Κάλεσε τον αριθμό.

«Πού ήσουν, καλή μου, και δεν απάντησες;» τη ρώτησε η Σάρον.

«Κοιμόμουν», είπε κουρασμένα.

«Δε σ' ακούω καλά. Τι έχεις;»

«Είχα μια περιπέτεια χθες και παραλίγο να χαθώ σε ένα φαράγγι, ας το πούμε έτσι».

«Χριστέ μου! Και τι έγινε;»

«Με βρήκε κάποιος Έλληνας και με βοήθησε».

«Ευτυχώς. Τρόμαξες πολύ;»

«Κόντεψα να πάθω πανικό».

«Κι εσύ, χρυσή μου, τι δουλειά είχες στα φαράγγια;»

«Ήθελα να εξερευνήσω το μέρος και να κατεβώ σε μια ερημική παραλία που είχα πάει πολύ μικρή. Εντάξει, πέρασε τώρα. Εσύ πώς είσαι;»

«Ερωτευμένη μέχρι εκεί που δεν πάει άλλο. Μην πεις τίποτε. Δεν ξέρω αν είναι σωστό ή λάθος, όμως θα το ζήσω μέχρι τέλους. Η ζωή είναι πολύ μικρή για να τη χαραμίζω περιμένοντας τον σωστό άνδρα. Α, όχι, γλυκιά μου, εγώ δεν είμαι από αυτές. Θα τον παντρευτώ και όπου φθάσουμε».

«Και καλά θα κάνεις».

«Τι; Άκουσα καλά; Συμφωνείς να παντρευτώ;»

«Ναι, συμφωνώ. Και αν θες να ξέρεις, σε ζηλεύω που σκέφτεσαι έτσι».

«Είσαι καλά, Κάσι, ή μήπως το σοκ που πέρασες σε πείραξε;»

«Μια χαρά είμαι, μη φοβάσai, απλώς σκέφτομαι πως έχεις δίκιο. Τελικά ποιο το νόημα της ζωής; Να βολευόμαστε ή να ζούμε;»

«Α, ακούγεσαι πολύ περίεργα. Τέλος πάντων, σ' ευχαριστώ για τη συμπαράσταση. Σε δυόμισι εβδομάδες θα τα πούμε και από κοντά. Τι θα κάνεις σήμερα;»

«Θα πάω για μπάνιο και μετά λέω να εξερευνήσω τη Μινώα, μια αρχαία πόλη».

«Κοίταξε μη χαθείς πάλι».

Δεν είχε πια καμιά όρεξη να πάει στην αρχαία πόλη. Αισθανόταν κουρασμένη για εξερευνήσεις και ήταν η πρώτη φορά που συνέβαινε αυτό. Δεν ήταν ακριβώς κούραση. Μια περίεργη υπερένταση περισσότερο. Έκανε ένα ντους και μετά πήρε τον ταξιδιωτικό της οδηγό και έφυγε με το τζιπ χωρίς να πάρει πρωινό στο *Γιασεμί*, όπως συνήθιζε, και χωρίς να ξέρει πού θέλει να πάει. Κατέβηκε από τη Χώρα και, αντί να ακολουθήσει το δρόμο της Αιγιάλης βόρεια για να πάει στον Άγιο Παύλο, πήρε την αντίθετη κατεύθυνση προς τα νότια. Κάπου στη διαδρομή είδε ψηλά από τον γκρεμό μέσα στη θάλασσα το μισοβυθισμένο πλοίο. Σταμάτησε το αυτοκίνητο στην άκρη του δρόμου και πήρε τη βιντεοκάμερά της. Ζούμαρε και διαπίστωσε, κρίνοντας από τη σκουριά επάνω στο πλοίο, ότι έπρεπε να βρισκόταν εκεί πολλά χρόνια. Τότε θυμήθηκε για την περιοχή Ναυάγιο, που της είχαν πει ότι είχε

πάρει το όνομά της από το εμβολισμένο καράβι. Το βιντεοσκό-
πησε και συνέχισε το δρόμο της στο άγριο τοπίο, ώσπου έφθασε
σε μια σχεδόν έρημη παραλία με την πινακίδα Καλοταρίτισσα. Βε-
βαιώθηκε από το χάρτη της ότι είχε φθάσει στο νοτιότερο σημείο
του νησιού. Έβγαλε την πετσέτα της και άραξε κάτω από τον ήλιο.
Ευτυχώς που υπήρχε μια καντίνα, γιατί πάνω στη βιάση της δεν
είχε πάρει καν νερό μαζί της. Πήρε ένα φραπέ και ένα σάντουιτς
που δεν της άρεσε. Πεινούσε όμως. Δεν είχε φάει καλά χθες το
βράδυ και δεν είχε πάρει πρωινό. Η ώρα πλησίαζε μία το μεσημέ-
ρι και ο ήλιος πυρπολούσε το νησί. Δεν είχε πάρει ούτε το καπέλο
μαζί της. Κάτι δεν τη βόλευε, σαν να έλειπε κάτι.

Ενοχλημένη από όλα αυτά μάζεψε τα πράγματά της και έφυ-
γε για τα Κατάπολα. Έφαγε εκεί σε μια ταβέρνα και μετά πήρε
το καραβάκι για την παραλία Μαλτέζι. Στις Πλάκες έψαξε ερευ-
νητικά με το βλέμμα της από μακριά μήπως τον ξεχωρίσει. Μα
ποιον έψαχνε; Τον άγνωστο κολυμβητή; Τον Ορέστη; Δε βρήκε
κανέναν από τους δυο. Έφθασε στη μικρή παραλία, όμως δεν
μπορούσε να χαλαρώσει. Βάδισε στην ακτή ώσπου έφθασε σε ένα
ύψωμα. Σκαρφάλωσε. Από πίσω η ακτή συνεχιζόταν. Την περ-
πάτησε ώσπου έφθασε στην άλλη άκρη. Τι έψαχνε ούτε και η ίδια
ήξερε. Μόνο βιντεοσκοπούσε.

Επέστρεψε το απόγευμα στη Χώρα, όμως δεν είχε ηρεμήσει
ακόμη. Περπάτησε έτσι χωρίς σκοπό μέχρι που τα βήματά της
αυτή τη φορά την οδήγησαν επάνω στην κορυφή του βουνού,
στους έρημους μύλους. Μόνο τότε συνειδητοποίησε ότι ήταν
μισογκρεμισμένοι, μοναχικοί στρατιώτες, εξοστρακισμένοι από
την άνιση μάχη με το χρόνο. Τους θυμήθηκε αγέρωχους να ατε-
νίζουν μαζί της το πέλαγος και να μάχονται με το δυνατό αγέρι
για το ποιος είναι ο πιο δυνατός. Της ήρθε να βάλει τα κλάματα.
Οι κοριτσίστικες φωνές της αντηχούσαν ακόμη εκεί γύρω, όμως

το κοριτσάκι είχε χαθεί για τα καλά. Το παρελθόν, όσο κι αν το αναπολούσε, δεν έπαυε να είναι κάτι που πέρασε και δε θα έρθει ποτέ πίσω. Κι αν έρθει, δε θα έχει τα ίδια χρώματα, τα ίδια αρώματα, την ίδια γεύση. Θα είναι σαν φαγητό που χάλασε, σαν ξεθωριασμένο ρούχο. Είχε γυρίσει πίσω γυρεύοντας τα χνάρια της, εκείνο το κοριτσάκι με τις πλεξούδες. Γιατί; Ποιος ο λόγος; Μήπως από κάτι που την έπνιγε; Και αν ήταν αλήθεια, ποιο ήταν αυτό; Η ζωή της ήταν όμορφη, ευτυχισμένη. Ή μήπως όχι;

Χάιδεψε τη γερασμένη πλάτη του... παλιού στρατιώτη και τον κοίταξε. Την κοίταξε κι εκείνος. «Τι γυρεύεις εδώ;» τη ρώτησε. «Πάνε οι ωραίες μέρες μας. Γύρνα στο παρόν και μη σκαλίζεις στάχτες. Αυτές είναι για κείνους που δε θέλουν να ζουν. Εσύ δεν ανήκεις σ' αυτούς. Την αγαπάς τη ζωή. Περισσότερο απ' ό,τι φαντάζεσαι. Μόνο που δεν το ξέρεις. Ζήσε το σήμερα και άφησε το χθες».

Ξαφνιάστηκε και τράβηξε το χέρι της από τον τοίχο. Τώρα τι ήταν αυτό; Φαντασία της ή της είχε μιλήσει στ' αλήθεια ο μύλος; Περίεργα πράγματα της συνέβαιναν τελευταία. Υπέφερε κι εκείνη από την ασθένεια της εποχής· είχε άγχος. Ίσως να ήταν μια προκλιμακτήρια ειδοποίηση. Πλησίαζε τα σαράντα τρία. Έμπαινε στο τέλος του καλοκαιριού της ζωής της. Ήταν κοντά στο φθινόπωρο. Η ζωή κυλούσε τελικά γρηγορότερα από όσο περίμενε. Και μόλις το διαπίστωνε. Έπρεπε να την προλάβει κι όχι να αναλώνεται σε μελαγχολικές και ατέρμονες σκέψεις. Έπρεπε να ακολουθεί ό,τι τη γέμιζε με χαρά και την έκανε ευτυχισμένη. Τι την έκανε ευτυχισμένη; Εκείνη τη στιγμή πήρε την απόφασή της. Θα πήγαινε στο μπαράκι του Ορέστη.

8

ℭℬ

Το μπαράκι βρισκόταν στη μέση των πέτρινων σκαλοπατιών που οδηγούσαν ψηλά, στο λόφο, μια και η Αιγιάλη ήταν χτισμένη αμφιθεατρικά, με τον οικισμό να απλώνεται από την παραλία μέχρι την κορυφή του ορεινού όγκου. Μπροστά του ανοιγόταν η θάλασσα, με την παραλία και το λιμάνι, ενώ δεξιά και πίσω ξεχώριζαν σαν λευκές αετοφωλιές τα χωριά Θολάρια και Λαγκάδα. Ήταν ίσως στο ωραιότερο σημείο του οικισμού και έμοιαζε με ζωγραφιά. Βαμμένο με κυπαρισσί χρώμα και όμορφους πάγκους από κορμούς δέντρων στο χρώμα της σοκολάτας, σου τραβούσε αμέσως την προσοχή. Η Κάσι βεβαιώθηκε ότι η ταμπέλα επάνω έγραφε AR-GO και μετά, με διστακτικά βήματα, μπήκε στο μαγαζί. Η ώρα πλησίαζε δέκα και μισή και ήταν ήδη γεμάτο με κόσμο.

Διέκρινε τον Ορέστη πίσω από το μπαρ να μιλάει με κάποιον άλλο άνδρα και πλησίασε. Φορούσε ένα λευκό πουκάμισο και το χρώμα τού πήγαινε εκπληκτικά. Ήταν ελαφρώς αξύριστος και φοβερά γοητευτικός. Και τώρα που τον πρόσεχε καλύτερα, της θύμιζε λίγο τον Τζορτζ Κλούνεϊ[1] στα νιάτα του. Μήπως γι' αυτό της ήταν τόσο οικείο το πρόσωπό του; Πάντα θαύμαζε τον Κλούνεϊ. Πρώτα ως άνδρα και μετά ως ηθοποιό. Όταν τον γνώρισε και προσωπικά, γοητεύτηκε και από την προσωπικότητα και τους τρόπους του. Η ήρεμη δύναμη· αυτός ο χαρακτηρισμός τού ταίριαζε.

Ο Ορέστης δεν την πρόσεξε στην αρχή. Φαινόταν διαφορετική. Συνήθως δε μακιγιαριζόταν τα πρωινά, πολύ δε περισσότερο στο νησί, που ένιωθε ότι ήταν περιττό. Μια καλή αντηλιακή κρέμα στο πρόσωπο και λίγο λιπ γκλος στα χείλη ήταν υπεραρκετά. Απόψε το βράδυ όμως είχε κάνει σχεδόν επαγγελματικό μακιγιάζ. Με μέικ απ, σκιές, ρουζ, μάσκαρα, φωτεινό κοραλλί κραγιόν. Είχε φορέσει ένα κομψό στενό κοραλλί φόρεμα μέχρι το γόνατο, που το είχε αγοράσει από την Αθήνα και της πήγαινε υπέροχα. Επάνω στους ώμους είχε ρίξει μια μπεζ-χρυσαφί μεταξωτή εσάρπα και φορούσε ένα ζευγάρι κομψά πέδιλα, σε χρυσαφί χρώμα κι αυτά, με πέντε πόντους τακούνι. Τα πρώτα που χρειάστηκε στην Αμοργό και ευτυχώς τα είχε μαζί της. Κρατούσε την κομψή Luis Vuitton τσάντα της, που την είχε ξεθάψει από τον πάτο της βαλίτσας της, και είχε χτενίσει προσεκτικά τα μαλλιά της. Το μαύρισμα του προσώπου της έκανε τα μάτια της πιο γαλάζια από ποτέ. Ήταν απλώς εκθαμβωτική!

Ο Ορέστης την ξανακοίταξε μόνο όταν εκείνη του χαμογέλασε πλατιά και τότε την αναγνώρισε.

«Κασσάνδρα!» είπε με έκδηλη χαρά. «Κόντεψα να μη σε γνωρίσω. Καλώς ήρθες». Την επόμενη στιγμή είχε βγει από το μπαρ και, πιάνοντάς την από το χέρι, την οδήγησε έξω στη βεράντα και την έβαλε να καθίσει στη μοναδική άδεια γωνιά. «Φροντί-

---

1. Διάσημος Αμερικανός ηθοποιός.

ζω πάντα να κρατώ αυτό το τραπέζι για τους φίλους», της είπε.

«Τι θα πιεις;»

«Τι προτείνεις;»

«Σαμπάνια;»

«Όχι. Θα προτιμούσα κάτι πολύ ελληνικό. Ένα ελληνικό κρασί. Αυτό είναι καλύτερο».

«Έχω το καλύτερο».

Έδωσε την παραγγελία και κάθισε δίπλα της. Η οικειότητά του την έκανε να αισθάνεται άνετα, συνάμα όμως κι αμήχανα. Δεν τον γνώριζε καλά, δεν ήξερε γιατί είχε έρθει εδώ.

«Σε περίμενα και χθες», της είπε αφού τσούγκρισαν τα ποτήρια τους.

«Με περίμενες;» ρώτησε ξαφνιασμένη.

«Θα σου φανεί περίεργο, όμως μου άρεσε η συζήτησή μας. Είναι από τις σπάνιες φορές που νιώθω τόση άνεση με κάποιον που μόλις γνώρισα».

«Το περίεργο είναι ότι κάπως έτσι νιώθω κι εγώ».

«Το ξέρεις ότι σήμερα κατέβηκα πάλι στη Βλυχάδα; Δεν ήταν στο πρόγραμμα, όμως σαν να ήθελα να σε βρω. Δε βρήκα εσένα, βρήκα όμως αυτό». Έβαλε το χέρι στην τσέπη του πουκαμίσου του και έβγαλε ένα κοκάλινο χτένι στολισμένο με πέτρες Swarovsky. Ήταν δικό της. Το είχε για να συγκρατεί τα μαλλιά της. Ήταν το αγαπημένο της και το έψαχνε όλο το πρωί.

«Ποπό, και το έψαχνα. Τελικά εσύ με βγάζεις πάντα από τη δύσκολη θέση».

«Γι' αυτό υπάρχουν οι άνδρες».

Η Κασσάνδρα έβαλε τα γέλια. Μα την αλήθεια είχε κάνει πολύ καλά που είχε έρθει στο μαγαζί αυτό. Έπειτα από μέρες μοναχικής αναζήτησης, ήταν η πρώτη φορά που δεν ένιωθε μόνη, που πίστεψε ότι είχε έναν καλό φίλο. Κι ας μην τον γνώριζε καθόλου. Ύστερα από τρία ποτήρια κρασί κι ενώ ο Ορέστης πηγαινοερχόταν παρακολουθώντας παράλληλα και τη δουλειά στο μαγαζί, η Κάσι ένιωθε ελαφρώς ζαλισμένη, αλλά πολύ ευτυχισμένη. Θυμήθηκε τα λόγια του μύλου: «Ζήσε το σήμερα». Κι εκείνη τη στιγμή ήθελε να ζήσει αυτό το γλυκό βράδυ, να απολαύσει τα αστέρια και το ασημένιο φεγγάρι.

Δεν κουνήθηκε από τη θέση της μέχρι τις τρεις το πρωί, που το μπαρ άρχισε να αδειάζει. Ο Ορέστης την πήγε μέχρι το αυτοκίνητό της, ανήσυχος για το πώς θα οδηγούσε μέχρι τη Χώρα. Είχε πιει αρκετά και ο δρόμος της επιστροφής ήταν επικίνδυνος, καθώς απλωνόταν γκρεμός σχεδόν σε όλη τη διαδρομή. Τότε της πρότεινε να πηγαίνει αυτός μπροστά με τη μηχανή του και εκείνη να τον ακολουθεί. Έτσι κι έγινε. Ο γκρεμός που έχασκε δεξιά κάτω τους ήταν όντως μεγάλος και οι στροφές απότομες και περίεργες. Στο μεγαλύτερο μέρος του δρόμου δεν υπήρχε καν φωτισμός και, αν ξέμενες από φώτα, ήσουν χαμένος. Δεν ήταν λίγοι αυτοί που είχαν σκοτωθεί εκεί, επειδή είχαν πιει και οδηγούσαν απερίσκεπτα. «Για να σε σεβαστεί η φύση, πρέπει πρώτα να τη σεβαστείς εσύ», της είχε πει. Την πήγε μέχρι το ξενοδοχείο.

«Πέρασα πολύ όμορφα, Ορέστη», του είπε νιώθοντας μια πρωτόγνωρη έξαψη. Το ολόγιομο φεγγάρι άφηνε τους αναστεναγμούς του πάνω στο νησί και φώτιζε περίεργα το τοπίο.

«Κι εγώ», απάντησε εκείνος. «Πήγαινε να ξεκουραστείς και, αν θες, μπορούμε να πάμε αύριο για μπάνιο μαζί».

«Θαυμάσια», του είπε πρόθυμα. «Ναι, θα το ήθελα πολύ».

«Εντάξει τότε».

«Καληνύχτα, Ορέστη».

«Καληνύχτα, Κασσάνδρα», της είπε και μετά έφυγε πίσω για την Αιγιάλη, δίνοντας ραντεβού για να πάνε μπάνιο μαζί την επόμενη στο Μούρο, ένα μέρος το ίδιο άγριο όπως η Βλυχάδα, σεληνιακό, με υπέροχη θάλασσα. Η Κασσάνδρα έπεσε στο κρεβάτι και αποκοιμήθηκε αμέσως. Κοιμήθηκε βαθιά, χωρίς όνειρα.

Την ίδια στιγμή ο Ορέστης, καθισμένος σε ένα βράχο, στην άκρη του γκρεμού πάνω από τον Άγιο Παύλο, αγνάντευε το πέλαγος ιδιαίτερα συλλογισμένος. Τι είχε πάθει με αυτή τη γυναίκα; Γιατί τον αναστάτωνε τόσο πολύ; Από την πρώτη στιγμή που την είδε εκεί κάτω στη Βλυχάδα, τρομοκρατημένη και αδύναμη, ένιωσε ότι το μόνο που ήθελε ήταν να την προστατεύσει. Από τι όμως; Δεν υπήρχε κίνδυνος, δεν τη γνώριζε, δεν της είχε υποχρέωση. Και την περίμενε να εμφανιστεί το πρώτο κιόλας βράδυ στο μπαράκι του, κοιτάζοντας συνεχώς την είσοδο.

Ξύπνησε με τη σκέψη της το επόμενο πρωί και ως το βράδυ, που είχε ηρεμήσει κάπως, εκείνη εμφανίστηκε ακόμη πιο όμορφη και τον τάραξε περισσότερο. Παράτησε τη δουλειά του, ξέχασε ποιος ήταν και δεν ξεκόλλησε από κοντά της, δίνοντας λαβές για σχόλια σε όσους τον γνώριζαν. Και τον γνώριζαν πολλοί. Δε θα 'χε το παραμικρό πρόβλημα αν ήταν ελεύθερος. Αλλά δεν ήταν.

Υπήρχε η Ζωή, ένα πανέμορφο ψηλό κορίτσι με ξανθά μαλλιά ως τη μέση και πράσινα μάτια. Τα τελευταία δύο χρόνια ήταν αρραβωνιασμένοι και θα παντρεύονταν αυτόν το χειμώνα. Είχαν γνωριστεί σχεδόν πριν από έξι χρόνια. Τότε η Ζωή ήταν είκοσι χρόνων και σπούδαζε αισθητικός, όταν αποφάσισε να λάβει μέρος στα καλλιστεία. Κέρδισε τον δεύτερο τίτλο ομορφιάς, αυτόν της Μις Ελλάς, ο δρόμος για τη δόξα άνοιξε και οι προτάσεις για φωτογραφίσεις, πασαρέλα, διαφημιστικά σποτ, μέχρι και ρόλους σε κάποιες ταινίες έπεφταν βροχή. Ήταν έτοιμη να εγκαταλείψει τις σπουδές της και να μετακομίσει στην Αθήνα, όταν γνωρίστηκαν σε ένα πάρτι. Εκείνος στα είκοσι επτά του, πτυχιούχος οικονομικών, δούλευε σε μια επιχείρηση. Ερωτεύτηκαν και η Ζωή ματαίωσε τα σχέδιά της για μετακόμιση στην πρωτεύουσα. Άρχισε να ανεβοκατεβαίνει στην Αθήνα για τις δουλειές της, με τη δικαιολογία ότι δεν ήθελε να παρατήσει τους γονείς της και τις σπουδές της. Στην ουσία δεν ήθελε να είναι μακριά από τον Ορέστη. Εκείνο το καλοκαίρι την πήρε μαζί του στην Αμοργό. Μαζί τους ήρθε και ο Νεκτάριος, ο κολλητός του, που ήταν dj, με τη Βάσω, την κοπέλα του. Από τύχη έμαθαν ότι το μπαράκι, που μέχρι τότε λειτουργούσε ως καφενείο, ήταν κλειστό και ανεκμετάλλευτο, γιατί είχε πεθάνει ο ιδιοκτήτης και η χήρα του, που είχε μείνει με τρία μικρά παιδιά, το νοίκιαζε.

Αποφάσισαν με τον Νεκτάριο να το πάρουν και να το κάνουν μπαρ. Καιρό τώρα ψαχνόταν για κάτι καλύτερο. Η δουλειά του ως υπαλλήλου σε μια εταιρεία δεν τον ικανοποιούσε οικονομικά και αναγκαζόταν να δουλεύει κατά περιόδους και ως μπάρμαν σε κλαμπ της Θεσσαλονίκης. Τη δουλειά τη γνώριζε πολύ καλά και ακόμη περισσότερο γνώριζε πως η νύχτα, έτσι και τραβήξει το μαγαζί, αφήνει πολλά λεφτά. Κι εκείνος είχε τον τρόπο του να γίνεται αγαπητός στους πελάτες του.

Μαζί με τον Νεκτάριο, που είχαν γνωριστεί σε κάποιο νυχτερινό κέντρο, έψαχναν από καιρό μια ευκαιρία για συνεργασία. Διαπίστωσαν όμως ότι τα μπαράκια στη συμπρωτεύουσα ήταν πάμπολλα και πολύ καλά δικτυωμένα. Χώρια που τα ενοίκια ήταν πανάκριβα. Μόλις τους δόθηκε λοιπόν αυτή η ευκαιρία, αποφάσισαν να ρισκάρουν. Η Αμοργός δεν ήταν Μύκονος, παρ' όλα αυτά, είχε καλό τουρισμό. Και το καφενείο αυτό βρισκόταν σε στρατηγικό σημείο και είχε λογικό ενοίκιο. Έβαλαν κάτω τις οικονομίες τους, πήραν δάνειο και έστησαν την επιχείρηση, που πήγε πολύ καλύτερα απ' όσο ευελπιστούσαν.

Τα δύο πρώτα καλοκαίρια η Ζωή ήταν μαζί του στη νησί. Το τρίτο, και αφού είχε πάρει το πτυχίο της ως αισθητικός, αποφάσισε μαζί με τη μεγαλύτερη αδελφή της, τη Χαρίκλεια, που ήδη έκανε αυτή τη δουλειά πέντε χρόνια, να ανοίξουν ένα beauty salon. Χάρη στη φήμη που είχε αποκτήσει από την ανάδειξή της ως Μις Ελλάς, στις γνωριμίες της αλλά και στην καλή δουλειά της, απέκτησε γρήγορα πελατεία και άρχισε να δουλεύει ασταμάτητα. Τώρα τα καλοκαίρια μπορούσε να έρχεται μόνο ένα μήνα τον Αύγουστο. Τους υπόλοιπους πέντε, πότε πήγαινε εκείνη στην Αμοργό για ένα τετραήμερο, πότε ο Ορέστης στη Θεσσαλονίκη. Δυστυχώς, δεν υπήρχε αεροδρόμιο στο νησί, διαφορετικά θα βλέπονταν κάθε Σαββατοκύριακο. Μέχρι να αρραβωνιαστούν επίσημα, ο Ορέστης είχε κοιμηθεί κάποιες φορές με άλλες γυναίκες που του είχαν γυαλίσει. Εξάλλου, πάντα του άρεσαν τα θηλυκά και είχε και ο ίδιος μεγάλη επιτυχία μαζί τους. Από τη μέρα όμως που πέρασαν βέρες, δε γύρισε να κοιτάξει αλλού. Είχε πια πάρει την απόφασή του, ότι αρκετά είχε δοκιμάσει στη ζωή του και καιρός ήταν να αράξει και να κάνει οικογένεια. Άλλωστε η Ζωή του ήταν αφοσιωμένη και δεν του είχε δώσει ποτέ δικαιώματα, αν και ο ίδιος ήταν λίγο επιφυλακτικός. Μια τόσο ωραία γυναίκα δεν περνούσε ποτέ απαρατήρητη. Αυτό από τη μια τον κολάκευε, από την άλλη όμως τον τρόμαζε. Τελικά πείστηκε ότι η κοπέλα του ήταν πραγματικά πιστή και τότε τα σταμάτησε όλα και της ζήτησε να αρραβωνιαστούν και να αρχίσουν να ετοιμάζουν σιγά σιγά το σπιτικό τους.

Ήταν πλέον σίγουρος ότι ποτέ άλλοτε δε θα έμπαινε στον πειρασμό να ξενοπηδήσει. Μέχρι προχθές. Ή μάλλον μέχρι σήμερα. Όταν την άφησε στο ξενοδοχείο, με το ζόρι κρατήθηκε να μην την αρπάξει και να την κάνει δική του εκεί έξω. Τα μυστηριώδη μάτια της τον κοίταζαν περίεργα, ή έτσι του φάνηκε. Σίγουρα ήταν μεγαλύτερή του. Δεν μπορούσε να προσδιορίσει πόσο. Ούτε που τον ενδιέφερε. Εκείνο που τον τράβηξε πιο πολύ ήταν τα γαλάζια μάτια της, όταν τον κοιτούσαν παρακλητικά για βοήθεια. Κάπου το είχε ξανασυναντήσει αυτό το βλέμμα, όμως όσο κι αν έψαξε, δεν μπορούσε να θυμηθεί πού. Ύστερα ήταν ο τρόπος που μιλούσε, οι κινήσεις των χεριών της, το χαμόγελό της, όλα τού ήταν οικεία. Και σήμερα το βράδυ εμφανίστηκε μέσα στο όμορφο φουστάνι της, να κάθεται δίπλα του και να τον τρελαίνει με το μεθυστικό άρωμά της, σε σημείο που να μην μπορεί να ξεκολλήσει από το πλάι της. Τι είχε πάθει; Τι του συνέβαινε; Τόσο μεγάλη ανάγκη είχε να ξαπλώσει με μια γυναίκα ώστε δεν έβλεπε μπροστά του; Τον είχε πειράξει τόσο πολύ η μονογαμία; Όχι, δεν ήταν αυτό. Κάτι άλλο συνέβαινε. Αυτή η γυναίκα είχε ένα μαγικό τρόπο να ξελογιάζει τους άνδρες. Μπορεί να ήταν παντρεμένη, μπορεί να ήταν σοβαρή, να μην έδινε δικαιώματα, όμως ξελόγιαζε. Ήταν επικίνδυνη. Κι αυτός ο ανόητος είχε κλείσει ραντεβού μαζί της. Θα το ακύρωνε. Πώς; Δεν είχε το τηλέφωνό της και δεν ήξερε καν το επώνυμό της να την πάρει στο ξενοδοχείο. Το καλύτερο θα ήταν να μην εμφανιστεί αύριο. Ήταν όμως σωστό; Δεν είχε να κάνει με κοριτσάκι. Μήπως τελικά αυτό ήταν που τον τραβούσε τόσο πολύ πάνω της; Δεν ήταν δα η πρώτη φορά που γνώριζε μεγαλύτερή του γυναίκα. Του είχε συμβεί πολλές φορές, και μάλιστα είχε περάσει καταπληκτικά. Η Κασσάνδρα όμως ήταν διαφορετική. Πολύ διαφορετική.

Ξύπνησε στις έντεκα παρά τέταρτο με το ξυπνητήρι του κινητού της. Στο Λος Άντζελες ήταν μία το πρωί και ο Σταν τώρα θα ετοιμαζόταν να κοιμηθεί. Ίσα που προλάβαινε να τον πάρει στο τηλέφωνο. Μίλησε αρκετά μαζί του, χωρίς όμως να του πει λέξη για τη γνωριμία της με τον Ορέστη. Η διορθωτική επέμβαση της Μακ Στίβενς θα γινόταν μεθαύριο και ήταν λίγο ανήσυχος. Τον ηρέμησε διαβεβαιώνοντάς τον ότι θα είχε το τέλειο αποτέλεσμα. Μίλησε και με το γιο της. Η Νταϊάν είχε αρχίσει να περπατάει σιγά σιγά με πατερίτσες. Κατόπιν ντύθηκε, μακιγιαρίστηκε ελαφρώς, αυτή τη φορά με ιδιαίτερο κέφι και κοιτάζοντας ανήσυχη την ώρα που κυλούσε πολύ γρήγορα. Στις δώδεκα και δέκα βρισκόταν έξω από το ξενοδοχείο της, ντυμένη με ένα χακί σορτς και μακό λευκό μπλουζάκι, κρατώντας τη μεγάλη ψάθινη τσάντα μπάνιου. Ο Ορέστης ήταν εκεί, χαϊδεύοντας τρυφερά τον ασπρόμαυρο γατούλη που είχε σκαρφαλώσει πάνω στη μηχανή του. Τη ρώτησε αν προτιμούσε τη μηχανή του ή το τζιπάκι της. Η Κάσι σκέφτηκε ότι θα ήταν πολύ δελεαστικό να ανεβεί πάνω σε μηχανή. Γιατί όχι;

Η διαδρομή τη διασκέδασε και την έκανε να αισθάνεται παιδούλα. Η κατάβαση ως την παραλία του Μούρου ήταν το ίδιο κουραστική με της Βλυχάδας, μόνο που τώρα είχε βοήθεια. Η μικρή άγρια παραλία με τα χοντρά βότσαλα της άρεσε πολύ, όμως η θάλασσα ήταν βαθιά, γι' αυτό και μπήκε μόνο μέχρι το γόνατο. Κατάλαβε ότι ήταν ανόητο να κρύβεται και εξομολογήθηκε στον Ορέστη την ανεξήγητη υδροφοβία της, που ξεκινούσε από τότε που θυμόταν τον εαυτό της. Εκείνος απόρησε και της είπε ότι ως επαγγελματίας δύτης, αφού στο στρατό υπηρέτησε ως βατραχάνθρωπος ειδικευμένος σε επικίνδυνες αποστολές, κοντά του δεν είχε να φοβάται τίποτε και θα μπορούσε να της κάνει μαθήματα κολύμβησης.

«Ούτε γι' αστείο. Θέλεις να πεθάνω πριν της ώρας μου;»

«Τουλάχιστον να δοκιμάσουμε. Κασσάνδρα, ξέρεις τι έλεγε ο παππούς μου; "Αν θέλεις να ξεπεράσεις αυτό που φοβάσαι, πρέπει να πολεμήσεις μαζί του"».

«Φοβάμαι, Ορέστη. Δεν αντέχω αυτό τον πόλεμο».

«Κοίτα, θα πάμε σε πολύ ρηχά νερά. Δεν υπάρχει περίπτωση

να πάθεις το παραμικρό με μένα πλάι σου. Τι νούμερο παπούτσι φοράς;»

«Στην Ελλάδα φοράω τριάντα οκτώ και μισό. Γιατί; Παίζει κάποιο ρόλο;»

«Παίζει», της είπε και με μια βουτιά χάθηκε από τα μάτια της. Η Κάσι ήξερε ότι θα περνούσε πάλι κάνα μισάωρο ώσπου να τον δει.

Έφαγαν σ' ένα ωραίο ρέστοραν, πάνω από την παραλία του Μούρου, αγναντεύοντας το πέλαγος, και μετά έκαναν μια βόλτα στη Χώρα για έναν καφέ. Έδωσαν ραντεβού για το βράδυ στο μπαράκι. Άλλο ένα βασανιστικό βράδυ πέρασε να συζητούν καθισμένοι στο μπαρ αυτή τη φορά, για να μπορεί να ελέγχει εκείνος τη δουλειά του. Στη συνέχεια, γύρω στις δύο, κι ενώ είχε φύγει ο κόσμος, την πήρε και έφυγαν, αυτός μπροστά με την τσόπερ κι εκείνη από πίσω με το αυτοκίνητό της. Στην περιοχή του Αγίου Παύλου, ο Ορέστης της έκανε νόημα να σταματήσει. Σταμάτησε κι εκείνος, κατέβηκε από τη μηχανή και στάθηκε στο αυτοκίνητό της.

«Σε πειράζει να σταματήσουμε εδώ για λίγο;» τη ρώτησε.

«Καθόλου», του απάντησε. Εκείνος μπήκε στο αυτοκίνητο και κάθισε δίπλα της, δίχως να την κοιτάζει. Το ασημένιο φεγγάρι είχε χάσει κάπως τη στρογγυλάδα του, όμως ήταν το ίδιο φωτεινό και σε ξελόγιαζε. Μπροστά τους η ασημόγκριζη θάλασσα απλωνόταν με μια ύποπτη ηρεμία, σαν ηφαίστειο πριν από την έκρηξη. Μια απίστευτη νηνεμία που ο Ορέστης τη γνώριζε πολύ καλά· ο καιρός θα άλλαζε.

«Δεν έχω δει πιο όμορφο φεγγάρι», του είπε αμήχανη.

«Εγώ το βλέπω χρόνια τώρα. Τον Αύγουστο πρέπει να το δεις. Είναι απίστευτο πόσο κοντά πλησιάζει τη Γη... Τον αγαπάς τον άνδρα σου Κασσάνδρα;» της είπε τονίζοντας τα λόγια του.

Η ερώτηση την ξάφνιασε. «Ναι... τον αγαπώ... Είναι καλός άνθρωπος ο Σταν».

«Κι εγώ την αγαπώ τη Ζωή».

«Ποια είναι αυτή;»

«Η αρραβωνιαστικιά μου».

Η Κάσι πάγωσε χωρίς να ξέρει το λόγο. Ήταν αρραβωνιασμένος; Ε, και; Τι την ένοιαζε αυτή αν ήταν αρραβωνιασμένος; Τον κοίταξε. Περίεργο. Η ίδια αίσθηση. Αυτό τον άνδρα τον γνώριζε πολύ καλά.

«Και γιατί μου τα λες αυτά, Ορέστη;»

«Γιατί είμαι έτοιμος να κάνω κάτι και προσπαθώ να σου πω να με σταματήσεις».

Η καρδιά της χτύπησε δυνατά.

«Τι είσαι έτοιμος να κάνεις;»

«Κασσάνδρα, μη με βασανίζεις περισσότερο...»

«Δεν καταλαβαίνω...» του είπε σχεδόν δακρύζοντας. Η καρδιά της χτυπούσε ξέφρενα. Έχανε τα λόγια της, τον εαυτό της. Ποια ήταν; Τι ήθελε;

«Δεν μπορώ να καταλάβω τι έχω πάθει», της είπε χωρίς να την κοιτάξει μια στιγμή, λες και φοβόταν το πρόσωπό της. «Κοντά σου νιώθω περίεργα... σαν να χάνω κάθε έλεγχο...»

«Κι εγώ το ίδιο», του είπε ψιθυριστά.

Τότε γύρισε το κεφάλι του και την κοίταξε. Ύστερα, με μια απότομη κίνηση, την άρπαξε από το σβέρκο και τράβηξε το πρόσωπό της κοντά στο δικό του. Είχε μείνει βουβή, με την καρδιά της να χτυπάει τρελά, παράλυτη στα χέρια του, να τον παρακαλά με τα μάτια της να σταματήσει. Εκείνος, όμως, δεν το έβλεπε. Τράβηξε το κεφάλι της ακόμη πιο κοντά, ώσπου το στόμα της χάθηκε μέσα στο δικό του. Μέντα, κανέλα και μέλι χύθηκαν πάνω στη γλώσσα της και μούσκεψαν τα χείλη, την καρδιά, ολόκληρο το κορμί της. Αδύνατον να αντισταθεί, αδύνατον να τον παρακαλέσει για έλεος, αδύνατον να ξεφύγει. Αφέθηκε με κομμένη την ανάσα να απολαμβάνει τη μελένια γεύση, ώσπου ένιωσε να μουσκεύει από πόθο, και τότε εκείνος σταμάτησε απότομα, όπως είχε αρχίσει, και τραβήχτηκε. Εκείνη έμεινε ξέπνοη, σαν να την είχε στραγγίξει με το φιλί του.

«Με συγχωρείς», της είπε. «Δεν ξέρω τι έχω πάθει. Καλύτερα να φύγω». Άνοιξε την πόρτα και βγήκε έξω. Στάθηκε στο ανοιχτό παράθυρο. «Μπορείς να οδηγήσεις;»

Η Κάσι κούνησε το κεφάλι καταφατικά, σαστισμένη ακόμη από την ανεπάντεχη συμπεριφορά του. Ο Ορέστης ανέβηκε στη μηχανή, έβαλε μπρος και χάθηκε από τα μάτια της. Η Κασσάνδρα έμεινε να ατενίζει το πέλαγος για κάποια λεπτά και μετά, οδηγώντας αργά, γύρισε στο ξενοδοχείο της. Ήταν ακόμη μουδιασμένη, χαμένη, απορημένη. Τι είχε πάθει; Γιατί δεν είχε αντιδράσει; Τι γύρευε από αυτό τον άνδρα; Ήταν πια σίγουρη ότι δε θα τον ξανάβλεπε. Κι αυτό την πονούσε περισσότερο.

Το πρωινό τη βρήκε άκεφη και κουρασμένη.

«Τι έχεις;» Η φωνή της Σάρον ακούστηκε καχύποπτη στην πρωινή συνομιλία τους.

«Ίσως έχω κρυώσει λιγάκι», δικαιολογήθηκε χωρίς ωστόσο να την πείσει. «Εσύ; Πότε σκέφτεσαι να γίνει ο γάμος;» προσπάθησε να κατευθύνει αλλού τη συζήτηση.

«Από πότε ενδιαφέρεσαι για το γάμο μου; Αυτό πια είναι το τελευταίο που περίμενα να ακούσω από σένα. Μου φαίνεται ότι τελικά δεν έχουν άδικο για τον ήλιο της Ελλάδας που τρελαίνει τον κόσμο».

«Μια χαρά είμαι, Σάρον. Πού βρίσκεις το περίεργο;»

«Επειδή ξέρω πότε είσαι μια χαρά, αμφιβάλλω αν είσαι τώρα. Δε θα επιμείνω, όμως, περισσότερο. Όταν αποφασίσεις να μου μιλήσεις, ξέρεις πού θα με βρεις».

Είχε δίκιο η Σάρον. Δεν ήταν καλά. Έκανε ανοησίες, είχε φλερτάρει με άλλον άνδρα, τον είχε αφήσει να τη φιλήσει και αν εκείνος επέμενε περισσότερο... Όχι. Δεν του άξιζε του Σταν αυτή η συμπεριφορά. Ευτυχώς που έφυγε. Καλύτερα έτσι. Έπρεπε να βρει τον εαυτό της.

Ο λόγος που είχε έρθει εδώ ήταν να φρεσκάρει τις αναμνήσεις της, να φροντίσει το μνήμα της γιαγιάς, να ξαναδεί την Αμοργό, κι όχι να φλερτάρει, και μάλιστα με κάποιον αρραβωνιασμένο και σχεδόν δέκα χρόνια μικρότερό της. Ντύθηκε βιαστικά νιώθοντας ήδη καλύτερα. Θα έπαιρνε πρώτα ένα πρωινό στο *Γιασεμί* και μετά θα πήγαινε στην παραλία του Αγίου Παύλου. Το βραδάκι θα φρόντιζε να δειπνήσει με τον Ρουσσέτο και τη γυναίκα του. Έτσι κι αλλιώς, εκείνοι σχεδόν κάθε βράδυ έτρωγαν έξω.

Βγήκε από το ξενοδοχείο με τη διάθεσή της κάπως καλύτερη. Το χαμόγελο, όμως, πάγωσε στα χείλη της. Ο Ορέστης ήταν αραγμένος με την τσόπερ δίπλα στο τζιπάκι της, ταΐζοντας αυτή τη φορά την ασπρόμαυρο γατούλη. Η Κάσι ένιωσε τον πολύ γνώριμο χτύπο της καρδιάς της να τη βγάζει από τα νερά της.

«Καλημέρα», της είπε μόλις την είδε και την πλησίασε αμέσως. Στα χέρια του κρατούσε ένα πανέμορφο κατακόκκινο τριαντάφυλλο. Της το πρόσφερε. Εκείνη το πήρε αμήχανη. «Θέλω να σου ζητήσω συγγνώμη για τη χθεσινή συμπεριφορά μου», απολογήθηκε και τα μάτια του θύμισαν παιδί που έχει κάνει σκανταλιά. «Δεν μπόρεσα να κοιμηθώ όλο το βράδυ. Έπρεπε να σε δω, να σου μιλήσω...»

«Και από τι ώρα είσαι εδώ;»

«Από τις επτά το πρωί. Σου είπα, δεν είχα ύπνο».

«Τι; Από τις επτά; Έχεις τρελαθεί, Ορέστη; Η ώρα πλησιάζει

δώδεκα κι εσύ περιμένεις από τις επτά πότε θα κατεβώ; Κι αν δεν είχα όρεξη να βγω σήμερα;»

«Θα σε περίμενα ώσπου να βγεις».

«Θεέ μου, αυτά είναι παιδικά καμώματα», του είπε λίγο εκνευρισμένη. Ποτέ της δεν ήθελε να φέρνει ανθρώπους σε δύσκολη θέση. Κι ας την έφερναν εκείνοι.

«Μπορούμε να μιλήσουμε;» τη ρώτησε.

«Πήγαινα για πρωινό στο *Γιασεμί*. Πεινάς;»

«Πολύ».

«Ωραία, πάμε τότε να απολαύσουμε ένα καλό πρόγευμα και μιλάμε εκεί».

Καθισμένοι στη μικρή βεράντα κάτω από την πέργκολα με το ανθισμένο αναρριχητικό κοίταζαν αδιάφορα το γεμάτο τραπέζι τους. Οι ομελέτες, τα χειροποίητα κρουασάν, το θυμαρίσιο μέλι, ο ζεστός καφές μοσχομύριζαν υπέροχα, σχεδόν προκλητικά.

«Λοιπόν, θα φάμε ή θα τα πετάξουμε;» είπε η Κάσι χαμογελώντας.

Διέκρινε ότι ο Ορέστης, εκτός από αμήχανος, ήταν κουρασμένος και στενοχωρημένος. Εκείνος ήπιε μια γουλιά από τον μυρωδάτο καφέ φίλτρου. Η Κάσι έκοψε με το μαχαιροπίρουνο μια μεγάλη μπουκιά ομελέτας και την έφερε μπροστά στο στόμα του.

«Κοίτα, εσύ δεν είσαι μικρό παιδί και εγώ δεν είμαι η μάνα σου, μα αν επιμείνεις να τα χαζεύεις όλα αυτά, τότε θα αναγκαστώ να σε ταΐσω εγώ».

Ο Ορέστης χαμογέλασε και άρχισε να τρώει αργά. Εκείνη τον παρακολουθούσε αμίλητη ώσπου άδειασε το πιάτο του.

«Είμαι έτοιμη να σε ακούσω», του είπε.

Εκείνος κατέβασε τα μαχαιροπίρουνα και σκούπισε με τη χαρτοπετσέτα τα χείλη του. Την κοίταξε διστακτικά. Ύστερα ήπιε λίγο νερό.

«Κασσάνδρα... εγώ... θέλω να πω ότι αυτό που έγινε χθες δεν το συνηθίζω. Τουλάχιστον από τότε που αρραβωνιάστηκα. Η Ζωή είναι ένα θαυμάσιο κορίτσι και τη νοιάζομαι. Είπα ότι θέλω να κάνω οικογένεια και να γεράσουμε μαζί. Ήμουν σίγουρος. Μέχρι προχθές που ήρθες για πρώτη φορά στο μαγαζί. Ήταν σαν να μην ήμουν πια εγώ, δεν ήθελα να δουλέψω, δεν ήθελα να κάνω τίποτε πέρα από το να είμαι πλάι σου. Σκέφτηκα ότι απλώς μου άρεσες πολύ ως γυναίκα και ήθελα ίσως να περάσω ένα βράδυ μαζί σου... Δεν ήταν όμως έτσι. Δε θα μπορούσα να το κάνω αυτό σε σένα. Έπρεπε να σου πω την αλήθεια, να ξέρεις. Γι' αυτό έφυγα. Φοβήθηκα ότι, αν σε ακολουθούσα, τότε δε θα μπορούσα να είμαι πια ο ίδιος άνθρωπος. Δεν ξέρω τι έχω πάθει, όμως νιώθω ότι χάνω τον εαυτό μου...»

Η Κάσι τον άκουγε βουβή και ταραγμένη. Όλα αυτά που υποσχέθηκε στον εαυτό της τα πετούσε ένα ένα. Ήθελε να χωθεί στην αγκαλιά του, να του πει ότι κι εκείνη ένιωθε το ίδιο. Αυτός ο άνδρας την έκανε να ξεχνάει ποια είναι. Την έκανε να θέλει να τον ακολουθήσει παντού.

«Γύρισα στο σπίτι μου, ενώ με το ζόρι κρατιόμουν να μην έρθω να σε βρω την ίδια στιγμή. Δεν μπόρεσα να κοιμηθώ... Ξέρω πως λέω βλακείες, πως θα με χλευάσεις, όμως δεν άντεχα να μην το ξέρεις. Κι όσο κι αν σου φανεί παράξενο, είμαι έτοιμος για όλα. Εσύ; Δεν έχεις να μου πεις τίποτε;»

«Εγώ λέω να πάμε κάπου ήσυχα στη θάλασσα και να προσπαθήσουμε να δούμε τα πράγματα λογικά. Ίσως αν κοιμηθείς λιγάκι, να σου κάνει καλό και να μπορείς να σκεφτείς πιο καθαρά. Ξέρεις κάποιο ήσυχο μέρος;»

«Μόνο ένα. Τη Βλυχάδα. Αντέχεις να την ξανακατεβείς;»

«Αντέχω».

«Τότε φύγαμε».

Η απόμερη παραλία τούς υποδέχτηκε ήρεμη μέσα στην αγριάδα της. Ο καιρός ήταν θαυμάσιος και τα θαλασσοπούλια πετούσαν χαμηλά και με επιδέξιες βουτιές άρπαζαν στο ράμφος τους κάποιο ψάρι που σπαρταρούσε απελπισμένα και το σήκωναν στον αέρα. Όπως και την προηγούμενη φορά, δεν υπήρχε κανένας λουόμενος. Έφθασαν εφοδιασμένοι με νερά, χυμούς και φρούτα. Η Κάσι έστρωσε τη μεγάλη πετσέτα της. Ο Ορέστης κοίταξε τη θάλασσα και μετά έβγαλε πρώτα το πουκάμισό του και ύστερα το τζιν παντελόνι του. Δε φορούσε τίποτε άλλο από μέσα και η Κάσι αισθάνθηκε αμήχανα. Εκείνος, χωρίς να της πει τίποτε άλλο, έτρεξε με φόρα και βούτηξε στο παγωμένο νερό, κρύβοντας την υπέροχη γύμνια του. Εκείνη έμεινε να κοιτάζει τη θάλασσα, που τον δέχτηκε με προσμονή σαν διψασμένη ερωμένη.

Έβγαλε τα ρούχα της και στη συνέχεια ξάπλωσε με το μαγιό της μπρούμυτα στον ήλιο και έκλεισε τα μάτια. Τα χθεσινοβραδινά γεγονότα, η ένταση, η κατάβαση από το βουνό την είχαν κουράσει. Ήξερε πως εκείνος θα αργούσε να επιστρέψει. Ώρα αργότερα, κι ενώ λαγοκοιμόταν, τον ένιωσε να πλαγιάζει δίπλα της μπρούμυτα. Όταν άνοιξε τα μάτια της, εκείνος ήδη είχε αφεθεί στα χέρια του Μορφέα. Της φάνηκε σαν κοιμισμένος αρχαίος θεός. Χαμογέλασε και τον άφησε να ξεκουραστεί, κλείνοντας πάλι τα δικά της.

Ένιωσε το χάδι στα μαλλιά της και άνοιξε τα βλέφαρα. Ο Ορέστης εκεί δίπλα της, γυρισμένος στα πλάγια, την κοίταζε. Φορούσε το παντελόνι του και κρατούσε με το δεξί του χέρι το κεφάλι του και με το αριστερό τής χάιδευε τα μαλλιά.

«Τελικά ήσουν κι εσύ κουρασμένη…»

«Τι ώρα είναι;» ρώτησε ξαφνιασμένη.

«Πλησιάζει πέντε. Κοιμηθήκαμε τουλάχιστον ένα δίωρο».

Ύστερα κοίταξε ανήσυχος τον ουρανό. «Φοβάμαι ότι το πάει για βροχή».

«Πώς αισθάνεσαι τώρα;» τον ρώτησε.

«Ξεκούραστος όσο ποτέ. Διψάς; Έχουμε χυμό, αν και δεν είναι πια παγωμένος».

Της έδωσε το χυμό κι εκείνη ήπιε διψασμένη. Τον κοίταξε. Τα μάτια του είχαν ζωντανέψει ξανά και έλαμπαν. Την κοίταζε κι εκείνος αμίλητος, σχεδόν συγκινημένος. Κοιτάζονταν βουβοί, όμως μιλούσαν τα μάτια τους. Το απογευματινό αεράκι ξαφνικά άρχισε να δυναμώνει, δημιουργώντας κύματα που έσκαγαν με δύναμη στην παραλία. Η θάλασσα άρχισε να αφρίζει και να μουρμουρίζει ενοχλημένη από κάτι. Τα γλαροπούλια άφησαν ξαφνιασμένα κρωξίματα πετώντας χαμηλά, σχεδόν πάνω από τα κεφάλια τους. Ο ήλιος ξεκίνησε να παίζει κρυφτό με κάποια γκρίζα σύννεφα, και δυο-τρεις κάβουρες πάνω σ' ένα βράχο κάτι έλεγαν μεταξύ τους. Η πρώτη σταγόνα έπεσε στη μύτη του Ορέστη και αμέσως μετά το ξαφνικό μπουρίνι τούς αιφνιδίασε. Εκείνος άρχισε να μαζεύει γρήγορα τα πράγματά τους, την άρπαξε από το χέρι και μαζί έτρεξαν στην άκρη της παραλίας, σε μια εσοχή του βράχου. Την αγκάλιασε όσο μπορούσε πιο προστατευτικά για να την προφυλάξει, κι εκείνη κούρνιασε στην αγκαλιά του.

Ο κεραυνός την τρόμαξε. Τα στοιχεία της φύσης άρχισαν να χορεύουν σε έναν αγώνα επικράτησης μπροστά τους κι εκείνη πρώτη φορά ζούσε κάτι τέτοιο. Ήταν τρομακτικό και συνάμα μεγαλειώδες. Σήκωσε το κεφάλι της και τον κοίταξε ερωτηματικά. Φοβόταν και κρύωνε λίγο. Ωστόσο το δικό του κορμί ήταν ζεστό και την προστάτευε. Την κοίταξε κι αυτός. Δύο κορμιά μισόγυμνα, σφιχταγκαλιασμένα, να διψούν για κάτι απαγορευμένο. Οι αντιστάσεις λύγισαν. Η λογική κατέρρευσε. Τα κορμιά παραδόθηκαν. Έσκυψε και τη φίλησε. Αργά και απαλά στην αρ- χή. Η μέντα, το μέλι και η κανέλα πλημμύρισαν πάλι το στόμα της. Οι γεύσεις τους την ξετρέλαναν. Τις δοκίμαζε, τις απολάμ- βανε, τις αποζητούσε. Ανταποκρίθηκε. Τα χέρια του την έσφι- ξαν περισσότερο, το φιλί του αγρίεψε, η βροχή άρχισε να τους μουσκεύει. Δεν τους ένοιαζε πια. Δεν την ένιωθαν. Εκείνο που ένιωθαν ήταν η διαρκώς αυξανόμενη ένταση των φλογισμένων κορμιών τους, ενώ η βροχή που ολοένα δυνάμωνε αδυνατούσε να τη μειώσει. Τη στρίμωξε πάνω στο βράχο την ίδια στιγμή που το άλλο χέρι άφηνε το παντελόνι του να πέσει κάτω. Της τράβη- ξε οτιδήποτε φορούσε επάνω της και μετά τη σήκωσε στον αέ- ρα και στήριξε τη δική του πλάτη στο βράχο. Την έπιασε σφιχτά από τη μέση με το ένα χέρι και με το άλλο από τον αυχένα και την ακινητοποίησε επάνω του. Μπήκε μέσα της με ορμή και εκεί- νη έβγαλε ένα μουγκρητό θεριού που συναγωνίστηκε τη βροντή και τρόμαξε περισσότερο τα πουλιά. Κι ενώ η φύση χόρευε τον δικό της χορό, τα κορμιά τους χόρευαν τον δικό τους, σ' ένα ξέ- φρενο κι άγριο ρυθμό, αφήνοντας τις κραυγές τους να λένε όλα αυτά που ένιωθαν, ενώ η βροχή τούς μούσκευε... και τους μού- σκευε... ώσπου οι τρεις τους έγιναν ένα. Μέχρι που μούσκεψαν και τα σωθικά της...

Έπεσαν κάτω αποκαμωμένοι, τρέμοντας, σχεδόν άψυχοι. Η βροχή σταμάτησε απότομα όπως είχε αρχίσει και ο ήλιος βγήκε πάλι λαμπερός. Μια καλοκαιρινή μπόρα ήταν, που πότισε τη γη και μύρισε βρεμένο χώμα και αλμύρα. Μια βροχή που συνωμό- τησε σ' αυτή την ένωση, την τόσο αρμονική. Μια βροχή, απελπι- σμένο σμίξιμο, που πότισε τα κορμιά και τρόμαξε τις ψυχές. Για- τί οι ψυχές είναι οι μόνες που ξέρουν πότε πρέπει να φοβούνται. Είναι οι μόνες που ξέρουν τα γιατί. Αλλά δε μιλάνε. Μόνο ψά- χνουν. Ψάχνουν ίχνη από το παρελθόν, αιώνες αν χρειαστεί. Κι όταν βρουν αυτό που ζητούν, τότε τα κορμιά παραδίδονται και η λογική κατακρημνίζεται. Η ψυχή έχει τα δικά της πιστεύω. Δε γνωρίζει από δεσμεύσεις και κοινωνικές συμβάσεις. Είναι ελεύθερη. Ελεύθερη σαν τον αγέρα, ελεύθερη σαν τη βροχή, ελεύθερη σαν τον κεραυνό. Είναι φύση. Και η φύση έχει τους δικούς της νόμους.

Το αναβοσβήσιμο και η δόνηση του κινητού της δίπλα στο κομοδίνο της την ειδοποιούσε ότι κάποιος την καλούσε. Η Κάσι το πήρε στα χέρια της και κοίταξε την οθόνη. Ήταν η πέμπτη αναπάντητη κλήση του Σταν από χθες το βράδυ. Η δόνηση σταμάτησε. Η Κάσι κοίταξε απελπισμένη δίπλα της το ολόγυμνο πανέμορφο κορμί του Ορέστη μπρούμυτα. Εκείνος κοιμόταν αμέριμνος, ανίδεος για την αγωνία και την τρικυμία που μάνιαζε μέσα της. Κάτω από το σεντόνι, το δικό της γυμνό κορμί αναστέναζε ακόμη από τον πόθο της χθεσινής βραδιάς. Είχε ξυπνήσει από τις εννιά το πρωί και τώρα πλησίαζε έντεκα. Παρ' όλα αυτά, δεν έλεγε να κουνηθεί από τη θέση της. Το δεξί χέρι του Ορέστη ήταν τυλιγμένο επάνω της, την κρατούσε στην αγκαλιά του. Όχι, δεν ήθελε να φύγει από κει μέσα. Κοίταξε το δωμάτιο. Βρισκόταν στο δικό του σπίτι, στην Αιγιάλη. Μετά τη νεροποντή, γύρισαν εδώ και από εκείνη τη στιγμή δεν άφησαν ο ένας τον άλλο. Εκείνος δεν πήγε στο μπαρ, προφασιζόμενος μια ξαφνική αδιαθεσία, κι εκείνη δεν επέστρεψε στο ξενοδοχείο της. Ο Σταν, όμως, την αναζητούσε. Δεν είχε κουράγιο να απαντήσει. Δεν μπορούσε με τον Ορέστη πλάι της. Έψαχνε να βρει δικαιολογίες. Τι θα έλεγε στον Σταν; Προς το παρόν το μυαλό της είχε σταματήσει. Δίπλα της ο έρωτας κοιμόταν. Ήταν ερωτευμένη. Με τον ίδιο τον έρωτα. Πώς μπορούσε να ζει χωρίς αυτόν τόσα χρόνια; Πώς μπορούσε να αναπνέει, να αγνοεί όλη αυτή την ομορφιά; Σε τι ουτοπία ζούσε; Σε ποια ψεύτικη ευτυχία; Κι εκείνος, άραγε, τι ένιωθε; Ήταν ένα πάθος της στιγμής ή ήταν αλήθεια όσα της έλεγε όταν έκαναν έρωτα; Γιατί είχε την αίσθηση ότι όλα αυτά τα είχε ξαναζήσει και γιατί δεν το 'χε ξανανιώσει ποτέ άλλοτε; Αυτό τον άνδρα τον γνώριζε. Πολύ περισσότερο απ' ό,τι πίστεψε στην αρχή. Μα κι εκείνος το ίδιο δεν της είπε; Το άγγιγμά του, τα χέρια του, τα φιλιά του, η γεύση του κορμιού του... όλα ήταν παραπάνω από γνώριμα. Ήταν ερωτευμένη, όμως τώρα έπρεπε να φύγει. Έπρεπε να μην τον ξυπνήσει και να εξαφανιστεί, γιατί φοβόταν ότι δε θα άντεχε να το κάνει αν εκείνος της το ζητούσε. Σαν να κατάλαβε τις σκέψεις της, ο Ορέστης άνοιξε τα μάτια του και της χαμογέλασε γλυκά. Την επόμενη στιγμή, με μια κίνηση την τράβηξε κοντά του και την έκλεισε σφιχτά στην αγκαλιά του.

«Κοιμήθηκες καλά;» τη ρώτησε ενώ της χάιδευε τα μαλλιά με τα χείλη του.

«Θα 'ταν ψέματα αν έλεγα όχι...»

Τη φίλησε στα χείλη. «Τότε γιατί τα μάτια σου δείχνουν παραπονεμένα;»

«Ο Σταν... έχει πάρει πέντε φορές... Δεν τολμώ όμως να το σηκώσω».

«Τι θέλεις να κάνουμε σήμερα;» άλλαξε τότε κουβέντα ο Ορέστης.

«Πρώτα πρέπει να πάω στο ξενοδοχείο μου. Χρειάζομαι καθαρά ρούχα. Μετά, αν θέλεις, μπορούμε να πάμε για μπάνιο».

Ο Ορέστης σηκώθηκε όρθιος και πήγε στο παράθυρο. Η Κάσι δεν μπόρεσε να μη θαυμάσει τα καλοσχηματισμένα, σφιχτά οπίσθιά του, τις φαρδιές πλάτες του. Θυμήθηκε ότι ήταν κάποτε αθλητής· της το είχε αναφέρει κάποια στιγμή.

«Έχω να σου προτείνω κάτι», της είπε ενώ κοίταζε έξω από το παράθυρο τη θάλασσα.

«Και τι είναι αυτό;»

«Αντί να πηγαινοερχόμαστε από τη μια άκρη του νησιού στην άλλη, καλύτερα να μαζέψεις τα πράγματά σου και να έρθεις να μείνεις σπίτι μου».

Τον κοίταξε κατάπληκτη. Εκείνος γύρισε, την κοίταξε πρώτα και μετά την πλησίασε.

«Και η αρραβωνιαστικιά σου; Αν έρθει ξαφνικά;»

«Δε θα το 'κανε ποτέ χωρίς να με ειδοποιήσει. Δεν υπάρχει τέτοιο πρόβλημα. Για να σου λέω να έρθεις εδώ, σημαίνει ότι πρώτον, δεν υπάρχει τέτοιος φόβος και δεύτερον, το θέλω πολύ. Για όσο κρατήσει. Είναι τρελό, το ξέρω, όμως δεν μπορώ να κάνω διαφορετικά. Σε θέλω δίπλα μου. Θα πάμε τώρα στο ξενοδοχείο σου να μαζέψεις τα πράγματά σου. Πες μου ότι θα το κάνεις…»

Γύρισε με γρήγορα βήματα στο κρεβάτι, την αγκάλιασε από τους λεπτούς της ώμους και τη φίλησε με πάθος. Τα χείλη του γλίστρησαν από τα χείλη της και κατέβηκαν στο λαιμό, στο στήθος. Τα χέρια του τώρα τύλιξαν όλο το κορμί της κι εκείνη χάθηκε στην τεράστια φιλόξενη αγκαλιά του, παραδομένη στο πρωτόγνωρο πάθος που ζούσε, που δεν πίστευε ότι μπορεί να υπάρχει. Τα χέρια τώρα κατέβηκαν στους γοφούς της και μετά το σώμα του γλίστρησε ανάμεσα από τα πόδια της, ώσπου άνοιξαν τελείως. Γιατί να αντισταθεί; Γιατί να τον αρνηθεί; Πόσο μπορεί να αντισταθεί ένα μέταλλο στην έλξη ενός ισχυρού μαγνήτη; Πόσο μπορεί να αντισταθεί μια μέλισσα σ' ένα ανθισμένο λουλούδι γεμάτο ευωδιές; Πόσο μπορεί να αντισταθεί μια γυναίκα σ' έναν άνδρα που τη λαχταρά και τον λαχταρά με τόσο πάθος; Ακούστηκε ξανά η δόνηση του κινητού της πάνω στο κρεβάτι, όμως δεν την ένοιαξε. Οι δονήσεις του δικού της κορμιού ήταν περισσότερο ισχυρές από οποιαδήποτε άλλη δόνηση, ακόμη και σεισμική.

Δύο ώρες αργότερα είχαν επιστρέψει στο ξενοδοχείο της. Της

είπε ότι θα την περιμένει από κάτω. Η Κάσι μπήκε μουδιασμένα στο δωμάτιό της και κοίταξε τον τακτοποιημένο χώρο. Ενημέρωσε τη ρεσεψιόν ότι θα έμενε κάπου αλλού κι εκείνοι την ενημέρωσαν με τη σειρά τους για τρία τηλεφωνήματα που είχαν γίνει από την Αμερική. Ήταν από τον Σταν. Καθισμένη στο κρεβάτι της κοίταξε το κινητό της. Η ώρα πλησίαζε μία. Έπρεπε επιτέλους να τηλεφωνήσει στον Σταν. Τώρα. Ακόμη έψαχνε για δικαιολογίες.

«Κάσι», ακούστηκε η φωνή του γεμάτη αγωνία. «Είσαι καλά; Τι σου συνέβη; Γιατί δεν απαντούσες στο τηλέφωνο;»

Έδωσε αγώνα για να φανεί φυσική η φωνή της. Από μέσα της όμως η καρδιά της ούρλιαζε από πόνο. «Με συγχωρείς, αγάπη μου, που σε έκανα να ανησυχήσεις, όμως είχα ένα μικρό ατύχημα».

«Ατύχημα. Τι ατύχημα;»

«Χθες το απόγευμα έπεσε κατά λάθος το κινητό μου στο νερό και απενεργοποιήθηκε. Μόλις τώρα άρχισε να λειτουργεί».

«Μα αφού καλούσε κανονικά».

«Καλούσε; Αποκλείεται, αγάπη μου. Κάποιο λάθος θα έγινε... Είναι και περίεργες οι γραμμές εδώ στην Ελλάδα».

«Και γιατί δεν αγόρασες μια άλλη συσκευή; Μη μου πεις ότι δεν έχουν στο νησί κινητή τηλεφωνία».

«Μα και βέβαια έχουν, όμως ένας τεχνικός μού είπε ότι θα επανέλθει πολύ γρήγορα η λειτουργία του, και ύστερα δεν ήθελα να μην έχω τη συσκευή που μου χάρισες».

«Σε πήρα και στο ξενοδοχείο σου και δεν απαντούσες. Δε σου το είπαν; Από χθες σε ψάχνω».

Η Κάσι είχε έτοιμη την απάντηση. «Ξέρεις, αγάπη μου, η Αιγιάλη, μια άλλη περιοχή της Αμοργού, μου άρεσε τόσο πολύ και έκλεισα ξενοδοχείο για να περάσω κι εκεί κάποιες μέρες. Έτσι χθες, μια και είχα το ξενοδοχείο στη διάθεσή μου και ήταν ήδη αργά, αποφάσισα να μείνω εκεί. Περίμενα να λειτουργήσει το κινητό μου για να σε ενημερώσω».

«Και γιατί δεν πηγαινοέρχεσαι; Αφού έχεις αυτοκίνητο».

«Γιατί, γλυκέ μου, η διαδρομή είναι πολύ επικίνδυνη, έχει γκρεμό σε όλο το μήκος του δρόμου και ξέρεις τώρα πόσο με τρομάζει. Λίγο να ξεφύγεις από την πορεία σου... Θέλεις να έχουμε τώρα και άλλα ατυχήματα;»

«Όχι φυσικά. Αυτό μας έλειπε τώρα. Εντάξει, να μείνεις όπου σου αρέσει εσένα».

«Δεν πιστεύω να πειράζει που, ενώ έχουμε πληρωμένο το ξενοδοχείο μας, εγώ πάω σε άλλο;»

«Ξέρεις πολύ καλά ότι δε δίνω δεκάρα για τα λεφτά, αρκεί να είσαι εσύ ευχαριστημένη. Ανησύχησα, όμως. Κι όσο δεν απαντούσες τόσο περισσότερο τρελαινόμουν. Γιατί δε με πήρες εσύ από άλλο τηλέφωνο για να με ενημερώσεις;»

«Μα, Σταν, δεν περίμενα ότι θα θορυβηθείς τόσο πολύ επειδή δεν τηλεφωνηθήκαμε μια μέρα. Δε θα ξανασυμβεί, αγάπη μου, έχεις το λόγο μου». Από τα μάτια της άρχισαν να τρέχουν δάκρυα. Τα σκούπισε βιαστικά. «Σ' ακούω όμως πολύ εκνευρισμένο και ανήσυχο. Τι συμβαίνει;»

«Αυτή η γυναίκα μού ζητάει να γίνω θεός. Δεν μπορώ να την κάνω είκοσι χρόνων. Επειδή έχασε όλες τις ευκαιρίες όταν ήταν νέα, πρέπει εγώ να πληρώσω γι' αυτό; Είναι η πρώτη φορά στην καριέρα μου που μετανιώνω για πελάτη που ανέλαβα».

«Ακούγεσαι θυμωμένος, Σταν».

«Και είμαι. Προς το παρόν, εξαιτίας της κυρίας Μακ Στίβενς δεν μπορώ να κάνω βήμα μακριά από το Λος Άντζελες».

«Πόσο πολύ λυπάμαι, Σταν... Πώς μπορώ να βοηθήσω;»

«Δυστυχώς, δεν μπορείς. Θα το παλέψω μόνος μου. Φρόντισε όμως να μην εξαφανίζεσαι έτσι. Μου φθάνουν τα δικά μου».

«Ο Άλεξ; Όλα καλά;»

«Μήπως τον βλέπω και καθόλου; Έχει εγκατασταθεί στο σπίτι της Νταϊάν να της κάνει το νοσοκόμο. Είναι ηλίθιος ο γιος μας. Λες και είναι η τελευταία γυναίκα στον κόσμο».

«Είναι ερωτευμένος... Έχεις ξεχάσει πώς είναι να είσαι ερωτευμένος;»

«Τέτοιου είδους παλαβωμάρες καλύτερα να μου λείπουν. Ο έρωτας είναι αρρώστια. Έχω σοβαρότερα πράγματα να σκεφτώ και να κάνω».

«Δηλαδή, μαζί μου δεν είσαι ερωτευμένος;»

«Μα τι είδους ερωτήσεις είναι τώρα αυτές, Κάσι; Είσαι η γυναίκα μου και σ' αγαπάω. Νομίζω ότι αυτό είναι αρκετό. Κλείνω τώρα. Έχω μια σύσκεψη».

Η Κάσι κατέβασε το ακουστικό και μόνο τότε άφησε τα δάκρυά της να κυλήσουν ελεύθερα. Πόσο διαφορετικά ήταν τα λόγια του από του Ορέστη και πόσο σκληρά ακούγονταν στα αυτιά της. Και ήταν πάντα έτσι. Ο Σταν δεν ασχολούνταν με τέτοιου είδους λεπτομέρειες. Τις θεωρούσε περιττές από τη στιγμή που υπήρχε το ζητούμενο. Οι μόνες λεπτομέρειες που τον ενδιέφεραν ήταν της δουλειάς του. Εκεί μπορούσε να αφιερώσει και χρόνο και κόπο. Όχι όμως να αναλύει στη γυναίκα του τα εσώψυχά του. «Είμαι μαζί σου, άρα σ' αγαπάω». Πρόκειται για απλή συνεπαγωγή. Για μια γυναίκα, όμως, αυτό μπορεί να σημαίνει ότι είμαι μαζί σου γιατί είμαι υποχρεωμένος να το κάνω.

Κι εκείνη δεν παραπονιόταν ποτέ, γιατί έτσι πίστευε ότι είναι ο έρωτας, έτσι είναι οι άνδρες. Ούτε μπορούσε να καταλάβει τις γυναίκες που απαιτούσαν από τους άνδρες τους δόσιμο ψυχικό. Τώρα μόνο μπορούσε να καταλάβει επιτέλους το λόγο που η Σάρον δεν υπολόγιζε τίποτε, γιατί δε δίσταζε να χωρίσει. Τα ήθελε όλα ή τίποτε, ενώ η ίδια είχε συμβιβαστεί, είχε βολευτεί κάτω από χρυσά παπλώματα και επώνυμες φίρμες να στολίζουν το βεστιάριό της. Μπροστά στις στιγμές που έζησε χθες θα έκαιγε όχι μόνο το βεστιάριό της, αλλά και το σπίτι της ολόκληρο. Πλήρωνε το νόμισμα του βολέματος, του συμβιβασμού. Ο Σταν ήταν έτσι από την αρχή. Από την πρώτη στιγμή τής έδειξε ότι η καριέρα του θα είχε τον πρώτο λογο. Ναι, ήταν φιλόδοξος και κοντά του άλλαξε κι εκείνη σιγά σιγά, πνίγοντας μέσα της την ξέγνοιαστη αθώα έφηβη, η οποία το μόνο που ζητούσε από έναν άνδρα ήταν αγάπη. Της αρκούσε το γεγονός ότι ο άνδρας της της ήταν πιστός. Τελικά όμως αποδείχτηκε πως δεν ήταν αυτό το ζητούμενο. Στο κρεβάτι της μπορεί το κενό να μην ήταν τόσο αισθητό με την παρουσία του, όμως στην καρδιά της τελικά ήταν.

Σκέφτηκε τον Άλεξ, το γιο της. Ήταν το μοναδικό πλάσμα στον κόσμο που δε θα μπορούσε να πληγώσει. Αυτός και ο πατέρας της. Άραγε, θα καταλάβαιναν ποτέ τι της είχε συμβεί; Θα καταλάβαιναν την ανάγκη της να ζήσει αυτά τα μοναδικά συναισθήματα; Μα τι σκεφτόταν τώρα; Τι είχε πάθει; Γιατί θα έπρεπε να το μάθουν; Αυτή η ιστορία, έτσι κι αλλιώς, ήταν γραπτό να τελειώσει. Σε δύο εβδομάδες θα επέστρεφε στο σπίτι της και εκείνος στο δικό του. Μέχρι να τελειώσει το καλοκαίρι, όλα θα ήταν μια ανάμνηση. Μια υπέροχη ανάμνηση, σαν φωτογραφία σε χρυσό κάδρο, που όταν την ξεσκονίζεις νοσταλγείς τις στιγμές, κι αμέσως μετά την έχεις ξεχάσει. Το κινητό της χτύπησε. Η βελούδινη φωνή του έρωτα της έκοψε την ανάσα.

«Αργείς πολύ και δεν το αντέχω. Σε πόση ώρα θα είσαι έτοιμη;» ρώτησε ο Ορέστης.

«Το γρηγορότερο», του είπε ξέπνοα.

Άρχισε να μαζεύει τα πράγματά της κλαίγοντας. Μα τι πήγαινε να κάνει; Ποιον κορόιδευε; Τον εαυτό της. Αυτόν κορόιδευε. Ήταν ανόητη. Έπρεπε να του κλείσει το τηλέφωνο, να του πει όχι, να ουρλιάξει στα αυτιά του και να απαιτήσει να μην την ξαναενοχλήσει. Να του πει ότι ήταν το καπρίτσιο μιας στιγμής και της είχε τελειώσει. Γιατί δεν του το έλεγε; Γιατί; Μα τι πήγαινε να κάνει; Είχε τρελαθεί εντελώς; Προσπαθούσε να τινάξει στον αέρα ένα γάμο είκοσι δύο χρόνων για τη γνωριμία τεσσάρων ημερών; Γιατί δεν μπορούσε να το σταματήσει εδώ; Να το θεωρήσει ένα πάθος της στιγμής και να εξαφανιστεί; Τι είχε αυτός ο άνδρας που την έκανε να χάνει τα λογικά της, που κατόρθωσε να τη βγάλει από μια ευτυχισμένη πορεία ζωής;

Σταμάτησε και κοιτάχτηκε στον καθρέφτη απέναντί της. Το είδωλό της έδειχνε μια άγνωστη γυναίκα. Τα χαρακτηριστικά της είχαν αλλοιωθεί. Το βλέμμα στα μάτια της ξεχείλιζε λάβα, το στόμα της έμοιαζε με ζουμερό ροδάκινο έτοιμο να ρουφηχτεί, τα μαλλιά της ήταν ηλεκτρισμένα, τα μάγουλά της πυρωμένα από την έξαψη, οι ρώγες του στήθους της τσιτωμένες και η ίδια υγρή, να στάζει χυμούς. Ποτέ άλλοτε δεν είχε νιώσει παρόμοια, ποτέ άλλοτε δεν είχε χάσει τον έλεγχο, ποτέ άλλοτε δεν είχε βγει από το πρόγραμμά της. Όχι, δεν ήταν πια η Κάσι Πάλμερ, η Αμερικανίδα σύζυγος του Σταν Πάλμερ. Ήταν η Κασσάνδρα Γεράκη, μια ελεύθερη Ελληνίδα, ή καλύτερα μια πρωταγωνίστρια αρχαίας ελληνικής τραγωδίας.

Θυμήθηκε τα λόγια του ξεναγού της. Αν κάτι χαρακτήριζε τους αρχαίους αλλά και τους Νεοέλληνες ήταν το πάθος, οι ακραίες καταστάσεις στις πράξεις τους, η παραφροσύνη μερικές φορές. Έφταιγε η γεωγραφική θέση της χώρας; Ο ήλιος; Ο ηλεκτρομαγνητισμός που δημιουργούσε το φως του ήλιου πάνω στην πέτρα που μαζί με τον άνεμο σε διέγειραν περίεργα; Έφταιγαν τα αρώματα της ελληνικής γης; Ό,τι και να έφταιγε, ένα ήταν σίγουρο: αυτή η χώρα μπορούσε να σε γιατρέψει και να σε τρελάνει, να σε αναστήσει και να σε πεθάνει, να σου χαρίσει το γέλιο και το δάκρυ το ίδιο εύκολα, να σε κάνει να θέλεις να γευτείς το νέκταρ και την αμβροσία των θεών του Ολύμπου, να γίνεις θεός κι εσύ, αθάνατος και λυτρωμένος από κάθε είδους αμαρτία. Στην Ελλάδα, τελικά, ο έρωτας είχε τον πρώτο λόγο και η λέξη «αμαρτία» έπαιρνε άλλη διάσταση, όμοια με άγραφο νόμο. Κι εκείνη ήταν πια Ελληνίδα. Πιο Ελληνίδα από όλους...

Ο Ορέστης, μόλις την είδε να έρχεται με τις αποσκευές της, έτρεξε και την αγκάλιασε με λαχτάρα. Πήρε τη βαλίτσα της και τη φόρτωσε στο τζιπ.

«Όσο ετοιμαζόσουν, πήγα και σου αγόρασα αυτό», της είπε και της έδωσε μια σακούλα.

Εκείνη έβγαλε από μέσα ένα ζευγάρι γαλάζια βατραχοπέδιλα. «Τι είναι αυτά;» τον ρώτησε.

«Βατραχοπέδιλα. Από σήμερα αρχίζουμε μαθήματα κολύμβησης».

«Τι; Αποκλείεται! Να το ξεχάσεις αυτό».

«Κι εγώ σου λέω ότι το πολύ σε μία εβδομάδα θα κολυμπάς σαν δελφινάκι».

«Το δελφινάκι είναι πλάσμα της θάλασσας κι εγώ δεν είμαι», τον αντέκρουσε με πείσμα.

«Πάμε στοίχημα; Προς το παρόν, θα πάρουμε πρωινό και μετά θα πάμε στον Άγιο Παύλο που έχει ρηχά νερά. Κατάλαβες, μωράκι μου;» της είπε και την αγκάλιασε από τη μέση.

Ο κόσμος στην παραλία του Αγίου Παύλου ήταν ελάχιστος και αυτό άρεσε και στους δύο. Τα πεντακάθαρα κρυστάλλινα νερά και τα βότσαλα της παραλίας τη μάγεψαν. Απέναντι το νησάκι της Νικουριάς διακρινόταν καθαρά. Ο Ορέστης έπεσε στο νερό με φόρα, όμως αυτή τη φορά δεν έμεινε μέσα πολύ. Βγήκε ευτυχισμένος και την πλησίασε. Χωρίς λέξη έσκυψε και της φόρεσε τα γαλάζια βατραχοπέδιλα. Η Κάσι ένιωσε να τον μισεί. Μα τι πίστευε; Ότι θα την έπειθε να βουτήξει στο νερό; «Σήκω», της είπε. «Ώρα για το πρώτο μάθημα».

Ναι, τώρα τον μισούσε. Είχε μπλέξει με έναν παλαβό. Αρκετά είχε κρατήσει το αστείο.

«Αν επιμείνεις, θα φύγω», τον απείλησε καρφώνοντας τον κώλο της πεισματικά στην παραλία.

«Κι εγώ σου λέω πως, αν αρνηθείς, θα σε σηκώσω και θα σε πετάξω μέσα».

«Έτσι και τολμήσεις, θα μας ακούσει όλη η Αμοργός».

«Έτσι και αρνηθείς, θα σε πετάξω κατευθείαν στα βαθιά», της είπε πολύ σοβαρά. Μετά τη σήκωσε απότομα και τη φίλησε. «Όσο σε κρατώ στην αγκαλιά μου, κανένας δεν πρόκειται να σε βλάψει», της είπε και προχώρησε προς τη θάλασσα.

Εκείνη είχε γαντζωθεί πάνω του, προσπαθώντας να μην ουρλιάξει. Όταν το νερό έφθασε στο ύψος του στήθους του, την κράτησε από τα χέρια και της είπε να κουνήσει τα πόδια της. Εκείνη, αν και παγωμένη από την τρομάρα, το έκανε ενστικτωδώς και παραδόξως επέπλεε στην επιφάνεια χωρίς να βουλιάζει. Ωστόσο, δεν άφηνε στιγμή τα χέρια της, που ήταν γαντζωμένα στα δικά του.

«Μην απομακρυνθούμε στα βαθιά», του είπε ενώ τα μάτια της υπολόγιζαν το βάθος του νερού, που ήταν γύρω στα δύο μέτρα το πολύ.

«Όχι, κι εδώ μια χαρά είμαστε», της απάντησε σοβαρά. «Έλα, μωράκι μου, να, δες, δεν έχεις παρά να κουνάς πέρα-δώθε τα ποδαράκια σου και μόνο αυτό αρκεί».

«Και τα χέρια;»

«Αν τα κουνάς κι αυτά, ακόμη καλύτερα. Να, κράτα με μόνο με το ένα χέρι».

«Δεν υπάρχει περίπτωση».

«Οκέι, δε θα σε πιέσω πριν αποφασίσεις να το κάνεις από μόνη σου».

Μέχρι αργά το απόγευμα επέπλεε κατά μήκος της ακτής έως εκεί όπου πάτωνε, χωρίς εκείνος να είναι πάντα κοντά της. Δεν μπορούσε να το πιστέψει. Επέπλεε και όχι μόνο δε φοβόταν, αλλά άρχιζε να το διασκεδάζει. Μα πώς έγινε αυτό; Τι είδους ικανότητες είχε αυτός ο άνδρας και την είχε μετατρέψει σε έναν άλλο άνθρωπο; Ήταν απίστευτο! Απίστευτο, κι όμως αληθινό. Επέπλεε! Επιτέλους! Αυτό το καταραμένο νερό έπαψε πλέον να την πανικοβάλλει. Είχε περάσει το πρώτο σοκ με επιτυχία. Ίσως να είχε ελπίδες. Ίσως, επιτέλους, να λυτρωνόταν.

Επρόκειτο περί θαύματος. Μόνο έτσι μπορούσε να εξηγηθεί. Μόνο μέσα σε μία εβδομάδα η Κάσι κολυμπούσε. Χωρίς βατραχοπέδιλα. Κανονικά. Στα βαθιά μαζί με τον Ορέστη και στα ρηχά μόνη της. Δε χόρταινε να βουτάει στο νερό και να κολυμπά με υπερηφάνεια. Και ο Ορέστης εκεί, να την καμαρώνει. Κάθε μέρα τής μάθαινε και κάτι καινούργιο· πώς να αναπνέει, τι να κάνει όταν κουράζεται, πώς να αντιμετωπίσει μια κράμπα, πώς να βουτάει, πώς να αναδύεται, πώς να ξεκουράζεται στην επιφάνεια. Και ήταν υπέροχα. Όλα ήταν υπέροχα μαζί του, κι ας συσσωρεύονταν τα σύννεφα όλο και πιο βαριά πάνω από τα κεφάλια τους. Ο Σταν ακουγόταν πολύ εκνευρισμένος και η Ζωή άρχισε να παραπονιέται, που ο Ορέστης συνεχώς ανέβαλλε το ταξίδι του στη Θεσσαλονίκη για να τη δει, τη στιγμή που βρισκόταν στο νησί ο συνεταίρος του. Κι εκείνος της δικαιολογούνταν ότι είχαν παρουσιαστεί κάποια προβλήματα με το μαγαζί και προς το παρόν δεν μπορούσε να φύγει. Και μετά οι ατελείωτες ώρες στις παραλίες την ημέρα και οι ατελείωτες νύχτες να λιώνουν, να μη χορταίνουν ο ένας τον άλλον. Όλα πάνω του της

ήταν γνώριμα· κάθε κίνησή του, κάθε βλέμμα του. Συμφωνού-
σαν στα ίδια πράγματα, αγαπούσαν την ίδια μουσική, το ίδιο
φαγητό, είχαν κοινά γούστα. Δεν ξεκολλούσαν ο ένας από τον
άλλο παρά μόνο όταν εκείνος ήταν στη δουλειά του. Αλλά ακό-
μη κι εκεί ήταν πάντα κοντά του, καθισμένη σε μια γωνιά, περι-
μένοντάς τον υπομονετικά να τελειώσει. Της αρκούσε που τον
έβλεπε. Όλοι πήραν είδηση τι συνέβαινε στη ζωή του Ορέστη.
Και ο Νεκτάριος, και οι γνωστοί του, και οι υπάλληλοι, ακόμη
και οι πελάτες. Ήταν διακριτικοί όμως. Περισσότερο ανησυ-
χούσαν. Τι θα συνέβαινε αν η Ζωή μάθαινε ότι ο καλός της κυ-
κλοφορούσε με άλλη γυναίκα; Έξι χρόνια ήταν μαζί της και
ετοιμάζονταν να παντρευτούν. Δεν μπορούσε να φέρεται με αυ-
τό τον τρόπο.

Ο Νεκτάριος, που θα γινόταν κουμπάρος του, τον στρίμωξε:
«Τι έχεις πάθει, Ορέστη; Είπαμε, να κάνεις το κέφι σου, αλλά όχι
να αποτρελαθείς. Το ξέρεις ότι η Ζωή με πήρε τηλέφωνο και με
ρώτησε τι είδους δουλειές προέκυψαν και δεν μπορείς να πας
να τη δεις; Ότι ήθελε να έρθει αύριο για να σου κάνει έκπληξη
και τρόμαξα να την πείσω να μην το κάνει; Δεν μπορώ να λέω
ψέματα. Πόσο έχεις ακόμη σκοπό να αφήσεις αυτή τη γυναίκα
να μένει σπίτι σου; Και ύστερα είναι και το μαγαζί. Δεν μπορώ
να τα κάνω όλα εγώ επειδή εσύ χάνεσαι όλη μέρα και το βράδυ
έρχεσαι για τρεις ώρες».

Ο Ορέστης τον κοίταξε σαν χαμένος. Είχε δίκιο ο Νεκτάριος.
Είχε εγκαταλείψει τελείως το μαγαζί. Κανονικά έπρεπε να είναι
εκεί από το πρωί, να παραλαμβάνει την κάβα, να ψωνίζει ξη-
ρούς καρπούς, τσιπς, φρούτα, να μαστορεύει, να καθαρίζει, να
τακτοποιεί εκκρεμότητες, κι εκείνος τα είχε αναθέσει όλα πρώ-
τα στους δύο μπάρμαν και στον dj και τώρα σ' αυτόν. Εδώ και
δύο εβδομάδες είχε ξεχάσει πως είχε και μια δουλειά και έκανε

διακοπές. Ωστόσο, η μέρα που θα επέστρεφε η Κασσάνδρα στην Αμερική πλησίαζε και αυτό δεν το άντεχε. Δεν μπορούσε να λείπει από κοντά της, δεν μπορούσε να την εγκαταλείψει. Τους είχε απομείνει μόνο μία εβδομάδα. Μία εβδομάδα και μετά θα χώριζαν. Δεν ήθελε ούτε να το σκέφτεται. Τι να πει στον Νεκτάριο; Δε θα τον καταλάβαινε. Κανένας δε θα τον καταλάβαινε. Μπορεί και να είχε τρελαθεί, όμως ποιος μπορεί να νιώσει έναν τρελό; Εδώ ο ίδιος δεν μπορούσε να καταλάβει τι κάνει και γιατί. Τον κοίταξε παρακλητικά. «Σε μία εβδομάδα φεύγει. Για πάντα. Θέλω να την περάσω μαζί της και μετά θα δουλεύω από το πρωί ως το βράδυ». «Μα τι έχεις πάθει, Ορέστη; Ανησυχώ. Φαίνεσαι άρρωστος». «Μη με ρωτάς καλύτερα. Δε θα καταλάβεις...» του είπε και έφυγε με σκυφτό το κεφάλι. Εκείνο που τον απασχολούσε προς το παρόν δεν ήταν ούτε η δουλειά του, ούτε η Ζωή, ούτε το τι έλεγε ο κόσμος. Μόνο εκείνη έβλεπε μπροστά του και το χρόνο που μετρούσε αντίστροφα. Ήξερε ότι η συμπεριφορά του είχε προβληματίσει όλους, μα περισσότερο είχε προβληματιστεί ο ίδιος. Τι είχε αυτή η γυναίκα πάνω της και τον είχε βγάλει από τα νερά του, είχε εισβάλει στη ζωή του στα καλά καθούμενα και την είχε κάνει άνω κάτω; Δεν ήταν καλλονή, ούτε η γυναίκα που πάντα ονειρευόταν, ήταν παντρεμένη, μεγαλύτερή του και είχε ένα γιο ολόκληρο παλικάρι πια. Κι όμως, τον αιχμαλώτισε, τον μάγεψε, τον τρέλανε. Αν ήταν στο χέρι του, αν ήταν και οι δυο ελεύθεροι, όλα τα υπόλοιπα δε θα τον ενδιέφεραν. Θα έμενε κοντά της για πάντα.

Από την πρώτη στιγμή που την είδε τρομοκρατημένη εκεί κάτω στη Μικρή Βλυχάδα, ένιωσε περίεργα. Κάπου είχε ξαναδεί αυτό το τρομαγμένο βλέμμα, όμως δε θυμόταν πού. Αισθανόταν ότι από κάπου τη γνώριζε, γεγονός που ενισχυόταν από την άνεση και την οικειότητα που είχε μαζί της. Κι ύστερα, σαν έσμιξαν, ένιωσε πως είχε φύγει από το σώμα του, σαν να είχε μεταφερθεί σε μια άλλη διάσταση, σε ένα πολύ γνώριμο περιβάλλον που τον έκανε να νιώθει τόσο όμορφα. Και μετά, σαν την είδε δίπλα του εκείνο το πρωινό που είχαν ξυπνήσει μαζί, ήταν πια σίγουρος ότι αυτή την εικόνα την είχε ξαναζήσει, ότι αυτή η γυναίκα υπήρχε πάντα στη ζωή του. Γιατί, άραγε, δεν είχε νιώσει ποτέ άλλοτε παρόμοια με άλλες γυναίκες, ούτε καν με τη Ζωή; Κι ας ήταν η αρραβωνιαστικιά του μια καλλονή που δε σε άφηνε να πάρεις τα μάτια σου από πάνω της. Τώρα η ομορφιά της δεν είχε πια καμιά αξία για εκείνον. Αυτός έβλεπε με κάποια άλλα μάτια, που δεν είχαν καμιά σχέση με αυτά του προσώπου του. Ένιωθε τους κραδασμούς μιας δύναμης που ερχόταν από κάπου πολύ μακριά. Δεν μπορούσε να το εξηγήσει, γιατί η μόνη εξήγηση που μπορούσε να δώσει ήταν πως επρόκειτο για μαγεία. Και το τελευταίο πράγμα που πίστευε ήταν τα μάγια.

Ο καταραμένος όμως χρόνος δεν κάνει πίστωση στους ερωτευμένους, δε χαρίζεται ούτε στον Θεό. Τσουλάει σαν το νερό στ' αυλάκι χωρίς σταματημό, τρέχει λες και τον κυνηγούν δαίμονες και το μόνο που αφήνει πίσω του είναι χνάρια που λέγονται αναμνήσεις και ρυτίδες. Να μπορούσε να σταματήσει το χρόνο, να βάλει φράχτες στον καημό, να μην πονάει. Ο πόνος του αποχωρισμού είναι θεριό που τρώει τα σωθικά, σε κάνει να αιμορραγείς. Δεν άντεχε να βλέπει τους δείκτες του ρολογιού να τρέχουν μπροστά αντί να γυρίζουν πίσω. Δεν άντεχε να τη χάσει. Δεν τον ενδιέφερε αν είχε τρελαθεί, αν τον είχαν ποτίσει με μαγικά βοτάνια, αν ο κόσμος έπαιρνε φωτιά. Η δική του καρδιά είχε πυρποληθεί και πονούσε πολύ. Λίγες μέρες ακόμη, λίγα εικοσιτετράωρα και εκείνη θα έφευγε. Τρεις εβδομάδες είναι τάχα αρκετές για να φουντώσει τέτοια πυρκαγιά; Τη φωτιά, σαν δεν τη σβήσεις στην πρώτη φλόγα, δεν τη σβήνεις μετά εύκολα. Σε καίει μέχρι να σε λιώσει, να σ' αφανίσει.

Έπεσε στα πόδια της και εκλιπάρησε: «Δε θέλω να φύγεις».

«Το ξέρεις ότι δε γίνεται διαφορετικά».

«Σ' αγαπάω, Κασσάνδρα. Δε νομίζω να έχω νιώσει έτσι άλλη φορά. Είναι περίεργο, όμως έτσι αισθάνομαι. Και το πιο περίεργο είναι πως έχω την αίσθηση ότι σ' έχω ξαναχάσει...»

Τον κοίταξε κατάπληκτη.

«Και αυτό ακριβώς δε θέλω να το ξαναπεράσω». Την άδραξε από τα μπράτσα. «Μείνε, Κασσάνδρα. Μείνε μαζί μου. Παράτα τα όλα και κλείσε την πόρτα πίσω σου...»

Τον κοίταξε απελπισμένα. «Πάψε, σε παρακαλώ. Είναι τελείως παράλογο αυτό που λες».

Την άρπαξε από το σβέρκο. Το βλέμμα του γυάλιζε σαν κάποιου τρελού. «Τι πρέπει να κάνω για να σε πείσω να μη φύγεις; Τι θες από μένα;»

«Δε θέλω τίποτα. Μου αρκεί που μ' αγαπάς... Μπορείς να το κάνεις αυτό;»

«Είναι το μόνο εύκολο. Σ' αγαπώ... το εννοώ, Κασσάνδρα». Σοβάρεψε. «Θα μιλήσω για μας στη Ζωή».

«Στη Ζωή; Και τι θα της πεις;»

«Ότι δεν μπορώ να την κοροϊδεύω άλλο. Ότι θέλω να διαλυθεί ο αρραβώνας μας γιατί αγαπάω άλλη γυναίκα».

Η Κάσι τον κοίταξε καλά καλά. «Ξεχνάς ότι η γυναίκα που λες πως αγαπάς δεν είναι ελεύθερη;»

«Μπορεί όμως να γίνει».

«Μα τι λες τώρα, Ορέστη; Τι θέλεις ακριβώς από μένα;»

«Να χωρίσεις», της είπε περισσότερο σοβαρός από ποτέ. «Αν, όπως λες κι εσύ, νιώθεις όπως νιώθω κι εγώ, τότε τι σε κρατάει σ' αυτόν το γάμο;»

«Ο γιος μου, Ορέστη. Κι αν όχι ο άνδρας μου πια, με κρατούν οι γονείς μου, οι φίλοι μου, το σπίτι μου, η ζωή μου ολόκληρη! Δεν μπορώ να το κάνω αυτό στο παιδί μου...»

«Ο γιος σου δεν είναι πια παιδί. Θα καταλάβει».

«Κάνεις λάθος. Δε θα με καταλάβει ποτέ. Η γυναίκα που λες πως αγαπάς είναι η Κασσάνδρα ή κάποια άλλη, ούτε κι εγώ ξέρω ποια. Εγώ, όμως, είμαι η Κάσι Πάλμερ, που έχει ένα σύζυγο, ένα γιο και έναν ευτυχισμένο γάμο πίσω της. Μη μου ζητάς να τα πετάξω όλα αυτά. Ποτέ μου δεν έχω ζήσει αυτό που ζω τώρα μαζί σου, όμως δεν μπορώ να το κάνω αυτό για ένα καλοκαιρινό καπρίτσιο».

«Δεν είναι καπρίτσιο! Είναι ολόκληρη η ζωή μας».

«Μην παίζεις μαζί μου, Ορέστη».

«Σου φαίνεται ότι παίζω; Έχω εγκαταλείψει τα πάντα για σένα. Τη δουλειά μου, μια γυναίκα, τον εαυτό μου. Σκέψου τα όλα αυτά. Σου φαίνονται λίγα;»

«Όχι, είναι πολλά», του είπε τρυφερά. «Ίσως εγώ να πονάω περισσότερο από σένα. Δώσ' μου πίστωση χρόνου. Άσε με να σκεφτώ, να δω τι θα κάνω. Ίσως η απόσταση μας λογικέψει. Ίσως ήταν ένα ξέσπασμα, ένα όνειρο που θα διαλυθεί μόλις απομακρυνθούμε ο ένας από τον άλλον. Αν η απόσταση δεν καταστρέψει το όνειρο, αν εξακολουθήσουμε να νιώθουμε όπως και τώρα, τότε σου δίνω το λόγο μου ότι θα μιλήσω στον άνδρα μου και θα γυρίσω πίσω σε σένα. Προτού όμως περάσω αυτή τη γραμμή, πρέπει να είμαι σίγουρη όχι μόνο για τα δικά σου αισθήματα αλλά και για τα δικά μου. Η αγάπη, Ορέστη, μπορεί να πλανηθεί από τον έρωτα. Ο έρωτας είναι κλέφτης ψυχών· τις αρπάζει τη μια μέρα και τις ξεχνάει την επομένη. Ενώ η αγάπη δε θα το κάνει ποτέ αυτό. Αν μ' αγαπάς, δώσ' μου χρόνο...»

«Μακάρι να μπορούσα να παγώσω το χρόνο».

Ο χρόνος όμως δεν τους άκουσε, δεν πάγωσε. Σε κάτι τέτοιες στιγμές γίνεται κουφός, τυφλός, αδυσώπητος, ανελέητος, λες και το κάνει επίτηδες και τρέχει περισσότερο. Και τσούλησε ακόμη πιο γρήγορα, φθάνοντας στο τελευταίο βράδυ. Το ξημέρωμα τους βρήκε σφιχταγκαλιασμένους. Οι πρώτες αχτίδες του ήλιου τρύπωσαν με θράσος στο δωμάτιο και σκαρφάλωσαν στο κρεβάτι. Μετά έγλειψαν τα παγωμένα από την απόγνωση πρόσωπά τους, προσπαθώντας να τα ζεστάνουν. Το μόνο που κατόρθωσαν ήταν να τους θυμίσουν ότι οι στιγμές που τους έμεναν ήταν ελάχιστες. Το πλοίο για τον Πειραιά έφευγε στις τρεις το μεσημέρι. Τα πράγματά της, πεταμένα πρόχειρα στη βαλίτσα, δε θύμιζαν σε τίποτε τον σχολαστικό τρόπο με τον οποίο τα είχε τακτοποιημένα όταν ξεκινούσε το ταξίδι της από την Αμερική. Δε μιλούσαν πια. Εκείνη, κρυμμένη μέσα στην αγκαλιά του, άφηνε τα δάκρυά της να κυλούν απαλά πάνω στο στήθος του. Εκείνος, γερμένος ανάσκελα, της χάιδευε τα μαλλιά και την πλάτη με κλειστά τα μάτια. Δεν ήθελε να κοιτάζει το ξημέρωμα, δεν ήθελε να σκέφτεται ότι αυτές ήταν οι τελευταίες στιγμές τους, δεν ήθελε να φανταστεί τον εαυτό του χωρίς εκείνη δίπλα του. Αν μπορούσε να φυλακίσει τη στιγμή, να γίνει το μαρμαρωμένο βασιλόπουλο μιας μαρμαρωμένης παραμυθένιας πολιτείας, δε θα δίσταζε να το κάνει. Αρκεί εκείνη να έμενε για πάντα κλεισμένη στην αγκαλιά του.

Παρ' όλα αυτά, η στιγμή δε φυλακίστηκε, ο χρόνος δε χαρίστηκε κι ο ήλιος ψηλά τους θύμισε ότι η ώρα του αποχωρισμού είχε σημάνει.

Την πήγε στο λιμάνι κι έμειναν εκεί γαντζωμένοι ο ένας δίπλα στον άλλον, να κοιτάζουν τη μικρή κουκκίδα του πλοίου να πλησιάζει και να πλησιάζει, μέχρι που έγινε γίγαντας και έριξε την άγκυρά του στο νερό. Τότε μόνο ο χρόνος αναστέναξε και τους κοίταξε λυπημένος. «Θα σας κάνω τη χάρη», τους είπε. «Για λίγο όμως. Πολύ λίγο». Και πάγωσε. Αγκαλιάστηκαν και φιλήθηκαν απελπισμένα, σαν τον πνιγμένο που έχει γαντζωθεί από ένα σωσίβιο. Ένα τρύπιο σωσίβιο, που ξεφουσκώνει αργά αργά, και ξέρει ότι σύντομα θα τον οδηγήσει στο θάνατο. Ποιος είπε ότι ο χωρισμός δεν είναι θάνατος;

Το τελευταίο βλέμμα, ο τελευταίος χαιρετισμός, το τελευταίο άγγιγμα και μετά ο τεράστιος γίγαντας άρχισε να ξεμακραίνει, προσπαθώντας να χωρίσει μια καρδιά σε δυο κομμάτια. Η θωριά της και η θωριά του χάθηκαν στη μέση του πελάγους, και πνίγηκαν στα θολά μάτια. Και μετά σιωπή. Η Κασσάνδρα είχε απενεργοποιήσει το κινητό της, προσπαθώντας να μην καταρρεύσει. Δε θα άντεχε ν' ακούσει τη φωνή του και να μην τον έχει δίπλα της. Του το είχε πει κι εκείνος το σεβάστηκε. Καβάλησε απελπισμένος τη μηχανή του και ξεχύθηκε με ορμή, ώσπου έφθασε στο πιο ψηλό σημείο μιας ράχης του βουνού, προσπαθώντας να δει το πλοίο. Πρόφτασε να δει τη σκούρα εικόνα του, μακριά στον ορίζοντα, και μετά τίποτε. Ούτε ένα τόσο δα σημαδάκι... ούτε μια κουκκίδα...

9

൬

Ὅ Σταν κατάλαβε αμέσως τη διαφορά. Η γυναίκα που είχε αφήσει στο αεροδρόμιο δεν είχε καμιά σχέση με τη γυναίκα που μόλις είχε παραλάβει. Το πρόσωπό της κέρινο, το χαμόγελό της ψεύτικο, η αγκαλιά της άδεια. Και μετά, μέσα στο αυτοκίνητο, του απαντούσε μονολεκτικά, αδιάφορα, αφηρημένα, σαν κάποια ξένη που του έκανε τη χάρη να είναι δίπλα του. Σκέφτηκε ότι η ταλαιπωρία του ταξιδιού και το jet lag[1] την είχαν καταβάλει και προφανώς ήταν κουρασμένη. Και είχε τόσα να της πει μα, κυρίως, να αντλήσει κουράγιο. Για πρώτη φορά στην καριέρα του ένιωθε πως έχανε τον έλεγχο. Η μέχρι τώρα λάμψη του θάμπωσε απότομα, σαν χρυσάφι που έπεσε στη λάσπη. Από τη στιγμή που η Μακ Στίβενς αποφάσισε να τον μηνύσει και να ζητήσει μια τεράστια αποζημίωση, οι ισορροπίες ανατράπηκαν. Οι δύο επεμβάσεις στις οποίες είχε υποβληθεί δεν έφεραν το επιθυμητό αποτέλεσμα στο πρόσωπό

---

1. Αναστάτωση οργανισμού από μια πολύωρη πτήση και τη διαφορά ώρας.

της και η ανάρρωσή της ήταν πάρα πολύ αργή. Με αποτέλεσμα, παρότι είχε υπογράψει συμβόλαιο, αναγκάστηκε κάτω από την πίεση των παραγωγών να το σπάσει και να παραιτηθεί από τον πρωταγωνιστικό ρόλο μιας ταινίας που δεν ήθελε με τίποτε να χάσει. Οι όροι του συμβολαίου ήταν ξεκάθαροι και σαφείς: σε περίπτωση που για οποιονδήποτε λόγο, ακόμη και μακράς ασθενείας, καθυστερούσαν τα γυρίσματα εξαιτίας της, τότε η παραγωγή είχε το δικαίωμα να διακόψει τη συνεργασία μαζί της, χωρίς να της καταβάλει την παραμικρή αποζημίωση. Όχι, δεν την ενδιέφεραν τα χρήματα, ήταν θέμα γοήτρου, ήταν το τρίτο Όσκαρ της και είχε επενδύσει πολλά σε αυτό. Μόλις πριν από δύο μέρες τού είχε τηλεφωνήσει ο δικηγόρος της για να του ανακοινώσει ότι η κυρία Μακ Στίβενς είχε καταθέσει αγωγή εναντίον του για τη σωματική, ηθική και επαγγελματική βλάβη που υπέστη, υπονοώντας την υγεία της, το κύρος και την καριέρα της, διεκδικώντας το ποσό των πενήντα εκατομμυρίων δολαρίων!

Είχε μείνει άναυδος, αδυνατώντας να πιστέψει αυτά που άκουγε στο τηλέφωνο. Μέχρι εκείνη τη στιγμή θεωρούσε, χωρίς να είναι βέβαια απόλυτα ευχαριστημένος και ο ίδιος, ότι είχε καταφέρει να έχει ένα πολύ ικανοποιητικό αποτέλεσμα. Τι δεν είχε πάει καλά; Η ανάρρωσή της βάδιζε με πολύ αργούς ρυθμούς, κάτι που δεν μπορεί να προβλέψει κανένας χειρουργός. Είναι θέμα αυτοΐασης κάθε ανθρώπινου οργανισμού, πόσο γερή είναι η κράση του, το ανοσοποιητικό του σύστημα, η ψυχολογική του κατάσταση. Ένας άνθρωπος με αρνητική προδιάθεση και έντονο στρες αποθεραπεύεται δυσκολότερα από κάποιον που είναι θετικός, ήρεμος και αισιόδοξος. Και η Μακ Στίβενς ήταν έντονα στρεσαρισμένη, γι' αυτό έπαιρνε διαφορά αγχολυτικά, μπορεί και αντικαταθλιπτικά. Ο Σταν την είχε ρωτήσει πριν από την επέμβαση αν έπαιρνε φάρμακα κι εκείνη του είχε πει ότι κατά καιρούς χρησιμοποιούσε κάποιο υπνωτικό χαπάκι για να κοιμάται τα βράδια, ή κάποιο αγχολυτικό, όταν ήταν στρεσαρισμένη. Αργότερα όμως ανακάλυψε ότι αυτό γινόταν σε καθημερινή βάση και σε μεγάλες ποσότητες. Η Μακ Στίβενς ήταν εθισμένη σε παυσίπονα, σε βαρβιτουρικά και σε κάθε είδους αντικαταθλιπτικά. Γενικότερα χαπακωνόταν εδώ και χρόνια, και ειδικά από τότε που κέρδισε το πρώτο της Όσκαρ. Όλα αυτά τα χημικά σκευάσματα είχαν επηρεάσει όχι μόνο το νευρικό, αλλά και το ανοσοποιητικό της σύστημα, με αποτέλεσμα να είναι ευάλωτη σε κάθε είδους επέμβαση. Ένα χειρουργείο, ανεξάρτητα για ποιο λόγο γίνεται, δεν παύει να είναι μια καταπόνηση του οργανισμού και μια πάλη λευκών και ερυθρών αιμοσφαιρίων. Όσο μεγαλύτερος είναι αυτός ο πόλεμος, τόσο πιο δύσκολη είναι η αποθεραπεία και αποκατάσταση του οργανισμού. Υπάρχουν όμως και κάποιες φορές που ο ίδιος ο οργανισμός, ενοχλούμενος από τη βλακεία του ανθρώπου, αρνείται να συνεργαστεί μαζί του. Και τότε απλώς δεν αναρρώνει. Είναι σαν να λέει: «Στοπ, δεν αντέχω άλλο τις βλακείες σου». Και στην περίπτωση της Μακ Στίβενς ο οργανισμός της είχε μουλαρώσει για τα καλά.

Η ηθοποιός ήταν απρόβλεπτη και είχε αλλοπρόσαλλη και διπολική συμπεριφορά. Σχεδόν δεν την αναγνώριζε πλέον. Η διάθεσή της άλλαζε κάθε πέντε λεπτά. Εκεί που χαμογελούσε και του έλεγε πόσο ευχαριστημένη και ενθουσιασμένη είναι με τα αποτελέσματα, εκεί συννέφιαζε και τον κατηγορούσε ότι δεν έκανε καλά τη δουλειά του. Αυτό γινόταν καθημερινά και δε δίσταζε να τον ενοχλεί ακόμη και στις τέσσερις τα ξημερώματα, παραπονούμενη ότι τάχα πονάει φρικτά, χωρίς να σεβαστεί το γεγονός ότι εκείνος είχε την επόμενη μέρα χειρουργεία. Ένα τόσο δα πονάκι από το τράβηγμα των ραμμάτων της εκείνη το μεγαλοποιούσε και το μετέφραζε σε αβάσταχτο πόνο. Και μια μέρα εξαφανίστηκε. Δε σήκωνε τα τηλέφωνα, δεν μπορούσε να την εντοπίσει πουθενά. Στο μεταξύ, οι μελανιές και το πρήξιμο στο πρόσωπό της δεν είχαν υποχωρήσει εντελώς και σίγουρα έπρεπε να βρίσκεται υπό παρακολούθηση. Όταν όμως θα ανάρρωνε πλήρως, θα έβλεπε τα χρόνια που είχαν φύγει από πάνω της. Έτσι της είχε πει την τελευταία φορά που την είδε στο ιατρείο του. Η Άλις τον κοίταξε δύσπιστα. Το μόνο που έβλεπε στον καθρέφτη της ήταν ένα τέρας και στην ουσία είχε γίνει έτσι εξαιτίας της συμπεριφοράς της. Παρ' όλα αυτά, δεν της μίλησε. Σίγουρα κάτι δεν πήγαινε καλά. Το δεξί φρύδι σαν να στεκόταν ψηλότερα από το αριστερό, η έκφραση των ματιών της σαν να ήταν αφύσικη, τα μάγουλα υπερβολικά ανεβασμένα. Κι όμως, είχε κάνει το καλύτερο. Σχεδόν κέντησε πάνω στο πρόσωπό της. Φυσικά την είχε προειδοποιήσει εξαρχής πως η δική της περίπτωση απαιτούσε το λεγόμενο μίνι λίφτινγκ. Αλλά εκείνη δεν τον άκουσε καν και επέμενε στο ολικό. Λογικό ήταν να παρατραβηχτεί το δέρμα της. Και εκείνο την εκδικήθηκε. *«Γιατί, κυρά μου, με τσιτώνεις τόσο πολύ αφού δεν το αντέχω; Για λάστιχο με πέρασες;»* Και προσπάθησε να επιστρέψει τους μυς στη θέση τους. Αλλού τα κατάφερε, αλλού όχι. Το αποτέλεσμα ήταν μια κέρινη μάσκα. Δεν μπορούσε ούτε να χαμογελάσει σωστά.

Η Άλις έπαθε υστερία και επισκέφτηκε, με απόλυτη μυστικότητα, άλλους δύο πλαστικούς για μια τρίτη διορθωτική επέμβαση. Εκείνοι όμως της το αρνήθηκαν, λέγοντάς της ότι επ' ουδενί το δέρμα της άντεχε άλλη μια επέμβαση και ότι με τον καιρό θα επανερχόταν η φυσική έκφραση στο πρόσωπό της. Ωστόσο η περίπτωσή της απαιτούσε υπομονή και χρόνο. Το λάθος της ήταν ότι, όταν ο Πάλμερ της είχε κάνει μίνι λίφτινγκ και δεν είχε το αναμενόμενο για εκείνη αποτέλεσμα, τα 'βαλε μαζί του και απαίτησε δεύτερο και ολικό τράβηγμα προσώπου. Τον πίεσε, είναι η αλήθεια. Σχεδόν ούρλιαζε υστερικά στο ιατρείο του. Ήθελε όμως το ρόλο πολύ και τίποτε στον κόσμο δε θα τη σταματούσε· ούτε ο πόνος, ούτε το κόστος, ούτε η ταλαιπωρία. Η απόφαση μπορεί να ήταν δική της, όμως την ευθύνη την είχε ο γιατρός, που δέχτηκε να τη χειρουργήσει. Λίγες μέρες μετά την επέμβαση, κατάλαβε ότι μόλις είχε χάσει όχι μόνο ένα ρόλο, αλλά και ίσως ολόκληρη την καριέρα της.

Ο Σταν κατέρρευσε. Τόσα χρόνια καλής φήμης, τόσων πετυχημένων επεμβάσεων και μια αποτυχία αρκούσε για να τον ρίξει στα τάρταρα. Δε μίλησε σε κανένα. Ούτε και στην Κάσι. Δεν ήταν του χαρακτήρα του να συζητά σοβαρά θέματα εξ αποστάσεως. Μόνο το δικηγόρο του ενημέρωσε, που ανέλαβε αμέσως υπερασπιστική γραμμή, επικοινωνώντας με το δικηγόρο της Μακ Στίβενς, που άρχιζε ήδη να ετοιμάζει αναφορές για τα δελτία Τύπου στα μέσα ενημέρωσης. Γιατί ήταν θέμα χρόνου να κυκλοφορήσουν τα καυτά νέα. Κράτησε καλά κρυμμένο το μαντάτο για τον εαυτό του, περιμένοντας τη γυναίκα του να επιστρέψει. Ήξερε φυσικά ότι μόλις θα διέρρεαν τα νέα στα μέσα ενημέρωσης, θα άρχιζε το ανελέητο κυνηγητό των δημοσιογράφων. Μόνο που αυτή τη φορά δε θα ήταν για να πλέξουν εγκώμια για τη δουλειά του, αλλά για να τον κατασπαράξουν. Ο Τύπος είναι ψυχρός και ανελέητος. Τη μια μέρα σε στέφει βασιλιά και την επόμενη δε διστάζει να σε αποκαθηλώσει, να σε κατακρημνίσει, αδιαφορώντας για την τύχη σου. Ήθελε να πιαστεί από κάπου και να αντλήσει δύναμη και κουράγιο για να μην κατρακυλήσει. Και το μόνο πρόσωπο που ήξερε πως μπορούσε να το κάνει αυτό ήταν η Κάσι. Και τώρα αντίκριζε μια άγνωστη γυναίκα που τον αντιμετώπιζε με περισσή αδιαφορία. Ήλπιζε μόνο ότι το άγχος του τον είχε καταβάλει τόσο πολύ, ώστε τα είχε μεγεθύνει όλα. Προς το παρόν θα την άφηνε να ξεκουραστεί.

Η Κασσάνδρα μπήκε στο σπίτι της και της ήρθε να ουρλιάξει. Τι δουλειά είχε εκεί μέσα; Όχι. Αυτό δεν ήταν το σπίτι της και ούτε ήθελε να είναι. Σχεδόν δε χαιρέτησε το υπηρετικό προσωπικό, που καταχάρηκε με την επιστροφή της και της το έδειξε, γεμίζοντας όλο το σπίτι με φρεσκοκομμένα λουλούδια και ετοιμάζοντας ένα υπέροχο γεύμα. Αδιαφόρησε ακόμη και για τη Μόλι, που η αλήθεια ήταν πως δεν την πλησίασε, απλώς την παρατηρούσε από μια γωνιά, όχι για να την εκδικηθεί για τη μεγάλη απουσία της αλλά λες και δεν ήταν σίγουρη ότι αυτή ήταν η κυρά της. Ζήτησε συγγνώμη από τον Σταν και κρύφτηκε στο μπάνιο, κάτω από το ντους, το μόνο μέρος όπου μπορούσε επιτέλους να κλάψει. Κι αν είχε κλάψει... Μέσα στο πλοίο, κλεισμένη στην καμπίνα της, μέσα στο αεροπλάνο, κρυμμένη στις τουαλέτες, στο κάθισμά της πίσω από τα τεράστια μαύρα γυαλιά της. Άδειο κουφάρι το σώμα της, χωρίς καρδιά, να την ακολουθεί σαν χαμένο. Πού βρισκόταν η καρδιά της; Πού την είχε ξεχάσει; Πού είχε χαθεί; Έπρεπε να διατηρήσει την ψυχραιμία της. Ο γιος της, το μόνο πρόσωπο που την κρατούσε στα πόδια της, ερχόταν από το στούντιο στο σπίτι για να την καλωσορίσει, και η αλήθεια ήταν ότι της είχε λείψει. Αύριο κιόλας θα μαζεύονταν εδώ οι γονείς της, τα αδέλφια της, οι γονείς του Σταν, η Σάρον, η Νταϊάν καθώς και κάποιοι φίλοι, να την καλωσορίσουν κι εκείνοι με τη σειρά τους. Έπρεπε να κρατήσει την ψυχραιμία της. Να υποκριθεί, αν χρειαζόταν· ό,τι σιχαινόταν περισσότερο στη ζωή της.

Και το έκανε. Και μάλιστα πολύ καλά. Ο Άλεξ έλαμπε από χαρά δίπλα της, το ίδιο και οι γονείς και τα πεθερικά της. Μόνο η Σάρον την κοίταζε περίεργα, χωρίς να μιλά, όπως συνήθως, κι ακόμη πιο βουβός ήταν ο Σταν. Το βράδυ, σαν έπεσαν στο κρεβάτι και γύρεψε την αγκαλιά της, εκείνη του είπε πως δεν αισθανόταν καλά. Κι εκείνος κατρακύλησε ακόμη πιο πολύ.

«Κι εγώ δεν είμαι καλά», της είπε και πέταξε τη μάσκα. Το πρόσωπό του συσπάστηκε, τρομαγμένο από την αντιμετώπιση της αλήθειας. Τον κοίταξε, και για πρώτη φορά έδειξε ότι είχε ακούσει τα λόγια του. «Τι έχεις;» τον ρώτησε, καταβάλλοντας όμως προσπάθεια να δείξει ενδιαφέρον. «Η Μακ Στίβενς κατέθεσε αγωγή. Με κατηγορεί για σωματική, ηθική και επαγγελματική βλάβη... Απέτυχα, Κάσι. Απέτυχα...» είπε, σηκώθηκε από το κρεβάτι και άναψε ένα τσιγάρο. Ο άνδρας της είχε να καπνίσει είκοσι ένα χρόνια, από τότε που γεννήθηκε ο γιος τους. Σαν να τον έβλεπε μόλις τώρα. Φαινόταν να τα 'χει χαμένα, κάτι που δεν είχε συμβεί σχεδόν ποτέ. Αν κάτι χαρακτήριζε τον άνδρα της ήταν η μνημειώδης ψυχραιμία του στα δύσκολα. Ήταν ένα από τα προσόντα του που τον είχαν βοηθήσει στην πετυχημένη καριέρα του ως χειρουργού. Ένιωσε λύπη γι' αυτόν· μια λύπη περίεργη, πρωτόγνωρη, που δεν είχε σχέση με προσωπικά αισθήματα· μια συμπόνια, όπως θα ένιωθε για κάποιον άγνωστο που βλέπει ότι υποφέρει. Ο Σταν όμως δεν ήταν κάποιος άγνωστος, ήταν ο άνδρας της και εκείνη φαίνεται πως το είχε ξεχάσει.

Σηκώθηκε από το κρεβάτι, τον πλησίασε και του 'πιασε το χέρι. «Πώς τόλμησε να κάνει κάτι τέτοιο η Μακ Στίβενς; Είναι ανήκουστο! Είσαι ο καλύτερος χειρουργός της πόλης και δεν έχεις να φοβηθείς κανέναν, ούτε την Άλις».

Εκείνος την κοίταξε προσπαθώντας να αντλήσει κουράγιο από τα λόγια της.

«Πόσοι γνωρίζουν γι' αυτή την αγωγή;» τον ρώτησε.

«Προς το παρόν όχι πολλοί. Εμείς, ο δικηγόρος μας, ο δικηγόρος της και, φυσικά, το στενό της περιβάλλον πιστεύω. Είναι όμως ζήτημα χρόνου να διαρρεύσει στους δημοσιογρά-

φους, και τότε τα πράγματα θα γίνουν πολύ δύσκολα για μένα».
Η Κάσι κάθισε στην πολυθρόνα προβληματισμένη. Ξαφνικά
τα πράγματα έγιναν πολύ σοβαρά. Οι δημοσιογράφοι ψάχνουν
σαν αρπακτικά για μια καταγγελία, ένα σκάνδαλο που θα ανε-
βάσει τις πωλήσεις των εντύπων και τα νούμερα της τηλεθέασης.
Είχε υπομείνει πάρα πολλά στην προσωπική της ζωή, για να δει
να γκρεμίζεται έτσι εύκολα η καλή φήμη του ονόματος της οικο-
γένειάς της. Και μπορεί να μην την ένοιαζε την ίδια, νοιαζόταν
όμως για το γιο της και το δικό του μέλλον. Σκέφτηκε για λίγο.
«Καιρός να χρησιμοποιήσουμε τα μεγάλα μέσα», του είπε
πολύ σοβαρά.
«Δηλαδή; Τι εννοείς;»
«Εννοώ ότι πρέπει να μιλήσεις με τον παραγωγό της, τον Τό-
μας Μιλ. Να τη λογικέψει. Έχεις χειρουργήσει τη γυναίκα του και
την κόρη του και, απ' ό,τι θυμάμαι, έχουν μείνει πολύ ευχαριστη-
μένες και οι δύο. Η Μακ Στίβενς τον έχει ανάγκη. Είναι ο παρα-
γωγός της. Αυτός κινεί όλα τα νήματα. Να της τηλεφωνήσει, λοι-
πόν, και να την πείσει να σταματήσει αυτόν το διασυρμό. Μπορεί
να έχασε αυτόν το ρόλο στην ταινία του, όμως ταινίες του Μιλ γυ-
ρίζονται κάθε χρόνο και θα έχει πολλές ευκαιρίες για να ξαναπαί-
ξει. Να του εξηγήσεις ότι αυτός ο διασυρμός δε συμφέρει κανέναν
από τους δυο σας. Διαφορετικά, θα φροντίσει να μην τη χρησιμο-
ποιήσουν ποτέ, τουλάχιστον σε δικές του παραγωγές. Η Άλις ξέ-
ρει πως κάτι τέτοιο δεν τη συμφέρει καθόλου και θα αναγκαστεί
να υποχωρήσει». Τον κοίταξε με αυστηρό ύφος, σαν δασκάλα που
κατσάδιαζε το μαθητή της. «Πόσο μεγάλη είναι η ζημιά;»
«Δεν έπρεπε να γίνει ολικό λίφτινγκ. Της το είχα πει, όμως
εκείνη επέμενε. Δεν ξέρω ακριβώς τι δεν πήγε καλά. Δημιουρ-
γήθηκαν εσωτερικοί μώλωπες και αιμάτωμα και η ανάρρωσή
της είναι βραδεία. Δεν το 'χω ξαναδεί αυτό. Κι όμως, οι τιμές του

σακχάρου της ήταν κανονικές, το ίδιο και οι αριθμοί των ερυθρών και λευκών αιμοσφαιρίων της. Δεν μπορώ να καταλάβω τι πήγε στραβά. Το μόνο σίγουρο είναι ότι τα νεύρα της είναι κλονισμένα. Έχω δει πολλές παλαβές στη διάρκεια της καριέρας μου, αλλά η Μακ Στίβενς παίρνει το Όσκαρ και εδώ. Από τη δεξιά πλευρά, το δέρμα της έχει τραβηχτεί αφύσικα και έχει δημιουργηθεί μερική παραμόρφωση. Σαν να αρνείται πεισματικά να αναρρώσει, λες και θέλει να την εκδικηθεί».

«Διορθώνεται αυτό με ακόμη ένα χειρουργείο;»

«Δεν παίρνει τώρα άλλη επέμβαση. Πιστεύω, όμως, ότι μόλις ηρεμήσει, θα αναρρώσει πλήρως, όλα θα πάνε στη θέση τους και το αποτέλεσμα θα είναι πολύ πιο φυσικό. Το θέμα είναι ότι η ταινία δεν μπορεί να την περιμένει. Ήταν μέσα στους όρους. Έτσι οι παραγωγοί έλυσαν νόμιμα το συμβόλαιό της και βρήκαν άλλη, νεότερη πρωταγωνίστρια. Ήδη τα γυρίσματα έχουν αρχίσει. Βούιξε όλο το Χόλιγουντ και επίσημα τουλάχιστον δηλώθηκε ότι η αποχώρηση της Μακ Στίβενς οφείλεται σε υπερκόπωση. Μόλις της ανακοίνωσαν τα νέα, μου έκανε αγωγή την ίδια κιόλας μέρα. Ζητάει πενήντα εκατομμύρια αποζημίωση και η ασφάλεια που έχω σε περίπτωση ιατρικού λάθους δεν καλύπτει αυτό το ποσό, ειδικά αν αποδειχτεί ότι ευθύνομαι ολοκληρωτικά εγώ».

«Τι; Πόσα ζητάει; Πενήντα εκατομμύρια; Δεν είναι καλά η γυναίκα… καθόλου καλά…»

«Λες να μην το έχω αντιληφθεί;»

«Είχες μάρτυρες όταν της είπες για το μερικό λίφτινγκ και εκείνη επέμενε για το ολικό;»

«Ναι, βέβαια, ήταν μαζί μας ο βοηθός μου, ο Κέβιν Άλεν. Θυμάμαι ότι κι εκείνος της είπε να μην το κάνει».

«Τότε, Σταν, δεν πρέπει να φοβάσαι. Ήταν δική της επιλογή και πρέπει να αναλάβει τις ευθύνες της».

«Μπορεί να ακούγεται δίκαιο, όμως ο νόμος δε θα το λάβει υπόψη. Έπρεπε να αρνηθώ να τη χειρουργήσω. Εγώ ήμουν ο γιατρός της και όχι ο βοηθός μου και εγώ έπρεπε να αρνηθώ. Από τη στιγμή που το έκανα, σημαίνει ότι αποδεχόμουν οποιαδήποτε συνέπεια».

«Κι εγώ σου λέω ότι, μόλις της τρίξει τα δόντια ο Μιλ, θα το σκεφτεί καλύτερα».

Ο Σταν μόλις είχε ξαναβρεί τη γυναίκα του. Η Κάσι ήταν εκείνη που τον στήριζε τις σπάνιες φορές που ένιωθε πως έχανε το κουράγιο του. Είχε αυτή την ικανότητα, και ώρες ώρες ευγνωμονούσε την καλή του τύχη που βρέθηκε στο δρόμο του. Δεν ήθελε να τη χάσει με τίποτε στον κόσμο και η ψυχρή συμπεριφορά της δυο μέρες τώρα τον είχε αποκαρδιώσει. Είχε δίκιο τελικά. Ο Μιλ είχε μεγάλη επιρροή στο Χόλιγουντ και ο ίδιος τον εκτιμούσε πολύ. Αύριο κιόλας θα επικοινωνούσε μαζί του. Δεν του είχε ζητήσει ποτέ καμιά χάρη, ούτε καν για την πεθερά του, που τόσο πολύ επιθυμούσε να παίξει ένα ρόλο σε κάποια από τις ταινίες του, έστω και τρίτης διαλογής. Δεν το έκανε για την κόρη συνεργάτη του στην πολυκλινική, δεν το έκανε για κανέναν από τους φίλους του που του ζήτησαν να παρέμβει. Σιχαινόταν αυτού του είδους τις εκδουλεύσεις. Δεν ήταν του χαρακτήρα του. Τώρα όμως τα πράγματα ήταν τελείως διαφορετικά. Κινδύνευε η υπόληψη της οικογένειάς του, η δική του φήμη, η καριέρα του γιου του, που μόλις άνοιγε τα φτερά του.

Η ώρα ήταν τρεις το πρωί. Ο Σταν κατάφερε επιτέλους να κοιμηθεί βαθιά έπειτα από μέρες. Η Κάσι βεβαιώθηκε γι' αυτό και μετά σηκώθηκε από το κρεβάτι όσο πιο αθόρυβα γινόταν, διέσχισε το δωμάτιο στις μύτες των ποδιών της και βγήκε από αυτό. Προχώρησε κατά μήκος του διαδρόμου, αφού πρώτα σιγουρεύτηκε ότι δεν υπήρχε κανείς, μπήκε σ' ένα από τα δωμάτια των φιλοξενούμενων και έκλεισε την πόρτα πίσω της. Κατόπιν προχώρησε προς το μπάνιο του δωματίου και έκλεισε και αυτή την πόρτα. Έβγαλε το κινητό της από την τσέπη της ρόμπας της και κάθισε πάνω στο καπάκι της λεκάνης. Κοίταξε την ώρα ξανά στο καντράν του ρολογιού της. Πλησίαζε τρεις και τέταρτο. Στην Ελλάδα τώρα η ώρα θα ήταν μία το μεσημέρι. Πάτησε το νούμερο με το κωδικό όνομα «Μαρία», που αντιπροσώπευε το όνομα «Ορέστης». Λίγα δευτερόλεπτα αργότερα τον καλούσε. Στο τρίτο χτύπημα εκείνος το σήκωσε. Η φωνή του τη χάιδεψε ολόκληρη.

«Επιτέλους, μωρό μου, επιτέλους. Πήγα να τρελαθώ. Δε με πήρες καθόλου χθες και δεν ήξερα τι να υποθέσω».

Η Κάσι του είχε απαγορεύσει να επικοινωνήσει μαζί της γιατί θα βρισκόταν συνεχώς με κόσμο. Πρώτα θα έμπαινε στο καθημερινό πρόγραμμά της και μετά θα του έλεγε τις ώρες που ήταν μόνη της ώστε να της τηλεφωνεί.

«Δεν μπορούσα νωρίτερα, αγάπη μου», του είπε τρυφερά. «Έπρεπε πρώτα να κοιμηθούν όλοι, για να σε πάρω».

«Γαμώτο, μου λείπεις… μου λείπεις τόσο πολύ, που απορώ τι με κρατάει και δεν παίρνω το πρώτο αεροπλάνο να έρθω εκεί».

Τα μάτια της βούρκωσαν. «Κι εμένα μου λείπεις πολύ», είπε τρυφερά, προσπαθώντας να κρύψει τη συγκίνησή της. «Κοίτα, παρουσιάστηκαν κάποια απρόσμενα προβλήματα στην οικογένεια και προς το παρόν προηγούνται. Όταν τακτοποιηθούν, θα κάνω αυτό που σου υποσχέθηκα».

«Θα έρθεις ξανά πίσω;» Τα λόγια του φανέρωναν τη λαχτάρα του. «Πότε; Πες μου πότε, αγάπη μου».

«Το Σεπτέμβριο. Το σκέφτηκα καλά, Ορέστη. Θα βρω μια δικαιολογία, ότι υπάρχουν κάποιες εκκρεμότητες με το σπίτι της γιαγιάς, και θα έρθω».

«Και μετά τι; Θα έρθεις για να φύγεις πάλι; Όχι, Κασσάνδρα,

σου το είπα και στην Αμοργό. Αυτό δε γίνεται. Ἡ θα έρθεις και θα μείνουμε για πάντα μαζί ή τίποτε. Θέλω να ζήσουμε μαζί. Το καταλαβαίνεις αυτό; Θέλω να μιλήσω στη Ζωή. Δεν μπορώ να υποκρίνομαι. Ο Αύγουστος πλησιάζει και εκείνη θα έρθει εδώ για ένα μήνα. Τι θα γίνει τότε; Πρέπει να βρω τον τρόπο να της το πω ή να της το δείξω, χωρίς όμως να την πληγώσω. Δεν το θέλω κάτι τέτοιο. Είναι και οι γονείς μας στη μέση. Η μάνα μου της έχει μεγάλη αδυναμία».

«Καταλαβαίνω... όμως, αγάπη μου, προς το παρόν δεν μπορώ να μιλήσω στον Σταν. Έχει δημιουργηθεί ένα πολύ σοβαρό πρόβλημα με τη δουλειά του και πρέπει να σταθώ πλάι του. Στο μεταξύ, θα προετοιμάσω το έδαφος και σ' αυτόν και κυρίως στο γιο μας. Ο Άλεξ, όσο κι αν με αγαπάει, δε θα καταλάβει ποτέ. Και δε θέλω να με μισήσει. Μη μου ζητάς κάτι τέτοιο».

«Σαν τι πρόβλημα, δηλαδή; Πόσο σοβαρό μπορεί να είναι, ώστε να παίρνουν αναβολή τα σχέδιά μας;»

«Έχεις ακουστά για μια ηθοποιό, την Άλις Μακ Στίβενς;»

«Μα φυσικά. Ποιος δεν ξέρει αυτή την ηθοποιό. Είναι παγκοσμίως γνωστή. Ε, λοιπόν;»

«Ο Σταν τη χειρούργησε. Ολικό λίφτινγκ προσώπου. Εκείνη επέμενε για να μη χάσει κάποιο ρόλο. Ήταν όμως πολύ νέα για κάτι τέτοιο. Έγινε ζημιά... του έκανε αγωγή ζητώντας πενήντα εκατομμύρια δολάρια και τώρα κινδυνεύει η καριέρα του».

«Λυπάμαι πολύ γι' αυτό, όμως δε θα συμμετάσχω. Το τι έπαθε η Μακ Στίβενς αφορά εκείνη και τον άνδρα σου. Αυτή η ιστορία θα πάρει πολύ χρόνο. Και δε μας περισσεύει χρόνος». Το ύφος του έγινε πιο επιθετικό.

Τα μάτια της βούρκωσαν απότομα και αμέσως ακούστηκε ο λυγμός της. Τώρα έκλαιγε δυνατά.

Η φωνή του Ορέστη μαλάκωσε. «Σε παρακαλώ, μη μου το

κάνεις τώρα αυτό. Ξέρεις ότι δεν αντέχω να σ' ακούω να κλαις. Εντάξει, εντάξει, δε θα κάνουμε καμιά κίνηση προς το παρόν, ώσπου να είσαι έτοιμη».

«Κάνε μου τη χάρη να μην πεις ακόμη τίποτε στη Ζωή. Θέλω να το σκεφτούμε καλά. Κι εσύ κι εγώ. Να είμαστε απόλυτα σίγουροι για αυτό που θέλουμε να κάνουμε».

«Εγώ είμαι».

«Μην ξεχνάς ότι ως μεγαλύτερή σου πρέπει να σκεφτώ πιο λογικά».

«Τι είναι τώρα αυτά που λες; Τι θα πει μεγαλύτερος και μικρότερος; Στην αγάπη, Κασσάνδρα, δε μετρούν τα χρόνια που κουβαλάς στην πλάτη σου, αλλά ποιες εμπειρίες έχεις αποκομίσει από τη ζωή, πόσο έντονα έχεις ζήσει και πόσο ικανός είσαι να αγαπάς. Κι εγώ κατάλαβα αμέσως ότι ήσουν αυτό που γύρευα σε όλη μου τη ζωή, που απλώς δεν έτυχε να το συναντήσω νωρίτερα. Μου είναι λοιπόν αδιάφορο πόσων χρόνων είσαι, γιατί στα δικά μου μάτια θα φαντάζεις το ίδιο όμορφη και ύστερα από πενήντα χρόνια. Το καταλαβαίνεις αυτό;»

Όχι, δεν το καταλάβαινε. Μα περισσότερο δεν καταλάβαινε τον ίδιο της τον εαυτό, που κρυμμένη μέσα σ' ένα μπάνιο τηλεφωνιόταν στα κλεφτά με τον έρωτα, λες και ήταν δεκάξι χρόνων. Ή μήπως ήταν;

Επέστρεψε στην κρεβατοκάμαρα. Ο Σταν κοιμόταν βαθιά, εξαντλημένος από τα γεγονότα των τελευταίων ημερών. Έγειρε πλάι του και έκλεισε τα μάτια της. Η μορφή του Ορέστη εμφανίστηκε. Τον έβλεπε καθαρά, σαν να βρισκόταν μπροστά της. Της χαμογέλασε. Του χαμογέλασε και εκείνη. Μετά τον είδε να τρέχει κατά μήκος της ακτής, εκεί στη Μικρή Βλυχάδα. Ο ήλιος έλαμπε και ο ουρανός ήταν πεντακάθαρος, όπως και τα κρυστάλλινα νερά της θάλασσας. Στάθηκε και της άνοιξε τα χέρια του σαν να την καλούσε κοντά του. Κι εκείνη έτρεξε σ' αυτό το κάλεσμα και χώθηκε στην αγκαλιά του. Τη σήκωσε στον αέρα κι άρχισε να τη γυρίζει γύρω του, ενώ εκείνη γελούσε δυνατά. Ξαφνικά ο ήλιος σκοτείνιασε και μια περίεργη υγρή ομίχλη απλώθηκε παντού και έκρυψε το τοπίο. Εκείνη όμως ακόμη ένιωθε τα χέρια του γύρω από τη μέση της και μετά...

Η κοπέλα γελούσε ευτυχισμένη, καθώς ο ψηλός ξανθός άνδρας τη σήκωνε στην αγκαλιά του και χόρευε μαζί της. Φορούσε ένα μακρύ κάτασπρο φόρεμα που έφθανε ως τους αστραγάλους της, αφήνοντας ακάλυπτα τα δετά μποτίνια της. Τα πυκνά κατακόκκινα μαλλιά της, που έπεφταν πλούσια στην πλάτη της, ήταν στολισμένα με μικρά λευκά άνθη παντού. Τα σμαραγδένια μάτια της έλαμπαν και το ροδαλό στόμα της έμοιαζε με μπουμπουκιασμένο τριαντάφυλλο. Ναι, ήταν πανέμορφη. Πιο όμορφη από ποτέ. Και γελούσε... Μετά το κορίτσι βρισκόταν δίπλα στον ίδιο άνδρα μέσα στο σκοτάδι. Τώρα δε φορούσε το άσπρο φόρεμα, αλλά ένα σκούρο καφέ μακρύ παλτό. Τα μαλλιά της ήταν μαζεμένα πίσω και κρυμμένα κάτω από ένα περίεργο καφέ καπέλο με ένα υφασμάτινο πράσινο λουλούδι επάνω του. Φαινόταν τρομαγμένη. Ο ξανθός άνδρας την κρατούσε σφιχτά πλάι του και κάτι της έλεγε. Κι ο ίδιος έδειχνε ανήσυχος. Και μετά κραυγές πανικού, περίεργα τριξίματα, θόρυβοι και ύστερα η κοπέλα άρχισε να τρέμει. Βρισκόταν μέσα σε παγωμένο νερό. Δυσκολευόταν να αναπνεύσει. Σε κάθε εκπνοή της, άχνιζε η ατμόσφαιρα και η άκρη της μύτης της και των αυτιών της είχαν αρχίσει να κρυσταλλιάζουν. Το ίδιο και τα δάχτυλά της. Η χρυσή βέρα έλαμψε στο δεξί της χέρι, που κρατιόταν από το χέρι του άνδρα απέναντί της. Στο κορμί της χιλιάδες βελόνες την τρυπούσαν παντού. Όλο και πιο δυνατά, όλο και πιο βαθιά. Και μετά...

Η Κάσι άνοιξε τα μάτια. Μόλις που ανέπνεε. Η καρδιά της χτυπούσε ξέφρενα. Κοίταξε το ρόλοι δίπλα της. Η ώρα ήταν πέντε παρά τέταρτο. Ο εφιάλτης της είχε επιστρέψει. Σχεδόν είχε ξεχάσει ότι υπήρχε στη ζωή της. Από τότε που βρέθηκε στην Ελλάδα και μέχρι τώρα, δεν είχε ονειρευτεί ξανά το κορίτσι με τα κόκκινα μαλλιά. Και τώρα... Μα ποια ήταν; Τι γύρευε στα όνειρά της, στη δική της ζωή; Γιατί επέμενε να εμφανίζεται; Τι προσπαθούσε να της πει; Και κυρίως πώς ήταν τόσο ζωντανή, σαν να ήταν η ίδια; Αυτό το πράγμα έπρεπε να σταματήσει. Αν ξανασυνέβαινε, θα το συζητούσε με κάποιον ειδικό, κάποιον ψυχαναλυτή. Τουλάχιστον αν ήταν κάποια μορφή άγχους, καλό θα ήταν να το γνώριζε.

Το δροσερό αεράκι του κήπου στο ρέστοραν όπου κάθονταν τις χάιδεψε ευχάριστα. Μπροστά τους ο νεαρός, πολύ γοητευτικός σερβιτόρος σημείωνε προσεκτικά την παραγγελία. Γνώριζε πολύ καλά και τις δύο κυρίες, μια και ήταν τακτικές πελάτισσες. Μπορεί να μην ήταν σταρ του κινηματογράφου, όμως οι φωτογραφίες τους δεν έλειπαν από τις κοσμικές στήλες. Κυρίως της κυρίας Πάλμερ, συζύγου του καλύτερου πλαστικού χειρουργού του Χόλιγουντ, Σταν Πάλμερ. Σύζυγος λοιπόν πλαστικού χειρουργού η μία και η άλλη μεγαλομεσίτρια. Ίσως στο μέλλον να του χρειάζονταν και οι δύο. Εξάλλου τα πουρμπουάρ τους ήταν πολύ μεγαλύτερα από αυτά που άφηναν οι λεγόμενοι σταρ, καθώς οι περισσότεροι από αυτούς είχαν πολύ κακές σχέσεις με το πορτοφόλι τους. Μια μέρα όμως θα γινόταν και αυτός σταρ, σαν όλους εκείνους που τώρα υπηρετούσε και έδινε τα πάντα για ένα βλέμμα τους. Είχε διανύσει πολύ δρόμο από τις φτωχογειτονιές ενός χωριού της Αλαμπάμα[2] για να φθάσει ως εδώ. Ήταν μόλις

─────────

2. Πολιτεία της Αμερικής.

είκοσι δύο χρόνων, όμως το πρώτο που έμαθε ήταν ότι νιάτα, ομορφιά και ταλέντο πάνε πακέτο στο Χόλιγουντ. Κι αν δεν είχε ταλέντο, είχε χρόνο να το αποκτήσει, αλλά νιάτα και ομορφιά δε θα 'χε για πάντα. Γι' αυτό έπρεπε να είναι πολύ προσεκτικός. Και η παραμικρή γνωριμία ήταν χρήσιμη, πολύ περισσότερο κάποιες που άξιζαν τον κόπο. Μόλις ένα χρόνο στην Πόλη των Αγγέλων και είχε βρει κιόλας μια αξιοπρεπή δουλειά. Κάποια μέρα θα γινόταν μεγάλος σταρ και τότε θα άφηνε το μεγαλύτερο φιλοδώρημα από όλους. Η δουλειά του σερβιτόρου ήταν πολύ σκληρή και έπρεπε να αμείβεται ανάλογα. Ωστόσο δεν αμειβόταν και οι πελάτες έπρεπε να βοηθάνε με τον τρόπο τους.

Η Σάρον απαίτησε να τη δει επειγόντως το μεσημέρι. Μέχρι τότε η Κάσι την απέφευγε διακριτικά, λέγοντας ότι υπέφερε ακόμη από το jet lag και ότι δεν είχε συνέλθει. Ήξερε όμως ότι δεν μπορούσε να κρυφτεί περισσότερο. Ίσως έπρεπε να μιλήσει με κάποιον, να ξαλαφρώσει.

Η Κάσι έφθασε πρώτη στο ραντεβού τους, όπως σχεδόν πάντα, και κάθισε στο ρεζερβέ τραπέζι τους. Υπό άλλες συνθήκες θα είχε εκνευριστεί για αυτή την αργοπορία, όμως αυτή τη φορά παρακαλούσε ν' αργήσει η φίλη της. Ένιωθε πολύ αγχωμένη, όπως ένας μαθητής που δίνει εξετάσεις. Η Σάρον έφθασε ένα τέταρτο αργότερα προχωρώντας με άνεση και με τα πάχη της να ξεχειλίζουν από παντού, παρά τους σφιχτούς κορσέδες που φορούσε. Ή μήπως είχε παχύνει κι άλλο; Η Κάσι σηκώθηκε όρθια να την υποδεχτεί και η Σάρον, αφού την αγκάλιασε σφιχτά και φιλήθηκαν σταυρωτά, την κοίταξε ερευνητικά.

«Μα δε μου λες, πόσα κιλά έχεις χάσει;» τη ρώτησε η Σάρον αμέσως μόλις κάθισαν κοιτάζοντάς την αυστηρά.

«Δεν έχω ιδέα. Δεν έχω ζυγιστεί τελευταία. Σου φαίνομαι να έχω αδυνατίσει;»

«Πετσί και κόκαλο έχεις μείνει, χρυσή μου, και δεν το πήρες είδηση; Τι συμβαίνει, Κάσι;»

«Τίποτε. Τι να συμβαίνει;»

«Για σένα θα μιλήσουμε αργότερα. Με τον Σταν τι συμβαίνει;»

«Τι εννοείς;»

«Ξέρεις πολύ καλά πως μαθαίνω αμέσως όλα τα κουτσομπολιά και τα άσχημα νέα κυκλοφορούν γρηγορότερα από τα καλά. Σε αυτή την πόλη, αγαπημένη απασχόληση, πέρα από τα λεφτά και τα γαμήσια, είναι να καταβροχθίζουν ο ένας τον άλλον. Άκουσα ότι η Άλις Μακ Στίβενς έκανε αγωγή στον άνδρα σου, γιατί λέει ότι την παραμόρφωσε. Είναι αλήθεια;»

«Ναι... Εν μέρει είναι αλήθεια. Δυστυχώς. Προσπαθούμε όμως να τη σταματήσουμε. Προς το παρόν, δηλαδή, προσπαθεί ο Τόμας Μιλ».

«Ο μεγαλοπαραγωγός;» Τώρα η συζήτηση απέκτησε μεγαλύτερο ενδιαφέρον.

«Ακριβώς. Είναι φίλος του Σταν και ο λόγος του μετράει».

«Μα πώς έγινε αυτό; Ο Σταν είναι κορυφαίος στα λίφτινγκ».

«Πρώτον, εκείνη επέμενε για δεύτερη επέμβαση, θέλοντας να κερδίσει ένα ρόλο, και ύστερα η επούλωση αργεί πολύ και ο Σταν δεν μπορεί να κάνει τίποτε πάνω σε αυτό».

«Ω, γλυκιά μου, λυπάμαι τόσο πολύ. Και τώρα; Τι θα κάνετε;»

«Δεν ξέρω... Δεν ξέρω, Σάρον. Προς το παρόν, ο Σταν παρακάλεσε τον παραγωγό της, τον Μιλ, να τη συνετίσει. Η Μακ Στίβενς τον έχει ανάγκη. Δεν έχουμε νέα ακόμη. Ελπίζω πως κάτι θα γίνει και ότι θα αποσύρει την αγωγή. Διαφορετικά, καταλαβαίνεις. Κινδυνεύει η καριέρα του άνδρα μου, η υπόληψή μας, το μέλλον του γιου μας. Βρισκόμαστε στο χείλος της καταστροφής».

«Καταλαβαίνω πολύ καλά. Οφείλω όμως να σε προειδοποιη-

σω ότι η Μακ Στίβενς είναι μεγάλη σκύλα. Έγινε δηλαδή. Από
τότε που αναδείχτηκε σε σταρ πρώτου μεγέθους. Όσο ήταν στα
αζήτητα, ήταν ένας γλυκούλης άγγελος. Μόλις πήρε τα πάνω
της, εκτός από τη μάσκα αγγέλου, πέταξε έξω από το σπίτι κι
εκείνο τον άμοιρο τον άνδρα της και μετά πάτησε επί πτωμά-
των προκειμένου να ανελιχθεί. Βλέπεις, απωθημένα τόσων χρό-
νων, τι περίμενες; Και το δικό της πτώμα να πατήσει, πάλι δε θα
είναι ευχαριστημένη. Τώρα θα μου πεις πού τα ξέρω όλα αυτά;
Τα 'μαθα από μια πελάτισσά μου που έτυχε να είναι φίλη της.
Μάλλον πρώην φίλη της, γιατί τώρα η Μακ Στίβενς κάνει πως
δεν την ξέρει. Αν δε σχετιζόταν ο άνδρας σου μ' αυτό, θα έλεγα
"καλά να πάθει". Αλλά τον αφορά και δεν μπορώ να ευχηθώ κά-
τι τέτοιο. Όχι, εσύ μη μου στενοχωριέσαι και όλα θα πάνε μια
χαρά, κι άσε την ηλίθια να γαμιέται μόνη της».
Η Σάρον είχε αναψοκοκκινίσει ολόκληρη. Η Κάσι την κοί-
ταξε και χαμογέλασε ευχαριστημένη. Ήταν η πρώτη φορά που
το λεξιλόγιο της φίλης της δεν την ενοχλούσε. Μακάρι να μπο-
ρούσε και η ίδια να μιλήσει έτσι. Να βρίσει, να φωνάξει, να τα
βγάλει όλα στα φόρα, να χτυπήσει αν χρειαζόταν. Αλλά δεν
μπορούσε. Ας το έκανε λοιπόν για το χατίρι της η Σάρον.
«Σ' ευχαριστώ, Σάρον... Πάντα ήσουν φίλη μου».
«Και επειδή θα είμαι για πολύ ακόμη φίλη σου, θέλω να στρώ-
σεις τον κώλο σου κάτω και να μου πεις την αλήθεια. Τι ακριβώς
σου συμβαίνει, Κάσι; Δε με πείθεις με τίποτε ότι σ' έχει ρίξει τό-
σο πολύ αυτή η ιστορία. Σε ξέρω πολύ καλά. Κάτι τέτοια πάντα
τα αντιμετώπιζες με σθένος και ψυχραιμία. Εδώ κάτι άλλο συμ-
βαίνει. Σοβαρότερο». Για μια στιγμή σαν να κόπηκε η ανάσα της
Σάρον. «Μη μου πεις... ότι είσαι άρρωστη; Γαμώτο. Είμαι πολύ
μαλακισμένη στ' αλήθεια. Αυτό είναι. Είσαι άρρωστη. Είσαι άρ-
ρωστη! Γι' αυτό έχεις χάσει κιλά».

«Μα τι είναι αυτά που λες; Μια χαρά είμαι. Σε διαβεβαιώ ότι χαίρω άκρας υγείας». Η Κάσι χαμογέλασε μετά βίας.

«Άκου να σου πω, γλυκιά μου, σε γνωρίζω πάνω από είκοσι τέσσερα χρόνια και λες να μη βλέπω ότι ο κώλος σου είναι τσουρουφλισμένος; Δε σε χωράει ο τόπος. Έφυγες ως Κάσι Πάλμερ για την Ελλάδα και γύρισες σαν ποια; Όσο κι αν ψάχνω, δεν το βρίσκω. Θα μου πεις τι γαμήσι τραβάς ή θ' αρχίσω να ουρλιάζω;»

Η Κάσι την κοίταξε άψυχα. Ο σερβιτόρος έφερε τα πρώτα πιάτα τους και τα ακούμπησε στο τραπέζι. Μετά άνοιξε το μπουκάλι με το πανάκριβο ιταλικό λευκό κρασί και έβαλε πρώτα μια μικρή ποσότητα στο ποτήρι της Σάρον, περιμένοντάς τη να δοκιμάσει. Εκείνη δε δοκίμασε και του έκανε νόημα να σερβίρει. Ο άνδρας υπάκουσε και έφυγε διακριτικά, αφού τους ευχήθηκε καλή όρεξη. Κατάλαβε πως κάτι πολύ σοβαρό συνέβαινε στις δύο συνήθως χαμογελαστές κυρίες. Ήλπιζε μόνο να μην είχε αντίκτυπο στο δικό του φιλοδώρημα. Έπρεπε να πληρώσει το νοίκι του και είχε μείνει ρέστος. Στα κάστινγκ όπου πήγαινε έπρεπε να είναι καλοντυμένος και ευπαρουσίαστος και τα λεφτά δεν του έφθαναν πάντα.

«Λοιπόν;» της είπε μόλις έφυγε από κοντά τους.

«Ίσως έχεις δίκιο τελικά. Ναι, φοβάμαι πως είμαι άρρωστη». Η Κάσι ήπιε μια γουλιά κρασί και το ένιωσε να σκαλώνει στον οισοφάγο της, αρνούμενο να γλιστρήσει κάτω. Στο τέλος κατέβηκε.

«Άρρωστη! Θεέ μου! Πόσο σοβαρό είναι;»

Η Κάσι φάνηκε να διστάζει.

«Μα θα μου πεις επιτέλους τι τρέχει μ' εσένα;» Η φωνή της ακούστηκε τώρα οργισμένη και έψαξε το ποτήρι με το κρασί.

«Σκέφτομαι να ζητήσω διαζύγιο».

Η Σάρον παραλίγο να πνιγεί την ώρα που κατέβαζε μια

γουλιά. «Άκουσαν καλά τα αυτιά μου; Τι είπες; Για επανάλαβε».
«Καλά άκουσαν. Σκέφτομαι να χωρίσω τον Σταν».

«Ε, αυτό είναι το τελευταίο πράγμα που περίμενα ποτέ να ακούσω από σένα. Να χωρίσεις τον άνδρα σου επειδή απέτυχε να κόψει και να ράψει σωστά τη μούρη της Μακ Στίβενς; Να το δω λοιπόν κι αυτό».

«Δε σε έχω για ανόητη, Σάρον... Θέλω να χωρίσω από τον Σταν, γιατί αγαπώ κάποιον άλλο άνδρα».

Τα μάτια της Σάρον πετάχτηκαν από τη θέση τους. Τώρα θύμιζε ηλίθιο γουρλομάτικο ψάρι που κοιτάζει με τρόμο κάποιον εχθρό.

«Ελπίζω να προλαβαίνεις να μ' αρπάξεις πριν πέσω κάτω ξερή και γίνουμε τελείως ρεζίλι. Εμπρός, σήκω». Τη βούτηξε από το χέρι.

«Να σηκωθώ; Γιατί;»

«Φεύγουμε».

«Να πάμε πού; Το φαγητό μας; Δε θα φάμε;»

«Άκου να σου πω, χρυσή μου, πρώτον, τα πράγματα είναι πολύ σοβαρά, δεύτερον, μου κόπηκε η όρεξη –φαντάσου!– και τρίτον, αν μείνουμε εδώ θα πάθω σίγουρα εγκεφαλικό. Πάμε στο γραφείο μου τώρα αμέσως. Εκεί δε θα μας ενοχλήσει κανείς».

Έκανε νόημα στο σερβιτόρο κι εκείνος πλησίασε ανήσυχος.

«Το λογαριασμό, παρακαλώ, και γρήγορα».

«Μήπως δε σας άρεσε το φαγητό;» ρώτησε ο σερβιτόρος θορυβημένος από την αναπάντεχη αναχώρηση. Δεν είχαν αγγίξει καν το φαγητό τους.

«Μια ξαφνική αδιαθεσία», δικαιολογήθηκε η Σάρον και πλήρωσε αγόγγυστα το ποσό του λογαριασμού, αφήνοντας πενήντα δολάρια τιπ. Ο σερβιτόρος δεν ήξερε αν έπρεπε να χαρεί ή να στενοχωρηθεί για αυτή την ξαφνική αδιαθεσία. Το μόνο σίγουρο ήταν ότι με αυτά τα πενήντα δολάρια συμπλήρωνε το ποσό για το νοίκι του, που το 'χε καθυστερήσει ήδη έξι μέρες. Και ο ιδιοκτήτης του σπιτιού μόνο που δεν είχε κατασκηνώσει έξω από την πόρτα του.

Η Σάρον έφερε το δίσκο με τους δύο καφέδες φίλτρου και τα χειροποίητα κουλουράκια που έβγαλε από ένα ντουλάπι γεμάτο μπισκότα, σοκολάτες και λιχουδιές και τα ακούμπησε στο γραφείο της, δίπλα στην Κάσι, που καθόταν σαν χαμένη στην καρέκλα της. Κάθισε στο γραφείο απέναντί της και βουτώντας ένα κουλούρι στον καφέ της το μασούλησε με ιδιαίτερη ευχαρίστηση. Πεινούσε του θανατά, όμως παραδόξως το κουλούρι αυτό, προς το παρόν, την κάλυπτε μια χαρά.

«Τον ξέρω;»

«Ποιον;»

«Ξέρεις ποιον».

«Όχι, δεν τον ξέρεις. Δεν είναι από δω. Είναι Έλληνας».

«Ώστε Έλληνας! Και τι μέρους του λόγου είναι ο λεγάμενος;»

«Γένους αρσενικού, Σάρον! Τι θες να 'ναι;» Ένιωσε τα νεύρα της να τσιτώνονται για πρώτη φορά.

«Δηλαδή, εσύ τώρα πήγες για διακοπές και ερωτεύτηκες; Είσαι με τα καλά σου, Κάσι; Ποιος είναι τέλος πάντων αυτός που κατόρθωσε να σε βγάλει από το πρόγραμμά σου και να σε διαλύσει έτσι, μου λες;»

«Έχει ένα μπαρ στο νησί».

«Α χα! Και με μπαρ ο κύριος. Τουλάχιστον είναι ωραίος;»

«Δε με ενδιαφέρει αυτό... Ναι, είναι».

«Πες το επιτέλους, χρυσή μου. Κατάλαβα. Αρχαίος Έλληνας θεός. Κάπου το διάβασα αυτό. Για φαντάσου... Και για τον πρώτο τυχόντα Έλληνα θεό πας να διαλύσεις το σπίτι σου;»

«Δεν είναι ο πρώτος τυχόντας». Η φωνή της ακούστηκε δυνατά. Το ίδιο και ο ήχος από το κινητό της Σάρον. Εκείνη κοίταξε την οθόνη και μετά το σήκωσε ενοχλημένη.

«Ρίκι, είμαι στο γραφείο και δεν μπορώ να σου μιλήσω τώρα... Δεν ξέρω αν μπορούμε να πάμε σινεμά σήμερα... Όχι, δεν είναι δουλειά... Σου είπα, δεν ξέρω, πήγαινε μόνος σου... Κοίτα, θα σε πάρω εγώ». Έκλεισε το κινητό της και το απενεργοποίησε νευριασμένη.

«Γιατί του μίλησες έτσι; Δε φταίει ο Ρίκι αν εγώ ερωτεύτηκα».

«Δε με αφορά ο Ρίκι αυτή τη στιγμή. Το θέμα είσαι εσύ. Άκου να σου πω, ως τώρα, η μόνη τρελή που ήξερα από το σινάφι μας ήμουν εγώ. Τώρα βλέπω ότι υπάρχει και μια άλλη, μόνο που είναι πολύ πιο τρελή από μένα».

«Ίσως και να έχω τρελαθεί...»

«Δε θα σ' αφήσω να το κάνεις αυτό στον εαυτό σου, Κάσι. Ο Άλεξ δε θα σε συγχωρήσει ποτέ. Ο Σταν θα καταρρεύσει. Εσύ θα καταστραφείς. Ποιος είναι αυτός ο άνδρας που σ' έχει τρελάνει; Αυτός μπορεί να είναι ελεύθερος και να κάνει ό,τι θέλει, εσύ όμως δεν είσαι».

«Δεν είναι... Είναι αρραβωνιασμένος».

Η Σάρον την κοίταξε εμβρόντητη ακόμη μια φορά και, αφήνοντας με δύναμη το φλιτζάνι στο γραφείο της, έβαλε το χέρι της στο μέτωπό της σαν να προσπαθούσε να το κρατήσει στη θέση του. «Ω, Θεέ μου, τι άλλο θ' ακούσω σήμερα; Μα τι πάθατε οι δυο σας, μου λες; Εσύ παντρεμένη και με ένα μεγάλο γιο κι αυτός αρραβωνιασμένος. Μήπως έχει και μεγάλα παιδιά και δε μου το είπες;»

«Δεν έχει παιδιά».

«Πάλι καλά. Ο Κύριός μας σ' αγαπάει», είπε δείχνοντας προς τον ουρανό.

«Είναι όμως κοντά στα δέκα χρόνια μικρότερός μου».

«Αλληλούιααα! Τι είναι αυτά που ακούω; Η φιλενάδα μου έχει σχέση όχι μόνο με δεσμευμένο, αλλά και νεότερο άνδρα; Α, εσύ έχεις κάνει μεγάλες προόδους. Μας έχεις αφήσει πίσω όλες να

τρώμε τη σκόνη σου. Μα τι έχεις πάθει επιτέλους, Κάσι Πάλμερ;»
«Δεν μπορώ να το εξηγήσω... Από την πρώτη στιγμή που
τον αντίκρισα, ένιωσα ότι γνωριζόμασταν χρόνια. Το ίδιο κι
εκείνος. Με ήξερε και τον ήξερα».
«Τον ήξερα και με ήξερε; Ξέρεις πόσες φορές το έχω πει αυ-
τό στη ζωή μου; Και το αποτέλεσμα; Τρία διαζύγια στην πλάτη
μου. Και εντάξει, ως ένα σημείο, μπορώ να σε καταλάβω. Έπει-
τα από τόσα χρόνια γάμου, πες πως έκανες ένα διάλειμμα, όμως
να θέλεις να χωρίσεις, αυτό παραπάει».
«Είναι πιο πάνω από μένα, Σάρον. Δεν μπορώ να το ελέγξω».
Τα μάτια της βούρκωσαν για τα καλά.
«Μου φαίνεται ότι χρειάζεσαι ψυχαναλυτή».
«Σίγουρα τον χρειάζομαι, Σάρον. Έχω αρχίσει να βλέπω πά-
λι στον ύπνο μου εκείνο το κορίτσι με τα κόκκινα μαλλιά. Με
τρομάζει όλο και πιο πολύ».
«Ξανάρχισαν οι εφιάλτες;»
«Κι είναι ακόμη πιο τρομακτικοί. Γιατί επιμένουν να εμφανί-
ζονται; Και γιατί όσο ήμουν στην Ελλάδα είχα ηρεμήσει; Τι μου
συμβαίνει, Σάρον;» είπε η Κάσι και ξέσπασε σε κλάματα.
Η Σάρον σηκώθηκε αναστατωμένη και την έκλεισε στην
αγκαλιά της. Ποτέ άλλοτε δεν την είχε δει έτσι. Ως τώρα πί-
στευε ότι η φίλη της ήταν ο πιο λογικός άνθρωπος του κόσμου.
Μόλις διαπίστωνε ότι είχε κάνει λάθος.
«Ό,τι κι αν σου συμβαίνει, θα το ξεπεράσουμε μαζί. Έχεις το
λόγο μου. Θέλω να μου τα πεις όλα από την αρχή. Προς το πα-
ρόν, όμως, πρέπει να σταθείς στον Σταν, ώσπου να δούμε τι θα
γίνει μ' αυτή την τρελή που ξαφνικά θέλησε να γίνει εικοσάρα».
«Δεν είχα σκοπό να τον εγκαταλείψω προτού τελειώσει αυ-
τή η υπόθεση. Μετά όμως...»
«Το "μετά" θα το συζητήσουμε αργότερα».

10

❧

Ο Σταν κοίταζε τους τεράστιους τίτλους στις πέντε εφημερίδες που ήταν απλωμένες εμπρός του και δεν μπορούσε να το πιστέψει.

«ΕΦΘΑΣΕ ΤΟ ΤΕΛΟΣ ΤΗΣ ΚΑΡΙΕΡΑΣ ΤΟΥ ΓΝΩΣΤΟΥ ΧΕΙΡΟΥΡΓΟΥ ΤΩΝ ΣΤΑΡ, Σ'ΤΑΝ ΠΑΛΜΕΡ;»
«ΠΑΡΑΜΟΡΦΩΘΗΚΕ Η ΒΡΑΒΕΥΜΕΝΗ ΜΕ ΟΣΚΑΡ ΑΛΙΣ ΜΑΚ ΣΤΙΒΕΝΣ ΕΠΕΙΤΑ ΑΠΟ ΑΠΟΤΥΧΗΜΕΝΗ ΕΠΕΜΒΑΣΗ ΤΟΥ ΧΕΙΡΟΥΡΓΟΥ ΣΤΑΝ ΠΑΛΜΕΡ ΣΤΟ ΠΡΟΣΩΠΟ ΤΗΣ».
«ΕΠΙΚΙΝΔΥΝΟΣ ΧΕΙΡΟΥΡΓΟΣ Ο ΣΤΑΝ ΠΑΛΜΕΡ;»
«ΑΣΥΛΛΗΠΤΟ ΤΟ ΠΟΣΟ ΠΟΥ ΖΗΤΑΕΙ ΩΣ ΑΠΟΖΗΜΙΩΣΗ Η ΑΛΙΣ ΜΑΚ ΣΤΙΒΕΝΣ ΑΠΟ ΤΟΝ ΣΤΑΝ ΠΑΛΜΕΡ».
«ΧΕΙΡΟΥΡΓΟΣ Ή ΧΑΣΑΠΗΣ Ο ΣΤΑΝ ΠΑΛΜΕΡ;»

Το πρόσωπό του παγωμένη μάσκα, πολύ πιο παραμορφωμένο από της μηνύτριάς του. Αδυνατούσε να πιστέψει αυτό που διάβαζαν τα μάτια του. Οι εφημερίδες, εκτός από τα πρωτοσέλιδα, είχαν τεράστιες φωτογραφίες του και δίπλα του τη Μακ Στίβενς, πώς ήταν πριν και μετά την επέμβαση, όλες επεξεργασμένες στον υπολογιστή, που την παρουσίαζαν τελείως παραμορφωμένη, εικόνα που δεν είχε καμία σχέση με την αλήθεια. Κανένας δεν είχε δει τη Μακ Στίβενς μετά την επέμβαση, για τον απλούστατο λόγο ότι είχε κρυφτεί στην έπαυλή της και δε διανοούνταν να ξεμυτίσει. Και εφόσον δεν είχαν φωτογραφίες της, κατασκεύασαν τις δικές τους καταπώς τους βόλευε προκειμένου να πουλήσουν.

Ο Σταν διάβασε: *«Η βραβευμένη με δύο Όσκαρ ηθοποιός Άλις Μακ Στίβενς (45 ετών) κατέθεσε αγωγή πολλών εκατομμυρίων δολαρίων κατά του γνωστού πλαστικού χειρουργού των σταρ, Σταν Πάλμερ (51 ετών). Όπως πληροφορηθήκαμε, η άτυχη ηθοποιός, η οποία μόλις είχε κλείσει τον πρωταγωνιστικό ρόλο για την υπερπαραγωγή του Τόμας Μιλ, ΜΟΡΙΝ, θέλοντας να κάνει ένα μικρό φρεσκάρισμα στο πρόσωπό της, απευθύνθηκε στον Πάλμερ, που ομολογουμένως έχει κάνει μια σειρά επιτυχημένων πλαστικών επεμβάσεων σε πολλές γνωστές ηθοποιούς. Δυστυχώς, ο κύριος Πάλμερ, επιδεικνύοντας υπερβάλλοντα ζήλο, αφαίρεσε πολύ περισσότερο από το υγιές δέρμα της Μακ Στίβενς, με αποτέλεσμα το πρόσωπό της να παραμορφωθεί. Η ηθοποιός έχασε όχι μόνο το ρόλο της Μορίν και ενδεχομένως άλλη μία υποψηφιότητα για το τρίτο Όσκαρ της, αλλά πιθανόν και την καριέρα της, που κινδυνεύει να καταστραφεί οριστικά. Κλεισμένη στη βίλα της, στο Μπελ Έαρ, δε δέχεται να δει κανέναν εκτός από το δικηγόρο της, τον ψυχαναλυτή της και τον γνωστό πλαστικό, που προφανώς εξετάζει πώς μπορεί να διορθώσει την κατάσταση. Η ίδια έχει πάθει σοκ και κατάθλιψη και προς το παρόν την επιμέλεια των παιδιών της την έχουν αναλάβει οι γονείς της και ο πρώην σύζυγός της, ο δικηγόρος Τζορτζ Πέτερσον. Η Μακ Στίβενς δήλωσε πως τα χέρια του Πάλμερ έτρεμαν πριν από την επέμβαση και ότι γενικότερα η όψη του και τα λόγια του φανέρωναν* άρρωστο άνθρωπο. *Ποτέ όμως δε φανταζόταν ότι θα της συνέβαινε αυτή η καταστροφή. Η ίδια ζήτησε απλώς ένα φρεσκάρισμα κι εκείνος την πετσόκοψε στην κυριολεξία...»* Ο Σταν σταμάτησε το διάβασμα απότομα. Του ήταν αδύνατον να συνεχίσει. Τόσα χρόνια σπουδών, μελέτης, επιτυχιών, ξενυχτιών πάνω από βιβλία, κούρασης, προσωπικού μόχθου και αρκούσε μία και μοναδική αποτυχία για να τα τινάξει όλα στον αέρα. Θύμιζε πολυώροφο κτίριο που χρειάστηκαν χρόνια, κόπος και μόχθος για να κτιστεί και μέσα σε μια στιγμή κατέρρευσε από ένα σεισμό. Όχι, ήταν άδικο. Και κάτι παραπάνω. Αυτή η κυρία μπορεί να είχε τη δύναμη να τραβάει τα φώτα της δημοσιότητας επάνω της, όμως κι εκείνος δε θα της χαριζόταν. Το περίμενε. Ο Μιλ τον είχε προειδοποιήσει· η Μακ Στίβενς, για ένα Όσκαρ, μπορούσε να πουλήσει και τη μάνα της. Τι θα την εμπόδιζε λοιπόν να τον φάει ζωντανό; Του είχε δηλώσει πως, ακόμη κι αν αποκαθίστατο η ζημιά, εκείνη δε θα απέσυρε την αγωγή της. Προς το παρόν είχε ορκιστεί να καταστρέψει τον Πάλμερ. Ο Μιλ τελικά δεν μπόρεσε να κάνει τίποτε για να βοηθήσει την κατάσταση. Το μυαλό της είχε θολώσει, όχι τόσο από το σοκ της παραμόρφωσης, όσο από την ιδέα ότι έχασε το ρόλο της Μορίν και φυσικά το Όσκαρ. Παράλληλα και ο Μιλ, μόλις ανακάλυπτε ότι η γλυκιά Άλις, όπως του παρουσιαζόταν, δεν ήταν παρά μια σκρόφα, όπως την αποκαλούσαν όλοι πίσω από την πλάτη της. Του ίδιου, βέβαια, του έγλειφε τα χέρια και όχι μόνο. Ήταν το μικρό μυστικό τους. Και ο Τόμας ήθελε να παραμείνει μυστικό. Έπειτα από τριάντα πέντε χρόνια παντρεμένος με την Έθελ, τρία παιδιά και οκτώ εγγόνια, ούτε που ήθελε να σκεφτεί ένα σκάνδαλο ή ένα διαζύγιο. Η Έθελ θα του έπαιρνε και τα σώβρακα. Είχε δουλέψει πολύ σκληρά για να μείνει ξεβράκωτος. Οι νόμοι της Καλιφόρνια ήταν πολύ ανελέητοι σε τέτοιες περιπτώσεις. Αν ο άνδρας θέλει να τον δίνει κι αλλού πέρα από τη γυναίκα του, καλά θα κάνει να φροντίσει να μην το μάθει εκείνη ποτέ. Γιατί οι απατημένες σύζυγοι, εκτός από μέγαιρες, γίνονται και αρπακτικά όταν αντιληφθούν κάτι τέτοιο. Και τα αρπάζουν όλα· παιδιά, ακίνητα, καταθέσεις, αυτοκίνητα, αξιοπρέπεια, ακόμη και καριέρα. Ήταν πια πολύ μεγάλος για να ξαναρχίσει από την αρχή. Εξάλλου, γιατί να χωρίσει μια βολική γυναίκα σαν την Έθελ, που ποτέ δεν τον ρώτησε πού ήταν και γιατί αργούσε; Μαζί της μπορούσε να έχει και τον σκύλο χορτάτο και την πίτα ολόκληρη. Δεν είχε περιθώρια να πολεμήσει την Άλις. Το βούλωσε και της είπε ότι θα είναι κοντά της σε ό,τι χρειαστεί, αρκεί να κρατάει κλειστό το στόμα της. Κατά τα άλλα, το στόμα της ήταν αυτό που γούσταρε περισσότερο επάνω της. Και τώρα ήλπιζε να μην είχε παραμορφωθεί κι αυτό.

Ο δικηγόρος του Σταν ήταν κατηγορηματικός. Πρώτον, κινδύνευε να χάσει την άδεια ασκήσεως επαγγέλματος, αν αποδεικνυόταν ότι έφταιγε μόνο αυτός και ότι οι κατηγορίες της Μακ Στίβενς ήταν βάσιμες. Δεύτερον, κινδύνευε να φυλακιστεί για πρόκληση σωματικής και ηθικής βλάβης και τρίτον, αν γλίτωνε από όλα αυτά, θα έπρεπε να πληρώσει την αποζημίωση που διεκδικούσε η Μακ Στίβενς. Για την ίδια, το ποσό φαινόταν λίγο, αν σκεφτεί κανείς ότι αμειβόταν πλέον με τουλάχιστον δεκαπέντε και είκοσι εκατομμύρια για κάθε ταινία της, χώρια που πληρωνόταν αδρά για κάθε διαφήμιση που έκανε κατά καιρούς. Για τον Σταν, όμως, το ποσό ήταν τεράστιο και δεν υπήρχε ρευστό, μια και τα περισσότερα χρήματά του τα επένδυε σε γη στην Καλιφόρνια, τη Φλόριντα και τη Νέα Υόρκη. Επίσης, ήταν μέτοχος στην πολυκλινική όπου εργαζόταν. Κάθε δύο χρόνια άλλαζε αυτοκίνητο, είχε πλούσια γκαρνταρόμπα και ακριβά χόμπι και ήταν μέλος σε πανάκριβες λέσχες και κλαμπ. Όταν ταξίδευε, διέμενε στα πιο ακριβά ξενοδοχεία και γενικά ξόδευε αφειδώς χρήματα προκειμένου να βρίσκεται στην guest list των επωνύμων. Χώρια που ο δικηγόρος του, ένας από τους καλύτερους της Αμερικής, ζήτησε ένα τεράστιο ποσό όχι μόνο για να μειώσει το ποσό της αποζημίωσης, αλλά και να τον γλιτώσει από τη φυλακή και την αφαίρεση της άδειάς του.

Η Κάσι, βουλιαγμένη στον αναπαυτικό καναπέ του play room[2] βοηθητικού σαλονιού τους, άκουγε με προσοχή τον Σταν να της λέει όλες τις πιθανότητες έκβασης της επερχόμενης δίκης. Δίπλα της ο Άλεξ κοιτούσε τις σκορπισμένες επάνω στο πανάκριβο φεραχάν χαλί εφημερίδες, σαστισμένος. Η υπόθεση δεν είχε πλήξει μόνο τον πατέρα του, αλλά όλη την οικογένεια και κυρίως τον ίδιο, που στο κάτω κάτω δεν έφταιγε. Πρώτα ο παραγωγός Άλαν Μπρουκς, και ίσως μέλλων πεθερός του, τον απέλυσε χωρίς λόγο από το σίριαλ, «σκοτώνοντάς» τον τάχα σε ατύχημα. Δεύτερον, η Νταϊάν, έπειτα από εντολή προφανώς του πατέρα της, του ζήτησε να διακόψουν προσωρινά τη σχέση τους. Το τελευταίο δεν μπορούσε να το χωνέψει με τίποτε. Μέχρι χθες ακόμη ήταν μέλος της οικογένειάς τους, εκείνος που στάθηκε φύλακας-άγγελος στην κόρη τους όταν χειρουργήθηκε. Και τώρα, έπειτα από τη γνωστοποίηση του θέματος της Μακ Στίβενς, έγινε ξαφνικά ένας ξένος· Ένας ανεπιθύμητος ξένος; Οι πόρτες όμως έκλεισαν και από τις διαφημιστικές εταιρείες. Ακόμη και στη σχολή σκηνοθεσίας όπου φοιτούσε του γύρισαν την πλάτη. Πώς μπορούσαν να είναι τόσο σκληροί οι άνθρωποι; Και να πεις πως έφταιγε αυτός; Όχι, δε θα τον έκαναν τώρα να μισήσει τον πατέρα του. Ήταν το είδωλό του και πάντα θα τον θαύμαζε. Ήταν σίγουρος ότι δεν έφταιγε. Αυτή η γυναίκα ήταν παράλο-

---

1. Δωμάτιο για δραστηριότητες και ψυχαγωγία.

γη, η μόνη που έφταιγε. Και η Νταϊάν; Πώς το 'κανε αυτό; Πώς τον εγκατέλειψε τόσο εύκολα τη στιγμή που τη χρειαζόταν περισσότερο από ποτέ;

Γυναίκες... Καλά έλεγαν οι φίλοι του ότι είναι μαλάκας και, ενώ μπορούσε να πηδάει όποια ήθελε, εκείνος είχε κολλήσει στην Νταϊάν. Και αν του την έπεφταν γυναίκες... Μικρές και μεγάλες. Μέχρι και μια παλιά σταρ, που έπαιζε πια δεύτερους ρόλους σε σίριαλ. Η Μάριον Μπλάουντ κόντευε τα εβδομήντα, όμως δεν το έβαζε κάτω. Στα νιάτα της, βέβαια, στη δεκαετία του '50, ήταν θρύλος και η ομορφιά της απίστευτη. Το κορμί της αγαλματένιο και τα βιολετιά μάτια της έδεναν υπέροχα με τα εβένινα μακριά μαλλιά της. Τώρα πια φορούσε μονίμως περούκες και από τις πολλές πλαστικές έμοιαζε με κέρινο ομοίωμα. Τόσο τσίτωμα που δεν έβλεπες ρυτίδα ούτε με μικροσκόπιο. Ήταν πέρα για πέρα αφύσικο ένα τέτοιο πρόσωπο σε γερασμένο κορμί. Γιατί εκεί το νυστέρι δεν μπορούσε να κάνει θαύματα. Αλλά ακόμη πιο αφύσικο ήταν το γεγονός ότι δεν είχε πάρει είδηση πως είχε πια γεράσει. Ήταν για γέλια. Όχι, μάλλον για κλάματα.

Ξαφνικά ένιωσε να ωριμάζει απότομα. Ήταν μόλις είκοσι ενός ετών και ως τότε ο ουρανός της σύντομης ζωής του υπήρξε ανέφελος και ηλιόλουστος. Ζούσε στην πιο όμορφη Πολιτεία του κόσμου, την Καλιφόρνια, στο πιο ενδιαφέρον και διάσημο σημείο του πλανήτη, το Χόλιγουντ, στην πιο πλούσια γειτονιά του Μπέβερλι Χιλς, σ' ένα παλάτι που το αποκαλούσαν σπίτι. Ήταν νέος, όμορφος, ταλαντούχος. Το όνομά του και μόνο άνοιγε όλες τις πόρτες. Πολύ περισσότερο το πρόσωπο και το κορμί του. Ως τη στιγμή που έπαιξε στην πρώτη διαφήμιση, δεν είχε συνειδητοποιήσει πόσο όμορφος ήταν. Και μετά, όταν το κατάλαβε, δεν τον απασχόλησε και πάλι. Φρόντιζε το κορμί του, όχι για να το επιδεικνύει, αλλά επειδή έτσι ένιωθε καλύτερα. Το μέλλον διαγραφόταν λαμπρό, πασπαλισμένο με χρυσόσκονη, και όλοι ήθελαν να συνεργαστούν μαζί του και να είναι δίπλα του. Πού πήγαν τώρα όλοι αυτοί; Ακόμη και το κορίτσι του του είχε γυρίσει την πλάτη. Μόλις άρχισε να αντιλαμβάνεται ότι ο ουρανός της Καλιφόρνια δεν είναι τελικά πάντα ανέφελος· έχει και σκοτεινές μέρες. Ο πατέρας του κινδύνευε να φυλακιστεί, η οικογένειά του να καταστραφεί οικονομικά και κοινωνικά. Κινδύνευαν να πέσουν από το βάθρο στα τάρταρα. Ποτέ του δεν περίμενε ότι υπάρχει κι αυτή η πλευρά της ζωής. Πίστευε ότι ήταν ο εκλεκτός της, ο προνομιούχος. Και τώρα εκείνη του έριξε ένα γερό χαστούκι. Έδειχνε το πραγματικό της πρόσωπο, το ανελέητο, το ψυχρό. Ναι, τον ωρίμαζε απότομα, ανδρώθηκε μέσα από τον πόνο, αναγκάστηκε να τη δει με άλλα μάτια. Τελικά η ζωή ήταν σκύλα. Σκύλα σαν την Άλις Μακ Στίβενς. Θηλυκού γένους και οι δύο. Τι να περιμένει κανείς από γυναίκες; Γιατί να μη γαμήσει τότε και τη Μάριον Μπλάουντ; Αν μπορούσε να το κάνει αυτό, τότε θα μπορούσε να τα αντέξει όλα. Αν η ζωή τον ήθελε κάθαρμα για να την αντέξει, αν τον ήθελε νταβατζή γιατί ήταν πουτάνα, τότε γιατί όχι;

Η Κάσι, καθισμένη στην άκρη της πισίνας της, κοίταζε το γαλάζιο χρώμα που τόσο της θύμιζε τα κρυστάλλινα νερά της Αμοργού. Η κατάσταση, έτσι όπως είχε διαμορφωθεί τελευταία, έμοιαζε με βόμβα έτοιμη να εκραγεί και να τους τινάξει όλους στον αέρα. Η μέχρι τότε βελούδινη ζωή της είχε γίνει ξαφνικά συρμάτινη βούρτσα που τους έγδερνε όλους με σαδιστικό τρόπο. Κι όμως, έπρεπε να το παραδεχτεί. Δεν της καιγόταν καρφί. Αδιαφορούσε αν αύριο δεν είχε κρεβάτι να κοιμηθεί, αν ο άνδρας της φυλακιζόταν, αν όλο το Χόλιγουντ της έκλεινε τις πόρτες του. Μόνο ο γιος της την πονούσε και δεν ήθελε να τον βλέπει να υποφέρει με την τροπή που είχαν πάρει τα πράγματα.

Βέβαια ήταν πολύ νέος και πίστευε ότι τα γεγονότα δεν τον είχαν επηρεάσει τόσο. Η Κάσι δεν μπορούσε να υποψιαστεί πόσο πολύ υπέφερε ο Άλεξ. Δεν είχε καν ιδέα ότι τον είχαν διώξει από τη δουλειά του, ότι η Νταϊάν τον είχε χωρίσει. Δεν τους είχε πει τίποτε από όλα αυτά. Δεν ήθελε να επιβαρύνει την κατάσταση περισσότερο. Ανέφερε μόνο ότι θα σταματούσε προσωρινά από το σίριαλ γιατί ήθελε να είναι κοντά στον πατέρα του ώσπου να περάσει η μπόρα. Όσο για την Νταϊάν, δικαιολογήθηκε ότι δεν είχε χρόνο να τη βλέπει όπως πριν, για την ίδια αιτία. Δεν είχαν λόγο να μην το πιστέψουν. Άλλωστε και οι δύο ήταν φορτωμένοι από το βάρος αυτής της υπόθεσης και της απροσδόκητης τροπής που είχε πάρει. Ο Σταν, βυθισμένος στη λάσπη που του έριχνε καθημερινά η Μακ Στίβενς από τα μέσα ενημέρωσης, δεν είχε χρόνο να δει και ακόμη περισσότερο να νοιαστεί για τα προβλήματα του γιου του. Η ίδια, χαμένη ανάμεσα στο όνειρο και στην πραγματικότητα, έψαχνε τον κατάλληλο χώρο και χρόνο για να επικοινωνήσει με τον Ορέστη και να ζήσει για κάποιες στιγμές την απόλυτη αγάπη που ένιωθε να ξεχειλίζει σαν λάβα από μέσα της και να την πυρώνει μαρτυρικά μέρα και νύχτα. Ώρες ώρες ένιωθε ότι τρελαίνεται και τότε σκεφτόταν να πάρει μια βαλίτσα, να τρέξει στο αεροδρόμιο και να φύγει με το πρώτο αεροπλάνο για την Ελλάδα, εγκαταλείποντας για πάντα γιο, γονείς, σύζυγο, φίλους, πατρίδα. Και μετά πρυτάνευε η λογική και σταματούσε απότομα μπροστά στην πόρτα της ντουλάπας της.

Μα τι πήγαινε να κάνει; Πώς μπορούσε να σκέφτεται μόνο τον εαυτό της τη στιγμή που το σπίτι της γκρεμιζόταν, κινδυνεύοντας να τους θάψει όλους ζωντανούς; Ο Σταν την είχε ανάγκη περισσότερο από ποτέ, το ίδιο και ο Άλεξ, που θαύμαζε τον πατέρα του απεριόριστα και ήταν περισσότερο δεμένος μαζί του. Ήταν εκείνος που δεν του χάλασε χατίρι ποτέ, εκείνος που όταν η ίδια τον τιμωρούσε μικρό σαν γινόταν ανυπάκουος, τον κανά-κευε, εκείνος που κολυμπούσε πάντα δίπλα του, εκείνος που τον συμβούλευε. Όχι πως δεν το έκανε και η Κάσι, όχι πως δε λά-τρευε το γιο της, όμως παραδεχόταν πως ήταν η αυστηρή της οι-κογένειας, που έπρεπε να κρατάει τις ισορροπίες για να μη γίνει παραχαϊδεμένος. Ο άνδρας της και ο γιος της μέχρι τότε ήταν όλη της η ζωή. Και ξαφνικά ανακάλυπτε πως υπήρχε κάποιος άλ-λος άνδρας που ήταν όλη της η ζωή. Πώς έγινε αυτό; Πώς μπο-ρεί μια μάνα και σύζυγος να γίνεται μόνο γυναίκα και να διεκδι-κεί κάτι που δεν της ανήκει, που είναι ανάρμοστο, που είναι πα-ράνομο, που είναι εις βάρος κάποιων άλλων;

Κι όμως, μπορούσε. Και αυτό την είχε κομματιάσει. Το σώμα της βρισκόταν εδώ, όμως η ψυχή της στην Ελλάδα. Τα τηλε-φωνήματά τους γίνονταν όλο και περισσότερο παθιασμένα κι εκείνος την ικέτευε να γυρίσει κοντά του.

«Δεν αντέχω άλλο, αγάπη μου. Κάθε μέρα νιώθω πως πνί-γομαι».

«Δε γίνεται να πνιγείς εσύ. Είσαι καλός κολυμβητής», προ-σπάθησε να κάνει χιούμορ.

«Με το ζόρι επιπλέω, σου λέω. Η ζωή μου δεν έχει πια ενδια-φέρον. Κανένα. Αδιαφορώ για τη δουλειά μου, για τους φίλους μου, για όλα. Η Ζωή κάτι έχει καταλάβει, όμως ακόμη δεν της έχω πει τίποτε. Δεν ξέρω πώς να της το πω. Βρίσκω συνεχώς διάφο-ρες δικαιολογίες και αναβάλλω τη συνάντησή μας. Σε λίγες μέ-ρες εκείνη θα έρθει εδώ για τις διακοπές της και τότε θα πρέπει να τα μάθει όλα. Όμως, αγάπη μου, θέλω να είμαι σίγουρος γι' αυτό που πάω να κάνω. Να της πω ότι αγαπάω εσένα και ότι δε θέλω να συνεχίσω μαζί της. Και το χειρότερο είναι ότι έρχονται και οι γονείς μας, και δεν ξέρω πώς να αντιμετωπίσω την κατάσταση».

«Το ξέρεις ότι δεν μπορώ να κάνω κάτι. Προς το παρόν. Αν δεν τελειώσει αυτή η ιστορία με τον Σταν, δεν μπορώ να φύγω από κοντά του. Περιμένουμε να οριστεί δικάσιμος, να γίνει η δίκη και μετά θα ξέρω τι θα κάνω».

«Και πότε θα γίνουν όλα αυτά, Κασσάνδρα; Θα χρειαστούν μέρες, μήνες, χρόνια; Πότε θα το ξέρουμε αυτό;»

«Δεν έχω ιδέα, αγάπη μου. Ο δικηγόρος μας προσπαθεί προς το παρόν με διαπραγματεύσεις να βρει μια συμβιβαστική λύση, να κάνει μια ανακωχή και να αποφασιστεί ένα δίκαιο ποσό αποζημίωσης, χωρίς να φθάσουμε στα άκρα. Βασίζεται στο γεγονός ότι η Μακ Στίβενς, ως κοκέτα που είναι, δε θα θελήσει να εκθέσει στο δικαστήριο το αμακιγιάριστο παραμορφωμένο, όπως λέει, πρόσωπό της και θα συμβιβαστεί τελικά. Τίποτε όμως δεν είναι σίγουρο ακόμη. Ύστερα ο Σταν θα πρέπει να ξανακερδίσει την εμπιστοσύνη των πελατών του και το χαμένο κύρος του και να αποδείξει ότι η περίπτωση της Μακ Στίβενς ήταν ένα μεμονωμένο περιστατικό που καμία σχέση δεν έχει με το σύνολο των επιτυχιών του. Μετά θα του μιλήσω και θα ζητήσω διαζύγιο. Κυρίως όμως θα πρέπει να προετοιμάσω τον Άλεξ. Δεν ξέρω αν θα μπορέσει να αντέξει δύο απανωτά σοκ».

«Φοβάμαι ότι θα πρέπει να περιμένω αιώνες ώσπου να γίνουν όλα αυτά. Είμαι όμως αποφασισμένος. Αν είμαι σίγουρος για την αγάπη σου, μπορώ να περιμένω αιώνες. Να είμαι;»

Η Κάσι κόμπιασε. «Σ' αγαπώ Ορέστη. Γι' αυτό μπορείς να είσαι σίγουρος. Ποτέ μου δεν έχω νιώσει έτσι. Πιστεύω ότι γεννήθηκα για να ζήσω μαζί σου... Και θα το κάνω. Δώσ' μου μόνο λίγο χρόνο να τακτοποιήσω όλες αυτές τις εκκρεμότητες. Έχω μια ολόκληρη ζωή εδώ που δεν μπορώ να τη διαγράψω έτσι απότομα, και μάλιστα τώρα. Αν δεν υπήρχε αυτό το σοβαρό πρόβλημα, τότε τα πράγματα θα ήταν απλούστερα. Θα είχα ήδη μιλήσει στον Σταν. Αλλά δεν είναι...»

«Εγώ όμως θα μιλήσω στη Ζωή. Δεν μπορώ να κρύβομαι άλλο. Το πήρα απόφαση. Θα της μιλήσω όταν έρθει εδώ».

«Θα 'λεγα να μην το κάνεις ακόμη».

«Μα τι λες, αγάπη μου; Θα είμαι αναγκασμένος να κοιμηθώ μαζί της, να κάνουμε έρωτα. Κι εγώ δεν το θέλω. Δε θα είμαι ο ίδιος. Δεν είμαι ο ίδιος».

Η Κάσι έβαλε τα κλάματα. «Μην μπήγεις κι άλλο το μαχαίρι στην πληγή. Σε παρακαλώ...»

«Μαμά... Μαμά...» ακούστηκε η φωνή του Άλεξ.

«Κλείνω τώρα, με φωνάζει ο Άλεξ. Σ' αγαπώ».

Η Κάσι έκλεισε τη γραμμή προτού προλάβει να ακούσει το λόγια του Ορέστη. Τα μάτια της ήταν γεμάτα δάκρυα και δεν ήθελε να τη δει έτσι ο γιος της. Σηκώθηκε από τη σεζλόνγκ της και έκανε μια βουτιά στο νερό. Η Μαργκαρίτα την κοίταξε από το παράθυρο έκπληκτη ακόμη μια φόρα. Είχε αλλάξει πολύ η κυρά της. Δεν ήταν πια ο ίδιος άνθρωπος. Μήπως είχε κάποια δίδυμη αδελφή στην Ελλάδα που είχε πάρει τη θέση της; Κολυμπούσε. Και μάλιστα πολύ καλά. Αν ήταν δυνατόν! Χαζή μπορεί να ήταν, αλλά δεν είχε περάσει απαρατήρητο πως η κυρά της δεν κολυμπούσε ποτέ. Πλατσούριζε μόνο στην άκρη της πισίνας και μετά λιαζόταν με τις ώρες κάτω από την ομπρέλα της, διαβάζοντας ή μιλώντας στο τηλέφωνο. Και τώρα, θύμιζε δεινή κολυμβήτρια. Κι ύστερα δεν την ενδιέφερε πια ούτε το σπίτι, ούτε η μαγειρική, όπως προτού φύγει για την Ελλάδα. Δεν την ενδιέφερε ούτε να φάει. Είχε αδυνατίσει αισθητά, δεν έπαιζε πια τένις όπως παλιά, ούτε πήγαινε στο γυμναστήριο. Βέβαια υπήρχαν σοβαρά προβλήματα ενδοοικογενειακά. Όλες οι εφημερίδες έγραφαν για τον κύριο Σταν, που είχε πετσοκόψει τη Μακ Στίβενς και την είχε παραμορφώσει. Ήταν η αγαπημένη της ηθοποιός. Πώς έκανε αυτό το λάθος ο κύριος Σταν;

Ο Άλεξ στάθηκε στην άκρη της πισίνας, θαυμάζοντάς την καθώς κολυμπούσε με άνεση μέσα στο νερό. Προς στιγμήν ξέχασε τι ήθελε να της πει. Ε, λοιπόν, αυτό ήταν το τελευταίο πράγμα που φανταζόταν να δει από τη μάνα του. Ποιος να το περίμενε, ότι η γυναίκα που στεκόταν πάντα στην άκρη της πισίνας και κοιτούσε το νερό με δέος χωρίς να τολμά ούτε καν να ονειρευτεί ότι θα προχωρήσει πέρα από εκεί όπου βρεχόταν το στήθος της, είχε εξελιχθεί μέσα σε ένα μόνο μήνα σε θαυμάσια κολυμβήτρια. Όχι πως έπαιρνε άριστα, αλλά σε σχέση με αυτό που ήταν πριν, έπαιρνε ολυμπιακό βραβείο τόλμης και θάρρους. Είχε αλλάξει πολύ από τότε που γύρισε από την Ελλάδα. Ώρες ώρες ένιωθε ότι ήταν άλλη γυναίκα. Το κατάλαβε αμέσως από το πρώτο της αγκάλιασμα όταν την καλωσόρισε. Το φιλί της ήταν παγωμένο, η αγκαλιά της χαλαρή. Ποτέ άλλοτε δεν την είχε νιώσει έτσι. Τη δικαιολόγησε, σκεπτόμενος ότι ήταν ακόμη κουρασμένη από την αλλαγή της ώρας και την ταλαιπωρία του ταξιδιού. Οι μέρες όμως πέρασαν και η στάση της παρέμενε περίπου η ίδια. Δεν είχε την ευκαιρία να το προσέξει. Από τη μια η δουλειά του, από την άλλη η Νταϊάν, ο χρόνος του ήταν ελάχιστος. Και μετά τα φοβερά γεγονότα με την καταγγελία της Μακ Στίβενς, την κατακραυγή των μέσων ενημέρωσης, την απόλυσή του από το στούντιο, το χωρισμό του από την Νταϊάν, δεν έβλεπε πια τίποτε περίεργο στη συμπεριφορά της και πολύ περισσότερο δεν ενοχλήθηκε από αυτή. Τα γεγονότα έτρεχαν, ο πατέρας του κινδύνευε να φυλακιστεί. Το τελευταίο πράγμα που τον απασχολούσε ήταν αν θα χάσουν την περιουσία τους. Ας ήταν καλά οι δικοί του άνθρωποι και ο ίδιος ήταν πολύ νέος για να δουλέψει και να τα φτιάξει όλα από την αρχή. Κι ας του είχαν γυρίσει όλοι την πλάτη. Εκείνος πίστευε στον εαυτό του, στο ταλέντο του, και κάποια μέρα θα γινόταν ένας από τους καλύτερους σκηνοθέτες στον κόσμο και δίχως τις πλάτες κανενός.

Η Κάσι τον είδε και με δυο απλωτές πλησίασε και στάθηκε στην άκρη της πισίνας, μπροστά στα πόδια του. «Άλεξ», έκανε τάχα με έκπληξη. «Εδώ είσαι;»

«Μαμά, θέλω να σου μιλήσω», της είπε πολύ σοβαρός. «Έχεις χρόνο;»

«Μα φυσικά, αγόρι μου», απάντησε και του έδωσε το χέρι της. Εκείνος το άδραξε γερά και τη βοήθησε να βγει από το νερό. Η Κάσι πήρε την πετσέτα της και άρχισε να σκουπίζει τα μαλλιά της και το σώμα της από τα νερά που έσταζαν.

Ο Άλεξ την παρατήρησε σκεπτικός. «Έχεις αδυνατίσει πολύ, μαμά», σχολίασε ανήσυχος.

«Δεν είναι τίποτε, Άλεξ, τρία κιλά έχασα μόνο. Θα τα ξαναπάρω».

«Εμένα μου φαίνονται περισσότερα».

«Ιδέα σου είναι», του είπε τρυφερά και κάθισε στη σεζλόνγκ. «Έλα κοντά μου, τι είναι αυτό που θέλεις να μου πεις;»

Ο Άλεξ κάθισε στη διπλανή σεζλόνγκ και ακούμπησε τους αγκώνες του στα πόδια του με το κεφάλι να κοιτάζει το δάπεδο.

«Λοιπόν; Τι έχεις; Είσαι καλά;» ρώτησε η Κάσι ανήσυχη.

«Είχα και καλύτερες στιγμές», αποκρίθηκε εκείνος και σήκωσε επιτέλους το βλέμμα του και την κοίταξε ερευνητικά. «Μαμά, φοβάμαι για τον μπαμπά…»

Η Κάσι τον κοίταξε τώρα ανήσυχη. «Γιατί φοβάσαι; Όλα θα πάνε μια χαρά, θα δεις. Ο πατέρας σου έχει πολύ καλό δικηγόρο», προσπάθησε να τον ηρεμήσει.

Τα μάτια του Άλεξ βούρκωσαν. Είχε να δει το γιο της να κλαίει από τότε που ήταν πέντε χρόνων. Μπορεί να ήταν μεγαλωμένος στα πούπουλα, ήταν όμως αντράκι από παιδί ακόμη. Σηκώθηκε από τη σεζλόνγκ της και κάθισε δίπλα του. Εκείνη τη στιγμή το ένστικτο της μάνας ξύπνησε για πρώτη φορά μετά το γυρισμό της. Μέχρι τότε λειτουργούσε σαν ρομπότ που πρέπει να κάνει το καθήκον του, με βάση τη λογική. Δυο δάκρυα που κύλησαν ήταν αρκετά για να ξυπνήσουν το υπνωτισμένο μυαλό της, να θυμηθεί ότι ήταν μάνα.

«Για όνομα του Θεού, Άλεξ, τι έχεις; Τι σου συμβαίνει, παιδί μου;»

Εκείνος την κοίταξε διστακτικός για εκείνο που επρόκειτο να ξεστομίσει.

«Επιτέλους, μη με κρατάς άλλο σε αγωνία», του είπε αυστηρά.

«Ο μπαμπάς... Είδα τον μπαμπά να κρατάει ένα περίστροφο», της αποκάλυψε και έβγαλε ένα λυγμό. Ήταν φανερή η απογοήτευσή του.

Η Κάσι αναστατώθηκε για τα καλά. «Τι είναι αυτά που λες, Άλεξ; Ο πατέρας σου δεν έχει περίστροφο».

«Κι όμως... Πήγα στο γραφείο του χωρίς να με περιμένει. Η γραμματέας του μου είπε πως ήταν μόνος του και άνοιξα την πόρτα χωρίς να χτυπήσω. Ο μπαμπάς κρατούσε ένα περίστροφο αλλά δεν πρόλαβε να το κρύψει στο συρτάρι».

«Περίστροφο;» επανέλαβε η Κάσι και σηκώθηκε από τη θέση της. «Γιατί; Τι το ήθελε το περίστροφο;» Μια περίεργη ταραχή την τύλιξε ξαφνικά.

«Δεν καταλαβαίνεις, μαμά; Ο μπαμπάς είναι πολύ υπερήφανος άνθρωπος. Αν χάσει τη δίκη από τη Μακ Στίβενς και αμαυρωθεί το όνομά του, δε θα μπορέσει να ξανασταθεί στα πόδια του. Και ύστερα θα το κάνει για μας· για να σωθούν η υπόληψή μας και η περιουσία μας. Αν χαθεί αυτός, ο κόσμος θα του δώσει άφεση αμαρτιών και θα στραφεί κατά της Μακ Στίβενς. Τότε εκείνη δε θα διεκδικήσει τίποτε από εμάς».

«Τι σενάρια είναι αυτά που κατασκευάζεις στο μυαλό σου,

Άλεξ; Τι προσπαθείς να μου πεις; Ότι ο πατέρας σου σχεδιάζει την αυτοκτονία του; Μήπως γίνεσαι υπερβολικός;» «Πολύ φοβάμαι ότι αυτό σχεδιάζει...» Το πρόσωπό του ήταν πολύ σοβαρό.

Η Κάσι κάθισε ξανά στη σεζλόνγκ, νιώθοντας ότι τα πόδια της δεν την κρατούσαν όρθια. Μα τι συνέβαινε εδώ; Ο άνδρας της σκεφτόταν να αυτοκτονήσει, ο γιος της ήταν στα πρόθυρα κατάρρευσης κι εκείνη έκανε όνειρα για μια καινούργια ζωή στο πλάι του εραστή της; Ήταν απάνθρωπη, ένα τέρας. Χειρότερη και από τη Μακ Στίβενς.

Σαν να ξυπνούσε από βαθύ ύπνο, ξαφνικά άρχισε να αντιλαμβάνεται το μέγεθος της συμφοράς που πλησίαζε το σπίτι της απειλητικά ακριβώς σαν αρχαία ελληνική τραγωδία, όμοια με αυτές που είχε διαβάσει. Αν συνέβαινε κάτι στον Σταν, ο Άλεξ δε θα το άντεχε. Αν η ίδια τον εγκατέλειπε, δε θα της το συγχωρούσε ποτέ. Ίσως υπήρχε περίπτωση να την καταλάβει, αν όλα ήταν καλά στην οικογένεια. Ωστόσο, υπό αυτές τις συνθήκες, όχι μόνο δε θα την καταλάβαινε ποτέ, αλλά θα τη μισούσε και θα τη διέγραφε διά παντός. Όχι μόνο εκείνος, αλλά και οι γονείς της και τα αδέλφια της. Η αλήθεια ήταν ότι με τον Άλμπερτ και τον Τζον δεν υπήρξε ποτέ ιδιαίτερα δεμένη, όμως τώρα στις δύσκολες στιγμές είχαν σταθεί πλάι της σαν βράχοι και συμπαραστέκονταν στον Σταν με όλη τους την αγάπη. Μάλιστα θα μπορούσε να ισχυριστεί ότι ήταν περισσότερο δεμένοι μαζί του παρά με την ίδια. Όχι πως δεν την αγαπούσαν, αλλά για κάποιον απροσδιόριστο λόγο δεν είχαν έρθει ποτέ πολύ κοντά. Όπως ακριβώς συνέβαινε και με τη μάνα της. Απλώς δεν ταίριαζαν ως χαρακτήρες. Ενώ με τον πατέρα της τα πράγματα ήταν διαφορετικά· τον λάτρευε.

«Μη φοβάσαι», του είπε ενθαρρυντικά. «Δεν πρόκειται να συμβεί τίποτε στον πατέρα σου. Καλά έκανες και μου το είπες.

Θα του μιλήσω και όλα θα πάνε μια χαρά. Εκείνο που χρειάζεται τώρα από μας είναι αγάπη. Πολλή αγάπη».

Η Κάσι τον αγκάλιασε αυθόρμητα κι εκείνος αφέθηκε στην αγκαλιά της και ένιωσε ότι η μητέρα του μόλις επέστρεψε στο σπίτι τους. Τώρα πια φοβόταν λιγότερο.

Η Κάσι πρόσεξε για πρώτη φορά ότι τα μαλλιά του Σταν είχαν γκριζάρει περισσότερο στους κροτάφους, τα μάτια του είχαν αποκτήσει «σακούλες» και κάποιες ρυτίδες είχαν εμφανιστεί στο μέτωπό του από το πουθενά. Μέσα σε λίγο διάστημα είχε βαρύνει, η περιπέτεια αυτή τον είχε καταβάλει σε σημείο να δείχνει δέκα χρόνια μεγαλύτερος, σαν κουρασμένος μεσήλικας, που η ζωή δεν του 'χε δείξει το καλύτερο πρόσωπό της. Είχε δίκιο να φοβάται ο Άλεξ. Ο Σταν ήταν λογικός και είχε περίσσιο κουράγιο και υπομονή να αντιμετωπίζει τις αντιξοότητες. Όταν όμως έφθανε στα όριά του, ήταν ικανός για όλα· μέχρι και για αυτοκτονία. Η τιμή και το όνομά του έπαιζαν σημαντικό ρόλο στη ζωή του. Θα προτιμούσε χίλιες φορές να πεθάνει παρά να ζει δακτυλοδεικτούμενος, και πολύ περισσότερο στη φυλακή. Περίμενε υπομονετικά να τελειώσουν το δείπνο τους και να βρεθούν μόνοι τους, στο υπνοδωμάτιό τους.

Ο Σταν βγήκε από το δικό του μπάνιο και είδε τη γυναίκα του να κάθεται στην πολυθρόνα, δίπλα στο μικρό τραπέζι, πίνοντας κόκκινο κρασί και περιμένοντάς τον, φορώντας ένα πανέμορφο δαντελένιο μαύρο νεγκλιζέ. Υπήρχε ακόμη ένα ποτήρι γεμάτο με το ίδιο κρασί. Μόλις τον είδε, σηκώθηκε από τη θέση της και του το πρόσφερε. Ύστερα τον φίλησε απαλά στα χείλη. Είχε να το κάνει αυτό ούτε κι ο ίδιος θυμόταν από πότε. Κατάλαβε. Σίγουρα ο Άλεξ της είχε μιλήσει για το περίστροφο. Προφανώς τα είχε καταλάβει όλα και τρομοκρατήθηκε. Και δεν είχε άδικο. Το είχε αγοράσει, έτοιμος να το χρησιμοποιήσει όταν θα χρειαζόταν. Κανένας Πάλμερ από την οικογένειά του δεν είχε μπει ποτέ φυλακή. Όλοι είχαν λευκό ποινικό μητρώο. Κι έτσι θα παρέμενε. Λευκό, έστω και αν απαιτούνταν το δικό του κόκκινο αίμα. Αν κάτι χαρακτήριζε τους Πάλμερ αυτό ήταν η υπερηφάνεια. Χαμογέλασε ευχαριστημένος που επιτέλους είχε κατορθώσει να τραβήξει την προσοχή της γυναίκας του. Η αλήθεια ήταν ότι η Κάσι του συμπαραστεκόταν, χωρίς όμως τη θέρμη και το σθένος που τη διέκριναν άλλοτε. Από τότε που είχε επιστρέψει από την Ελλάδα, ήταν μονίμως αφηρημένη, χαμένη στις σκέψεις της, σαν να τη βασάνιζε κάτι πολύ σοβαρό. Υπήρχε όμως τίποτε σοβαρότερο από αυτό που περνούσε ο ίδιος; Αν δεν ήταν γιατρός, θα υποψιαζόταν ότι κάτι δεν πήγαινε καλά με την υγεία της και του το έκρυβε, ή δεν το γνώριζε καν η ίδια, όμως παρότι είχε αδυνατίσει υπερβολικά, το χρώμα του προσώπου της ήταν φυσιολογικό και ακόμη πιο φυσιολογική η καθημερινή ενεργητικότητά της. Δεν ένιωθε σχεδόν ποτέ κουρασμένη, δεν παραπονιόταν για πόνους, έτρωγε κανονικά, αν και λιγότερο από πριν, και γενικότερα η όψη της ήταν υγιέστατη. Ως έμπειρος γιατρός, μπορούσε να ξεχωρίσει εύκολα έναν άρρωστο άνθρωπο μέσα στο πλήθος. Όχι, η Κάσι δεν υπέφερε από κάποια μυστηριώδη σωματική ασθένεια. Η ψυχή της υπέφερε από κάτι που του διέφευγε. Τα προβλήματα είχαν αρχίσει πολύ προτού φύγει για την Ελλάδα, με τους εφιάλτες που έβλεπε κατά καιρούς. Ύστερα επέστρεψε φορτωμένη με κάποιο επιπλέον πρόβλημα που τη βάραινε, ή έτσι τουλάχιστον του φάνηκε. Όσο όμως κι αν το ήθελε, δεν είχε πια το χρόνο να ασχοληθεί μαζί της. Τα γεγονότα τον είχαν προλάβει και του είχαν απορροφήσει όλο του το χρόνο. Σίγουρα κάτι έτρεχε μαζί της, και τώρα, έτσι που την έβλεπε χαμογελαστή να τον υποδέχεται με αυτό τον τρόπο, σκέφτηκε ότι μάλλον είχε κάνει λάθος. Εκτός κι αν φοβήθηκε ότι θα τον έχανε οριστικά.

«Σ' ευχαριστώ», της είπε τρυφερά. «Ό,τι ακριβώς χρειαζόμουν».

«Στην υγειά σου», του είπε με νόημα.

«Στην υγειά μας, αγάπη μου».

«Σταν... θέλω να σου μιλήσω...»

«Το ξέρω».

Προχώρησε και κάθισε πάλι στην πολυθρόνα. Ο Σταν την ακολούθησε και κάθισε στην άλλη. Κοίταξε το ποτήρι του. Το όμορφο ρουμπινί χρώμα του κρασιού τον μάγεψε, το ίδιο και η γεύση του.

«Μμμ... τι κρασί είναι αυτό;» τη ρώτησε.

«Ένα πολύ ιδιαίτερο ελληνικό κρασί. Σου 'χω ξαναμιλήσει γι' αυτό και το 'χουμε ξαναπιεί. Προέρχεται από μια βόρεια περιοχή της Ελλάδος, η οποία είναι άβατη για γυναίκες και κατοικείται εδώ και αιώνες από μοναχούς. Άγιο Όρος λέγεται. Εκεί παράγεται. Το ανακάλυψα σήμερα σε μια κάβα σε όλες τις παραλλαγές του. Τους είπα να μου στείλουν μερικά μπουκάλια».

«Γιορτάζουμε κάτι και το λησμόνησα;»

«Τίποτε δε γιορτάζουμε. Θα έπρεπε να γιορτάζουμε κάτι για να το απολαύσουμε;»

«Όχι, φυσικά. Λοιπόν, τι ήθελες να μου πεις;»

Η Κάσι ήπιε μια γενναία γουλιά από το ποτήρι της και μετά τον κοίταξε στα μάτια φοβισμένη. «Ο Άλεξ μου είπε ότι σε είδε να κρατάς ένα περίστροφο. Έχεις λόγους να φοβάσαι κάποιον;» Προσπάθησε να τον πείσει ότι δεν είχε καταλάβει. Ο Σταν το περίμενε. Αν και ο Άλεξ δεν το συζήτησε μαζί του, το είχε συζητήσει με τη μητέρα του.

«Ναι, έχω λόγο να φοβάμαι κάποιον...»

«Και ποιος είναι αυτός;» τον ρώτησε μαλακά.

«Ο εαυτός μου...»

«Σταν, δε σε καταλαβαίνω. Τι θέλεις να πεις;»

«Κάσι, πώς να σ' το πω... Αν κάτι πάει στραβά, δεν ξέρω να το αντιμετωπίσω με άλλο τρόπο». Η Κάσι τα 'χασε. Ώστε ήταν αλήθεια, ήταν αποφασισμένος να φθάσει στα άκρα. Σηκώθηκε από τη θέση της και έπεσε στα γόνατά του βουρκωμένη. «Όχι!» του είπε δυνατά. «Όχι αυτό. Εμάς δε μας σκέφτεσαι; Τον Άλεξ; Είναι σαν να σκοτώνεις το ίδιο μας το παιδί. Δε θα σ' αφήσω να φθάσεις ως εκεί». Της έπιασε το πιγούνι και την κοίταξε βαθιά στα μάτια. «Με αγαπάς, Κάσι;»

Έμεινε κεραυνόπληκτη. Τότε εμφανίστηκε μπροστά της το πρόσωπο του Ορέστη και την κοίταξε θλιμμένο. «Πρόσεξε τι θα πεις» σαν να της είπε και μετά χάθηκε. Το πρόσωπο του άνδρα της την κοίταξε με προσμονή.

«Γιατί με ρωτάς; Αφού το ξέρεις».

«Θέλω να το ξανακούσω. Το έχω ανάγκη».

Εκείνη τη στιγμή μόλις πήρε την απόφασή της. Η ιστορία της με τον Ορέστη έπρεπε να τελειώσει οριστικά. Η ζωή του άνδρα της κινδύνευε, ο γιος της σερνόταν σαν χαμένος, το ίδιο και η ίδια. Δεν πήγαινε άλλο. Αύριο κιόλας θα του τηλεφωνούσε και θα του έλεγε ότι επέστρεφε στην αγκαλιά του συζύγου της και το ίδιο να έκανε και εκείνος με τη Ζωή. Έτσι ήταν το σωστό κι έτσι έπρεπε να γίνει. Όταν η ευτυχία χτίζεται πάνω στα συντρίμμια της ευτυχίας των άλλων, όταν δεν υπάρχουν γερά θεμέλια, ένα είναι σίγουρο· το οικοδόμημα δε θα αντέξει. Θα καταρρεύσει.

«Ναι, σ' αγαπώ», του είπε.

Το πρόσωπο του Ορέστη ξαναεμφανίστηκε έκπληκτο. Ύστερα σκοτείνιασε και εξαφανίστηκε. Ο Σταν έσκυψε και τη φίλησε. Μετά τη σήκωσε στην αγκαλιά του, έτσι όπως τον πρώτο καιρό της αγάπης τους, και την οδήγησε στο τεράστιο κρεβάτι. Η Κάσι έμεινε στα χέρια του άψυχη κούκλα και στο τέλος του παραδόθηκε με ευγνωμοσύνη, διώχνοντας από πάνω τους σκιές και φαντάσματα που διεκδικούσαν τη ζωή της.

Ο Ορέστης κοιμόταν βαριά όταν χτύπησε το κινητό του. Ωστόσο ξύπνησε αμέσως, στο δεύτερο κουδούνισμα. Κοίταξέ πρώτα το ηλεκτρονικό ρολόι στο κομοδίνο· οι φωσφορίζοντες δείκτες του έδειχναν πέντε παρά τέταρτο το πρωί. Δεν είχε πάνω από μισή ώρα που είχε πέσει στο κρεβάτι, αφού μόλις πριν από λίγο είχε επιστρέψει από τη δουλειά του. Και είχαν αρκετή σήμερα. Στα μέσα του καλοκαιριού, τα νησιά γεμίζουν με τουρίστες που ξενυχτούν ως τις πρώτες πρωινές ώρες. Κάθε μέρα θυμίζει Σαββατοκύριακο. Ευτυχώς που το δικό του μπαράκι άδειαζε πριν από τις τέσσερις, γιατί το γλέντι συνεχιζόταν αλλού. Έτσι προλάβαινε να κοιμηθεί και να ξεκουραστεί λιγάκι προτού τον βρει το ξημέρωμα. Στις δέκα το πρωί έπρεπε να είναι στο πόδι και να τρέχει για τις προμήθειες του μαγαζιού. Ποιος διάολος όμως τον έπαιρνε τέτοια ώρα; Αφού όλοι γνώριζαν το πρόγραμμά του. Ήλπιζε ότι δεν είχε πάθει κάτι κάποιος από τους δικούς του. Χωρίς να δει ποιος ήταν στην οθόνη απάντησε αμέσως: «Εμπρός;»

«Ορέστη… εγώ είμαι». Η φωνή της Κάσι ακούστηκε μουδιασμένη.

«Αγάπη μου, είσαι καλά;» Ανασηκώθηκε στο κρεβάτι και άναψε το φως. Η Κασσάνδρα δεν τον είχε καλέσει ποτέ τέτοια ώρα. Σίγουρα κάτι σοβαρό έτρεχε, ή τον έπαιρνε για να του ανακοινώσει ότι επιτέλους τα είχε αποκαλύψει όλα στον άνδρα της και ερχόταν στην Ελλάδα.

«Ορέστη, συγγνώμη για την ώρα, όμως έπρεπε να σου μιλήσω και μόνο αυτή τη στιγμή είμαι μόνη στο σπίτι. Ο Σταν μαζί με τον Άλεξ έπρεπε να πάνε στο δικηγόρο μας».

«Σ' ακούω», της είπε πιο συγκρατημένος αυτή τη φορά. Ο τόνος της φωνής της δεν του άρεσε.

«Πήρα την απόφασή μου και είναι οριστική», του είπε ψυχρά. «Και πάνω απ' όλα θέλω να τη σεβαστείς». Την ίδια στιγμή η καρδιά της ούρλιαζε στο στήθος της, σαν να την ξερίζωναν, όμως η Κάσι το άντεχε. Όταν έπαιρνε μια απόφαση, όσο κι αν την πονούσε, όσο κι αν υπέφερε, δεν την άλλαζε.

«Σ' ακούω», επανέλαβε εκείνος.

«Γύρισα στον άνδρα μου», ανακοίνωσε ακόμη πιο παγωμένα.

«Δηλαδή;»

«Δηλαδή αυτό που άκουσες. Κοιμήθηκα χθες μαζί του. Κάναμε έρωτα και ήταν όμορφα. Κατάλαβα πως τον αγαπώ ακόμη και δε θέλω να χωρίσω».

Ο Ορέστης ένιωσε να ζαλίζεται. «Κι εγώ; Τι ήμουν εγώ για σένα, Κασσάνδρα;» Η φωνή του ακούστηκε σχεδόν άψυχη.

«Τίποτε το σοβαρό. Ένα λάθος, ένα πάθος», του είπε όσο πιο πειστικά γινόταν. Πόσο τον αγαπούσε. Η καρδιά της σπάραζε τώρα, όμως εκείνη συνέχισε να την ξεριζώνει με τα ίδια της τα χέρια. Πόσοι μπορούν να το κάνουν αυτό;

«Λες ψέματα!» ούρλιαξε τώρα ο Ορέστης ενώ πετάχτηκε από το κρεβάτι κρατώντας με το ένα χέρι το κινητό και με το άλλο τα μαλλιά του.

Όχι, δεν ήταν η καρδιά της. Ήταν η φωνή του. Ή και τα δυο μαζί.

«Δε σε πιστεύω, το κάνεις για το γιο σου! Θυσιάζεσαι, θυσιάζοντας κι εμένα μαζί σου. Δεν τον αγαπάς τον Σταν. Το ξέρω, το νιώθω. Μου το φωνάζει το κορμί σου, το μυαλό σου. Εμένα αγαπάς. Το ίδιο δυνατά όπως σ' αγαπώ κι εγώ. Μην το κάνεις αυτό, Κασσάνδρα. Θα είναι το μεγαλύτερο λάθος της ζωής σου». Έμεινε ασάλευτη στη θέση της. Για μια στιγμή πήγε να πει: «Ναι, λέω ψέματα, μόνο εσένα αγαπάω», όμως τα λόγια δε βγήκαν από το στόμα της. Και δεν έπρεπε να βγουν. Διάολε, ήταν πάντα δυνατή. Κατά βάθος ήταν Ελληνίδα και οι Ελληνίδες ήταν σκληρές γυναίκες όταν έπρεπε και έτοιμες να θυσιαστούν αν αυτό ήταν απαραίτητο. Σαν τις Σπαρτιάτισσες. «Η ταν ή επί τας» έλεγαν στους συζύγους και τους γιους τους και πετούσαν την καρδιά τους πάνω στην ασπίδα που τους παρέδιδαν οι ίδιες και την ποδοπατούσαν. Ναι. Σίγουρα θύμιζε ηρωίδα αρχαίας τραγωδίας, έτσι άκαμπτη όπως στεκόταν, αποφασισμένη να φθάσει το μαχαίρι στο κόκαλο.

«Την απόφασή μου την έχω πάρει», του είπε ακόμη πιο παγωμένα ενώ προσπαθούσε να συγκρατήσει τα δάκρυά της που θόλωσαν τα μάτια της.

Ο Ορέστης κατάλαβε πως έχανε το παιχνίδι. Ήταν αποφασισμένη να διακόψει μαζί του. Ήταν σαν να τον εκτελούσε.

«Σε παρακαλώ», έκανε μια τελευταία απόπειρα να τη μεταπείσει. «Όχι, μην το κάνεις! Το νιώθω πως δεν είναι αυτό που πραγματικά θέλεις».

«Και ποιος είσαι εσύ που θα μου πεις τι είναι αυτό που θέλω εγώ;» ούρλιαξε αυτή τη φορά.

Ο θυμός της τον άγγιξε. Ένιωσε τα μαύρα σύννεφα πάνω του. Ήταν αποφασισμένη.

«Από αύριο αλλάζω τον αριθμό του κινητού μου και περιττό να προσπαθήσεις να με βρεις», του είπε. «Ξέχασε ό,τι συνέβη μεταξύ μας. Κατάλαβες;»

Το μυαλό του θόλωσε, όπως και τα μάτια του. Μόλις συνειδητοποιούσε ότι η γυναίκα που λάτρευε μιλούσε πολύ σοβαρά. «Να 'σαι καταραμένη, Κασσάνδρα Πάλμερ», της είπε με αλλοιωμένη φωνή που δε θύμιζε οργή ή θυμό, αλλά πανικό, τρόμο, απόγνωση. Έμοιαζε περισσότερο με φωνή που ξεψυχάει. «Κάποια μέρα θα νιώσεις πόσο λάθος έκανες, όμως θα 'ναι αργά και για τους δυο μας, αργά για να μετανιώσεις».

Η Κάσι του έκλεισε το τηλέφωνο και το απενεργοποίησε, ενώ η καρδιά της κόντευε να πεταχτεί από το στήθος της. Κατόπιν μπήκε στο μπάνιο, κάτω από το ντους, και ξέσπασε σε γοερά κλάματα. Το νερό που έτρεχε με ορμή συναγωνιζόταν την ορμή των δακρύων της. Αν ο πόνος της είχε το χρώμα του αίματος, θα έπρεπε ο χώρος να είχε βαφτεί κόκκινος από την αιμορραγία που είχε προκληθεί. Αλλά ο πόνος δεν έχει χρώμα· έχει ένταση, όρια, αρχή, όμως για το τέλος κανένας δεν είναι ποτέ σίγουρος. Και το χειρότερο απ' όλα είναι όταν πρέπει να τον σκεπάσεις, να τον κρύψεις, να υποκριθείς, αντί να κλάψεις, να ζητήσεις βοήθεια, να ξεσκίσεις με τα νύχια σου τις σάρκες σου, να ξαλαφρώσεις… Ο πόνος της καρδιάς είναι αφόρητος. Κάποιοι τον αντέχουν, κάποιοι άλλοι όχι. Και πώς να τον υπομείνεις όταν είσαι ζωντανός και τον σκέφτεσαι κάθε μέρα;

Η κοπέλα είχε τεράστια γκριζογάλανα μάτια και πλούσια χρυσαφένια μέχρι τη μέση μαλλιά, στολισμένα με γαλάζιες κορδέλες. Φορούσε ένα περίεργο μακρύ ρούχο με πτυχές στο χρώμα της σκούρας ζάχαρης και πάνω από τον αριστερό ώμο της ήταν ριγμένο ένα άλλο κομμάτι γαλάζιου υφάσματος που κάλυπτε μέρος από τα μαλλιά της. Περπατούσε βιαστικά ανάμεσα σε κήπους με κάτι περίεργα λευκά αγάλματα και κάπου κάπου έσκυβε και μάζευε κάποιες μαργαρίτες από το έδαφος. Σταμάτησε σε ένα ξέφωτο και κοίταξε ανήσυχη τριγύρω, σαν να έψαχνε κάτι. Από μακριά ακούστηκε καλπασμός αλόγου και το κορίτσι έτρεξε προς τα εκεί. Είδε ένα σύννεφο σκόνης και μπροστά του έναν καβαλάρη να καλπάζει προς το μέρος της. Το κορίτσι χαμογέλασε πλατιά. Λίγο αργότερα ο καβαλάρης την πλησίασε και ξεπέζεψε, ενώ το κοκκινότριχο άλογό του χλιμίντριζε ξεφυσώντας κουρασμένο. Ο άνδρας έβγαλε από το κεφάλι του το κράνος με το κανελί λοφίο και χαμογέλασε πλατιά. Ήταν νέος, ψηλός, γεροδεμένος, με πυκνά σπαστά μαύρα μαλλιά και σκούρα καφετιά μάτια. Το χρώμα της επιδερμίδας του ήταν σταρένιο και ήταν σκονισμένος παντού. Σχεδόν βρόμικος. Φορούσε έναν κοντό, λευκό χιτώνα που σχημάτιζε πτυχές και είχε βυσσινί τελείωμα και από πάνω μια φολιδωτή θωράκιση², ενώ στο πλάι του αριστερού του γοφού ήταν στερεωμένο ένα ξίφος σε θήκη. Τα δερμάτινα σανδάλια του έδεναν σφιχτά στη μέση της αθλητικής γάμπας, ενώ πίσω από την πλάτη του κυμάτιζε ένας πορφυρός μανδύας. Η κοπέλα έτρεξε με φόρα επάνω του κι εκείνος την άρπαξε και, αφού τη σήκωσε με ευκολία ψηλά σαν πάνινη κούκλα, τη φίλησε με πάθος. Εκείνη κρεμάστηκε από την αγκαλιά του και στη συνέχεια άρχισαν να περπατούν ήρεμα κατά μήκος του δρόμου, δίπλα σ' ένα μικρό ποταμάκι. Τζιτζίκια ακούγονταν από παντού και κάτι πράσινα βατράχια έκαναν σάλτα από την κοίτη μέσα στο νερό μόλις τους έβλεπαν να πλησιάζουν. Ύστερα το ίδιο κορίτσι έκλαιγε με λυγμούς, σχεδόν σπαρταρούσε επάνω σε ένα λευκό χιτώνα που ήταν σκισμένος και λερωμένος από αίμα.

Η Κάσι ξύπνησε. Τα μάτια της ήταν υγρά και το στομάχι της πονούσε. Έκλαιγε. Ανασηκώθηκε. Κοίταξε το ρολόι της. Η ώρα πλησίαζε δώδεκα. Είχε παρακοιμηθεί. Ο Σταν είχε φύγει από πολύ νωρίς, ως συνήθως. Μπορεί η δουλειά του να είχε πέσει κατακόρυφα, μπορεί να είχαν ακυρωθεί πολλά από τα ραντεβού

---

2. Μεταλλικές πλάκες συρραμμένες πάνω σε λινάρι ή δέρμα.

του, όμως έπρεπε να δίνει το «παρών» στο γραφείο του κάθε μέρα. Ήταν μέτοχος στην πολυκλινική και, αν μη τι άλλο, η παρουσία του επιβαλλόταν. Τι στο καλό σήμαινε πάλι αυτό; Τρεις μέρες τώρα, από το βράδυ που είπε το οριστικό αντίο στον Ορέστη, έβλεπε αυτό το ζευγάρι. Και πάντα ξυπνούσε με δάκρυα στα μάτια. Πρώτα η κοκκινομάλλα και τώρα αυτή η ξανθιά κοπέλα. Σίγουρα τρελαινόταν. Τι γύρευαν αυτές οι δυο γυναίκες από τη ζωή της; Γιατί την ενοχλούσαν; Ποια μηνύματα προσπαθούσαν να της περάσουν; Δεν της έφθαναν τα δικά της προβλήματα; Είχε αποφασίσει να σταθεί δίπλα στον άνδρα της, αψηφώντας την καρδιά της, και τώρα έπρεπε να αντιμετωπίσει ξανά εφιάλτες; Το πόσο πονούσε μόνο εκείνη το γνώριζε. Εκείνη και η Σάρον. Γιατί η φίλη της της είχε σταθεί από την πρώτη στιγμή, αδιαφορώντας ακόμη και για τα προσωπικά της. Ήταν η πρώτη που έμαθε για την απόφασή της να χωρίσει οριστικά προτού ακόμη το μάθει ο ίδιος ο Ορέστης. Και είχε συμφωνήσει και την είχε ενθαρρύνει να το κάνει. Ξαφνικά, εκεί που όλοι οι γνωστοί και φίλοι είχαν αραιώσει τα τηλεφωνήματά τους, η Σάρον αντίθετα τα αύξησε, αποδεικνύοντας ότι ο καλός φίλος στη φουρτούνα φαίνεται. Όταν έμαθε ότι ο Σταν είχε στην κατοχή του περίστροφο, εκείνη ήταν που τη συμβούλευσε να μιλήσει στον άνδρα της και επιτέλους να νοιαστεί για εκείνον. Η Σάρον ήξερε να είναι φίλη και αυτό η Κάσι δε θα το ξεχνούσε ποτέ. Ωστόσο, το πόσο πολύ πονούσε από αυτόν το χωρισμό δεν ήθελε να το γνωρίζει κανένας. Ούτε η Σάρον.

Η διάθεσή της ήταν χάλια. Είχε ανάγκη να μιλήσει σε κάποιον. Πήρε στο τηλέφωνο τη Σάρον, όμως η γραμμή της ήταν κατειλημμένη. Πλύθηκε πρόχειρα και κατέβηκε στην κουζίνα. Η Γιολάντα την κοίταξε διακριτικά. Από τότε που η κυρά της είχε επιστρέψει από τις διακοπές της, φαινόταν όλο και πιο άρρωστη. Κι αν ήταν πράγματι άρρωστη και δεν το έλεγε σε κανέναν; Η Γιολάντα άρχισε να στενοχωριέται πραγματικά και έκανε ό,τι περνούσε από το χέρι της για να την ευχαριστήσει.

«Καλημέρα, σενιόρα», της είπε χαμογελαστά όπως πάντα. «Θέλετε να ετοιμάσω καφέ;» Τελευταία δεν έτρωγε πρωινό και έπινε μόνο καφέ, κι αυτό τη στενοχωρούσε πολύ. Ήθελε να ευχαριστήσει την κυρά της, αλλά δε γνώριζε τι έπρεπε να κάνει.

«Ναι, Γιολάντα, κι αν δε σου κάνει κόπο, θα ήθελα και πρωινό. Μπορείς να μου το ετοιμάσεις;»

Η γυναίκα εξεπλάγη ευχάριστα και δε δίστασε να το δείξει. «Μπράβο σας, σενιόρα. Επιτέλους, να βάλετε μια μπουκιά στο στόμα σας. Παραέχετε αδυνατίσει και δε σας πάει καθόλου».

«Έχεις δίκιο. Λοιπόν, θα μου ετοιμάσεις κάτι καλό;»

«Μετά χαράς, σενιόρα», προθυμοποιήθηκε η γυναίκα. «Τι θέλετε να φάτε;»

«Ομελέτα με έναν κρόκο και ασπράδια τριών αυγών, φρέσκια πορτοκαλάδα, φρυγανισμένο μαύρο ψωμί με βούτυρο και μέλι, κρουασάν και ό,τι άλλο νομίζεις εσύ».

Σταμάτησε απότομα. Το πρωινό τής θύμισε τον Ορέστη. Έτρωγαν πάντα μαζί σχεδόν τα ίδια πράγματα, ακριβώς όπως τα είχε ζητήσει μόλις τώρα. Μόνο που ο Ορέστης έτρωγε τρία ολόκληρα αυγά, ενώ εκείνη απέφευγε τους πολλούς κρόκους.

«Μάλιστα, σενιόρα. Σε δέκα λεπτά θα είναι όλα έτοιμα. Θα φάτε εδώ ή στην πισίνα;»

«Στην πισίνα», απάντησε αφηρημένη. Το τελευταίο πράγμα που ήθελε ήταν να θυμάται τον Ορέστη. Έπρεπε να τον διαγράψει, να μην τον αναφέρει ποτέ ξανά, να τον ξεχάσει για πάντα. Αλλά όσο κι αν το επιθυμούσε, προς το παρόν δε γινόταν. Ερχόταν απρόσκλητος, εκεί που πίστευε ότι ήταν ήρεμη, και την αναστάτωνε. Όπως τώρα.

«Όχι τρία αυγά, δύο, και με τους κρόκους τους», συμπλήρωσε και βγήκε από την κουζίνα.

Ο καιρός έξω ήταν ηλιόλουστος και ζεστός. Κάθισε στο τραπέζι κάτω από την ομπρέλα και άφησε το βλέμμα της να πλανηθεί τριγύρω. Ο κήπος της ευωδίαζε και η Μόλι, η γάτα της, ήρθε και τρίφτηκε στα πόδια της, αφήνοντας ένα παραπονεμένο νιαούρισμα. Την είχε εγκαταλείψει κι εκείνη. Το ζωντανό ήταν το πρώτο που κατάλαβε ότι η κυρά του δεν ήταν η ίδια, γι' αυτό και την απέφευγε. Μόνο τις τελευταίες μέρες άρχισε να την πλησιάζει δειλά δειλά. Η Μόλι την κοίταξε και μετά σκαρφάλωσε στην αγκαλιά της. Το κινητό της χτύπησε. Ήταν η Σάρον.

«Με έψαχνες;» τη ρώτησε.

«Ξανά το ίδιο όνειρο...»

«Με την κοκκινομάλλα ή την ξανθιά;» ρώτησε.

«Με την ξανθιά. Πάλι έκλαιγε και φυσικά κι εγώ μαζί της».

«Κατάλαβες αυτή τη φορά γιατί έκλαιγε;»

«Όχι, μάλλον κάποιος τραυματίστηκε ή δεν ξέρω τι άλλο. Είδα αίματα. Σάρον, δεν πάει άλλο. Μπορείς να μου κλείσεις ραντεβού με εκείνη την ψυχοθεραπεύτρια που ήταν πελάτισσά σου; Μου είπες ότι είναι καταπληκτική».

«Μα φυσικά. Και το συζητάς; Σήμερα κιόλας θα της τηλεφωνήσω και θα φροντίσω να σε δεχτεί το συντομότερο».

«Σ' ευχαριστώ, Σάρον, και φυσικά δε θέλω να μάθει κανείς τίποτε».

«Ούτε και ο Σταν;»

«Κυρίως αυτός. Έχει ήδη πολλά στο κεφάλι του, δεν του χρειάζονται και οι δικοί μου εφιάλτες».

11

൪

Η κατάξανθη κοπέλα που άνοιξε την πόρτα του ιατρείου της δόκτορος Ντέμπορα Τσάπμαν ήταν χαμογελαστή και έμοιαζε με μοντέλο. Και μόνο το αστραφτερό της χαμόγελο, που θύμιζε διαφήμιση οδοντόπαστας, σε χαλάρωνε αμέσως. Την οδήγησε στο σαλόνι και μετά πήγε να ενημερώσει την ψυχαναλύτρια. Ένας νεαρός άνδρας με ελάχιστα μαλλιά, γύρω στα τριάντα, καθόταν σε μια γωνιά με σκυμμένο το κεφάλι και δε φάνηκε να προσέχει την άφιξή της. Η Κάσι άφησε το βλέμμα της να πλανηθεί στο χώρο. Οι μαύροι δερμάτινοι καναπέδες έδεναν υπέροχα με τους υπόλευκους τοίχους. Το ασπρόμαυρο κυριαρχούσε παντού, ενώ στο δάπεδο το τεράστιο εκρού χαλί, που σχημάτιζε συνθέσεις από μαύρα φύλλα, ήταν εντυπωσιακό. Τη διχρωμία έσπαγε ένα τεράστιο γκρενά βάζο στο κέντρο του ασπρόμαυρου τραπεζιού, όπως και τα τέσσερα ομοιόχρωμα σταχτοδοχεία στις άκρες του. Από την οροφή κρεμόταν ένας κρυστάλλινος πορφυρός πολυέλαιος και τους τοίχους κοσμούσαν πίνακες μοντέρνας ζωγραφικής σε όμορφα ζεστά χρώματα. Θύμιζε περισσότερο στούντιο ενός γιάπη εργένη παρά το σαλόνι υποδοχής ανθρώπων με διαταραγμένο ψυχισμό. Κάπου είχε ακούσει ότι οι άνθρωποι με ψυχολογικά προβλήματα πρέπει να αποφεύγουν το κόκκινο χρώμα. Γιατί το είχε προτιμήσει η ψυχαναλύτρια; Κοίταξε τον άνδρα που κάθε λίγο και λιγάκι σήκωνε το αριστερό του χέρι και έκανε μια κίνηση, σαν να τον ενοχλούσε μια αόρατη μύγα που πετούσε γύρω του και κάπου κάπου μπάτσιζε τον εαυτό του. Αισθάνθηκε άβολα. Τι στο καλό γύρευε εκεί μέσα; Της ήρθε να σηκωθεί και να φύγει, όμως δεν τόλμησε. Η γραμματέας επέστρεψε πάλι.

«Η δόκτωρ Τσάπμαν θα σας δεχτεί τώρα», της είπε γλυκά.

«Ο κύριος;» έκανε δειλά η Κάσι. «Θέλω να πω, περιμένει πριν από μένα».

«Το ραντεβού του κυρίου είναι για πολύ αργότερα. Απλώς ανησυχεί μην το χάσει και μας έρχεται τρεις ώρες νωρίτερα», εξήγησε χαμογελαστή. «Ελάτε».

Η Κάσι την ακολούθησε, ενώ ο άνδρας δε φάνηκε να άκουσε λέξη από το διάλογο. Η προσοχή του ήταν στραμμένη στην αόρατη μύγα που τον ενοχλούσε.

Η ψηλή καστανή γυναίκα δεν ήταν καθόλου όμορφη, ήταν όμως πολύ κομψή, πολύ περιποιημένη και το ζεστό χαμόγελό της σε έκανε να αισθάνεσαι αμέσως άνετα, σαν να ήσουν σπίτι σου. Την υποδέχτηκε λες και ήταν φίλες από χρόνια και μετά της πρότεινε να καθίσει στο αναπαυτικό δερμάτινο ανάκλιντρο απέναντί της, που έμοιαζε περισσότερο με κρεβάτι. Στο γραφείο της κυριαρχούσε ένα απαλό πράσινο χρώμα, πολύ γλυκό, και τα έπιπλα εδώ ήταν δερμάτινα, κι αυτά σε ζεστή σοκολατί απόχρωση. Πίσω από την πλάτη της δόκτορος υπήρχε μια σειρά από κορνιζαρισμένα διπλώματα. Η δόκτωρ πήρε τα στοιχεία της Κάσι, σημειώνοντάς τα σ' ένα μεγάλο δερματόδετο μπλοκ που είχε μπροστά της. Η Κάσι απαντούσε στις τυπικές ερωτήσεις αφηρημένα, καθώς τα μάτια της είχαν καρφωθεί στον απέναντι τοίχο, σ' ένα γυάλινο πίνακα-ενυδρείο που φωτιζόταν με ηλεκτρικό ρεύμα και μέσα του κολυμπούσαν με χάρη πολλά πολύχρωμα ψεύτικα ψαράκια, αφήνοντας μπουρμπουλήθρες ν' ανεβαίνουν προς τα πάνω. Έδειχναν ολοζώντανα, τόσο αυτά όσο και τα περίεργα φυτά που πάλλονταν απαλά μέσα στο τάχα κινούμενο νερό. Και μόνο η θέα αυτού του πίνακα, διαστάσεων κοντά στο ένα μέτρο μήκος και μισό μέτρο ύψος, την έκανε να χαλαρώσει ακόμη πιο πολύ.

«Λοιπόν, κυρία Πάλμερ, η Σάρον μου μίλησε για εσάς και το επείγον της κατάστασής σας και, παρότι είμαι πολύ πιεσμένη τον τελευταίο καιρό, θα κάνω ό,τι μπορώ για να σας βοηθήσω. Θέλω να νιώθετε άνετα μαζί μου. Να θυμάστε ότι δεν είμαι ανακριτής της ζωής των άλλων, αλλά ας πούμε γητευτής ψυχών. Τι ακριβώς σας συμβαίνει;»

«Εδώ και πολύ καιρό βλέπω ένα συγκεκριμένο όνειρο που έχει αρχίσει να με τρομάζει. Κι εκεί που πήγα να το συνηθίσω, εμφανίστηκε ένα άλλο που επιμένει κι αυτό. Νομίζω ότι αρχίζω να τα χάνω».

Η Τσάπμαν χαμογέλασε εγκάρδια. «Μη βιάζεστε να βγάλετε συμπεράσματα, κυρία Πάλμερ, ή μήπως θα ήταν καλύτερα να σε λέω "Κασσάντρα"; Χμ, αλήθεια, πολύ ωραίο όνομα».

«Ναι, θα προτιμούσα να με λέτε έτσι».

«Είναι ιταλικό;»

«Όχι, ελληνικό. Κασσάνδρα έλεγαν την Ελληνίδα γιαγιά μου από τη μεριά του πατέρα μου».

«Πολύ ωραία, Κασσάντρα», συνέχισε η ψυχοθεραπεύτρια χωρίς να μπορεί να το προφέρει σωστά, «για πες μου τώρα τι ακριβώς ονειρεύεσαι;»

Η Κάσι, αρκετά χαλαρωμένη, της μίλησε με λεπτομέρειες για

τα όνειρά της και κυρίως για το αίσθημα πνιγμού που ένιωθε κάθε φορά. Της μίλησε ακόμη και για τη μέχρι πρόσφατα αδικαιολόγητη φοβία της για το νερό, την οποία είχε πλέον ξεπεράσει στην Ελλάδα, χάρη στη βοήθεια ενός άνδρα. Η ψυχαναλύτρια είχε ανοιχτό ένα κασετοφωνάκι και μαγνητοφωνούσε τη συνομιλία τους, ενώ συγχρόνως κρατούσε σημειώσεις. Όταν τελείωσε την αφήγηση η Κάσι, τράβηξε για πρώτη φορά το βλέμμα της από το ψεύτικο ενυδρείο και κοίταξε την ψυχαναλύτρια με αγωνία.

«Λοιπόν, μήπως βγάλατε κάποιο συμπέρασμα; Μπορείτε να με βοηθήσετε;»

Η Τσάπμαν χαμογέλασε καθησυχαστικά. «Τα όνειρά μας πάντα έπαιζαν και παίζουν πολύ σημαντικό ρόλο στη ζωή μας», άρχισε να της εξηγεί. «Είναι τα κλειδιά που ανοίγουν πολλά μυστικά συρτάρια του εγκεφάλου μας και της ψυχής μας. Αυτά τα δυο δε συνεργάζονται πάντα αρμονικά. Κάθε άνθρωπος βρίσκεται ανάμεσα στα πρέπει και στα θέλω του. Τα πρέπει είναι ο εγκέφαλος και τα θέλω είναι η ψυχή του. Ωστόσο, ο εγκέφαλος αποφασίζει τι θα κρατήσει, τι θα φυλάξει και τι θα διαγράψει και, όταν μπλοκαριστεί, σημαίνει ότι απλώς η ψυχή αδυνατεί να τον ακολουθήσει, γιατί κάτι έχει αρχίσει να την ενοχλεί. Και αυτό το κάτι μπορεί να είναι εκείνο που ο εγκέφαλος πέταξε ως μη λογικό και τώρα εκείνη το χρειάζεται, ή αυτό που θέλει να πετάξει και δεν μπορεί για πολλούς λόγους. Για παράδειγμα ένα γάμο, στον οποίο όμως υπάρχουν μικρά παιδιά, ή οικονομικοί λόγοι, ή προσωπικές ανασφάλειες. Αν ο άνθρωπος δεν το καταλάβει εγκαίρως, τότε αρχίζει να χάνει την ικανότητα να ισορροπεί ψυχικά, και αρχίζει να βομβαρδίζεται με μηνύματα, όπως τα όνειρα, ή κάποιες αλλεργικές αντιδράσεις, ή ψυχοσωματικά συμπτώματα, κατάθλιψη, στρες και πολλά άλλα. Φυσικά τα όνειρά μας είναι συνήθως τα πρώτα μηνύματα που λαμβάνουμε από τον εγκέφαλο. Μόνο που δε μας το λέει πάντα ξεκάθαρα, αλλά με πλάγιο και δυσερμήνευτο τρόπο. Θέλω να πω ότι πολλές φορές τα όνειρά μας, αντί να μας δείξουν το δρόμο για να βγούμε από τον προβληματισμό μας, μας οδηγούν σε σκοτεινότερα μονοπάτια, μπερδεύοντάς μας ακόμη περισσότερο».

«Δηλαδή, εγώ που βλέπω αυτές τις γυναίκες τι μπορεί να σημαίνει αυτό;»

«Είναι πολύ νωρίς για να σου απαντήσω. Η ψυχανάλυση δεν είναι εύκολο πράγμα, τόσο για τον αναλυόμενο όσο και για τον αναλυτή. Οι δυο τους, σε πλήρη συνεργασία, θα πρέπει να ξεκινήσουν ένα μακρύ ταξίδι στο άγνωστο. Ο αναλυτής σαν ιχνηλάτης του εγκεφάλου, ο αναλυόμενος σαν βοηθός ιχνηλάτη. Ο πρώτος πρέπει να αναγνωρίσει και να αναλύσει κάποια χνάρια της ψυχής, ο δεύτερος θα πρέπει να υποδείξει αυτά τα χνάρια και να του τα παραδώσει ατόφια, χωρίς να αποκρύπτει το παραμικρό και, κυρίως, χωρίς να ντρέπεται ή να φοβάται. Αν κάποιος από τους δυο αρνείται να συνεργαστεί και να συνεχίσει, γιατί οι διαδρομές είναι επώδυνες και κουραστικές, τότε το ταξίδι μας είναι άσκοπο, διότι δε θα έχει προορισμό. Και αυτό θέλω να το θυμάσαι.

»Θα πρέπει να ξεκινήσουμε από την αρχή, από τις πρώτες σου αναμνήσεις ως παιδί. Είναι απαραίτητο. Στη ζωή μας, πολλές φορές, με άλλα πράγματα πιστεύουμε ότι θα γίνουμε ευτυχισμένοι και άλλα μας κάνουν ευτυχισμένους. Υπήρξαν πελάτες μου που δούλεψαν σκληρά για να αποκτήσουν εξουσία και χρήμα και παλάτια, και μια μέρα ανακάλυψαν μέσα από την ψυχανάλυση ότι εκείνο που τους έκανε πραγματικά ευτυχισμένους ήταν ένα μικρό απλό ξύλινο σπίτι με θέα στον ωκεανό και να περπατούν ξυπόλυτοι. Υπήρξαν γυναίκες που επεδίωξαν και παντρεύτηκαν κάποιον πάμπλουτο άνδρα που θα τις φρόντιζε για πάντα, για να ανακαλύψουν ότι το μόνο πράγμα που τις έκανε ευτυχισμένες ήταν να φροντίζουν οι ίδιες τον εαυτό τους. Υπήρξαν γονείς που πάλεψαν για να αποκτήσουν παιδιά, για να ανακαλύψουν ότι το μόνο που ήθελαν ήταν να είναι αδέσμευτοι και ελεύθεροι. Η ψυχή του ανθρώπου έχει τόσο πολλές «διακλαδώσεις» όσες και ο εγκέφαλος και δεν είναι εύκολο να τις διαβείς όλες. Άλλα μηνύματα σου περνάει και άλλα θέλει να σου πει. Μπορεί να σε μπερδέψει τόσο πολύ, που να πιστέψεις ότι τρελάθηκες. Στην πραγματικότητα, όμως, αυτό ακριβώς προσπαθεί να κάνει· να μην τρελαθείς. Ξέρεις, Κασσάνδρα, η λογική από την τρέλα απέχουν μόλις ένα χιλιοστό. Εκεί βρίσκονται τα λεγόμενα ανθρώπινα όριά μας. Αρκεί να τα ξεπεράσεις, και να βρεθείς από το άσπρο στο μαύρο. Από το ζενίθ στο ναδίρ, από τον ουρανό στον πάτο.

»Και κάπου εκεί, προκειμένου να μη συμβεί αυτό, εμφανίζονται τα όνειρα σαν φύλακες της ψυχής και μας προειδοποιούν ότι κάτι δεν πάει καλά με μας. Θα σου δώσω ένα παράδειγμα για να καταλάβεις τι θέλω να πω. Ας υποθέσουμε πως εσύ, ως παντρεμένη γυναίκα και ερωτευμένη με τον άνδρα σου, έχεις γοητευτεί από κάποιον αρρενωπό και νέο ιερέα της ενορίας σου και αρχίζεις να νιώθεις ότι τον ερωτεύεσαι. Η λογική και οι αρχές σου, όμως, δε σου επιτρέπουν να αισθανθείς οτιδήποτε ερωτικό για εκείνον, πολύ δε περισσότερο γιατί είναι και ιερέας, παρά μόνο σεβασμό και φυσικά υποσυνείδητα αποκρούεις οποιαδήποτε έλξη. Και ένα βράδυ ονειρεύεσαι ότι συναντάς αυτό τον ιερέα τυχαία στο δρόμο, να κρατά μια χάρτινη σακούλα με ψωμιά. Εκείνος, αφού σε καλημερίζει φιλικά, ανοίγει τη σακούλα του και σου δίνει μια φραντζόλα και δυο μικρά καρβέλια και μετά φεύγει. Εσύ τι συμπέρασμα βγάζεις από αυτό το όνειρο;»

Η Κάσι την κοίταξε σαν χαμένη. «Εγώ; Δεν ξέρω, τι να πω. Μήπως ότι αυτός ο ιερέας νοιάζεται για το αν είμαι καλά ή αν έχω να φάω;»

«Οι περισσότεροι άνθρωποι θα υπέθεταν αυτό που είπες τώρα. Ότι ως άνθρωπος του Θεού μοιράζει ό,τι έχει στους συνανθρώπους του. Αυτό πιστεύεις κι εσύ».

«Μα αυτό είναι και το σωστό, έτσι δεν είναι;»

«Σωστό στον ξύπνο σου, όμως τα όνειρά σου άλλα θέλουν να σου πουν».

«Δηλαδή; Ότι δε νοιάζεται;»

«Εκείνος; Όχι, καθόλου. Εσύ είσαι εκείνη που νοιάζεται».

«Εγώ; Μα εγώ δεν του δίνω τίποτε. Εκείνος μου δίνει».

«Σου δίνει για να σε μπερδέψει. Η ηθική σου δε σου επιτρέπει να σκεφτείς διαφορετικά, όμως τα αρχέγονα ένστικτά σου το κάνουν ευχαρίστως».

«Και για ποιο πράγμα νοιάζομαι εγώ;»

«Χμ... Θα 'λεγα για το σεξουαλικό του όργανο».

«Τι; Κι από πού το συμπεραίνετε αυτό;»

«Από το ψωμί πού σου δίνει. Η ηθική σου σου απαγορεύει να το ποθείς σεξουαλικά. Για να μη σε σοκάρει, λοιπόν, χρησιμοποιεί το ψωμί, που είναι εντελώς αθώο. Τι σχήμα, όμως, έχει το ψωμί; Ο ιερέας σού δίνει ένα μακρόστενο ψωμί και δυο στρογγυλά ψωμάκια. Για βάλε τη φραντζόλα όρθια ανάμεσα από τα δύο καρβέλια... Τι σου θυμίζει;»

«Ένα πέος!» είπε σοκαρισμένη η Κάσι.

«Πολύ σωστά. Αυτό ακριβώς επιθυμείς από τον ιερέα· τη σεξουαλική ένωση μαζί του και όχι φυσικά το ψωμί».

«Αν είναι ποτέ δυνατόν!»

«Κι όμως, αγαπητή μου Κάσι, είναι. Αν οι άνθρωποι γνώριζαν να ερμηνεύουν τα όνειρά τους σωστά, πολλές απορίες τους θα ήταν τώρα λυμένες. Ωστόσο, η ερμηνεία των ονείρων δεν είναι εύκολη υπόθεση, όπως δεν είναι καθόλου εύκολη υπόθεση να καταδυθείς στην ψυχή ενός ανθρώπου, να βρεις και να βγάλεις ένα ένα τα αγκάθια από μέσα του».

Ένας μελωδικός ήχος σήμανε τη λήξη της συνεδρίας. «Τελειώσαμε για σήμερα», της είπε η ψυχαναλύτρια. «Θα μελετήσω προσεκτικά όσα μου είπες και θα σε δω σε τρεις μέρες. Θα ήθελα, τουλάχιστον για τον πρώτο μήνα, να σε βλέπω δύο φορές την εβδομάδα. Τι λες για Δευτέρα και Πέμπτη, πέντε με έξι το απόγευμα; Σε βολεύει;»

«Ναι, βέβαια. Δεν εργάζομαι και ο άνδρας μου λείπει εκείνες τις ώρες».

Η Κάσι έφυγε περισσότερο προβληματισμένη από πριν. Η ψυχαναλύτρια φαινόταν να ξέρει καλά τη δουλειά της. Αν ένα απλό όνειρο σαν αυτό με τον ιερέα έκρυβε ένα τόσο σκοτεινό σημείο πίσω του, τότε άραγε τι να έκρυβαν οι επαναλήψεις των δικών της ονείρων; Τι ήθελαν να της πουν αυτές οι γυναίκες που με τόση επιμονή εμφανίζονταν όλο και πιο συχνά στα όνειρά της; Τι μυστικά έκρυβε ο εγκέφαλός της και αρνιόταν να συνεχίσει τη συνεργασία μαζί της, βασανίζοντας την ψυχή της;

Βυθισμένη καθώς ήταν στις σκέψεις της δεν κατάλαβε ότι έτρεχε περισσότερο από το επιτρεπόμενο όριο. Ο ήχος της σειρήνας ενός περιπολικού πίσω της την ξάφνιασε. Άναψε τα αλάρμ και σταμάτησε στο δεξί μέρος του δρόμου. Το μόνο που μπορούσε να κάνει ήταν να χαμογελάσει όσο πιο γοητευτικά μπορούσε στον ένστολο άνδρα που την πλησίαζε.

Μπήκε στο σπίτι της με φόρα, ενώ το τηλέφωνο χτυπούσε δαιμονισμένα και ακουγόταν μέχρι έξω.

«Να πάρει η οργή, δεν είναι κανείς σ' αυτό το σπίτι;» φώναξε αρκετά εκνευρισμένη σηκώνοντας το ακουστικό.

«Οικία Πάλμερ, λέγεται, παρακαλώ».

«Όου, Κάσι, τι σου συμβαίνει; Βρήκες κανένα φίδι στο σπίτι σου;» ακούστηκε η κελαρυστή φωνή της Σάρον.

«Έφαγα κλήση, γαμώτο! Έτρεχα λες και με κυνηγούσαν διάολοι».

«Σιγά το πράγμα. Και γι' αυτό σκας, χρυσή μου; Είπα κι εγώ. Βέβαια, εσύ είσαι προσεκτική σ' αυτά. Πώς την πάτησες; Τέλος πάντων. Πώς σου φάνηκε η Τσάπμαν; Τι σου είπε;»

«Τι να μου πει η γυναίκα, Σάρον, από την πρώτη μέρα;»

«Δε σου είπε τίποτε; Δεν μπορεί...»

«Πώωως, μου είπε ότι αν δω στον ύπνο μου ιερέα να μου δίνει ψωμί, θέλω να με πηδήξει».

«Θεέ μου! Κάσι, τελευταία δε σε αναγνωρίζω. Μιλάς χυδαία. Νόμιζα ότι αυτό είναι αποκλειστικά δικό μου προνόμιο. Γενικά μέχρι πρόσφατα πίστευα ότι έχω αποκλειστικά προνόμια στη σχέση μας, αλλά δεν είμαι σίγουρη πλέον για τίποτε. Τι μου είπες ότι σου είπε για τον ιερέα; Δηλαδή, εγώ που είδα να μου δίνουν σοκολάτα είναι το ίδιο;»

«Εξαρτάται ποιος σου την έδωσε».

«Ένας αιωνόβιος παππούλης».

«Τότε αποκλείεται. Ο παππούλης μάλλον σοκολάτα ήθελε να σου δώσει. Και για να είμαστε ειλικρινείς, ακόμη και στον ύπνο σου το μόνο που θέλεις να κάνεις είναι να τρως».

«Μου φαίνεται ότι γίνεσαι κακιά τώρα...»

«Δε μου λες, δεν έρχεσαι καλύτερα από δω να τα πούμε από κοντά; Θα ετοιμάσω ένα ελαφρύ γεύμα».

«Οκέι, έχεις δίκιο. Νομίζω ότι θα είναι καλύτερα να τα πούμε από κοντά».

Η Γιολάντα μπήκε στο σαλόνι και κοίταξε έκπληκτη την κυρά της. «Α, σενιόρα, πότε ήρθατε; Δε σας περίμενα τόσο νωρίς.

Είπατε ότι θα αργούσατε στα ψώνια. Ήμουν έξω στον κήπο και έλεγα του κηπουρού να αντικαταστήσει ένα φυτό που δε φαινόταν στα καλά του. Πεινάτε; Να ετοιμάσω κάτι;» «Ναι, να ετοιμάσεις κάτι ελαφρύ. Θα έρθει η κυρία Σάρον». «Να κάνω κάτι ελληνικό;» «Όχι, να ετοιμάσεις κάτι αμερικάνικο ή μεξικάνικο ή κινέζικο. Οτιδήποτε άλλο εκτός από ελληνικό».

Η Κάσι πέταξε με οργή την τελευταία λέξη και ανέβηκε τις σκάλες σχεδόν τρέχοντας. Η Γιολάντα την κοίταξε ακόμη μια φορά απορημένη. Όσο περνούσε ο καιρός, τόσο και πιο περίεργη γινόταν. Σίγουρα τελευταία τα πραγματα δεν πήγαιναν καλά για τους Πάλμερ μετά το σκάνδαλο που ξέσπασε με εκείνη την ηθοποιό, και σίγουρα η όλη κατάσταση είχε επηρεάσει όλους πολύ. Κούνησε το κεφάλι και αναστενάζοντας τράβηξε για την κουζίνα. Το καλύτερο που είχε να κάνει ήταν να παριστάνει ότι δεν πρόσεχε τίποτε. Ευτυχώς που θα ερχόταν η κυρία Σάρον. Τη συμπαθούσε πολύ. Ήταν η μόνη που μπορούσε να κάνει την κυρά της να χαμογελάει. Και ο κύριος Άλεξ.

Δυόμισι εβδομάδες μετά, ήδη βρισκόταν στην πέμπτη συνεδρία και η δόκτωρ Τσάπμαν δεν της είχε δώσει ακόμη μια σαφή εξήγηση. Το αντίθετο, φαινόταν και η ίδια προβληματισμένη. Η Κάσι περίμενε ανυπόμονα αυτή τη συνάντηση. Η ψυχαναλύτριά της είχε πει ότι υποψιαζόταν κάτι και ότι ίσως χρειαζόταν να προχωρήσουν σε μια άλλη μέθοδο προτού βγάλει το τελικό της πόρισμα.

Η δόκτωρ Τσάπμαν μπήκε μέσα χαμογελαστή και χαλαρή, όπως πάντα.

«Καλημέρα, Κασσάντρα. Λοιπόν, πώς είσαι σήμερα; Κοιμήθηκες καλά;»

«Η αλήθεια είναι ότι κοιμάμαι λίγο καλύτερα και, το κυριότερο, ότι από τότε που ξεκινήσαμε τις συνεδρίες δεν έχω δει κάποια από αυτά τα περίεργα όνειρά μου».

«Συμβαίνει γιατί μαζί μου νιώθεις περισσότερο ασφαλής τώρα. Το πιθανότερο όμως είναι να αρχίσουν πάλι, και ίσως πιο ζωηρά, αν σταματήσεις τις συνεδρίες και δεν έχουμε δώσει απαντήσεις. Ήδη αυτή η υδροφοβία που είχες με έβαλε σε υποψίες, γι' αυτό αποφάσισα να σου ζητήσω να κάνουμε κάτι άλλο. Βάσει των εμπειριών μου ως ψυχοθεραπεύτρια, υποψιάζομαι, μια και δεν έχω κάποιες κλινικές ενδείξεις ψυχικής νόσου, ότι το δικό σου πρόβλημα έγκειται στο παρελθόν σου, το οποίο μπορεί και να είναι πολύ μακρινό. Μάλλον εκεί θα πρέπει να φθάσουμε».

«Δηλαδή; Τι θέλετε να πείτε; Νομίζω ότι σας τα είπα όλα για τα παιδικά μου χρόνια».

«Χμ... Θα πρέπει να πάμε πολύ πιο πίσω από αυτά».

Η Κάσι την κοίταξε πραγματικά μπερδεμένη.

«Θέλω να πω, και δεν είναι η πρώτη φορά που το αντιμετωπίζω, ότι σε κάποιους πολύ ιδιαίτερους ανθρώπους που βίωσαν έντονες συγκινήσεις μπορεί να υπάρχουν αναμνήσεις από την προηγούμενη ή τις προηγούμενες ζωές τους στο σήμερα».

«Δεν καταλαβαίνω, δόκτωρ Τσάπμαν...»

«Αγαπητή μου Κασσάνδρα, είναι πολύ απλό. Αυτό που βλέπουμε εσύ κι εγώ τώρα, δηλαδή το παρόν μας, δεν είναι παρά μια αντανάκλαση του παρελθόντος μας, από το οποίο συνήθως δεν έχουμε καμία ανάμνηση. Εκτός από κάποιες εξαιρέσεις, όπως στη δική σου περίπτωση».

«Εξακολουθώ να μην καταλαβαίνω».

«Κασσάνδρα, η γυναίκα που είσαι τώρα λέγεται Πάλμερ και είναι γυναίκα γιατρού στην Αμερική του 2005. Δεν είσαι όμως μόνο σάρκα και οστά. Είσαι και ψυχή. Και η ψυχή δεν έχει ηλικία, όπως συμβαίνει με το σώμα μας. Είναι αθάνατη. Πολύ απλά θέλω να πω ότι πριν από κυρία Πάλμερ ήσουν ένας άλλος άνθρωπος, άνδρας ή γυναίκα, δεν έχει σημασία, και ότι αυτό θα ψάξουμε να βρούμε. Ποια ή ποιος ήσουν...»

Η Κάσι κοίταξε κατάπληκτη την ψυχαναλύτρια. Αν δεν είχε δει τα διπλώματά της στον τοίχο και αν δεν της τη συνέστηνε η φίλη της, θα ορκιζόταν πως βρισκόταν στο ιατρείο ενός τσαρλατάνου. Τι ήταν πάλι αυτό; Τι προσπαθούσε να της πει;

Η Τσάπμαν χαμογέλασε καθησυχαστικά. «Το ξέρω ότι έχεις εκπλαγεί, όμως έτσι είναι τα πράγματα. Εσύ, εγώ, όλοι μας δεν έχουμε έρθει στη ζωή μόνο μία φορά, αλλά πολλές. Στην ουσία, ενώ η ψυχή μας παραμένει άφθαρτη στο χρόνο, το σώμα μας κάνει τον κύκλο του και επανέρχεται, για να πάρει απαντήσεις και να μάθει όσα δεν πρόλαβε να μάθει πριν. Φεύγοντας, ό,τι έζησε λησμονείται, όμως η εμπειρία της γνώσης παραμένει και μας ακολουθεί, κάνοντας κάποιους ανθρώπους σοφότερους από κάποιους άλλους. Θέλεις να μάθεις ποια ήσουν και τι σου συνέβη; Θέλεις να μάθεις γιατί φοβόσουν τόσο πολύ το νερό; Θέλεις να μάθεις ποιο είναι αυτό το κορίτσι με τα κόκκινα μαλλιά που υποφέρει τόσο και ποια η ξανθιά κοπέλα που σπαράζει στο κλάμα όπως περιγράφεις;»

«Και μπορεί να γίνει αυτό;»

«Ναι, θα κάνουμε αναδρομή».

«Αναδρομή;»

«Θα σε μεταφέρω πίσω στο χρόνο. Είναι ακίνδυνο και ανώδυνο. Αλλά θα πάρουμε τις απαντήσεις που θέλουμε. Διαφορετικά χάνουμε το χρόνο μας».

«Και πότε πρέπει να γίνει αυτό;»

«Όταν θα είσαι εσύ έτοιμη. Όταν μου πεις το ναι».

«Δεν ξέρω... Δεν ξέρω, δόκτωρ Τσάπμαν».

Το κορμί της βάραινε ολοένα και περισσότερο. Τα βρεγμένα ρούχα της βάραιναν κι αυτά. Η παγωνιά ήταν αφόρητη. Μπορούσε να νιώσει την παγωμένη ανάσα της να βγαίνει με κόπο. Ανέπνεε με δυσκολία και η καρδιά της χτυπούσε όλο και πιο αργά, πιο επώδυνα. Μυριάδες βελόνες τρυπούσαν το σώμα της παντού και το μούδιαζαν. Μάταια προσπαθούσε να κρατηθεί από κάπου. Τα χέρια της δεν την υπάκουαν πια. Ύστερα άρχισε να βυθίζεται αργά. Αργά... αργά... ώσπου το κεφάλι της καλύφθηκε από νερό. Και τότε είδε εκείνο το όμορφο ανδρικό πρόσωπο με τα γαλάζια μάτια να την κοιτούν κατάματα. Πήγε να του μιλήσει, όμως δεν μπορούσε να ανοίξει το στόμα της. Κι εκείνος την κοίταζε καθώς βυθιζόταν όλο και πιο πολύ στο σκοτάδι.

Η Κάσι άνοιξε τα μάτια της τρομαγμένη. Δυο δάκρυα αγωνίας κύλησαν στα μάγουλά της, ενώ η καρδιά της χτυπούσε ανεξέλεγκτα, τόσο που μπορούσε να ακούσει τον ήχο της. Προσπάθησε να κινηθεί, όμως δεν μπορούσε. Προσπάθησε να μιλήσει, όμως δεν ήταν σε θέση να επιβληθεί στα χείλη της. Μπορούσε όμως να ακούσει καθαρά το ρυθμικό ροχαλητό του Σταν που κοιμόταν δίπλα της. Ήταν ζωντανή; Ήταν νεκρή; Νεκροζώντανη;

Της πήρε κάποια λεπτά ώσπου να μπορέσει να κινηθεί. Όταν το κατόρθωσε, σύρθηκε στο μπάνιο και έριξε νερό στο πανιασμένο πρόσωπό της. Ήταν ανώφελο να ξυπνήσει τον άνδρα της. Να του πει τι; Ότι είχε πάλι εφιάλτες; Όχι, δεν πήγαινε άλλο. Αύριο κιόλας θα ειδοποιούσε τη δόκτορα Τσάπμαν πως ήθελε να κάνει αναδρομή. Αύριο κιόλας. Έπρεπε να μάθει ποιες ήταν επιτέλους αυτές οι γυναίκες. Θα ζητούσε από τη Σάρον να είναι πλάι της. Ήταν η μόνη που γνώριζε τα πάντα, η μόνη που μπορούσε να εμπιστευτεί, η μόνη που την κάλυπτε ότι τάχα ήταν μαζί της για φαγητό ή ψώνια ή στο γυμναστήριο, όταν πήγαινε στις συνεδρίες. Η κατάσταση στην οικογένειά της εξακολουθούσε να παραμένει τεταμένη, μόνο που τώρα η Κάσι, όπως και στο παρελθόν, έγινε πάλι ο στυλοβάτης της οικογένειας.

Προς το παρόν ο δικηγόρος τους βρισκόταν σε διαπραγματεύσεις με το δικηγόρο της Μακ Στίβενς. Το μόνο ενθαρρυντικό της υπόθεσης ήταν ότι η ηθοποιός αρνιόταν πεισματικά να φωτογραφηθεί και να παραδώσει τις φωτογραφίες της στο δικηγόρο της, ώστε να εξεταστεί από ειδικούς η έκταση της ζημιάς που είχε προκληθεί από την επέμβαση. Κλεισμένη στην έπαυλή της και με τη δικαιολογία ψυχολογικών προβλημάτων, είχε εξαφανιστεί από προσώπου γης και μάταια οι παπαράτσι καραδοκούσαν με τις ώρες απ' έξω για ένα και μόνο κλικ. Ένα κλικ που θα χρυσοπλήρωνε οποιοδήποτε έντυπο, προκειμένου να έχει την αποκλειστικότητα.

Η Μακ Στίβενς προσπαθούσε να αποζημιωθεί, χωρίς όμως να είναι υποχρεωμένη να εμφανιστεί στο δικαστήριο. Και αυτό καθυστερούσε την εξέλιξη της υπόθεσης. Στο μεταξύ, οι κίτρινες φυλλάδες οργίαζαν, μιλώντας για ολική παραμόρφωση της ηθοποιού, λέγοντας πως είχε μετατραπεί σε ένα τέρας, ενώ συγχρόνως υπήρχαν και φήμες πως είχε φύγει στο εξωτερικό όπου κυκλοφορούσε μεταμφιεσμένη. Στην έπαυλή της, οι μόνοι που μπαινόβγαιναν ήταν ο δικηγόρος της, τα παιδιά της, ο πρώην σύζυγός της, ο γιατρός της, οι γονείς της.

Κι όταν κατάλαβαν ότι δεν μπορούν να έχουν φωτογραφίες της Μακ Στίβενς, έβαλαν στο στόχαστρο τον Άλεξ Πάλμερ. Η Κάσι έμαθε από τον Τύπο για το χωρισμό του γιου της με την Νταϊάν και την απόλυσή του από το σίριαλ με πλάγιο τρόπο. Αντιλαμβανόταν πως ο Άλεξ άδικα πλήρωνε τους κανόνες ενός συστήματος, που όσο λαμπερό φαινόταν, τόσο σάπιο ήταν στην πραγματικότητα. Ποτέ της δε συμπάθησε την ιδέα να είναι εκτεθειμένη η προσωπική της ζωή, όμως για χάρη του άνδρα της μπήκε στο παιχνίδι της δημοσιότητας και της προώθησης του ονόματός τους και άρχισε να συναναστρέφεται με όλους εκείνους που θεωρούνται σπουδαίοι και μοναδικοί, ώσπου έγινε εκλεκτό μέλος αυτού του κύκλου.

Ναι, ήταν το εκλεκτό μέλος μιας παρέας, όπου κάποιοι θα πουλούσαν ευχαρίστως και το τομάρι τους προκειμένου να είναι καλεσμένοι σε ένα από τα κοσμικά πάρτι τους. Και τώρα, στα δύσκολα, όλοι είχαν εξαφανιστεί. Αρκούσε ένας υποτιμητικός τίτλος σε μια κιτρινοφυλλάδα για να αμαυρώσει το όνομά σου και για να πάψεις να υπάρχεις. Ήταν απίστευτο πόσο σκληρός ήταν ο κόσμος στο Χόλιγουντ. Παραδόξως, όμως, αυτή η συμπεριφορά την έκανε να νιώσει περισσότερο δυνατή από ποτέ. Θα έκανε αυτή την καταραμένη αναδρομή και, μόλις έπαιρνε τις απαντήσεις που ήθελε, ίσως να λυτρωνόταν απ' ό,τι τη βάραινε. Η αγάπη της για το γιο της καθώς και όλα αυτά που είχε υποστεί την όπλιζαν με αντοχή ενάντια στην επιθυμία της να τηλεφωνήσει στον Ορέστη και να του ζητήσει συγγνώμη. Υπήρξαν κάποιες φορές που παραλίγο και θα καλούσε το νούμερό του. Και παρότι το είχε διαγράψει, εκείνο είχε αγκιστρωθεί σ' ένα νευρώνα του μυαλού της και δεν έφευγε με τίποτε. Το ίδιο και η εικόνα του· πεντακάθαρη και ζωντανή, σαν να τον είχε μπροστά της. Μερικές φορές, εκεί που έβλεπε τηλεόραση ή έτρωγε με την οικογένειά της, τον ένιωθε να διασχίζει το δωμάτιο και μετά τον έβλεπε απέναντί της να την κοιτάζει σιωπηλός. Και τότε πάγωνε ολόκληρη, ήθελε να ουρλιάξει, να σηκωθεί και να τον χτυπήσει που δεν την άφηνε στην ησυχία της, όμως εκείνος χανόταν, έτσι όπως είχε εμφανιστεί ξαφνικά.

Η δόκτωρ Τσάπμαν της είπε να ξαπλώσει και να χαλαρώσει.

Είχε στήσει μια βιντεοκάμερα απέναντί της για να μαγνητο-σκοπήσει την αναδρομή και τράβηξε τις βαριές κουρτίνες. Το δωμάτιο φωτιζόταν τώρα μόνο από το φως που έβγαζε ο πίνα-κας-ενυδρείο ακριβώς απέναντί της. Η ψυχαναλύτρια δεν είχε κλείσει κανένα άλλο ραντεβού, για να ασχοληθεί αποκλειστι-κά μόνο μαζί της. Ακόμη και η χαμογελαστή βοηθός της απου-σίαζε. Η Σάρον στεκόταν δίπλα της, το ίδιο ανήσυχη με την Κά-σι. Μόνο η ψυχαναλύτρια φαινόταν χαλαρωμένη. Κάθισε στην καρέκλα δίπλα στη φίλη της, της έπιασε το ένα χέρι και το κρά-τησε ανάμεσα στα δικά της, χαϊδεύοντάς το απαλά. Αμέσως έκανε νόημα στη Σάρον κι εκείνη άναψε το επιδαπέδιο φωτι-στικό που ήταν πλάι της. Ένα αχνό κιτρινωπό φως ξεχύθηκε και γαλήνεψε τα πρόσωπα. Η Κάσι κοίταξε το ταβάνι, ενώ η καρ-διά της χτυπούσε μανιασμένα. Η Σάρον έσφιξε δυνατά τα χεί-λη της, νιώθοντας τελείως άβολα. Η ψυχαναλύτρια πάτησε στην κάμερα το on. Στη συνέχεια πήρε ένα σημειωματάριο και ένα στιλό για να σημειώνει.

«Είμαστε έτοιμοι για το ταξίδι μας; Είσπνευσε βαθιά τρεις φορές από τη μύτη, κράτα λίγο την ανάσα σου και μετά έκπνευ-σε από το στόμα», της είπε ήρεμα.

Η Κάσι υπάκουσε αμέσως.

«Νιώθεις να χαλαρώνεις... να χαλαρώνεις... να χαλαρώ-νεις...»

Η Κάσι ένιωσε τους χτύπους της καρδιάς της να ηρεμούν και ένας αναστεναγμός ξέφυγε άθελά της από τα χείλη της.

«Τώρα νιώθεις να βαραίνεις... να βαραίνεις... να βαραί-νεις... Τα μάτια σου σφαλίζουν... Θέλεις να κοιμηθείς... να κοι-μηθείς...»

Η Κάσι ένιωσε να την κατακλύζει μια γλυκιά κούραση και τα βλέφαρά της να βαραίνουν και να σφαλίζουν τα μάτια της.

«Τώρα κοιμάσαι... κοιμάσαι... κοιμάσαι...»

Η Κάσι άρχισε να νιώθει το σώμα της πιο ελαφρύ, σαν να αιωρούνταν κάπου. Όχι, δεν ήταν καθόλου δυσάρεστο. Ήθελε απλώς να κοιμηθεί... να κοιμηθεί... Ήταν τόσο μα τόσο κουρασμένη.

«Κασσάντρα, είσαι έτοιμη για το ταξίδι σου; Θα σου κάνω ερωτήσεις κι εσύ θα μου λες ό,τι βλέπεις. Θα είμαι πάντα δίπλα σου. Δε θα κινδυνέψεις από τίποτε. Μη φοβάσαι. Μόλις ακούσεις ένα, δύο, τρία, θα ξεκινήσεις. Θα πας πίσω, πολύ πίσω, στη γέννησή σου, και μετά ακόμη πιο πίσω. Όταν θα ακούσεις ξανά ένα, δύο, τρία, θα αρχίσεις να επιστρέφεις και θα επανέλθεις. Με ακούς;»

«Ναι».

«Λοιπόν, ένα, δύο, τρία. Τώρα ξεκίνησες».

Τα χέρια της Κάσι έπεσαν βαριά στα πλάγια και η ανάσα της μόλις που ακουγόταν. Η Σάρον κοίταξε την ψυχαναλύτρια με αγωνία κι εκείνη με το βλέμμα της την καθησύχασε.

«Κασσάντρα, μ' ακούς;»

«Ναι», αποκρίθηκε εκείνη σχεδόν ψιθυριστά.

«Πού βρίσκεσαι τώρα;»

Η Κάσι έσκασε ένα γουργουρητό και μετά άρχισε να γελάει: «Χα χα χα χα!»

«Γιατί γελάς;»

«Ο μπαμπάς... με ψάχνει μέσα στο ρέστοραν. Παίζουμε κρυφτό... Χα χα χα! Δεν μπορεί να με βρει...»

«Πόσων χρόνων είσαι;»

«Πέντε...»

«Ωραία. Φεύγεις από εκεί... Τι βλέπεις τώρα;»

«Στο σπίτι μας... με τα αδέλφια μου... στην πισίνα».

«Είσαι μέσα στην πισίνα;»

«Όχι, έξω είμαι... Τη φοβάμαι την πισίνα...»

«Πόσων χρόνων είσαι;»

«Δεκαπέντε...»

«Γιατί τη φοβάσαι την πισίνα;»

«Το νερό... είναι βαθιά... με τρομάζει το νερό...»

«Γιατί σε τρομάζει;»

«Δεν ξέρω...»

«Φύγε από κει και πήγαινε ακόμη πιο πίσω. Τι βλέπεις τώρα;»

«...»

«Πού είσαι, Κασσάντρα;»

«...»

«Προχώρησε κι άλλο... Τι βλέπεις τώρα; Πού βρίσκεσαι;»

«Έξω από το σπίτι μας... μαζί με το σκύλο μου...» Η φωνή της τώρα ήταν περίεργη, διαφορετική.

«Σκύλο; Έχεις σκύλο;»

«Ναι... τον Λοστ... Τον αγαπώ πολύ...»

Η Σάρον κοίταξε την ψυχαναλύτρια κατάπληκτη. «Δεν έχει σκύλο, γάτα έχει. Μόλι τη λένε», της είπε ψιθυριστά. Η Τσάπμαν χαμογέλασε.

«Πού είναι το σπίτι σου;»

«Στο... Μαλαχάιντ... ναι, Μαλαχάιντ».

«Πού βρίσκεται αυτό;»

«Στην Ιρλανδία...»

«Πώς λέγεσαι και πόσων χρόνων είσαι;»

«Με λένε... με λένε Κάρολ Ο' Κόνορ... και είμαι δέκα χρόνων...» Η φωνή της ακούστηκε ψιλή, παιδική, με έντονη ιρλανδέζικη προφορά.

Η Σάρον έβαλε το χέρι στο στόμα της, προσπαθώντας να συγκρατήσει μια κραυγή έκπληξης. Τα μάτια της ήταν ορθάνοιχτα.

«Μήπως γνωρίζεις τι έτος είναι;»

«Ο μπαμπάς λέει ότι του χρόνου, το 1902, θα είναι καλύτερη χρονιά».

«Είσαι μόνη σου;»

«Όχι, είμαστε όλοι μαζί... Η μαμά μου... ο Τίμοθι... ο Ρόμπιν... ο Τόμι».

«Ποιοι είναι αυτοί;»

«Τα αδέλφια μου... Ο Τίμοθι θέλει να γίνει γιατρός... Τον αγαπώ πολύ τον Τίμοθι...»

«Τώρα προχωράς κι άλλο. Τι βλέπεις;»

«Ομίχλη... πολλή ομίχλη...»

«Και πού είσαι;»

«Είμαι... έξω από το καπελάδικο... σ' ένα δρόμο». Η φωνή της ακουγόταν λίγο πιο βαριά τώρα, αλλά πάντα με έντονη ιρλανδέζικη προφορά.

«Δρόμο; Έχει διεύθυνση; Γράφει κάπου τη διεύθυνση;»

«Ναι... λέγεται... Μποντ Στριτ...»

«Και σε ποια πόλη βρίσκεται;»

«Στο Λονδίνο... Δουλεύω στο καπελάδικο της κυρίας Έμα Μίλερ...»

«Υπάρχει καθρέφτης στο δωμάτιο;»

«Ναι, τώρα βλέπω έναν...»

«Πλησίασε και πες μου τι βλέπεις».

«Βλέπω... ένα κορίτσι.... με κόκκινα μακριά μαλλιά... και πράσινα μάτια. Είναι... πολύ όμορφη...»

«Φύγε από κει ... Τώρα τι βλέπεις;»

Η Κάσι τώρα χαμογέλασε. «Παντρεύομαι... Ναι... φοράω νυφικό... Ο άνδρας μου... Ω, Θεέ μου, είναι τόσο όμορφος ο Τζόνι...» Η φωνή της ακούστηκε χαρούμενη.

«Πώς είναι ο άνδρας σου και πώς τον λένε;»

«Είναι ψηλός... με ξανθά μαλλιά... και τον λένε... Τζον Μπά-ριμορ...»

«Αγαπιέστε;»

«Πολύ... Ο Τζόνι είναι η ζωή μου...»

«Φεύγεις από κει και προχωράς κι άλλο πίσω. Τι βλέπεις τώρα;»

Ένας λυγμός ακούστηκε ενώ τα χέρια της σύρθηκαν στην κοιλιά της.

«Τι είναι, Κάρολ; Τι συμβαίνει; Γιατί κλαις;»

«Βουλιάζουμε...»

«Πού βρίσκεσαι;»

«Ταξιδεύουμε με τον Τζόνι... Πηγαίνουμε στην Αμερική... Το πλοίο μας... Θεέ μου, το πλοίο μας χτύπησε σε παγόβουνο... Μπήκαν νερά... Το πλοίο βουλιάζει... το παιδί μας...»

«Έχεις παιδί;»

Από τα κλειστά μάτια της ξέφυγαν τώρα δάκρυα. Η Σάρον, που τα είχε χάσει στην κυριολεξία, βούρκωσε απότομα κι εκείνη.

«Είμαι έγκυος... τριών μηνών... Το φόρεμα... μη χάσω τα σκουλαρίκια...» Η φωνή της φανέρωνε αγωνία.

«Για ποιο φόρεμα μιλάς;»

«Αυτό... που μου έκανε δώρο ο Τζόνι...»

«Πώς είναι αυτό το φόρεμα;»

«Είναι από πράσινο βελούδο με κίτρινες κορδέλες... ασορτί με τα χρυσά σκουλαρίκια της μαμάς με τις κίτρινες πέτρες... Δεν πρέπει να τα χάσω...»

Η Σάρον και η ψυχαναλύτρια κοιτάχτηκαν. Το φόρεμα αυτό τους το είχε περιγράψει έτσι ακριβώς η Κάσι.

«Πες μου τι μέρα είναι, ποιας χρονιάς;»

«Είναι... 15 Απριλίου 1912...»

«Είναι μέρα;»

«Μπρρρρρ... Όχι, βράδυ... μπρρρρρ... είναι σκοτεινά».

Τα δόντια της Κάσι άρχισαν να κροταλίζουν κι εκείνη έσυρε τα χέρια της γύρω από τα μπράτσα της.

«Τι συμβαίνει, Κάρολ; Γιατί τρέμεις;»

«Είμαστε μέσα στο νερό... Ω, Θεέ μου, κάνει ανυπόφορο κρύο... Μπρρρρρ... κρυώνω... κρυώνω πολύ... Φοβάμαι... φοβάμαι το νερό... Φοβάμαι τον ωκεανό... Είναι σκοτάδι... Τζόνι... Τζόνι... Όχι... μη μ' αφήνεις... Όχι...»

Η φωνή της αγρίεψε ακόμη περισσότερο.

«Φύγε αμέσως από εκεί. Τώρα! Φύγε και πήγαινε πίσω. Πολύ πιο πίσω».

Το πρόσωπο της Κάσι γαλήνεψε απότομα, κάνοντας τη Σάρον, που είχε πανικοβληθεί, να βρει την ανάσα της.

«Τι βλέπεις τώρα;»

«Δέντρα... λουλούδια... Κάνει ζέστη... είναι υπέροχα».

«Και πού είσαι;»

«Στο μικρό ποταμάκι... δίπλα στη θερινή μας κατοικία...»

«Και πού βρίσκεται αυτό το μέρος;»

«Στο... Άντιο...»

«Πού είναι αυτό;»

«Έξω... από τη Ρώμη...»

«Ρώμη; Την πρωτεύουσα της Ιταλίας;»

«Ρώμη... την πρωτεύουσα της Ρωμαϊκής Αυτοκρατορίας...»

«Και ποιο έτος είναι;»

«Το έτος... του αυτοκράτορα όλων των Ρωμαίων, Γάιου Καίσαρα Γερμανικού...»

«Πώς λέγεσαι;»

«Είμαι η πατρικία Λυβία και... είμαι η κόρη... του πατρίκιου Γάλβα Κάσσιου Λέπιδου...»

«Μπορείς να δεις το πρόσωπό σου στο ποτάμι και να μου το περιγράψεις;»

«Τα μάτια μου... έχουν το χρώμα του ανέφελου ουρανού και τα μαλλιά μου το χρώμα από μεστωμένα στάχυα...»

«Ξανθά...» πετάχτηκε η Σάρον, όμως η ψυχαναλύτρια της έκανε νόημα να μη μιλήσει.

«Και τώρα προχωράς. Τι βλέπεις;»

«Άνθρωποι... Άνθρωποι...»

«Πού βρίσκεσαι;»

«Στο φόρουμ... στη Ρώμη... κοντά στην πύλη Καπίνη...»

«Τι είναι το φόρουμ;»

«Είναι... είναι αγορά... μπροστά από τη Σύγκλητο...»

«Και τι κάνεις εκεί;»

«Περιμένω... τον πραιτοριανό Μάρκελλο Μαξέντιο Δομιτιανό να γυρίσει από το παλάτι... Ανησυχώ πολύ...»

«Ποιος είναι ο Μάρκελλος Μαξέντιος;»

«Είναι ο άνδρας μου... Νυμφευθήκαμε πριν από τρία γεμάτα φεγγάρια...»

«Τον αγαπάς;»

«Πιο πολύ κι από τη ζωή μου... Φοβάμαι όμως...»

«Ποιον φοβάσαι;»

«Τον αυτοκράτορα...»

«Γιατί;»

«Γιατί ο αυτοκράτορας είναι τρελός... Κατηγορεί όλους για συνωμότες... Πιστεύει ότι θέλουν να τον δολοφονήσουν... Κάνει φρικτά πραγματα. Λίγο μετά το γάμο μας... δολοφόνησε την αδελφή του, τη Δρουσίλλα, που ήταν ερωμένη του... Έχρισε το άλογό του μέλος της Συγκλήτου... Είναι φρικτός... Είναι επικίνδυνος... Φοβάμαι για τη ζωή του Μάρκελλου... Είναι αξιωματικός της πραιτοριανής φρουράς και προσωπικός φίλος του Κάσσιου Χεραία...»

«Τι είναι η πραιτοριανή φρουρά;»

«Η προσωπική φρουρά του Καίσαρα...»

«Θέλει ο Μάρκελλος να δολοφονήσει τον Καίσαρα;»

«Όχι... Ο Μάρκελλος έχει δώσει όρκο πίστης και υποταγής στον αυτοκράτορα... και δε θα το κάνει ποτέ... Δεν είναι όμως αυτός ο πραγματικός λόγος...»

«Ποιος είναι;»

«Ο αυτοκράτορας... θέλει τώρα τον Μάρκελλο στο κρεβάτι του... εραστή του... να συμμετέχει στα όργια που γίνονται στο παλάτι... Είναι ένας παρανοϊκός... είναι δολοφόνος...»

Η Κάσι άρχισε πάλι να κλαίει.

«Φύγε, φύγε από εκεί. Τι βλέπεις;»

Η Κάσι έμεινε ακίνητη. Φαινόταν ταραγμένη. Τα χείλη της άρχισαν να τρέμουν.

«Πού είσαι τώρα; Τι βλέπεις;»

«Eum relinquite!... Non!...»[1] ούρλιαξε τώρα δυνατά. «Eum relinquite! Marcelle... Marcelle... Ei subveni... Cassie... Cassie...»[2]

Το πρόσωπο της Κάσι είχε πανιάσει. Χτυπούσε στον αέρα της γροθιές της με δύναμη και σχεδόν ούρλιαζε.

«Θεέ μου!» είπε η Σάρον τρομαγμένη. «Μα τι λέει; Τι λέξεις είναι αυτές; Δεν καταλαβαίνω τίποτε».

«Non!... Non!... Is nemini detrimentum attulit... Is innocens est. Ααααααααααα».[3]

Η ψυχαναλύτρια έπιασε την Κάσι από τους ώμους και κοίταξε ανήσυχη τη Σάρον.

«Είναι μάλλον λατινικά η γλώσσα αυτή. Δεν είμαι όμως σίγουρη».

---

1. «Αφήστε τον!... Όχι!...»
2. «Αφήστε τον! Μάρκελλε... Μάρκελλε... Βοήθησέ τον... Κάσσιε... Κάσσιε...»
3. «Όχι!... Όχι!... Δεν πείραξε κανένα... Είναι αθώος. Ααααααααααα».

Η Κάσι άρχισε να συσπάται ακόμη πιο δυνατά.

«He eum interficiunt... He eum interficiunt... Noooon!...
Noooon!...»[4]

Τα δάκρυα άρχισαν να τρέχουν ποτάμι. Η Κάσι χτυπούσε τις γροθιές της στον αέρα και έκλαιγε τώρα δυνατά. Η Σάρον είχε αρχίσει να τρέμει κι εκείνη σύγκορμη. Η ψυχαναλύτρια φάνηκε να ανησυχεί για πρώτη φορά.

«Insidiatores... Insidiatores...»[5] ούρλιαξε με δύναμη.

«Φύγε τώρα από κει», την πρόσταξε. «Πού είσαι τώρα;»

Το πρόσωπο της Κάσι ηρέμησε κάπως.

«Στο Άντιο... Μπαίνω στο ποτάμι...»

«Θα κάνεις μπάνιο; Κολυμπούν εκεί;»

«Δεν ξέρω να κολυμπώ...»

Η Σάρον κοίταξε ανήσυχη την ψυχοθεραπεύτρια.

«Τότε γιατί είσαι στο ποτάμι; Τι γυρεύεις εκεί;»

«Πονάω πολύ... δεν αντέχω να ζω χωρίς τον άνδρα μου... Είναι μερόνυχτα τώρα που δεν μπορώ να κοιμηθώ... Θέλω να τον συναντήσω...»

Ξαφνικά το πρόσωπο της Κασσάνδρας άρχισε να κοκκινίζει κι εκείνη σταμάτησε να αναπνέει.

«Για όνομα του Θεού, πνίγεται! Ξύπνα την! Ξύπνα την!» είπε τρομαγμένη η Σάρον.

«Κασσάντρα, θα ακούσεις το τρία και θα ξυπνήσεις. Εντάξει; Στο τρία. Ένα, δύο, τρία», είπε δυνατά.

Η Κάσι κούνησε πέρα-δώθε το κεφάλι της.

«Κάσι, μας ακούς;» ρώτησε η Σάρον φοβισμένη.

Τα μάτια της άνοιξαν αργά, πλημμυρισμένα από δάκρυα. Κοί-

---

4. «Τον σκοτώνουν... Τον σκοτώνουν... Όχιιιι!... Όχιιιι!...»
5. «Δολοφόνοιοιοιοιοι... Δολοφόνοιοιοιοιοι...» ούρλιαξε με δύναμη.

ταξε τις δύο γυναίκες σαν χαμένη, προσπαθώντας να συνειδη
τοποιήσει πού βρίσκεται και τι της συμβαίνει.

«Σάρον... Τι συνέβη; Μα τι στο καλό... έκλαιγα;»

«Ησύχασε, καλή μου, και τώρα όλα είναι εντάξει».

«Μα γιατί έκλαιγα, δόκτωρ Τσάπμαν;»

«Προς το παρόν να συνέλθεις πρώτα και θα τα πούμε», απο
κρίθηκε εκείνη ενώ τραβούσε τις κουρτίνες. Έξω είχε αρχίσει να
σκοτεινιάζει. Η ώρα πλησίαζε οκτώ και κανένας δεν είχε πάρει
είδηση πώς πέρασαν τόσο γρήγορα σχεδόν δύο ώρες. Όταν η
Κάσι συνήλθε αρκετά, η ψυχοθεραπεύτρια κάθισε στο γραφείο
της απέναντι από τις δύο γυναίκες. «Θέλω τώρα να πας στο σπί
τι σου και να ξεκουραστείς. Εγώ θα μελετήσω προσεκτικά όλα
αυτά που είπες και θα ζητήσω και τη βοήθεια κάποιου λατινιστή
που γνωρίζω να μου εξηγήσει τα λατινικά».

«Λατινικά; Μίλησα εγώ λατινικά;»

«Ναι, πρέπει να είναι η γλώσσα που μιλούσαν στην αρχαία
Ρώμη».

Η Σάρον κούνησε καταφατικά το κεφάλι. Η δόκτωρ Τσάπ
μαν συνέχισε.

«Τώρα είσαι ακόμη υπό την επήρεια της ύπνωσης. Χρειάζε
σαι ξεκούραση. Σε δύο μέρες θέλω να είσαι εδώ και θα σου εξη
γήσω κάποια πράγματα».

Δύο μέρες αργότερα η Κάσι βρισκόταν πάλι καθισμένη απέ
ναντι από την ψυχαναλύτρια. Η Σάρον ήταν πάντα δίπλα της
να της κρατά το χέρι.

Η Τσάπμαν κοίταξε τις σημειώσεις της προσεκτικά και πα
ρατήρησε λίγο την Κάσι πολύ σοβαρά. Η Σάρον έπιασε το χέρι
της φίλης της. Ήταν πολύ ανήσυχη και η ίδια.

«Αγαπητή μου Κασσάνδρα, τώρα μπορούν να εξηγηθούν
πολλά από αυτά που σε βασάνιζαν τόσα χρόνια. Τα γεγονότα,

όπως παρακολούθησε και η φίλη μας η Σάρον, απέδειξαν ότι τουλάχιστον μέχρι του σημείου που διακόψαμε την αναδρομή σου, είχες ζήσει ακόμη δύο ζωές».

«Δηλαδή;»

«Δηλαδή, μας αφηγήθηκες, με κάποιες λεπτομέρειες σε μερικά σημεία, γεγονότα από τις ζωές σου. Άκουσέ με λοιπόν προσεκτικά». Η δόκτωρ Τσάπμαν συμβουλεύτηκε τις σημειώσεις της. «Στη σημερινή ζωή σου είσαι η Κασσάντρα Πάλμερ, η σύζυγος ενός πετυχημένου πλαστικού χειρουργού, και ζεις στο Λος Άντζελες του 2005. Ωστόσο, σε κάποια άλλη ζωή σου, ήσουν Ιρλανδέζα και έζησες και στην Αγγλία του 19ου αιώνα, ως Κάρολ Ο' Κόνορ, που παντρεύτηκε τον Τζόνι Μπάριμορ. Κι ενώ ήσουν έγκυος, ταξιδέψατε από την Αγγλία με προορισμό την Αμερική για μια καλύτερη ζωή. Αλλά δε φθάσατε ποτέ».

«Γιατί;»

«Γιατί το πλοίο βυθίστηκε. Βυθίστηκε τον Απρίλιο του 1912. Στις 15 του μήνα συγκεκριμένα. Τουλάχιστον αυτή την ημερομηνία μάς είπες». Η Τσάπμαν κοίταξε τον υπολογιστή της και έπειτα την Κάσι. «Στις 15 Απριλίου του 1912 το μοναδικό πλοίο που βυθίστηκε ήταν... ο *Τιτανικός*!»

«Τι;» Η Κάσι έμεινε στήλη άλατος να την κοιτάζει.

«Γνώριζες αυτή την ημερομηνία, Κασσάντρα;»

«Όχι, δεν την είχα υπόψη μου».

«Μήπως είδες κάποια ταινία με αυτό το θέμα;»

«Όχι, ούτε τον *Τιτανικό* του Κάμερον μπόρεσα να δω, ακριβώς γιατί δε θα άντεχα το θέαμα των επιβατών που πνίγηκαν... Δηλαδή, αν κατάλαβα καλά, πνίγηκα στον *Τιτανικό*;»

«Μαζί με τον άνδρα σου, τον Τζόνι Μπάριμορ».

«Τζόνι Μπάριμορ», είπε ψιθυριστά η Κάσι νιώθοντας μια περίεργη οικειότητα με το όνομα.

«Πριν από αυτόν το θάνατο όμως και ένας άλλος θάνατος σε χώρισε πάλι βίαια από κάποιον άλλον άνδρα που αγαπούσες εξίσου πολύ. Μας είπες ότι ήταν επί αυτοκρατορίας κάποιου Γάιου Καίσαρα Γερμανικού στους χρόνους της Ρωμαϊκής Αυτοκρατορίας. Ομολογώ ότι δεν έχω ιδέα από αυτή την ιστορική περίοδο, όμως την αναζήτησα στο Ίντερνετ και οι πληροφορίες λένε ότι ο Γάιος Καίσαρ Γερμανικός, ο επονομαζόμενος Καλιγούλας, ανέβηκε στο θρόνο το 37 μ.Χ. Μας ανέφερες ότι δολοφόνησε την αδελφή του, Δρουσίλλα. Όντως, αυτό έγινε ένα χρόνο μετά, το 38 μ.Χ. Επομένως, εκείνη την εποχή μόλις είχες παντρευτεί με κάποιον αξιωματούχο της πραιτοριανής του φρουράς, ονόματι Μάρκελλο. Ονομαζόσουν Λυβία και ήσουν πατρικία και μάλλον, απ' ό,τι γράφει εδώ, ανήκες στην καλή κοινωνία της Ρώμης. Ανέφερες και κάποιον Κάσσιο Χαιρέα. Απ' ό,τι μου λένε τα στοιχεία μου, ο Κάσσιος Χαιρέας ήταν αρχηγός της πραιτοριανής φρουράς του Καλιγούλα, και προφανώς φίλος του Μάρκελλου. Ο Κάσσιος τον δολοφόνησε το 41 μ.Χ. Γνωρίζεις κάποια γεγονότα γύρω από την ιστορία της Ρωμαϊκής Αυτοκρατορίας;»

«Απολύτως τίποτε. Το μόνο που ξέρω είναι πως όταν πήγαμε γαμήλιο ταξίδι στην Ευρώπη και μείναμε στη Ρώμη τρεις μέρες, ένιωσα πάρα πολύ άνετα εκεί και, παρότι δε γνώριζα ιταλικά, μπορούσα να τους καταλάβω. Μου 'χε φανεί τότε πολύ περίεργο. Συνήθως δυσκολεύομαι να προσανατολιστώ κάπου, αλλά το περιβάλλον εκεί μου ήταν πολύ οικείο και αυτό με έκανε να αγαπήσω πολύ την πόλη. Όπως και το ότι πολλές φορές είχα την εντύπωση ότι κάποια αρχαία κτίσματα μου ήταν γνώριμα. Όπως το Κολοσσαίο. Δυστυχώς, δεν μπόρεσα να την επισκεφτώ ξανά έκτοτε, αν και το είχα κατά νου πάντοτε, όμως από τότε μου έχει μείνει μια ιδιαίτερη αδυναμία να ψωνίζω μόνο οτιδήποτε ιταλικό».

«Ναι, αυτό είναι αλήθεια», συμπλήρωσε η Σάρον.

«Ίσως τώρα μπορέσεις να καταλάβεις το λόγο. Γύρω στο 38 μ.Χ., όπως μας περιέγραψες, ήσουν Ρωμαία πολίτις, επί αυτοκράτορος Καλιγούλα, παντρεμένη με Ρωμαίο αξιωματούχο της προσωπικής φρουράς του αυτοκράτορα, που τον έλεγαν Μάρκελλο. Ο άνδρας σου δολοφονήθηκε μάλλον τρεις μήνες μετά το γάμο σας, γιατί ανέφερες τρία γεμάτα φεγγάρια, από τον αυτοκράτορα και ο θάνατός του πρέπει να σου στοίχισε πολύ».

«Και γιατί δολοφονήθηκε;»

«Σύμφωνα με αυτά που ανέφερες, ο αυτοκράτορας έκανε όργια και τον ήθελε να συμμετέχει σ' αυτά. Και επειδή δεν ενέδωσε, τον κατηγόρησε για συνωμοσία και τον σκότωσαν μάλλον βίαια και μάλλον μπροστά σου, στο σπίτι σας. Κι εσύ, μην αντέχοντας το χαμό του, αυτοκτόνησες. Πνίγηκες. Μας το είπες και, μάλιστα, στα λατινικά».

«Στα λατινικά;»

«Ακριβώς. Μου τα εξήγησε ένας λατινιστής. Κάποιοι δολοφονούσαν τον άνδρα σου και εσύ, που προφανώς ήσουν μάρτυρας των γεγονότων, εκλιπαρούσες να μην το κάνουν, ζητώντας βοήθεια από το φίλο του, τον Κάσσιο». Η δόκτωρ Τσάπμαν άνοιξε το συρτάρι της και της έδωσε ένα dvd και ένα φάκελο. «Εδώ σου έχω αντιγράψει την ύπνωσή σου και μέσα στο φάκελο την ακριβή μετάφραση των λόγων σου στα λατινικά. Όταν πας στο σπίτι σου, μπορείς να το δεις με την ησυχία σου».

Η Κάσι κοίταξε το dvd και το φάκελο και μετά την ψυχαναλύτρια. «Τον αγαπούσα πολύ αυτόν τον Μάρκελλο;» ρώτησε.

«Πάρα πολύ. Και ξέρεις κάτι, Κασσάνδρα; Υποψιάζομαι ότι ξανασυναντηθήκατε αιώνες μετά και ότι ήταν ο Τζόνι Μπάριμορ...»

Η Κάσι είχε βουβαθεί τώρα.

«Δύο βίαιοι χωρισμοί από δύο άνδρες που αγαπούσες πολύ και δύο πνιγμοί εξηγούν πολλά για την υδροφοβία σου και πιθανόν είναι ο λόγος που άρχισες να βλέπεις αυτά τα όνειρα. Στην ουσία όμως δεν ήταν όνειρα, αλλά κομμάτια αναμνήσεων από το παρελθόν σου. Για κάποιο λόγο άρχισε να σε καλεί, ενδεχομένως για να επαναπροσδιορίσεις το παρόν σου. Ίσως και να ήταν οι κατάλληλες πλανητικές ή συμπαντικές συνθήκες, για να ευδοκιμήσει αυτή η κατάσταση, ώστε να μεταφερθούν διαστάσεις του παρελθόντος στο παρόν».

«Δηλαδή; Τι πάει να πει αυτό;» ρώτησε η Σάρον δειλά.

«Είναι λίγο δύσκολο, αλλά θα σας το εξηγήσω όσο πιο απλά γίνεται. Ολόκληρο το σύμπαν δεν είναι παρά μία, ας την ονομάσουμε έτσι, χρονοηλεκτρομάγνητική φωτογραφική μηχανή με ζωντανή μνήμη επάνω της. Φωτογραφίζει τα πάντα εν ζωή και είναι δυνατόν, αυτή η μνήμη, κάποιες φορές μετά θάνατον, να ενεργοποιείται, όταν η παρούσα υλική διάσταση βρεθεί στην κατάλληλη χρονική μοίρα. Γιατί ο χρόνος δεν είναι μια ευθεία παρελθόντος-παρόντος, όπως πιστεύουν οι περισσότεροι, αλλά επαναλαμβανόμενοι κύκλοι. Όταν λοιπόν η μια συγκλίνουσα πέφτει πάνω στην άλλη, τότε αρχίζουν αντικατοπτριστικές αναμνήσεις του παρελθόντος χρόνου στον παρόντα, με μορφή όχι μόνο ονείρων, αλλά και οπτασιών».

Οι δύο γυναίκες την κοίταξαν αμήχανες.

«Δεν κατάλαβα τίποτε», είπε η Σάρον μουδιασμένη.

«Για να είμαι ειλικρινής, κι εγώ μπερδεύτηκα αρκετά», συνέχισε η Κάσι, «αλλά αν κατάλαβα καλά, προσπαθείτε να μου πείτε ότι τα όνειρά μου απλώς είναι εικόνες από τις προηγούμενες ζωές μου».

«Ακριβώς αυτό θέλω να πω. Δυστυχώς, επειδή η ενέργεια της αγάπης ήταν πολύ μεγάλη και πέρασες από τη μια διάσταση στην άλλη κάτω από τραγικές και βίαιες συνθήκες, οι μνήμες, ως έντονες και οδυνηρές, δε σβήστηκαν ποτέ και παρέμειναν στη στρατόσφαιρα του σύμπαντος. Ένα μέρος της ψυχής σου έμεινε για πάντα πίσω να αναζητά αυτό τον έρωτα. Να τον ξαναζήσει και να συνεχίσει από εκεί όπου τον άφησε. Δεν ξέρω αν τον συνάντησες στο πρόσωπο του Σταν, όμως θα ένιωθες αυτή την έλξη από το πρώτο δευτερόλεπτο. Θα το καταλάβαινες αμέσως. Θα ήταν πέρα από κάθε λογική».

Η Κάσι κοίταξε τη Σάρον στα μάτια. Η εικόνα του Ορέστη εμφανίστηκε για δευτερόλεπτα μπροστά της. Μπορούσε να νιώσει έπειτα από καιρό τη γεύση του φιλιού του. Επιτέλους, καταλάβαινε το γιατί. Τα μάτια της δάκρυσαν. Δεν έκανε τον κόπο να τα κρύψει. Η Σάρον βούρκωσε κι εκείνη.

«Πήγαινε στο σπίτι σου και παρακολούθησε με την ησυχία σου αυτά που γράψαμε. Θα συνειδητοποιήσεις πολύ περισσότερα. Όπως την υδροφοβία σου. Αν πνίγηκες μέσα σ' ένα αφιλόξενο ποτάμι και μετά σ' ένα σκοτεινό ωκεανό με απροσμέτρητο βάθος, αυτό και μόνο δικαιολογεί αυτού του είδους τη φοβία. Γιατί φοβίες χρόνων δεν ξεπερνιόνται έτσι εύκολα μέσα σ' ένα καλοκαίρι. Είναι πολύ περίεργο, αλλά δε θα το ψάξω τώρα. Το θέμα είναι να μην τρομάζεις πια με τα όνειρά σου. Αν τα καλοδεχτείς, ίσως και να μη σε ενοχλήσουν ξανά. Αν όμως επιμένουν να σε επισκέπτονται, τότε αυτό σημαίνει ότι κάποιος σε ψάχνει. Καταλαβαίνεις τι θέλω να πω...»

Οι μέρες που ακολούθησαν ήταν βασανιστικές. Για πρώτη φορά αντιλαμβανόταν ποια ήταν, τι της είχε συμβεί και, το χειρότερο, πόσο αγαπούσε τον Ορέστη. Πέρα από κάθε λογική. Καθισμένη στην άκρη της πισίνας κοίταζε και ξανακοίταζε τα πλήκτρα του κινητού της χωρίς να τολμά να τα αγγίξει. Το νούμερο του Ορέστη βρισκόταν μέσα στο μυαλό της, μπροστά στα μάτια της, κι εκείνη απλώς κοιτούσε το κινητό της. Πώς μπορούσε να τον αναζητήσει; Τον είχε πληγώσει, τα λόγια της ήταν κοφτερά μαχαίρια. Και τώρα να του έλεγε τι; Ότι τον είχε αγαπήσει άλλες δύο φορές και ότι τον είχε χάσει βίαια και τις δύο; Ότι τον ήθελε απελπισμένα; Ότι σ' αυτή τη ζωή έπρεπε επιτέλους να είναι μαζί; Σίγουρα θα την περνούσε για θεόμουρλη. Κι ύστερα, ακόμη και να την πίστευε, ποιο το όφελος, από τη στιγμή που δε θα μπορούσε να τα εγκαταλείψει όλα και να τρέξει κοντά του; Όχι. Δεν είχε αυτό το δικαίωμα. Κανένας δεν έχει το δικαίωμα να ξεριζώνει μια καρδιά και να την πετάει όποτε θέλει. Μόνο ο Θεός έχει αυτό το δικαίωμα. Και πάλι σου δίνει και μία και δύο ευκαιρίες. Μόνο ο Θεός. Η ώρα πλησίαζε μία και σκέφτηκε ότι έπρεπε να πάει να ντυθεί. Θα έτρωγαν μαζί με τη Σάρον κάπου έξω και μετά θα πήγαιναν μια βόλτα στα μαγαζιά. Ένα shopping therapy μπορεί να ανανέωνε τη διάθεσή της. Οι παλιές καλές συνήθειες είχαν επιστρέψει και πάλι στη ζωή της, χωρίς όμως να της προσφέρουν ενθουσιασμό, όπως κάποτε.

Το τηλέφωνο χτύπησε απότομα στα χέρια της και την έκανε να αναπηδήσει από τη θέση της. Στην οθόνη εμφανίστηκε το όνομα της Σάρον. Είχαν μιλήσει πριν από μία ώρα και το ραντεβού τους για φαγητό ήταν κανονισμένο για τις δύο ακριβώς.

«Δεν πιστεύω να αναβάλεις το ραντεβού μας όπως προχθές;»

«Δε μου λες, διάβασες τις εφημερίδες σήμερα;» ακούστηκε λαχανιασμένη η φωνή της Σάρον.

«Όχι, και δεν έχω καμία όρεξη να διαβάσω πάλι κακίες για τον Σταν».

«Χρυσή μου, ξεστραβώσου και διάβασέ τες όλες. Σπουδαία νέα. Πολύ σπουδαία νέα!» Τώρα φώναζε σχεδόν.

«Μα επιτέλους, Σάρον, τι συμβαίνει; Τι γράφουν τέλος πάντων οι ηλίθιες εφημερίδες;»

«Υπάρχει παντού η φωτογραφία της Μακ Στίβενς μετά την επέμβαση!»

«Σοβαρά; Ω, Θεέ μου, πες μου πως δεν είναι μεγάλη η ζημιά που έπαθε... Τώρα πια τίποτε δε μας γλιτώνει από τη δίκη».

«Πάψε, ανόητη, και άκουσέ με. Η γυναίκα είναι μια χαρά και βρίσκεται στο Παρίσι. Τη φωτογράφισε ένας παπαράτσι με τηλεφακό, την ώρα που στάθηκε για ένα μόνο λεπτό στο παράθυρο του ξενοδοχείου της στις οκτώ το πρωί, χωρίς μακιγιάζ, παρακαλώ, και χωρίς γυαλιά ηλίου. Ο τύπος έκανε το shooting[6] της ζωής του. Η κυρία, λοιπόν, πίστευε καθώς φαίνεται, ότι η παρουσία της θα είχε περάσει απαρατήρητη στο ξενοδοχείο, μια και είχε κάνει κράτηση με το όνομα Σούζαν Ουάλας. Κάποιος την κάρφωσε, ή την αναγνώρισε, και τηλεφώνησε σ' αυτό τον παπαράτσι. Και παρότι κυκλοφορούσε μεταμφιεσμένη, ο τύπος πέτυχε διάνα. Ο άθλιος περίμενε τρία μερόνυχτα κρυμμένος σε μια φυλλωσιά και τράβηξε τον πρώτο λαχνό. Όλα ήταν ψέματα, ότι τάχα παραμορφώθηκε. Σου λέω ότι, αν και αμακιγιάριστη, είναι κούκλα».

Την ίδια στιγμή ο Άλεξ ξεχύθηκε σαν σίφουνας στην αυλή κρατώντας ένα πάκο εφημερίδες.

«Μαμά! Μαμά!» ούρλιαξε σχεδόν τρέχοντας προς το μέρος της με πρόσωπο που έλαμπε από χαρά. «Δες εδώ!» είπε και της έριξε τις εφημερίδες στα πόδια της.

«Σάρον, σε κλείνω. Μου έφεραν τις φωτογραφίες».

«Πάρε με μόλις μπορέσεις. Στο μεταξύ, θα μάθω από φίλους όσο περισσότερα μπορώ. Α, και μάλλον ακυρώνεται το ραντεβού μας για φαγητό. Θα έρθω από το σπίτι σου. Θα το γιορτάσουμε σήμερα».

Η Κάσι άρπαξε την πρώτη εφημερίδα, τη *National Enquirer*. Στην πρώτη κιόλας σελίδα η έγχρωμη φωτογραφία της Άλις Μακ

---

6. Φωτογράφιση.

Στίβενς καταλάμβανε σχεδόν όλο το χώρο· η Στίβενς, με μια λευκή πετσέτα στα βρεγμένα μαλλιά της και φορώντας επίσης λευκό μπουρνούζι, κοίταζε έξω από το παράθυρο του δεύτερου ορόφου του πολυτελούς ξενοδοχείου. Κρατούσε ένα τσιγάρο στο χέρι της και χαμογελούσε. Η φωτογραφία ήταν τόσο κοντινή που μπορούσες να ξεχωρίσεις μέχρι και τις βλεφαρίδες της. Το πρόσωπό της, τσιτωμένο και πεντακάθαρο, έμοιαζε με παιδούλας. Καμία ανομοιομορφία ή ατέλεια. Ακόμη και η ίδια έδειχνε γαλήνια κα ευχαριστημένη. Ήταν ολοφάνερο ότι εκείνο που την έκαιγε ήταν μόνο το γεγονός ότι έχασε το ρόλο στην ταινία, μια και τα γυρίσματα είχαν αρχίσει με άλλη ηθοποιό. Την ενδιέφερε να καταστρέψει τον Σταν μόνο γι' αυτό και, γιατί όχι, να κερδίσει και τα χρήματα της αμοιβής που έχασε και πολύ περισσότερα. Είχε καταφύγει στο Παρίσι εδώ και καιρό, τη στιγμή που όλος ο κόσμος πίστευε ότι βρισκόταν κλεισμένη στη βίλα της με κατάθλιψη.

Στις επόμενες σελίδες, το θέμα γινόταν ακόμη πιο ενδιαφέρον. Έδειχνε τη Μακ Στίβενς να βγαίνει από το ξενοδοχείο ντυμένη απλά, με καπέλο και μεγάλα μαύρα γυαλιά, συνοδευμένη από έναν πολύ νεαρό άνδρα. Σε όλες τις φωτογραφίες, πάντα με τον ίδιο άνδρα, σε διάφορα σημεία του Παρισιού. Σε μαγαζιά για ψώνια, σε υπαίθρια καφέ και πάντα μαζί σε τρυφερές στιγμές. Ο νεαρός, αγνώστων λοιπών στοιχείων, ήταν σαφώς ο εραστής της. Κι ενώ η οικογένειά της αγωνιούσε με όσα συνέβαιναν, προσπαθώντας να κρατήσει τις ισορροπίες, η κυρία Μακ Στίβενς το γλεντούσε κανονικά, πιο όμορφη από ποτέ.

Η Κάσι έκλεισε την εφημερίδα με θυμό. Δε χρειαζόταν να δει τίποτε περισσότερο. Στράφηκε στο γιο της. Τα μάτια του χαμογελούσαν θριαμβευτικά και αυτό την ηρέμησε κάπως.

«Την έχουμε στο χέρι, μαμά. Τώρα θα αντιστραφούν οι όροι. Θα τη μηνύσουμε εμείς για συκοφαντική δυσφήμηση».

«Ο πατέρας σου τα έμαθε τα νέα;»

«Όχι, τον πήρα τηλέφωνο, αλλά είναι στο χειρουργείο. Έχει μια μεγάλη επέμβαση και μάλλον θα αργήσει να βγει».

«Τι λες, ετοιμάζουμε παρέα ένα γιορταστικό δείπνο-έκπληξη;»

«Πολύ καλή ιδέα, μαμά. Νιώθω τόσο ευτυχισμένος. Επιτέλους, τα πράγματα θα μπουν στη θέση τους και κάποιοι θα πρέπει να μας ζητήσουν συγγνώμη. Πιο πολύ όμως χαίρομαι για τον μπαμπά», της είπε και την αγκάλιασε δυνατά. Η Κάσι ένιωσε ευτυχισμένη έπειτα από πολύ καιρό. Είχαν σωθεί. Αν είχε αυτόν το φωτογράφο μπροστά της, θα του φιλούσε τα χέρια. Είχε σώσει την οικογένειά της. Οι φωτογραφίες του άξιζαν περισσότερο κι από χρυσάφι.

Οι εξελίξεις ήταν αιφνιδιαστικές και απρόσμενες. Η Άλις Μακ Στίβενς, έπειτα από τη δημοσιοποίηση των φωτογραφιών της, αναγκάστηκε να επιστρέψει άρον άρον στην Αμερική και να εμφανιστεί πλέον δημόσια για να ανακαλέσει τις κατηγορίες εναντίον του Πάλμερ, λέγοντας πως η υποτιθέμενη καταστροφή του προσώπου της δεν ήταν πλέον τόσο τραγική, ότι ο χρόνος είχε λειτουργήσει υπέρ της και ότι μπορεί να έχασε το ρόλο της λόγω του σοκ που υπέστη, όμως τώρα είχε πλέον συνέλθει και ήταν έτοιμη για τις επόμενες προτάσεις. Δικαιολογήθηκε ότι τα πράγματα άρχισαν να πηγαίνουν καλύτερα για αυτή μόλις έφθασε στο Παρίσι και ο οργανισμός της άρχισε να αναρρώνει με ταχείς ρυθμούς.

Τα μέσα ενημέρωσης δεν της χαρίστηκαν καθόλου και την κατηγόρησαν ανελέητα, όσο ανελέητα είχαν κατηγορήσει και τον Σταν Πάλμερ, και πλέον έπλεκαν διθυράμβους για το μοναδικό του ταλέντο, προσπαθώντας έμμεσα να ζητήσουν συγγνώμη για τη σκληρότητα που είχαν επιδείξει. Οι πόρτες άνοιξαν διάπλατα ξανά για τους Πάλμερ και τα ραντεβού για αισθητικές επεμβάσεις δημιούργησαν και πάλι λίστα εκνευριστικής αναμονής. Η Νταϊάν Μπρουκς ξανατηλεφώνησε στον Άλεξ, εκλιπαρώντας τον να τα ξαναβρούν, όμως εκείνος αρνήθηκε κατηγορηματικά. Ήδη όλο αυτό το διάστημα είχε κοιμηθεί με τόσο πολλές γυναίκες, όλων των ηλικιών και τάξεων, που είχε σχεδόν σιχαθεί τον εαυτό του. Τίποτε πια δε θα ήταν το ίδιο. Κοντά της διατηρούσε ακόμη την παιδική του αθωότητα και είχε κάνει όνειρα για μια όμορφη και ευτυχισμένη οικογένεια, όπως των γονιών του. Τώρα πια όμως δεν ένιωθε έτσι. Είχε αλλάξει, ήταν ένας διαφορετικός άνθρωπος. Θα έκανε πολλά χρόνια για να πάρει στα σοβαρά μια γυναίκα. Η ιστορία αυτή τον είχε σκληρύνει απότομα. Το μόνο που τον ενδιέφερε από δω και πέρα ήταν η δουλειά του και πώς να γίνει ένας επιτυχημένος σκηνοθέτης. Όσον αφορά τις γυναίκες, υπήρχαν εκατοντάδες καλλονές, έτοιμες να του ανοίξουν τα πόδια σ' ένα μόνο βλέμμα του. Αλλά η Νταϊάν επέμενε τόσο πολύ να τον δει που στο τέλος δέχτηκε να ξαπλώσει μαζί της. Ήταν ακόμη ένα λάθος της. Της φέρθηκε τόσο άσχημα, υποτιμητικά και προσβλητικά, σαν να ήταν η τελευταία τσούλα στον κόσμο.

Το κορίτσι έφυγε με κλάματα από το δωμάτιο, χωρίς να μπορεί να χωνέψει πόσο πολύ είχε αλλάξει ο ευγενικός άνδρας, που μέχρι πριν από λίγο καιρό ήταν έτοιμος να της προσφέρει τον ουρανό με τ' άστρα. Την είχε πηδήξει ψυχρά και άγρια, χωρίς ίχνος συναισθήματος, μια τρυφερή κουβέντα, και χωρίς να ενδιαφερθεί στο ελάχιστο για το πόσο άσχημα ένιωσε εκείνη. Στη συνέχεια της ζήτησε να του αδειάσει τη γωνιά, γιατί είχε ραντεβού για ένα δεύτερο γύρο με μια πολύ γνωστή στάρλετ. Η Νταϊάν έμεινε κοκαλωμένη να τον κοιτάζει, γυμνή στο κρεβάτι, ώσπου εκείνος της πέταξε τα ρούχα της στο πρόσωπο και πήγε στο μπάνιο. «Όταν βγω έξω, να μη σε βρω εδώ», ήταν τα τελευταία λόγια του.

Η μικρή έφθασε στην πατρική έπαυλη με μάτια κατακόκκινα από το κλάμα και βαδίζοντας περίεργα. Δεν τόλμησε να πει τίποτε σε κανένα. Ο πατέρας της πίστευε ότι ήταν ακόμη παρθένα. Είχε δει τόσο πολλά όλα αυτά τα χρόνια μέσα στα κινηματογραφικά στούντιο, που είχε ορκίσει τις κόρες του να μείνουν άσπιλες έως τη μέρα του γάμου τους. Είχε εμπιστοσύνη στο λόγο και στην εγκράτεια της Νταϊάν. Δεν είχε υπολογίσει όμως την ερωτική τεχνική και γοητεία του Άλεξ. Μία εβδομάδα μετά, ένας από τους μεγαλύτερους παραγωγούς τού πρόσφερε τη θέση βοηθού σκηνοθέτη σε μια ταινία με θέμα τα παρασκήνια μιας μαφιόζικης οικογένειας. Ο Άλεξ ήταν ο πιο ευτυχισμένος άνθρωπος του κόσμου. Τα όνειρά του μόλις είχαν αρχίσει να γίνονται πραγματικότητα.

12

❧

Τα περίεργα όνειρα της Κάσι δεν ξαναεμφανίστηκαν μετά την αναδρομή. Η ίδια σταμάτησε να επισκέπτεται την Τσάπμαν. Δεν υπήρχε πια λόγος. Οι απορίες της είχαν λυθεί, η τιμή της οικογένειας είχε αποκατασταθεί, όμως η ίδια δεν ένιωθε καμία χαρά. Ο δικηγόρος τους απόρησε όταν ο Σταν αρνήθηκε να μηνύσει τη Μακ Στίβενς για το διασυρμό που είχε υποστεί εξαιτίας της. Είχε καταβληθεί τόσο πολύ με όλους αυτούς τους χαρακτηρισμούς που είχε λουστεί από τα μέσα ενημέρωσης, ώστε το τελευταίο πράγμα που ήθελε ήταν να ακούσει ή να διαβάσει πάλι το όνομά του στις εφημερίδες. Του αρκούσε που δημιουργήθηκε και πάλι λίστα αναμονής στα ραντεβού του και ευγνωμονούσε τον Θεό που δούλευε τόσο πολύ, όχι γιατί γινόταν πλουσιότερος, όσο γιατί δεν είχε χρόνο να σκεφτεί.

Τώρα πια έφευγε από το σπίτι στις επτά το πρωί και δεν επέστρεφε πριν από τις έντεκα το βράδυ, συνήθως τόσο κατάκοπος, ώστε το μόνο που ήθελε ήταν να βάλει κάτι στο στόμα του και να ξαπλώσει. Μέχρι τις δώδεκα είχε κιόλας κοιμηθεί και ίσα που προλάβαινε να ανταλλάξει μια κουβέντα με την Κάσι. Για κάποιον περίεργο λόγο, αντί να είναι πιο κοντά στη γυναίκα του, τώρα που όλα είχαν ηρεμήσει στη ζωή τους, εκείνος απομακρυνόταν όλο και περισσότερο. Όχι πως δεν την αγαπούσε πια, όμως σαν να περνούσε κάποιο μετατραυματικό ψυχοσωματικό σοκ και μάλλον έτσι ήταν· δεν είχε καμιά διάθεση να το συζητήσει και πολύ περισσότερο να ζητήσει βοήθεια από κάποιον ειδικό. Να πάρει η οργή, στο κάτω κάτω, ήταν ο ίδιος γιατρός και από αυτόν ζητούσαν να λυθούν τα προβλήματα και όχι να ζητά ο ίδιος βοήθεια.

Η Κάσι κατάλαβε ότι ήταν μάταιο να προσπαθεί να κάνει τα πράγματα όπως πριν. Άλλωστε και την ίδια δεν την ενδιέφερε και πολύ. Το θέμα ήταν να αποκατασταθεί το όνομά τους. Αφού αυτό είχε επιτευχθεί, τα άλλα δεν είχαν σημασία. Ωστόσο, υπέφερε από μοναξιά. Ο Άλεξ είχε γίνει πια φάντασμα, που εμφανιζόταν όλο και σπανιότερα, ώσπου ένα ωραίο κυριακάτικο πρωινό, τη μόνη μέρα που τους έβλεπε περισσότερο, ανήγγειλε με απόλυτη φυσικότητα ότι είχε νοικιάσει δικό του σπίτι και ότι θα μετακόμιζε από αύριο εκεί. Θα τους επισκεπτόταν όσο πιο συχνά μπορούσε, όμως τώρα πια έβγαζε τα δικά του λεφτά και ήθελε τον δικό του προσωπικό χώρο. Η Κάσι καταρρακώθηκε, όμως δεν το έδειξε. Ο γιος της ήταν η μεγάλη αδυναμία της και μόλις συνειδητοποιούσε ότι δεν ήταν και η δική του αντίστοιχα. Για πρώτη φορά πρόσεξε πόσο άνδρας είχε γίνει τους τελευταίους μήνες. Το αγοράκι με τα αθώα γαλάζια μάτια ήταν πια μια άγρια θάλασσα, που δεν έβρισκε λιμάνι να ηρεμήσει. Κι όμως, μέχρι πριν από λίγο καιρό, πίστευε ότι το μέλλον του ήταν συνυφασμένο με της Νταϊάν και ότι αυτοί οι δύο θα δημιουργούσαν μια μεγάλη και ευτυχισμένη οικογένεια. Τι είχε μεσολαβήσει στο μεταξύ κι εκείνη χάθηκε από τη ζωή του; Δεν ήταν λίγες οι φορές που σκέφτηκε να της τηλεφωνήσει και να την καλέσει να συζητήσουν, όμως από την άλλη αναρωτιόταν αν είχε το δικαίωμα να επεμβαίνει στα χωράφια του γιου της και πόσο μπορεί να τον θύμωνε αυτό. Ευελπιστούσε ότι θα της τηλεφωνούσε κάποια μέρα η Νταϊάν, όμως αυτό δε συνέβη ποτέ. Ώσπου πριν από μία εβδομάδα έμαθε ότι η κόρη του μεγαλοπαραγωγού είχε φύγει για σπουδές στην Ευρώπη. Της είχε κάνει μεγάλη εντύπωση πώς ο Άλαν Μπρουκς έδωσε τέτοια άδεια, τη στιγμή που ήταν γνωστό πόσο υπερπροστατευτικός ήταν με τις κόρες του. Τέλος πάντων, ίσως το κορίτσι να ήθελε όντως να σπουδάσει στην Ευρώπη και δεν το είχε κάνει μέχρι τότε λόγω της σχέσης του με τον Άλεξ. Από την άλλη, ίσως ήθελε να ξεπεράσει αυτή τη σχέση. Πολύ πιθανόν.

Η Μόλι την πλησίασε αθόρυβα και τρίφτηκε στα πόδια της. Η Κάσι ξαφνιάστηκε και μετά χαμογέλασε και τη σήκωσε στην αγκαλιά της. Η τρίχα της είχε παραφουντώσει και η ίδια έμοιαζε πράγματι με χιονάνθρωπο στην καλοκαιρινή Καλιφόρνια.

«Τι συμβαίνει, Μόλι;» τη ρώτησε τρυφερά.

Εκείνη νιαούρισε και μετά έπαιξε με ένα τσουλούφι από τα μαλλιά της Κάσι. Ήθελε να τη χαϊδέψει και να της πει: «Ε, κοίτα, είμαι κι εγώ εδώ και κανένας δε μου δίνει σημασία».

Η Κάσι παρατήρησε τον εαυτό της απέναντι στον καθρέφτη. Τα μαλλιά της κόντευαν να φθάσουν το ύψος του σουτιέν και ήταν η πρώτη φορά έπειτα από χρόνια που δεν τα είχε κόψει, όπως συνήθιζε, μέχρι τους ώμους της. Τώρα όμως που τα πρόσεχε, έβλεπε ότι της πήγαιναν περισσότερο. Όχι, δε θα τα έκοβε. Θα τα άφηνε να μεγαλώσουν ακόμη περισσότερο μαζί με τη φράντζα της, ίσως και να φθάσουν πάλι στο ύψος της μέσης της. Άφησε τη Μόλι κάτω και μπήκε στο μπάνιο. Ο Σταν της είχε μηνύσει ότι μάλλον θα αργούσε για άλλη μια φορά, ο Άλεξ δεν είχε καν τηλεφωνήσει δυο μέρες τώρα και η Σάρον είχε πολλά ραντεβού και καθόλου ελεύθερο χρόνο. Βαριόταν αφόρητα να καθίσει στην πισίνα, να διαβάσει, να πάει μια βόλτα στους γονείς της, ακόμη και μια βόλτα για ψώνια. Όλο το Λος Άντζελες, η Καλιφόρνια, η Αμερική της φαίνονταν κουραστικά και αδιάφορα. Οι μόνοι άνθρωποι που την κρατούσαν εδώ ήταν ο γιος της και ο πατέρας της. Τελευταία όμως είχε απομακρυνθεί και από αυτόν, λες και ντρεπόταν ότι θα διαβάσει τα μάτια της και θα καταλάβει τι κρυβόταν στην καρδιά της. Ο πατέρας της ήταν ένας εξωστρεφής, γενναιόδωρος και συναισθηματικός Έλληνας, που της φερόταν έως και τώρα σαν να ήταν το μικρό του κοριτσάκι. Κάποτε τον είχε αποπάρει για όλα αυτά που, όπως πίστευε, ήταν μειονεκτήματα, όμως τώρα τον θαύμαζε ακριβώς γι' αυτά. Μπορούσε πια να καταλάβει γιατί κουβαλούσε πάντα στην καρδιά του την Ελλάδα και το νησί του, την Αμοργό. Γιατί δάκρυζε στη θύμησή του. Γιατί η ελληνική σημαία δεν είχε κατεβεί ποτέ από τη θέση της στο γραφείο του. Όποιος αντικρίσει τον ελληνικό ήλιο, μυρίσει το ελληνικό θυμάρι, τη ρίγανη, το γιασεμί, κολυμπήσει στα κρυστάλλινα γαλαζοπράσινα νερά, νιώσει το άγριο αγέρι να τον χαστουκίζει, χορέψει ελληνικό χορό, ποτέ δε θα μπορέσει να τα βγάλει από μέσα του. Γιατί η Ελλάδα δεν είναι απλώς ένας τόπος, είναι μια Σειρήνα, μια μάγισσα, μια ξελογιάστρα, από αυτές που σε μαγεύουν για πάντα, κι έτσι και ξαπλώσεις στην αγκαλιά της, δεν την ξεχνάς ποτέ. Γίνονται όλοι ένας Οδυσσέας και οι Σειρήνες τα θέλγητρα αυτής της χώρας. Για πρώτη φορά συνειδητοποιούσε πόσο αγαπούσε αυτό τον τόπο. Πόσο λάτρευε τον Ορέστη. Πόσο ήθελε να ξαναγυρίσει πίσω.

Ο Οκτώβριος μόλις είχε μπει και ήταν η εποχή που άλλαζε η σεζόν, ο κόσμος επέστρεφε από διακοπές, ανασυντασσόταν, οι δουλειές έμπαιναν σε πιο εντατικούς ρυθμούς και τα χλιδάτα πάρτι ξεκινούσαν. Ήδη στο σαλόνι της την περίμεναν τρεις προσκλήσεις για επίσημες εμφανίσεις. Με αυτό τον τρόπο θα έκαναν την επάνοδό τους στην γκλαμουράτη κοινωνική ζωή τους. Ίσως ήταν ένα ερέθισμα να πάει στη Ροντέο Ντράιβ για να αγοράσει τρεις καινούργιες τουαλέτες από την αγαπημένη της μπουτίκ με τα Dolce & Gabbana[1] και Donatella Versace[2] μοντέλα που τόσο αγαπούσε. Είχε δει κάποια από αυτά σε περιοδικά μόδας και την εντυπωσίασαν τα φετινά φωτεινά τους χρώματα. Αν και δεν ήταν ποτέ της οπαδός των έντονων χρωμάτων, μετά την επίσκεψή της στην Ελλάδα, και κυρίως από τότε που ο Ορέστης της αγόρασε εκείνο το κατακόκκινο φόρεμα, τα γούστα της είχαν αλλάξει ριζικά και θα το αντιλαμβάνονταν σύντομα όλοι, μια και λόγω των τελευταίων γεγονότων, δεν είχε χρόνο αλλά ούτε και διάθεση για να το δείξει. Θα άρχιζε από τώρα.

Θυμόταν τόσο έντονα εκείνη την ηλιόλουστη μέρα στην Αμοργό, που μαζί με τον Ορέστη, κάνοντας αγκαλιασμένοι βόλτα μέσα στη Χώρα, το βλέμμα της σταμάτησε σ' ένα απλό κόκκινο φουστάνι, που κρεμόταν από μια κρεμάστρα, στη βιτρίνα ενός μαγαζιού μαζί με άλλα ρούχα. Δεν ήταν παρά ένα απλό βαμβακερό και μεταξωτό φόρεμα, μεσάτο, που έφθανε ως τους αστραγάλους, με μόνα στολίδια τα μικρά σαν καραμελίτσες κοκάλινα κουμπάκια του, τα οποία άρχιζαν από τη μέση και έφθαναν ως πάνω, επιτρέποντάς της να τα κουμπώνει και να τα ξεκουμπώνει σε οποιαδήποτε σημείο του στήθους, ενώ οι τιράντες του έδεναν πίσω από το λαιμό και στο τελείωμα είχε ραμμένο

---

1. & 2. Διάσημοι ιταλικοί οίκοι μόδας.

κόκκινο τούλι. Ο Ορέστης, χωρίς εκείνη να πει λέξη, ξεκρέμασε το φόρεμα και το έβαλε μπροστά της.

«Φόρεσέ το», της είπε.

«Μα, Ορεστη... απλώς το κοίταξα. Δε φοράω ποτέ κόκκινο χρώμα. Το βρίσκω τόσο προκλητικό».

«Επιμένω».

Μπήκε στο δοκιμαστήριο σχεδόν με το ζόρι και το φόρεσε. Το ρούχο τής ήρθε γάντι, κάτι που την εξέπληξε. Και η αλήθεια ήταν ότι της πήγαινε υπέροχα. Πάνω στο μαυρισμένο κορμί της το κόκκινο σαν αίμα ρούχο έγινε ακόμη πιο φωτεινό.

«Μην το βγάλεις», την παρακάλεσε και πλήρωσε το ρούχο. Η Κάσι χαμογέλασε και κοιτάχτηκε με νάζι στον καθρέφτη. Εντάξει, μπορεί να ήταν υπερβολικό για τα γούστα της, όμως παραδόξως, τουλάχιστον σ' αυτό το νησί, δεν την ενοχλούσε τίποτε. Τελικά από εκείνη τη στιγμή έγινε το αγαπημένο της. Ήταν ό,τι πιο όμορφο είχε φορέσει μέχρι τότε. Της έδινε ενέργεια και είχε το χρώμα της αγάπης τους.

Άνοιξε την ντουλάπα της και το κοίταξε. Αλήθεια, γιατί δεν το είχε ξεφορτωθεί ακόμη; Το χάιδεψε τρυφερά και μετά το ξεκρέμασε και το φόρεσε. Κοίταξε το είδωλό της στον καθρέφτη. Η εικόνα του Ορέστη εμφανίστηκε και στάθηκε δίπλα της. Την επόμενη στιγμή τα μάτια της βούρκωσαν. Έβγαλε το φόρεμα βιαστικά και ντύθηκε γρήγορα με ένα τζιν και μια μεταξωτή λευκή πουκαμίσα. Άρπαξε την τσάντα της και τα κλειδιά της και έφυγε σαν σίφουνας από το σπίτι.

Επέστρεψε ώρες αργότερα φορτωμένη με τσάντες, τις οποίες όμως πέταξε αδιάφορα πάνω στο κρεβάτι της. Δεν είχε πια καμία όρεξη να δει όλα αυτά τα υπέροχα πράγματα που είχε αγοράσει, όπως συνήθως έκανε σε τέτοιες περιπτώσεις, μόλις επέστρεφε στο σπίτι της. Μετά την ύπνωση και την αναδρομή στο παρελθόν της, είχε δει το dvd πολύ γρήγορα και μάλλον αδιάφορα. Στην ουσία, δεν είχε πιστέψει τίποτε από όλα αυτά. Ίσως ήταν κατευθυνόμενη από την Τσάπμαν. Τώρα όμως ήθελε να το ξαναδεί. Ήταν μόνη και ήταν ευκαιρία.

Έβαλε το dvd στο dvd player και κάθισε στην πολυθρόνα. Εκείνο που της είχε κάνει μεγαλύτερη εντύπωση ήταν οι εκφράσεις του προσώπου της όταν απαντούσε στις ερωτήσεις της δόκτορος Τσάπμαν. Σαν να μην ήταν η ίδια. Το πιο εντυπωσιακό από όλα όμως ήταν τα λατινικά που μιλούσε. Της φαινόταν απίστευτο. Πώς μπορούσε να έχει συμβεί αυτό; Αν ήταν ελληνικά, έστω αρχαία, θα μπορούσε ίσως να το δικαιολογήσει. Αλλά λατινικά; Όταν ως Κάρολ μιλούσε για τον Τζόνι της, τότε το πρόσωπό της ήταν ήρεμο και πανέμορφο. Και μετά, σαν φοβόταν πολύ, τα χαρακτηριστικά της τραβιόνταν και ζάρωναν τόσο πολύ, δημιουργώντας κάποιες ρυτίδες που δεν είχε προσέξει πριν. Μπορεί και να έφταιγε το γεγονός ότι είχε αμελήσει να επαναλάβει το καθιερωμένο μπότοξ, μα δεν την ενδιέφερε πια να δείχνει φρέσκια και ξεκούραστη. Γενικά έπαψαν να την απασχολούν πολλά πράγματα που πριν από λίγο καιρό ακολουθούσε με θρησκευτική ευλάβεια. Είχε εγκαταλείψει τη γυμναστική της, το τένις, το ενδιαφέρον της για τη μαγειρική. Ακόμη και οι βόλτες της στις ακριβές μπουτίκ της Ροντέο Ντράιβ δεν την ευχαριστούσαν καθόλου. Μπορεί να περνούσε περίοδο κατάθλιψης και μόνο οι κουβεντούλες με τη Σάρον την ηρεμούσαν. Αν μη τι άλλο, η Σάρον μπορεί να πάθαινε τα πάνδεινα, εκτός από κατάθλιψη. Σήκωσε αμέσως το ακουστικό και κάλεσε το κινητό της Σάρον.

«Πού βρίσκεσαι;» τη ρώτησε χωρίς καν να τη χαιρετήσει.

«Δείχνω ένα σπίτι σε πελάτες, όμως σ' ένα τέταρτο θα έχω τελειώσει. Συμβαίνει κάτι;»

«Έχεις χρόνο να τα πούμε; Να πάμε για έναν καφέ;»

«Σ' ακούω αναστατωμένη. Τι έγινε πάλι;»

«Τίποτε δεν έγινε, απλώς δεν αισθάνομαι και τόσο καλά και... Αλλά άσ' το, είμαι ανόητη, έχεις δουλειά κι εγώ...»

«Εντάξει, σε μισή ώρα θα είμαι στου Gino».

«Θα είμαι εκεί».

Πετάχτηκε από τη θέση της αφού έβγαλε πρώτα το dvd από το dvd player και το κλείδωσε στο προσωπικό της συρτάρι. Ένα από τα καλά του Σταν ήταν ότι ποτέ του δεν ενδιαφέρθηκε να μάθει τι κρύβει η γυναίκα του σ' αυτό το συρτάρι. Και η Κάσι το εκτιμούσε πολύ αυτό. Χτένισε βιαστικά τα μαλλιά της και βγήκε σαν σίφουνας από το σπίτι. Ευτυχώς που το στέκι του Gino ήταν σχετικά κοντά στην έπαυλή της. Έφθασε όπως πάντα πρώτη και παραδόξως η Σάρον ήρθε με μόνο πέντε λεπτά καθυστέρηση, ασθμαίνουσα ως συνήθως, φορώντας ένα καταπράσινο φόρεμα που δεν την κολάκευε καθόλου. Υπό άλλες συνθήκες, η Κάσι θα της το έλεγε, όμως τώρα την άφηνε παγερά αδιάφορη. Και μόνο η αφράτη ευκίνητη παρουσία της την είχε ήδη γαληνέψει. Η Σάρον, αφού τη φίλησε σταυρωτά, κάθισε απέναντί της.

«Σ' ακούω», της είπε ενώ παρήγγειλε τον αγαπημένο της καφέ, μόκα με μπόλικη σπιτική σαντιγί.

«Πιστεύεις ότι όλα αυτά που είπα στην αναδρομή μπορεί να έχουν συμβεί σε μένα, Σάρον;»

«Δεν ξέρω. Τι να σου πω, καλή μου. Από την άλλη, όμως, πώς είναι δυνατόν να γνωρίζεις τόσα πράγματα που αγνοούσες παντελώς; Και πώς είναι ποτέ δυνατόν να μιλάς εσύ λατινικά που έχεις πλήρη άγνοια;...»

«Και ποιος μας λέει ότι η Τσάπμαν δε με αυθυπόβαλε και δε μου μετέφερε τις δικές της γνώσεις στο στόμα μου; Αν ένας άνθρωπος έχει την ικανότητα να υπνωτίζει κάποιον άλλον, γιατί να μην μπορεί να τον κάνει να λέει ό,τι θέλει εκείνος; Ακόμη και να μιλάει μια άγνωστη γλώσσα».

«Ακόμη και λατινικά;»

«Ακόμη και λατινικά...»

«Δεν ξέρω τι να πω... Όχι, δεν το πιστεύω... Η Τσάπμαν είναι μια σοβαρή επιστήμονας».

«Στην ουσία, εκείνο που με θορύβησε ήταν όταν μου είπε πως θα το καταλάβω ότι βρήκα τον άνδρα που αγάπησα, όταν νιώσω μια έντονη έλξη για κάποιον. Κι εγώ μπορώ να σου πω με βεβαιότητα ότι αυτή την έλξη την ένιωσα για πρώτη φορά στη ζωή μου με τον Ορέστη. Δεν πίστευα καν ότι υπάρχει. Άκουγα για κεραυνοβόλο έρωτα και γελούσα ειρωνικά. Αν είναι δυνατόν κάποιος άνθρωπος, και μάλιστα ώριμος, να μην μπορεί να ελέγξει τα συναισθήματά του. Αυτά δεν τα έκανα ποτέ, ακόμη κι όταν ήμουν έφηβη. Τελικά είχε πολύ δίκιο ο πατέρας μου όταν μου έλεγε μια ελληνική ρήση».

«Τι έλεγε δηλαδή;»

«Μεγάλη μπουκιά φάε, μεγάλο λόγο μην πεις».

«Και έχει δίκιο. Κι εγώ έχω πει: "Ποτέ ξανά με νεότερο και φτωχότερο" και να με».

«Αλήθεια, πώς τα πάτε με τον Ρίκι; Δε μιλάς πια γι' αυτόν».

«Μια από τα ίδια. Τη μια μέρα αγαπημένοι, την άλλη σκοτωμένοι».

«Επιμένει ακόμη να παντρευτείτε;»

«Τελευταία δε θα το έλεγα. Ύστερα, δεν τον βλέπω και τόσο συχνά. Περισσότερο βλέπω εσένα παρά εκείνον».

«Ω, με συγχωρείς, Σάρον, είμαι τόσο εγωίστρια που ξέχασα ότι έχεις και προσωπική ζωή».

«Μην το ξαναπείς ποτέ αυτό. Με χρειαζόσουν και ήμουν δίπλα σου. Εγώ το ήθελα. Δε με υποχρέωσε κανείς. Τελικά πώς πάνε τα πράγματα με σένα και τον άνδρα σου; Ηρέμησαν;»

«Επιφανειακά μόνο. Το χάσμα που άνοιξε με τον Σταν δεν έκλεισε ποτέ. Κι ούτε θα κλείσει. Και εκείνος κάνει χειρότερη την κατάσταση. Λείπει όσο περισσότερο μπορεί από το σπίτι και ταξιδεύει για ιατρικά συνέδρια. Τον τελευταίο καιρό δεν τον βλέπω σχεδόν καθόλου. Ακόμη και τις Κυριακές. Σαν να με αποφεύγει. Δεν μπορώ να καταλάβω...»

«Μην ξεχνάς ότι η δουλειά του πήγε στραβά, χάσατε πολλά λεφτά και προσπαθεί να αναπληρώσει. Ίσως θέλει να μείνει και λίγο μόνος. Δεν είναι δα τόσο κακό».

«Δεν είπα ότι είναι κακό. Αρχίζω να πιστεύω ότι... Θεέ μου, δεν το είχα σκεφτεί αυτό».

«Τι δεν είχες σκεφτεί;»

«Ότι μπορεί να βλέπει κάποια άλλη. Να έχει ερωμένη».

«Αποκλείεται. Ο Σταν αποκλείεται. Δε μου λες; Από πότε έχετε να το κάνετε;»

«Τώρα που το σκέφτομαι, έχει να με πλησιάσει πάνω από ενάμιση μήνα...»

«Χμμ... λίγο ύποπτο, όχι όμως και ότι έχει ερωμένη. Μήπως έχει πάθει υπερκόπωση έτσι όπως δουλεύει συνέχεια;»

«Μακάρι να έχει...»

«Τι να έχει; Να έχει πάθει υπερκόπωση;»

«Μακάρι να έχει ερωμένη».

«Είσαι με τα καλά σου, Κάσι; Σ' αρέσει να σε κερατώνει ο άνδρας σου; Γιατί το λες αυτό;»

«Θα 'ναι καλύτερα, Σάρον. Θα μπορώ να φύγω από κοντά του χωρίς τύψεις πια».

«Και να πας πού;»

«Στην Ελλάδα, ανόητη. Στον Ορέστη».

«Ε, λοιπόν, εσύ σίγουρα δεν είσαι με τα καλά σου!» Η Σάρον την κοίταξε κατάπληκτη. «Πώς μπορείς να γυρίσεις πίσω σαν να μην τρέχει τίποτε έπειτα από όσα του έκανες; Ύστερα αυτός θα 'ναι πια με την αρραβωνιαστικιά του. Σιγά μην περιμένει εσένα». «Θα με περιμένει. Θα με συγχωρήσει. Ο Ορέστης είναι ο Τζον και είμαι η Κάρολ. Είναι ο Μάρκελλος και είμαι η Λυβία. Αγαπηθήκαμε με πάθος και μας χώρισε βίαιος θάνατος δύο φορές. Δε θα ξαναγίνει αυτό. Αυτή τη φορά δε θα...» Η Σάρον την έπιασε από τα χέρια και την ταρακούνησε. «Για το Θεό, έλα στα σύγκαλά σου, σε παρακαλώ. Δεν είσαι η Κάρολ ούτε η Λυβία. Κι εκείνος δεν είναι ο Τζον ούτε ο Μάρκελλος. Κι εγώ δεν είμαι η Ιουλιέτα ούτε η Κλεοπάτρα της Αιγύπτου. Αν θες να ξέρεις, δεν πιστεύω τίποτε από τα λόγια της Τσάπμαν ούτε από αναδρομές. Χαζομάρες είναι όλα. Να παίρνουν τα λεφτά του κοσμάκη».

«Εσύ μου είχες πει ότι είναι η καλύτερη ψυχοθεραπεύτρια. Το θυμάσαι;»

«Έτσι πίστευα. Τώρα άλλαξα γνώμη. Πας να τα τινάξεις όλα στον αέρα γιατί αρχίζεις να πιστεύεις ότι ο Σταν ξενογαμάει. Ερωτευμένη με τον άνδρα σου είσαι, Κάσι. Αυτόν αγαπάς, μ' αυτόν έχεις παιδί, εδώ είναι το σπίτι σου, η ζωή σου, εδώ μένουν οι γονείς σου. Ο Ορέστης έχει τη δική του ζωή στην Ελλάδα. Σύνελθε, επιτέλους. Ένα ωραίο όνειρο ήταν και πάει, τελείωσε. Σε λίγο καιρό ούτε που θα θυμάσαι το όνομά του».

«Ίσως να έχεις δίκιο. Ίσως να μη θυμάμαι καν ότι συναντηθήκαμε. Κατά βάθος ούτε κι εγώ πολυπίστεψα τα λόγια της Τσάπμαν. Απλώς είχα ανάγκη να τα πιστέψω. Θέλω να τα πιστεύω. Μέχρι να λησμονήσω...»

«Τώρα μιλάς λογικά. Δόξα τω Θεώ. Ας αλλάξουμε συζήτηση, σε παρακαλώ. Θέλω ν' ακούσω κάτι ευχάριστο».

«Ναι, ίσως να 'χεις δίκιο. Α, παραλίγο να το ξεχάσω. Έχω τρεις προσκλήσεις για πάρτι από αυτά που σ' αρέσουν πολύ, με πολλούς νεόπλουτους που ψάχνουν για το καλύτερο σπίτι προκειμένου να προβάλουν τη ματαιοδοξία τους». Η Σάρον χαμογέλασε πλατιά. «Αυτά είναι ευχάριστα νέα. Επιτέλους, να διασκεδάσουμε λιγάκι».

Η Κάσι ξανασκεφτόταν ό,τι είχαν συζητήσει με τη Σάρον καθώς πρόβαρε και το τρίτο φόρεμα από αυτά που είχε αγοράσει πριν από λίγες μέρες. Αυτή την εβδομάδα θα έλεγε στον Σταν ότι θα περάσει για ένα μπότοξ. Αρκετά είχε αμελήσει τον εαυτό της. Και ναι, καιρός ήταν να ξαναρχίσει το γυμναστήριο και το τένις. Όχι, δε θα του έλεγε τίποτε. Θα πήγαινε να του κάνει έκπληξη. Κάποτε του έκανε συχνά τέτοιες μικρές εκπλήξεις κι εκείνος χαιρόταν ιδιαίτερα σαν την έβλεπε να τον περιμένει στο γραφείο του. Κι αν ήταν τυχερή και δεν είχε χειρουργείο, θα πήγαιναν μετά για καμιά ωρίτσα να γευματίσουν μαζί σ' ένα πολύ νόστιμο ρέστοραν εκεί κοντά. Η Σάρον είχε δίκιο. Αργά ή γρήγορα ο χρόνος θα τη γιάτρευε. Έπρεπε να τη γιατρέψει. Δεν μπορούσε η καρδιά της να την ορίζει σ' αυτή την ηλικία όπως γούσταρε εκείνη. Ήταν περισσότερο από ανόητο. Βλακείες. Όλα αυτά που της είπε η Τσάπμαν ήταν ανοησίες. Δεν υπάρχει άλλη ζωή πέρα από αυτή που ζούμε τώρα. Πεθαίνουμε και πάει και τέρμα. Τελειώνουν όλα. Απλώς κάποιοι άνθρωποι σε ελκύουν σεξουαλικά περισσότερο από κάποιους άλλους. Σεξ ήταν και τίποτε περισσότερο. Και οι φοβίες μας οφείλονται σε κάτι που μας συνέβη σαν ήμασταν παιδιά και δεν το θυμόμαστε. Μπορεί να είχε κινδυνεύσει να πνιγεί όταν ήταν πολύ μικρή και δεν το θυμόταν πια, και πιθανόν ούτε οι γονείς της το είχαν προσέξει.

Μια φοβία είχε και πάει, τελείωσε κι αυτή. Ίσως στο τέλος θα ήταν και ο μόνος λόγος για να θυμάται τον Ορέστη.

Κοίταξε το είδωλό της στον τεράστιο, σκαλιστό και περασμένο με φύλλα χρυσού καθρέφτη της. Το υπέροχο Dolce & Gabbana φόρεμά της με τα έντονα ροζ-μοβ και πορτοκαλοκίτρινα μοτίβα του την έκανε να λάμπει περισσότερο από ποτέ. Τελικά ήταν ανόητη που τόσο καιρό απέφευγε τα φωτεινά χρώματα. Την έκαναν να φαίνεται πιο ζωντανή, πιο λαμπερή, πιο νέα. Αυτό το ρούχο θα φορούσε τελικά για το πάρτι γενέθλιων της Ρούμπι Ουέλς, που ήταν σύζυγος του μεγαλοεκδότη Χάρολντ Ουέλς, ιδιοκτήτη πέντε εντύπων, τα οποία διαμόρφωναν με τον τρόπο τους την κοινωνική ζωή της Αμερικής. Ο Ουέλς δεν είχε χαριστεί στον Σταν όταν συνέβη το σκάνδαλο με τη Μακ Στίβενς και ίσως η κίνηση της Ρούμπι, που ήταν γεννημένη ψωνάρα και σνομπ, να τους καλέσει στο πάρτι της για πρώτη φορά, να ήταν μια κίνηση συγγνώμης, μια και ο Σταν δεν είχε μηνύσει κανένα από τα έντυπα που διεύθυνε. Όχι, δεν ήταν πελάτισσά του για να έχουν στενότερες επαφές και ήταν γνωστό σε όλη την Αμερική το πόσο δύσκολο ήταν να μπεις στην guest list των Ουέλς. Ή μήπως η Ρούμπι είχε αποφασίσει να αλλάξει πλαστικό; Ήταν γνωστά τα δήθεν ταξιδάκια αναψυχής στο εξωτερικό, όπου γύριζε έπειτα από ένα μήνα παντελώς αλλαγμένη. Η Ρούμπι Ουέλς άλλαζε τόσο συχνά πρόσωπο και εμφάνιση όσο και μια γυναίκα τα μαλλιά της. Πρέπει να πλησίαζε τα εξήντα οκτώ, όμως έδειχνε τουλάχιστον δεκαπέντε χρόνια νεότερη. Κανένας δεν τολμούσε να κάνει την παραμικρή νύξη για τις πλαστικές της. Ήταν σαν να υπέγραφε τη θανατική του καταδίκη.

Προτού παντρευτεί τον Χάρολντ, είχε διατελέσει ένα διάστημα δημοσιογράφος σε περιοδικό του και είχε καλή πένα. Θα μπορούσε να γίνει μια επιτυχημένη δημοσιογράφος. Φυσικά δεν ήταν αυτός ο στόχος της. Στόχος της ήταν ο ίδιος ο εκδότης. Τότε εκείνη πλησίαζε τα τριάντα και η μπογιά της δε θα κρατούσε για πολύ. Ήταν νόστιμη μα πάνω απ' όλα ήταν έξυπνη και βιτσιόζα. Και ο Ουέλς, ένας αεικίνητος σαρανταπεντάρης εργένης, ήταν γνωστός σε όλο το Χόλιγουντ όχι μόνο για τα βίτσια του αλλά και για το μικρό του πουλί. Γι' αυτό και πλήρωνε αδρά τις γυναίκες προκειμένου να μη δει τα μάτια τους να τον υποτιμούν. Η Ρούμπι ήταν η μόνη γυναίκα που έφθασε σε οργασμό μαζί του. Πραγματικό οργασμό. Και αυτό τον έκανε να αισθάνεται για πρώτη φορά καλός εραστής. Σχεδόν αμέσως εκείνη φρόντισε να μείνει έγκυος και τότε ο Ουέλς αποφάσισε ότι ήρθε ο καιρός να κάνει παιδιά και οικογένεια μαζί της. Πλήρωνε που πλήρωνε αδρά τόσες γυναίκες, καλύτερα να το έκανε μόνο για μία, τη γυναίκα του και μητέρα των παιδιών του. Εκείνο όμως που δεν ήξερε και δεν έμαθε ποτέ ήταν ότι η Ρούμπι έφθανε σε οργασμό επειδή ακριβώς απέναντι από το κρεβάτι όπου την πηδούσε υπήρχε ένας μεγάλος πίνακας, που απεικόνιζε την Ιωσηφίνα γονατισμένη, την ώρα που την έστεφε ο μέγας Ναπολέοντας αυτοκράτειρα της Γαλλίας...

Η μέρα ήταν περίεργα συννεφιασμένη, σαν να το πήγαινε για βροχή, φαινόμενο σπάνιο, αλλά καθόλου δυσάρεστο για έναν Καλιφορνέζο. Μια καλή μπουγάδα ήταν ό,τι έπρεπε για να ξεπλυθεί και να ζωντανέψει λίγο η πόλη, που ώρες ώρες θύμιζε αποχαυνωμένο τύπο που χασκογελάει χωρίς λόγο. Η ανεμελιά των Καλιφορνέζων ήταν παγκοσμίως γνωστή, μόνο που η Κάσι δεν ήταν πια βέβαιη αν αυτό λεγόταν ανεμελιά ή αδιαφορία ή ηλιθιότητα. Για τίποτε δεν ήταν πια βέβαιη, ούτε για τον ίδιο τον εαυτό της. Για ένα μόνο ήταν σίγουρη· δεν ήταν πια ο ίδιος άνθρωπος.

Το πάρτι της Ρούμπι Ουέλς ήταν σε μία εβδομάδα και το ελαφρύ πρήξιμο από το μπότοξ που είχε αποφασίσει να κάνει σήμερα στο ιατρείο του Σταν θα είχε φύγει ως τότε. Ένα τσίτωμα του προσώπου της θα είχε ευεργετικά αποτελέσματα στο πεσμένο ηθικό της. Ο Σταν είχε μαγικά χέρια και κανένας στον κύκλο τους δεν είχε πάρει είδηση ότι είχε αρχίσει αυτές τις τονωτικές ενέσεις. Η μόνη που το γνώριζε ήταν η Σάρον, μια που την περιποιόταν και την ίδια ο Σταν. Η Κάσι μπορούσε να καταλάβει από μακριά ένα μπότοξ. Το γυαλισμένο μέτωπο, η ακινησία των φρυδιών, η αφύσικη παγωμένη έκφραση ήταν τα κύρια χαρακτηριστικά του. Ωστόσο ο Σταν είχε τη δική του τεχνική και απέφευγε τις υπερβολές, με αποτέλεσμα κανένας να μην καταλαβαίνει ότι το φρέσκο πρόσωπο δεν οφειλόταν στον καλό ύπνο, αλλά σε αντιρυτιδική αγωγή με ενέσεις.

Έφθασε με καλή διάθεση στην πολυκλινική και μπήκε αεράτη στην πολυτελή αίθουσα αναμονής, όπου βρισκόταν το γραφείο του άνδρα της. Η Μισέλ, η χαριτωμένη γραμματέας του, μιλούσε ως συνήθως στο τηλέφωνο, ενώ στην αίθουσα περίμεναν υπομονετικά τέσσερις γυναίκες, η μία εξ αυτών με φασκιωμένο κεφάλι. Το λίφτινγκ προσώπου ήταν το αγαπημένο σπορ των γυναικών σε αυτή την πόλη. Οι άλλες τρεις μάλλον ήταν υποψήφιες για επεμβάσεις. Η μία προφανώς θα έφτιαχνε τη μύτη της, αφού έμοιαζε με παπαγάλο, η άλλη το στήθος, μια και θύμιζε ταφόπλακα, και η τρίτη, η πιο αφράτη, πήγαινε για λιποαναρρόφηση. Η Κάσι είχε δει τόσες και τόσες πελάτισσες κατά τη διάρκεια του γάμου της, που πλέον ήξερε τι ακριβώς επιθυμούσε μια γυναίκα και σπάνια έπεφτε έξω.

«Καλημέρα, Μισέλ», είπε χαμογελώντας.

«Ω, καλημέρα σας, κυρία Πάλμερ, τι έκπληξη!» απάντησε χαρούμενα η κοπέλα. «Καιρό είχαμε να σας δούμε».

«Μπορώ να δω τον άνδρα μου;»

«Ω, ξέρετε, κυρία Πάλμερ, ο σύζυγός σας δε βρίσκεται στο γραφείο του αυτή τη στιγμή».

«Μπα; Και μήπως γνωρίζεις πού είναι;»

«Χμμ... να σας πω την αλήθεια, δεν έχω ιδέα», είπε αμήχανα. «Κάτι θα του έτυχε και...»

«Δεν τον έψαξες στο κινητό του;»

«Ναι, αλλά δεν απαντά. Ίσως έμεινε από μπαταρία».

«Και οι πελάτισσες;» απόρησε και έδειξε τις γυναίκες.

«Τις έχουν αναλάβει οι βοηθοί του συζύγου σας».

Η Κάσι κοίταξε το ολόχρυσο ρολόι της. Η ώρα πλησίαζε πέντε.

«Μα τέτοια ώρα ο άνδρας μου συνήθως είναι στο γραφείο του».

«Τι να σας πω, κυρία Πάλμερ. Μπορείτε να τον περιμένετε».

Η Κάσι κάλεσε τον άνδρα της από το δικό της κινητό, αλλά το τηλέφωνό του ήταν απενεργοποιημένο.

«Καλύτερα να πάω μια βόλια στα μαγαζιά και να έρθω αργότερα».

Η Κάσι βγήκε από την αίθουσα ενοχλημένη. Περισσότερο την πείραξε που δεν είχε κάνει το καταραμένο μπότοξ παρά που δε βρήκε τον Σταν εκεί. Έπρεπε να ξεμπερδεύει με αυτό σήμερα. Θα χάζευε καμιά ώρα τριγύρω και μετά θα επέστρεφε πίσω. Ως τότε, ο Σταν θα είχε επιστρέψει.

Μόλις είχε περάσει απέναντι στο δρόμο, όταν είδε μια κατάλευκη κάμπριο Mercedes να σταματά έξω από την πολυκλινική και να βγαίνει ο Σταν από μέσα. Στη θέση του οδηγού βρισκόταν μια εντυπωσιακή ξανθιά και σχετικά νέα γυναίκα. Η Κάσι μπορούσε να διακρίνει το τεράστιο σιλικονάτο στήθος της. Σίγουρα θα ήταν κάποια πελάτισσά του. Πολλές φορές τύχαινε να τον εξυπηρετούν κάποιες πελάτισσες όταν είχε κάποιες κοντινές δουλειές να κάνει, ή ακόμη και να τον συνοδεύουν για μεσημεριανό φαγητό. Ο άνδρας της θεωρούσε ότι οι άριστες δημόσιες σχέσεις ήταν και ένας παραπάνω λόγος για να είναι τόσο δημοφιλής.

Ήταν έτοιμη να φωνάξει το όνομά του, όταν εκείνος, λίγο προτού βγει από το αυτοκίνητο, φίλησε την ξανθιά στο στόμα με τρόπο που δε χωρούσε αμφιβολία πως η σχέση δεν περιοριζόταν μόνο σε φιλικό επίπεδο πελάτη και γιατρού. Αμέσως μετά, με γρήγορα βήματα, χάθηκε πίσω από τη βαριά γυάλινη πόρτα του κτιρίου. Η ξανθιά χασκογέλασε, έβγαλε ένα κραγιόν και έβαψε με φιλαρέσκεια τα σαρκώδη χείλη της. Έφυγε μαρσάροντας ενώ έβαζε τη ραπ μουσική στη διαπασών. Η Κάσι, μισοκρυμμένη πίσω από τον κορμό ενός δέντρου, είχε μείνει σαν ναρκωμένη να κοιτάζει το αυτοκίνητο καθώς απομακρυνόταν. Ακόμη και όταν εξαφανίστηκε τελείως, δεν ήταν σίγουρη αν αυτό που είχε δει ήταν σκηνή από κινηματογραφική ταινία, ή σκηνή από τη ζωή της. Ο Σταν την απατούσε. Κι όσο κι αν στην ουσία ήθελε να πιστεύει ότι δεν την ενδιέφερε πια, μέσα της το κάρφωμα του μαχαιριού την πονούσε. Αν όμως ο άνδρας της είχε ερωμένη, αυτό σήμαινε ότι ήταν πια ελεύθερη να διεκδικήσει την αγάπη. Την πραγματική αγάπη.

Μόνο όταν έφθασε στο σπίτι της συνειδητοποίησε πόσο δύσκολο ήταν αυτό. Είχαν περάσει ήδη τρεις μήνες χωρίς καμιά επαφή με τον Ορέστη. Σίγουρα εκείνος βρισκόταν ακόμη εκεί, στην Αμοργό, περιμένοντας να τελειώσει η σεζόν, ως το τέλος του Οκτώβρη, και ακόμη πιο σίγουρα θα ήταν με την αρραβωνιαστικιά του. Ή μήπως όχι; Πώς είχε μπερδέψει τόσο πολύ τη ζωή της; Ήθελε διαρκώς να τον δει. Τι θα του έλεγε; Πώς θα αντίκριζε το βλέμμα του; Όχι! Όχι, δεν είχε το κουράγιο. Απλώς δεν το είχε. Προς το παρόν, δεν ήξερε τι έπρεπε να κάνει με τον Σταν. Να του μιλήσει γι' αυτό που είχε δει, ή να σιωπήσει;

Το κινητό της χτύπησε. Στην οθόνη εμφανίστηκε ο αριθμός του Σταν. Πήρε μια βαθιά ανάσα και το σήκωσε.

«Ναι», είπε τάχα ανέμελα.

«Μωρό μου», ακούστηκε λίγο ανήσυχη η φωνή του, «η Μισέλ μου είπε ότι έφυγες πριν από λίγο από δω και τώρα πας για ψώνια. Γιατί δε μου είπες ότι θα έρθεις;»

«Ήθελα να κάνω ένα επαναληπτικό μπότοξ και επί τη ευκαιρία να σου κάνω μια μικρή έκπληξη».

«Είσαι κοντά; Μπορείς να γυρίσεις;» Ήθελε να βεβαιωθεί ότι δεν τον είχε δει να επιστρέφει συνοδευόμενος.

«Όχι, είμαι ήδη στο αυτοκίνητο και γυρίζω σπίτι, γιατί ανακάλυψα ότι δεν πήρα μαζί μου τις κάρτες μου».

«Λυπάμαι πολύ, αγάπη μου, αλλά μου έτυχε ένα επείγον περιστατικό και έπρεπε να δω μια πελάτισσα στο σπίτι της. Ήταν αδύνατον να μετακινηθεί η ίδια». Η φωνή του ακουγόταν πειστική. «Μην ανησυχείς όμως για το μποτοξάκι σου. Θα πάρω την ένεση μαζί μου και θα σου το κάνω στο σπίτι. Εντάξει; Θα φροντίσω να έρθω νωρίτερα απόψε».

«Εντάξει», είπε η Κάσι γλυκά.

«Θέλεις να μου πεις κάτι άλλο; Έχω δουλίτσα».

«Όχι, αυτό ήταν μόνο. Θα σε περιμένω».

Κι αν όντως είχε δουλειά και απλώς αυτή η ξανθιά ήταν κάποια γνωστή του ή πελάτισσά του; Μερικές γυναίκες είναι περισσότερο αυθόρμητες στη συμπεριφορά από κάποιες άλλες, σε σημείο παρεξήγησης. Αναστέναξε πάλι και άνοιξε την τηλεόραση. Η Μόλι κούρνιασε δίπλα της. Σήκωσε το κινητό της και κάλεσε τον Άλεξ. Η λαχανιασμένη φωνή μιας γυναίκας απάντησε στην κλήση της.

«Ναι...»

«Μπορώ να μιλήσω στον Άλεξ;» ρώτησε ξαφνιασμένη.

«Αυτή τη στιγμή είναι πολύ απασχολημένος», είπε η γυναίκα και αναστέναξε αφήνοντας ένα γελάκι.

«Ποιος είναι, γαμώτο!» άκουσε τη βαριά φωνή του γιου της.
«Κάποια που βιάζεται να με αντικαταστήσει, γλύκα», είπε η γυναίκα και βόγκηξε ξανά.

«Ποια είσαι;» ρώτησε την Κάσι.

Η Κάσι άρχισε να εκνευρίζεται. «Η μητέρα του».

«Λέει ότι είναι η μάνα σου, μωρό μου. Πολλές μανάδες μαζευτήκαμε τελευταία», σχολίασε η γυναικεία φωνή και χαχάνισε.

«Εμπρός; Μαμά;» της μίλησε ο Άλεξ.

«Σε διέκοψα από κάτι;»

«Ε... όχι... ναι... ξέρεις τώρα, είμαι με μια φίλη μου. Συμβαίνει κάτι;»

«Θα έπρεπε να συμβεί κάτι για να σε ψάξω, Άλεξ;»

«Μου ακούγεσαι θυμωμένη».

«Ζήλεψε», ακούστηκε δυνατά η φωνή της γυναίκας προκλητικά.

«Βούλωσ' το και δίνε του από δω!» της είπε ο γιος της οργισμένος.

«Μα τι είδους γυναίκες είναι αυτές που βάζεις στο σπίτι σου, Άλεξ;» ρώτησε η Κάσι ενοχλημένη από την αναίδεια της γυναίκας.

«Δεν είναι κάτι σοβαρό. Μην ανησυχείς. Μα ακούγεσαι περίεργα σήμερα. Έχεις κάτι;»

«Όχι, τίποτε. Απλώς μια Κυριακή που μένει να σε δούμε, εσύ μας ξεχνάς. Πάνε δεκαπέντε μέρες από την τελευταία φορά που μας τίμησες με την παρουσία σου».

«Καλά, καλά, θα έρθω την Κυριακή. Κι εμένα μου λείπετε πολύ».

«Το βλέπω. Τέλος πάντων. Θα σε περιμένουμε», του είπε και έκλεισε το ακουστικό. Ξαφνικά ένιωθε άδεια, αόρατη, άχρηστη, νεκρή. Ακόμη και το πολύχρωμο φόρεμα των Dolce & Gabbana απέναντί της της φάνηκε γκρίζο και μελαγχολικό. Όλα γύρω της ήταν γκρίζα. Όλη η ζωή της ήταν πια χωρίς νόημα. Το πάρτι της Ρούμπι Ουέλς ήταν ένα από τα καλύτερα όλων των εποχών. Η τεραστίων διαστάσεων έπαυλή της στην καλύτερη περιοχή του Μπελ Έαρ ήταν φωταγωγημένη. Ακόμη και να μην ήξερες ποιο είναι το σπίτι, μπορούσες να το εντοπίσεις από χιλιόμετρα. Οι ουρά των υπερπολυτελών αυτοκινήτων ήταν πολύ μεγάλη και οι ένστολοι παρκαδόροι δεν προλάβαιναν να τα παρκάρουν γρηγορότερα, προκαλώντας μια εκνευριστική αναμονή. Τα ακριβότερα αυτοκίνητα του κόσμου έκαναν παρέλαση μπροστά στα έκπληκτα μάτια εκείνων που δεν είχαν την τύχη να ανήκουν στη λίστα των καλεσμένων της Ρούμπι. Η Κάσι είχε μετρήσει τουλάχιστον δεκαοκτώ Ferrari, άλλες τόσες Lamborghini και ατέλειωτες Rolls-Royce ώσπου να φθάσουν στην είσοδο με την αστραφτερή ολοκαίνουργια Ferrari του άνδρα της. Όλη η αφρόκρεμα των χολιγουντιανών σταρ τιμούσε με την παρουσία της το ζεύγος Ουέλς. Η Ρούμπι εμφανίστηκε φορώντας ένα γαλαζοπράσινο καφτάνι κεντημένο με αληθινές πέρλες και στολισμένη με ένα πανάκριβο σετ κοσμημάτων από τεράστιες τιρκουάζ πέτρες και διαμάντια, δεμένες σε πλατίνα. Αυτή τη φορά τα πλούσια πορτοκαλοκόκκινα μαλλιά της είχαν ενισχυθεί από extensions και τα χείλη της ήταν βαμμένα κατακόκκινα, κάτι που δεν άρμοζε στην ηλικία της. Φυσικά κανένας δεν τολμούσε να σχολιάσει κάτι τέτοιο στη Ρούμπι. Την επομένη θα τον είχε κρεμάσει από το κοντάρι της σημαίας που δέσποζε στο τεράστιο κτίριο των γραφείων με τα αρχικά HRW (Harold-Ruby-Wells) μπλεγμένα μεταξύ τους και κοσμημένα με μια κορόνα. Προφανώς το ίδιο στέμμα με αυτό της αυτοκράτειρας Ιωσηφίνας. Ήταν κραυγαλέα εντυπωσιακή όσο ένα γέρικο παγόνι με ανοιγμένα τα μαδημένα από το χρόνο φτερά του. Το θαυμάζεις, αλλά και το λυπάσαι συγχρόνως.

Η Κάσι, συνοδευόμενη από τον Σταν και η Σάρον από τον Άλεξ, μια και ο Ρίκι ήταν μάλλον ανεπιθύμητος για τα γούστα της Ρούμπι, δεν μπόρεσαν να μη θαυμάσουν την πολυτέλεια που δέσποζε γύρω τους, αλλά και να μην εντυπωσιαστούν από τα φανταχτερά ονόματα των προσκεκλημένων. Η πρόσκληση ήταν αυστηρά για την οικογένεια Πάλμερ και, σύμφωνα με το savoir vivre, ο γιος τους έπρεπε να συνοδεύεται. Η Σάρον, όσο και να ήθελε μαζί της τον Ρίκι, γνώριζε ότι αυτό ήταν ακατόρθωτο. Από την άλλη, δε θα έχανε με τίποτε στον κόσμο την ευκαιρία να μπει στην έπαυλη των Ουέλς με την πιο αυστηρή guest list στο L.A. Τσακώθηκαν εκείνη την ημέρα εξαιτίας αυτής της απόφασης της Σάρον, όμως τελικά πέρασε το δικό της.

Όσο και να μην το επεδίωκε η Κάσι, δεν μπόρεσε να μη νιώσει ότι αποτελούσε ξεχωριστό μέλος μιας ελίτ, όχι μόνο της Αμερικής, αλλά και όλου του κόσμου. Χαλάρωσε αποφασισμένη να απολαύσει τη βραδιά. Εξάλλου, το είχε ανάγκη. Η ίδια ένιωθε πολύ όμορφη μέσα στο υπέροχο φόρεμά της. Τα μαλλιά της ήταν προσεκτικά χτενισμένα ψηλά σ' ένα κομψό σινιόν που άφηνε σε κοινή θέα τον λεπτό και μακρύ λαιμό της και το ανανεωμένο από το μπότοξ πρόσωπό της, κάνοντάς τη να μοιάζει με τριαντάρα. Φορούσε ένα πανάκριβο διαμαντένιο σετ από κολιέ, σκουλαρίκια και δαχτυλίδι που οι λάμψεις από τις πολύτιμες πέτρες τους σε ζάλιζαν. Η αέρινη δημιουργία του οίκου Dolce & Gabbana που φορούσε της πήγαινε υπέροχα. Τα φλας των φωτογράφων άστραψαν με την είσοδό τους περισσότερο από ποτέ και η Κάσι στραβώθηκε, ένιωσε άβολα, αλλά και κολακευμένη συγχρόνως. Όλο αυτό το σύννεφο που τους είχε καταπλακώσει πριν από λίγο καιρό τούς βγήκε τελικά σε καλό. Ο άνδρας της είχε γίνει πλέον διάσημος παγκοσμίως. Το όνομά του πουλούσε περισσότερο από ποτέ. Όλοι ήθελαν να τον γνωρίσουν από κοντά, ακόμη κι αν δεν είχαν ανάγκη από τα μαγικά του χέρια. Η ίδια η Ρούμπι, κρεμασμένη από το μπράτσο του, ζήτησε να φωτογραφηθεί πολλές φορές μαζί του, ενώ συγχρόνως του ψιθύρισε ότι ήθελε το συντομότερο μια αυστηρά ιδιωτική συνάντηση στο ιατρείο του. Η Κάσι ήταν σίγουρη ότι αύριο όλες οι εφημερίδες θα τον είχαν πρωτοσέλιδο να ποζάρει δίπλα στο γαλαζοπράσινο παγόνι...

Γύρω στη μία το βράδυ, το κέφι είχε φουντώσει για τα καλά και το αλκοόλ είχε χαλαρώσει πολύ τους καλεσμένους, εξαφανίζοντας για τα καλά κάποιες στημένες συμπεριφορές. Η Κάσι μιλούσε με κάποια γνωστή δικηγόρο, όταν αντιλήφθηκε ότι ο Σταν είχε χαθεί αρκετή ώρα από τα μάτια της. Τον έψαξε με το βλέμμα της τριγύρω, αλλά δεν τον εντόπισε πουθενά. Είκοσι λεπτά αργότερα τον είδε σε μια απόμερη γωνιά να συνομιλεί με μια ξανθιά γυναίκα. Την αναγνώρισε αμέσως. Ήταν η ίδια γυναίκα που τον είχε αφήσει έξω από την κλινική λίγες μέρες νωρίτερα. Το τεράστιο σιλικονάτο στήθος της και τα φουσκωμένα από το κολλαγόνο χείλη της δεν άφηναν καμία αμφιβολία πως επρόκειτο για αυτήν. Η περίεργη στάση των σωμάτων τους, που έγερναν το ένα πάνω στο άλλο, δεν της άρεσε καθόλου. Τελικά όσο πιο πολύ μεγαλώνουν οι άνδρες, τόσο πιο πολύ χάνουν το καλό τους γούστο. Και παρότι κατά βάθος δεν το συνήθιζε, αποφάσισε να γνωρίσει από κοντά αυτή τη μυστηριώδη γυναίκα. Όταν όμως ο Σταν την είδε να τους πλησιάζει, παράτησε την ξανθιά, που έφυγε προς την αντίθετη κατεύθυνση, και ήρθε βιαστικά κοντά της.

«Σταν, σε ψάχνω αρκετή ώρα», του είπε ανήσυχη.

«Με συγχωρείς, αγάπη μου, είδα κάποιες πελάτισσες και ξεχάστηκα», απάντησε νευρικά.

«Ποια ήταν αυτή;»

«Για ποια μιλάς;»

«Μα για αυτή την ξανθιά που μιλούσες τώρα. Ποια είναι;»

«Α... για αυτή λες;» Κούνησε τάχα αδιάφορα τους ώμους. «Ούτε που ξέρω ποια είναι, μωρό μου. Με ρώτησε αν είμαι ο Πάλμερ και αυτό ήταν όλο. Δεν την έχω δει ποτέ στη ζωή μου». Η Κάσι ήταν πια σχεδόν βέβαιη· αυτή η γυναίκα ήταν ερωμένη του.

Βέβαια, για το υπόλοιπο της βραδιάς η ξανθιά περιφερόταν εδώ κι εκεί και η Κάσι βεβαιώθηκε περισσότερο για την ύποπτη παρουσία της, όταν μια γνωστή κοσμικογράφος, κοιτάζοντάς τη, της είπε ότι αποκλειόταν η Ρούμπι να είχε καλεσμένη κάποια μη διάσημη, και μάλιστα δευτεροκλασάτη. Το πιθανότερο να την είχε μπάσει κάποιος λαθραία, που λένε. Συμβαίνουν σε όλα τα πάρτι, ακόμη και στα καλύτερα. Μόλις χαλαρώσει λίγο η επίβλεψη και ο κόσμος μαστουρώσει από το ποτό ή το σνιφάρισμα και οι άνδρες που ελέγχουν την guest list χαλαρώσουν κι αυτοί για να τσιμπολογήσουν, τότε κάποιοι επιτήδειοι βρίσκουν την ευκαιρία να μπάσουν και κάποιους άλλους απρόσκλητους. Σίγουρα άνδρας την έκανε τη δουλειά. Με τέτοια βυζιά που έχει... Ποιος όμως;

Η Κάσι δεν απάντησε. Γνώριζε πολύ καλά ποιος ήταν ο ένοχος.

Κι ενώ το βράδυ της είχε ξεκινήσει με τους καλύτερους οιωνούς, ένιωσε τόσο απαίσια, σαν να βρισκόταν στο χειρότερο μέρος του κόσμου. Η Σάρον δεν είχε βάλει γλώσσα μέσα στην προσπάθειά της να επεκτείνει το πελατολόγιό της. Ο Άλεξ, από την άλλη, δεν είχε χάσει την ευκαιρία να φλερτάρει ασύστολα τον μισό γυναικείο πληθυσμό του πάρτι. Κάθε πέντε λεπτά βρισκόταν δίπλα σε μια διαφορετική γυναίκα, ανεξάρτητα από την ηλικία της, την κοινωνική της τάξη, ή την οικογενειακή της κατάσταση. Μα πώς είχε αλλάξει τόσο πολύ ο γιος της; Δεν είχε μπει ακόμη στα είκοσι δύο και φερόταν χειρότερα κι από έναν πωρωμένο μαστούρη ροκά. Ίσως θα έπρεπε να του μιλήσει σοβαρά πλέον, όχι ως μάνα προς γιο, αλλά σαν φίλη του, να τον ρωτήσει για την

Νταϊάν, να προσπαθήσει να καταλάβει πώς ένιωθε ο ίδιος. Κάπου μέσα της καταλάβαινε ότι το παιδί της υπέφερε. Κι όμως, τον είχε μεγαλώσει με αρχές. Αυτή η καταραμένη ιστορία με τη Μακ Στίβενς μπορεί να έκανε ακόμη πιο διάσημο τον άνδρα της, άλλαξε όμως πολύ το γιο τους. Έπρεπε να βάλει τη ζωή της οικογένειάς της σε μια τάξη. Πώς όμως; Αν ο Σταν απλώς πηδούσε αυτή την ξανθιά, τότε θα ήταν πιο εύκολο. Αν, όμως, την είχε ερωτευτεί; Τα είχε όλα τόσο μπερδεμένα μέσα της. Ούτε και η ίδια ήξερε τι ακριβώς γύρευε από τον άνδρα της. Τον ήθελε ακόμη; Τη βόλευε το γεγονός ότι υπήρχε μια ερωμένη στη ζωή του; Ή της ήταν αδιάφορα όλα; Έπρεπε να τα ξεκαθαρίσει κάποια στιγμή.

Την επόμενη μέρα ο Σταν άργησε πολύ να επιστρέψει. Η Κάσι θορυβήθηκε περισσότερο μην τυχόν του συνέβη κάτι, κάποιο ατύχημα. Από τότε που είχε αγοράσει αυτή την καταραμένη Ferrari υπερέβαινε σταθερά το όριο ταχύτητας και ήδη είχε πάρει μια προειδοποίηση από του μπάτσους μαζί με κλήση φυσικά. Βέβαια, ήταν πάντα πολύ προσεκτικός, γιατί γνώριζε περισσότερο από τον καθένα τι συνέπειες μπορούσε να έχει στην καριέρα ενός χειρουργού κάποιο ατύχημα. Η ώρα πλησίαζε μία το πρωί και εκείνος δεν είχε εμφανιστεί. Μπήκε πολλές φορές στον πειρασμό να πάρει τηλέφωνο, όμως από την άλλη σκέφτηκε ότι αυτό δεν το είχε κάνει ποτέ άλλοτε, γιατί πάντα του είχε εμπιστοσύνη. Κάποιες νύχτες αργούσε, όμως τον τελευταίο μήνα, και ειδικά από τότε που αγόρασε το αυτοκίνητο, απουσίαζε όλο και συχνότερα. Αλλά τελικά δεν άντεξε.

Ήταν έτοιμη να σχηματίσει το νούμερό του, όταν ο βρυχηθμός του αυτοκινήτου του από μακριά τη σταμάτησε. Έσβησε το φως της κρεβατοκάμαρας και έκλεισε τα μάτια. Όχι, δεν είχε καμιά όρεξη για συζήτηση τέτοια ώρα. Τον άκουσε να ανεβαίνει βιαστικά, αλλά αντί να έρθει στην κρεβατοκάμαρά τους, μπήκε σε κάποιο άλλο δωμάτιο. Η Κάσι άκουσε το θόρυβο μιας πόρτας που άνοιξε. Σηκώθηκε στις μύτες των ποδιών της και βγήκε έξω στον μακρύ διάδρομο. Η πόρτα ενός από τα δωμάτια επισκεπτών λίγο πιο κάτω ήταν μισάνοιχτη και εκείνη προχώρησε αργά και μπήκε. Ο θόρυβος της ανοιχτής βρύσης του μπάνιου ήταν έντονος. Ο Σταν έκανε μπάνιο. Γιατί έκανε μπάνιο τέτοια ώρα; Ποιες μυρωδιές ήθελε να διώξει από πάνω του; Γύρισε πίσω στο κρεβάτι της και σφάλισε τα μάτια. Τι ρόλο έπαιζε σ' αυτόν το γάμο; Γιατί ένιωθε τόση παγωνιά ακόμη κι όταν ο Σταν ήταν κοντά της; Λίγα λεπτά αργότερα τον άκουσε να μπαίνει και μετά σύρθηκε απαλά κάτω από τα σεντόνια. Αντί να την αγκαλιάσει και να τη φιλήσει στο μέτωπο ή στον ώμο, όπως συνήθως έκανε, εκείνος γύρισε την πλάτη του. Την επόμενη στιγμή η Κάσι άκουσε τη βαριά ανάσα του καθώς τον έπαιρνε ο Μορφέας στην αγκαλιά του. Δυο ζεστά δάκρυα κύλησαν άθελά της από τα μάτια της και μούσκεψαν το μαξιλάρι της.

Μία εβδομάδα μετά, κι ενώ οι απουσίες του Σταν ήταν σχεδόν καθημερινές, η Κάσι ξύπνησε με ένα περίεργο αίσθημα αγωνίας. Σαν κάτι να την έπνιγε. Μήπως είχε δει πάλι κάποιο από τα όνειρά της και δεν το θυμόταν; Μπορεί. Το σπίτι δεν τη χωρούσε με τίποτε. Ντύθηκε βιαστικά και έφυγε χωρίς να έχει κα τά νου κάποιο πρόγραμμα. Το αίσθημα του πνιγμού την ακολουθούσε κι εκείνο. Ήθελε να απομακρυνθεί από όλους και όλα, να σκεφτεί. Μια βόλτα στους δρόμους, ή καλύτερα στη θάλασσα, θα της έκανε καλό. Μπήκε στο αυτοκίνητο και οδήγησε αφηρημένα ώσπου έφθασε στη Σάντα Μόνικα. Ο καιρός ήταν θαυμάσιος και σκέφτηκε ότι ήταν ανόητη που δεν είχε πάρει το μαγιό μαζί της. Κάποτε ο ωκεανός την τρόμαζε, ακόμη και όταν καθόταν στην άμμο, και τώρα θα ήθελε πολύ να κολυμπήσει. Περπάτησε κατά μήκος της παραλίας ξυπόλυτη, χαζεύοντας τα σκούρα νερά. Η δροσιά του ωκεανού τής δημιούργησε ένα ευχάριστο συναίσθημα και για μια στιγμή ξέχασε όλα αυτά που τη βασάνιζαν. Εκεί, στο βάθος του ορίζοντα, όπου ο ήλιος είχε προβάλει από ώρα σε κάποια άλλη χώρα μακρινή, την Ελλάδα, την ίδια στιγμή ετοιμαζόταν να βασιλέψει. Θυμήθηκε τα ηλιοβασιλέματα της Αμοργού, τον ολοστρόγγυλο πορφυρό δίσκο που βυθιζόταν αργά αργά, κι ένιωσε μεγάλη νοσταλγία. Κάθισε πάνω στην άμμο, αφήνοντας το νερό να της γλείφει τα πόδια και την καρδιά της να ταξιδέψει και να ξαναταξιδέψει, ώσπου μύρισε τα βότανα της Αμοργού, την αρμύρα της. Και ναι, ένιωσε να ηρεμεί. Γιατί όμως δεν ήταν πια ευτυχισμένη; Αφού η κοινωνική τους αποκατάσταση είχε επιτευχθεί, και μάλιστα με τον καλύτερο τρόπο. Τι έφταιγε λοιπόν; Μήπως η συμπεριφορά του Σταν τελευταία; Από την άλλη όμως δεν μπορούσε να τον κατηγορήσει, αφού δεν είχε χειροπιαστές αποδείξεις εναντίον του. Μήπως ήταν υπερβολική; Μήπως ήθελε να του φορτώσει τις δικές της ενοχές για να νιώσει καλύτερα;

Σηκώθηκε απότομα από την άμμο, τίναξε τη μακριά αέρινη μπεζ φούστα της και προχώρησε προς τα μαγαζάκια, που υπήρχαν πάμπολλα εκεί γύρω. Σταμάτησε σ' ένα κιόσκι και πήρε ένα παγωτό. Πιο δίπλα υπήρχε ένας πάγκος με περιοδικά. Η Κάσι χάζεψε αφηρημένα τους διάσημους σταρ που φιγουράριζαν στα εξώφυλλα. Η Πάρις Χίλτον, η πάμπλουτη νεαρή κληρονόμος, τελευταία είχε γίνει στόχος κακόβουλων σχολίων με τα καμώματά της. Ήταν ένα χαριτωμένο κορίτσι που, καθότι φαίνεται, αγαπούσε πολύ τα πάρτι. Η Κάσι χαμογέλασε. Πώς μπορούσε ο κόσμος να ενδιαφέρεται τόσο πολύ για τη ζωή κάποιων ανθρώπων που κατά τη γνώμη της ήταν ανάξιοι λόγου και προσοχής;

Έκανε να προσπεράσει και τότε τα μάτια της γούρλωσαν και καρφώθηκαν στο εξώφυλλο του περιοδικού *TIME*. Σε όλη την

έκταση του εξωφύλλου υπήρχε η φωτογραφία ενός παλιομοδί-
τικου πράσινου φορέματος. Ένα μακρύ ξεθωριασμένο κυπαρισ-
σί φόρεμα με κίτρινες φαρδιές κορδέλες και τριαντάφυλλα στο
μπούστο φτιαγμένα από το ίδιο ύφασμα. Αυτό το φόρεμα το εί-
χε ξαναδεί, ή μάλλον το είχε φορέσει. Πού; Το μυαλό της είχε
σταματήσει. Γιατί της ήταν τόσο οικείο; Η Κάσι πλησίασε και
διάβασε τη λεζάντα από κάτω.

*«Ένα σπανιότατο και σε άριστη κατάσταση γυναικείο φόρεμα
ανακαλύφθηκε πρόσφατα από το ναυάγιο του Τιτανικού και πα-
ραδόθηκε στο Μουσείο Ευρημάτων του Τιτανικού».*

Η Κάσι πάγωσε. Πέταξε το μισοτελειωμένο παγωτό στο κα-
λάθι δίπλα της και άρπαξε το περιοδικό πληρώνοντας βιαστικά.
Κάθισε στο πρώτο παγκάκι που βρήκε και διάβασε το άρθρο.

*Είναι απίστευτο, όμως παραδόθηκε το φόρεμα αυτό πριν από
λίγο καιρό από τον Σον Κρέστον στους υπεύθυνους του Μουσείου
Ευρημάτων του Τιτανικού, μαζί με ένα ζευγάρι σκουλαρίκια, δύο
διαβατήρια και αποκόμματα εισιτηρίων που πιστοποιούν την ταυ-
τότητα των κατόχων τους. Όπως ανέφερε ο κύριος Κρέστον, τα
αντικείμενα αυτά ανευρέθησαν από τον ίδιο, όταν μετά το θάνατο
του παππού του, Ελ Κρέστον, κληρονόμησε το σπίτι του στην Οτά-
βα. Ο Ελ Κρέστον, ένας μοναχικός και ιδιόρρυθμος χήρος, έφυγε
σε ηλικία 98 ετών από βαθιά γεράματα. Τα τελευταία σαράντα
χρόνια και μετά το θάνατο της γυναίκας του είχε αποτραβηχτεί
από τα εγκόσμια και ζούσε μόνος του, απομακρυσμένος από όλους.
Όταν πέθανε το 1991, ο μοναδικός εγγονός του, ο Σον, κληρονό-
μησε το σπίτι του, ο οποίος όμως διέμενε μόνιμα στο Περθ της Αυ-
στραλίας με την Αυστραλή γυναίκα του και την οικογένειά του.
Προσφάτως ο κύριος Σον Κρέστον αποφάσισε να πουλήσει το σπί-
τι του παππού του, μια και δεν του χρησίμευε σε τίποτε και ήταν*

εγκαταλειμμένο από χρόνια. Για το λόγο αυτόν, μετέβη στην Οτάβα, προς τακτοποίηση του θέματος. Ανάμεσα στα προσωπικά αντικείμενα του παππού του και κάτω στο κελάρι, καταχωνιασμένο σε μια γωνιά, μέσα σ' ένα παλιό κομό, ανακάλυψε ένα δέμα που περιείχε ένα παλιό γυναικείο φόρεμα, ένα ζευγάρι σκουλαρίκια και δυο παλαιού τύπου βρετανικά διαβατήρια και εισιτήρια. Ο κύριος Κρέστον διαπίστωσε με μεγάλη του έκπληξη ότι στο ένα από τα μισοκατεστραμμένα εισιτήρια αναφερόταν το όνομα Τιτανικός και η χρονολογία 1912. Τότε θυμήθηκε ότι ο παππούς του, σε νεαρότατη ηλικία και για κάποιο μικρό διάστημα, είχε ταξιδέψει ως απλός ναυτικός σε κάποια φορτηγά πλοία, και μάλιστα είχε αναφέρει στο γιο του και πατέρα του κυρίου Κρέστον ότι είχε συμμετάσχει στη διάσωση επιβατών του ναυαγίου του Τιτανικού. Βέβαια το γεγονός αυτό δε θεωρήθηκε σημαντικό και με τα χρόνια διαγράφηκε ακόμη και από τη μνήμη του παππού. Ωστόσο για κάποιο λόγο, ο παππούς του κρατούσε επί σειρά ετών στα χέρια του κάποια αντικείμενα, που πιθανότατα ανήκαν σε επιβάτες του μοιραίου ναυαγίου. Αντιλαμβανόμενος τη σοβαρότητα του πράγματος, επικοινώνησε με το αρμόδιο τμήμα και παρέδωσε όλα τα αντικείμενα. Έπειτα από την κατάλληλη χημική επεξεργασία των εγγράφων, οι ειδικοί αποφάνθηκαν ότι τα διαβατήρια και τα εισιτήρια ανήκαν σε ένα ζευγάρι ονόματι Τζον και Κά... με το επώνυμο ...ριμορ και ότι το φόρεμα ανήκε χρονολογικά στη δεκαετία 1910-20. Δυστυχώς, παρ' όλη την τεχνική επεξεργασία, δε στάθηκε δυνατόν να εξακριβωθεί ολόκληρο το όνομα της άτυχης γυναίκας, που πιθανολογείται ότι έπρεπε να λέγεται Καρολίνα, ή Καρλότα, ή Κάρμεν, ή κάπως αλλιώς, ενώ από το επώνυμο λείπουν τα πρώτα γράμματα και ως εκ τούτου είναι ακόμη πιο δύσκολο να βρεθεί. Το φόρεμα είναι φτιαγμένο από σκούρο πράσινο βελούδο αρίστης ποιότητας, που δυστυχώς σε κάποια σημεία είναι φθαρμένο από την πολυκαιρία και τη μούχλα, χωρίς όμως να έχει καταστραφεί και γενικότερα είναι σε πολύ καλή κατάσταση. Τα σκουλαρίκια είναι κατασκευασμένα από χρυσό και δεμένα με πέτρες σιτρίν πέντε καρατίων η καθεμία. Τα ευρήματα θα εκτεθούν σύντομα στο Μουσείο Ευρημάτων του Τιτανικού ενώ θα γίνει περαιτέρω έρευνα για τον εντοπισμό των κατόχων αυτών των αντικειμένων.

Κάτω ακριβώς από το άρθρο υπήρχαν άλλες δύο φωτογραφίες. Μία από τα μισοκατεστραμμένα διαβατήρια και μία με ένα ζευγάρι σκουλαρίκια. Η Κάρολ σταμάτησε το διάβασμα. Η καρδιά της βροντοχτυπούσε όσο ποτέ άλλοτε στη ζωή της. Ώστε ήταν αλήθεια· η Κάρολ και ο Τζον υπήρξαν. Ήταν ο μοναδικός άνθρωπος στον κόσμο που μπορούσε να μιλήσει για αυτό το ζευγάρι, να ουρλιάξει και να τους πει πόσο πολύ αγαπήθηκαν σ' εκείνη τη ζωή, πόσο πολύ αγαπήθηκαν και σε μια άλλη, πόσο πολύ αγαπήθηκαν και σ' αυτήν. Τα χέρια της έτρεμαν. Όχι, δεν πήγαινε άλλο. Δεν άντεχε άλλο. Τα σημάδια ήταν παρά πολλά για να τα παραβλέψει, να τα προσπεράσει. Αυτός ο άνδρας την έψαχνε σ' αυτή τη ζωή, την καλούσε με όνειρα να πάει κοντά του και, όταν τον βρήκε, την ικέτεψε να μείνει. Και τώρα, εκεί που πίστεψε ότι είχε κάνει λάθος, αυτή η απόδειξη ήταν η τελευταία σταγόνα στο ποτήρι των αμφιβολιών της. Έβγαλε το κινητό της από την τσάντα της και σχημάτισε τον αριθμό του Ορέστη αμέσως στην οθόνη της. Μπορεί να τον είχε διαγράψει από τη λίστα των επαφών της, όμως το μυαλό της δεν τον λησμόνησε ποτέ. Κι εκείνη απλώς τον κάλεσε. Έπειτα από μια ατελείωτη, όπως της φάνηκε, αναμονή, η φωνή της τηλεφωνήτριας την ενημέρωσε ότι ο αριθμός αυτός δεν ίσχυε πλέον. Η Κάσι ένιωσε να ζαλίζεται. Ώστε είχε αλλάξει το νούμερο του κινητού του; Αυτό σήμαινε ότι είχε πάρει τις αποφάσεις του.

«Όχι!» φώναξε δυνατά η Κάσι και σηκώθηκε από τη θέση της. Τα μάτια της ήταν αγριεμένα, η έκφραση του προσώπου της φανέρωνε άνθρωπο που δεν είχε επαφή με το περιβάλλον. Ένα ζευγάρι ερωτευμένων την κοίταξε ξαφνιασμένο. Όχι, που να πάρει ο διάολος. Όχι! Μόλις είχε θυμηθεί ότι είχε πετάξει τη μοναδική κάρτα όπου υπήρχε γραμμένο το τηλέφωνο του μαγαζιού του στην Αμοργό και, το χειρότερο, δε θυμόταν καν το όνομα του μπαρ. Είχε προσπαθήσει και άλλοτε να το θυμηθεί, όμως για κάποιο λόγο, ενώ θυμόταν τα πάντα, εκεί είχε κολλήσει. Μπήκε με φόρα στην ασημιά Porsche της και οδήγησε σαν τρελή μέχρι το σπίτι της.

Η Μαργκαρίτα τρόμαξε σαν είδε την κυρία της να έρχεται αναμαλλιασμένη και με ταχύτητα αστραπής στο τεράστιο σαλόνι σαν να την κυνηγούσαν δράκοι. Ανέβηκε με φόρα τα σκαλοπάτια και μπήκε στην κρεβατοκάμαρά της. Ένιωθε άδεια, απελπισμένη, σχεδόν τρελή. Σαν ένα αγρίμι που το φυλάκισαν και το βασάνιζαν ανελέητα. Ήταν πια σίγουρη ότι ο Ορέστης ήταν ο μοναδικός άνδρας που αγάπησε στο μακρινό παρελθόν και στο παρόν. Τον είχε χάσει δύο φορές και τώρα θα τον έχανε και τρίτη. Έπρεπε να κάνει κάτι, να προλάβει το χρόνο, την απόσταση. Έπρεπε να βρει τη δύναμη να φύγει. Έπρεπε να βρει τη δύναμη να τους εγκαταλείψει όλους. Ακόμη και το γιο της.

Απέναντι από το προσωπικό της βεστιάριο βρισκόταν το βεστιάριο του Σταν. Σπάνια έμπαινε εκεί μέσα. Τα ρούχα του τα τακτοποιούσε το προσωπικό. Χωρίς να ξέρει το λόγο, μπήκε και άρχισε να ψάχνει με μανία μία μία τις τσέπες των κοστουμιών του, τα συρτάρια, ανάμεσα στα εσώρουχα. Ούτε και η ίδια ήξερε τι έψαχνε. Σε μια τσέπη βρήκε απόδειξη από ένα ρέστοραν, σε μια άλλη, απόδειξη από το κατάστημα εσωρούχων Victoria's Secret[3].

---

3. Διάσημη αμερικανική φίρμα εσωρούχων.

Την κοίταξε προσεκτικά. Διάφορα σετ εσωρούχων αξίας χιλίων εξακοσίων πενήντα δολαρίων. Ήταν περίεργο... Τι δουλειά είχε στην τσέπη του μια τέτοια απόδειξη; Μήπως αφορούσε κάποιο δικό της δώρο; Ο Σταν, όμως, δε συνήθιζε να κάνει δώρα εσώρουχα, έστω κι αν ήταν πανάκριβα. Και μετά, σ' ένα συρτάρι, βρήκε ένα ζευγάρι αντικλείδια του καινούργιου αυτοκινήτου του. Χωρίς να το σκεφτεί, τα άρπαξε και κατέβηκε στο γκαράζ. Το αυτοκίνητο ήταν εκεί. Απενεργοποίησε το συναγερμό και μπήκε. Άνοιξε το ντουλάπι ψάχνοντας να βρει κάτι, δίχως να ξέρει κι εκείνη τι. Το αυτοκίνητο ήταν τακτοποιημένο κι ένιωσε άσχημα, σαν κλέφτης ή, χειρότερα, σαν βιαστής της ζωής του άνδρα της. Μα τι είχε πάθει; Κοίταξε το πρόσωπό της στον καθρέφτη και σχεδόν δεν αναγνώρισε τον εαυτό της. Έπρεπε να συνέλθει. Πήγε να βγει και τότε διέκρινε ανάμεσα στο κάθισμα του οδηγού και στο κιβώτιο ταχυτήτων ένα σκούρο αντικείμενο σφηνωμένο. Έχωσε το χέρι της και το τράβηξε. Ήταν ένα κινητό τηλέφωνο. Ένα κινητό που δεν είχε ξαναδεί ποτέ της. Η Κάσι άνοιξε το καπάκι και είδε ότι το τηλέφωνο δεν ήταν απενεργοποιημένο. Πήγε να το αφήσει στη θέση του, όμως ο πειρασμός ήταν μεγάλος. Μπήκε στις «επαφές». Υπήρχαν μόνο τρία ονόματα: δύο ανδρικά και ένα γυναικείο. Μόνικα. Κατόπιν αναζήτησε στο μενού το φάκελο με τις φωτογραφίες. Η πληθωρική ξανθιά γυναίκα δέσποζε παντού, αλλού μόνη κι αλλού με τον άνδρα της. Δεν υπήρχε αμφιβολία ότι επρόκειτο για την ίδια σιλικονάτη που είχε δει έξω από την κλινική και στο πάρτι της Ρούμπι. Σχεδόν σε όλες πόζαρε με αποκαλυπτικά σορτσάκια και ημιδιάφανα μπλουζάκια, με εσώρουχα ή γυμνή... Άνοιξε τα μηνύματα και άρχισε να διαβάζει: *«Μωρό μου, μετράω μία μία τις ώρες που θα σε ξαναδώ. Μόνικα».* *«Σ' ευχαριστώ για το δωράκι σου. Ήταν κι αυτό υπέροχο, όπως και τα υπόλοιπα... Φιλάκια. Μόνικα».* *«Χθες ήσουν καταπληκτικός. Ακόμη σε νιώθω στο κορμί μου... Μόνικα».* «*Θα πάμε τελικά στη Νέα Υόρκη; Μόνικα».* Η Κάσι κατέβασε απότομα το καπάκι του τηλεφώνου. Αρκετά είχε διαβάσει. Ώστε τελικά αυτός ήταν ο πραγματικός λόγος που ετοιμαζόταν να φύγει για τη Νέα Υόρκη την επόμενη εβδομάδα και όχι το ιατρικό συνέδριο όπως της είχε πει; Ο άνδρας της είχε ερωμένη, και μάλιστα μια φθηνή χολιγουντιανή πλαστική κούκλα από αυτές που τόσο σιχαινόταν, όπως της έλεγε συχνά. Τελικά και ο ίδιος είχε πέσει σ' αυτή την παγίδα, όπου οι σιλικονάτες κούκλες τρέφονταν από τα θύματά τους, τους άνδρες. Οι ίδιοι άνδρες που τις κατασκεύαζαν... Ήταν κάτι παραπάνω από ειρωνεία. Τίποτε πια δεν μπορούσε να την κρατήσει σ' αυτό το σπίτι, σ' αυτό τον τόπο. Ο άνδρας της είχε τη ζωή του και ο γιος της ακολουθούσε τα δικά του χνάρια. Ήταν πια ελεύθερη να ακολουθήσει και η ίδια τα δικά της, που την οδηγούσαν αιώνες πριν. Στη σκιά ενός άνδρα που την αγάπησε όσο κανένας άλλος, που την έψαξε και τη βρήκε, ακόμη μία φορά. Οι τραγωδίες συμβαίνουν για να επιβεβαιώσουμε πρώτα την αντοχή της αγάπης μας και μετά τη δύναμη που κρύβουμε μέσα μας. Εξάλλου, δύναμη χωρίς αγάπη δεν υφίσταται. Ποιο το νόημα να 'σαι δυνατός αν δεν υπηρετείς την αγάπη; Ποιος ο λόγος να υπάρχεις αν δεν υπάρχει αυτή; Ποιος ο σκοπός να υπηρετείς την ψυχή, όταν δεν της είσαι πιστός, όταν δεν την ακολουθείς;

Την επόμενη στιγμή καλούσε το ταξιδιωτικό γραφείο απ' όπου έκανε πάντα κρατήσεις.

«Ένα εισιτήριο για Ελλάδα... Αθήνα, και από εκεί με πλοίο για την Αμοργό. Χωρίς επιστροφή. Ναι, σε δύο μέρες. Εντάξει. Χρεώστε το στην πιστωτική κάρτα μου και στείλτε το μου με κάποιον στο σπίτι μου. Σας ευχαριστώ».

«Μαργκαρίτα...» φώναξε δυνατά ενώ εμφανίστηκε στην κορυφή της σκάλας. «Φέρε μου τις δύο μεγάλες βαλίτσες».

Η γυναίκα την κοίταξε απορημένη. «Φεύγετε ταξίδι, κυρία;» «Ναι, Μαργκαρίτα, πρέπει να πάω στην Ελλάδα. Φέρε μου, σε παρακαλώ, τις δύο μεγάλες βαλίτσες. Σήμερα κιόλας πρέπει να ετοιμάσουμε τα ρούχα μου, προτού επιστρέψει ο κύριός σου. Και άκουσέ με καλά. Δε θέλω να πεις σε κανέναν τίποτε. Ούτε στον κύριό σου, ούτε στο γιο μου, ούτε στην κυρία Σάρον. Πουθενά. Κατάλαβες;» «Μάλιστα, κυρία. Γιατί όμως δύο βαλίτσες; Θα λείψετε πολύ;» «Ίσως χρειαστεί να λείψω πολύ. Σε παρακαλώ, κάνε αυτό που σου είπα. Βάλε και ζεστά ρούχα. Στην Ελλάδα αρχίζει ο χειμώνας».

Οι δαίμονες είχαν πια ξυπνήσει μέσα της για τα καλά. Όλα ισοπεδώθηκαν μπροστά της, σαν χάρτινοι πύργοι που τους σάρωσε η βροχή. Οι τύψεις και οι ενοχές έπαψαν να τη βασανίζουν. Οποιοδήποτε εμπόδιο ξεπεράστηκε μεμιάς. Ένιωσε να ξεχύνεται στο επικίνδυνο αυτό ταξίδι σαν ένα ιστιοφόρο με ανοιχτά πανιά που τα φυσά δυνατός άνεμος. Δεν άκουγε, δεν έβλεπε, δεν αντιλαμβανόταν ότι δεν ήταν μόνη της, ούτε ελεύθερη να ορίζει όπως θέλει αυτή τη ζωή της. Στο διάολο όλοι. Ο γιος της είχε πια τη δική του ζωή, ήταν άνδρας, δεν είχε την ανάγκη της· ο άνδρας της ξενοπηδούσε εκείνη τη σιλικονάτη ξανθιά και ποιος ξέρει πόσες άλλες πριν από αυτήν. Η μάνα της ζούσε στον δικό της φανταχτερό κόσμο, γεμάτο από προβολείς που θα την έκαναν μεγάλη σταρ. Η Σάρον ήταν κοντά της, όμως είχε κι εκείνη τα δικά της προβλήματα να λύσει. Μόνο ο πατέρας της δεν την είχε απογοητεύσει ποτέ. Μόνο εκείνος μπορούσε να γαληνέψει κάθε φουρτούνα της. Όχι όμως κι αυτήν. Οι Έλληνες, της είχε πει κάποτε, είναι παθιασμένος λαός. Τόσο, που φαίνονται τρελοί κάποιες φορές. Έχουν τη φωτιά μέσα τους. Ναι! Είχε δίκιο ο πατέρας της. Είχε τη φωτιά μέσα της και την έκαιγε. Τίποτε και κανένας δεν μπορούσε να τη σβήσει. Ακόμη και ο θάνατος να την αγκάλιαζε, εκείνη θα του ξέφευγε και θα δραπέτευε. Τουλάχιστον μέχρι να συναντήσει τον Ορέστη. Τον δικό της Ορέστη.

Ο Σταν είχε μείνει άφωνος, όταν δύο μέρες αργότερα, γυρίζοντας το βράδυ από την κλινική, η Μαργκαρίτα του παρέδωσε ένα μεγάλο κίτρινο φάκελο και του είπε κλαίγοντας ότι η κυρία της είχε φύγει εκείνο το μεσημέρι για την Ελλάδα. Του φάνηκε κακόγουστη φάρσα, σαν αυτές που σκαρώνουν άνθρωποι που δεν έχουν χιούμορ. Αμέσως μετά όμως συνειδητοποίησε ότι ήταν πραγματικότητα. Κάθισε στο γραφείο του και άνοιξε το φάκελο. Ένα χειρόγραφο σημείωμα και ένα περιοδικό *TIME* ήταν το περιεχόμενο. Η προσοχή του στράφηκε στο σημείωμα.

Σταν,

Ξέρω ότι θα σου είναι δύσκολο να καταλάβεις το λόγο και πιθανόν να μην τον καταλάβεις ποτέ. Φεύγω. Έτσι απλά και χωρίς δικαιολογίες. Δεν είμαι πια η γυναίκα που παντρεύτηκες. Για να πω την αλήθεια, ούτε κι εγώ ξέρω ποια πραγματικά είμαι. Γι' αυτό φεύγω. Για να με βρω. Ό,τι και να σου πω θα είναι μάταιο. Η ζωή μου ανήκει πλέον κάπου αλλού. Είναι η ζωή που διέκοψαν κάποια γεγονότα στο μακρινό παρελθόν. Θα ψάξω τα χνάρια μου. Μη με αναζητήσεις. Μόνο κατάλαβέ με και συγχώρα με. Κι εσύ και ο γιος μας και ο πατέρας μου. Μη με μισήσετε, σας παρακαλώ. Είναι πάνω από μένα και δεν μπορώ να κάνω τίποτε γι' αυτό. Τίποτε... Αυτό το περιοδικό που εσωκλείνω δώσ' το στη Σάρον να το διαβάσει. Εκείνη θα καταλάβει και θα σου εξηγήσει...

Κι όμως, σ' αγάπησα, Σταν. Αλλά δεν ήσουν εσύ αυτός που όριζε η μοίρα μου.

Κασσάνδρα

ΥΓ. Ξέρω ότι δεν είσαι μόνος. Η Μόνικα θα σε βοηθήσει να μην νιώσεις τόση οργή για μένα. Και δεν είναι αυτή ο λόγος της φυγής μου.

Ο Σταν είχε παραλύσει στην καρέκλα του. Σχεδόν δεν καταλάβαινε λέξη από αυτά που διάβαζε. Ύστερα κοίταξε το εξώφυλλο του περιοδικού. Είχε ένα παλιομοδίτικο φόρεμα και αναφερόταν σε κάποια ευρήματα του *Τιτανικού*, που είχε ναυαγήσει στο παρθενικό του ταξίδι στον Ατλαντικό. Τι σχέση είχε τώρα αυτό με το φευγιό της γυναίκας του; Και η Σάρον; Τι σχέση είχε η Σάρον σ' αυτή την ιστορία; Δεν μπορούσε να απαντήσει. Το μόνο που ένιωθε ήταν έναν απροσδιόριστο πόνο. Σαν κάποιος να του είχε κόψει ένα χέρι, που τόσο το χρειαζόταν. Την αγαπούσε τη γυναίκα του. Τι κι αν στη ζωή του τον τελευταίο καιρό είχε μπει μια άλλη; Τι κι αν κατά καιρούς υπήρξαν κι άλλες; Γι' αυτόν δε σήμαιναν τίποτε απολύτως. Ένα ξέσπασμα ήταν, μια εκτόνωση από την ένταση της δουλειάς του. Ποτέ του δεν είχε δώσει δικαιώματα. Πώς η Κάσι γνώριζε για τη Μόνικα; Ήταν ηλίθιος τελικά. Δεν είχε προσέξει όσο θα έπρεπε.

Μετά τα τελευταία γεγονότα με τη Μακ Στίβενς, είχε γίνει ευάλωτος, είχε χάσει την ψυχραιμία του. Εκείνο τον καιρό, είχε ανάγκη να στηριχτεί κάπου και η Κάσι του φαινόταν τόσο απόμακρη. Η Μόνικα εμφανίστηκε την κατάλληλη στιγμή και ο ίδιος, σαστισμένος από την τρικυμία που σάρωνε τη ζωή του, ακούμπησε επάνω της. Μόνο που η Μόνικα το μέτρησε διαφορετικά. Θεώρησε ότι έγιναν ζευγάρι και του έγινε βδέλλα. Ωστόσο δεν είχε το σθένος να την απομακρύνει από τη ζωή του. Δεν ήταν πια τόσο προσεκτικός, όπως κάποτε, και κάποιος τους κάρφωσε. Αλλά πάλι η Κάσι έγραφε ότι δεν έφευγε γι' αυτόν το λόγο. Άλλος ήταν ο λόγος. Όταν προσπάθησε να της τηλεφωνήσει, ανακάλυψε ότι είχε παρατήσει το κινητό της επάνω στο κομοδίνο. Το είχε ξεχάσει, το είχε αφήσει επίτηδες, δεν μπορούσε να το γνωρίζει εκείνη τη στιγμή. Όλα μέσα του ήταν παραπάνω από μπερδεμένα. Τι ήταν αυτό που έψαχνε να βρει; Πού πήγαινε; Και η Σάρον; Τι σχέση είχε η Σάρον στη δική τους ζωή; Κοίταξε το περιοδικό και μετά σήκωσε το ακουστικό και την κάλεσε.

«Τι;» Η έκπληκτη φωνή της Σάρον κόντεψε να τρυπήσει το τύμπανο του αυτιού του. «Δεν είναι δυνατόν! Έφυγε έτσι στα καλά καθούμενα χωρίς να σου πει λέξη; Χωρίς να πει σε μένα τίποτε; Δεν το πιστεύω! Δεν μπορώ να πιστέψω ότι έκανε αυτό το πράγμα!»

«Σάρον, μαζί με το σημείωμα μου άφησε και το περιοδικό ΤΙ-ΜΕ που μιλάει για το ναυάγιο του Τιτανικού. Μου έγραψε να σου το δείξω και εσύ θα καταλάβεις. Σου λέει κάτι αυτό;»

«Τι ακριβώς λέει το άρθρο, Σταν;»

«Μιλάει για κάποια ευρήματα του ναυαγίου που ανακαλύφθηκαν πρόσφατα. Δεν καταλαβαίνω τίποτε».

«Τι ευρήματα ήταν αυτά;»

«Ένα φόρεμα, ένα ζευγάρι σκουλαρίκια, δυο μισοκατεστραμμένα διαβατήρια με σβησμένα ονόματα. Μόνο το ένα διακρίνεται καθαρά. Τζον …ριμορ είναι η κατάληξη του επιθέτου του και από το όνομα της γυναίκας φαίνεται μόνο το Κά…»

«Κάρολ και Τζον Μπάριμορ. Θεέ μου, ήταν αλήθεια τελικά».

«Μα τι συμβαίνει; Ποιο πράγμα ήταν αλήθεια; Για όνομα του Θεού, τι συμβαίνει, Σάρον;»

«Έρχομαι από το σπίτι σου, Σταν. Μπορεί να είναι λίγο αργά για να προλάβουμε, αλλά αυτά που θέλω να σου πω είναι πολύ σοβαρά…»

13

☙

Το τεράστιο επιβατικό πλοίο κλυδωνιζόταν πέρα-δώθε από τα άγρια ραπίσματα των κυμάτων. Κα-θώς φαινόταν, ο γερο-Ποσειδώνας είχε τις κακές του και με την τρίαινά του ταρακουνούσε νευριασμένα το υδάτινο στοιχείο. Η Κάσι, καθισμένη στο αναπαυτικό κρεβάτι της καμπίνας της πρώτης θέσης, κοίταζε από το φινιστρίνι τον μελανό ουρανό. Ήταν περίεργο, αλλά αυτό που έβλεπε την ηρεμούσε. Λίγους μήνες πριν, έστω και η υπόνοια ενός κύματος αρκούσε για να την πανικοβάλει. Και τώρα απλώς τη νανούριζε. Ένιωθε κουρασμένη. Από τη στιγμή που είχε δει εκείνο το άρθρο στο περιοδικό *TIME*, δεν είχε ησυχάσει λεπτό. Και το χειρότερο απ' όλα ήταν ότι για δύο ολόκληρα μερόνυχτα έπρεπε να προσποιηθεί πως η καθημερινότητά της ήταν ίδια και απαράλλαχτη με τις προηγούμενες. Η στάση της απέναντι στον Σταν και στη Σάρον δε διέφερε σε τίποτε. Μόνο η ξαφνική επίσκεψή της μια μέρα πριν, στο σπίτι του γιου της, κάπως τον ξάφνιασε, όμως κι εκεί, παρ' όλη τη συναισθηματική της φόρτιση, δεν άφησε να φανεί τίποτε. Δικαιολογήθηκε πως απλώς έκανε μια βόλτα προς την περιοχή και βλέποντας το αυτοκίνητό του παρκαρισμένο απ' έξω, δεν αντιστάθηκε στην επιθυμία να του πει ένα γεια. Και παρότι μίλησαν περί ανέμων και υδάτων, το θερμό της αγκάλιασμα την ώρα που έφευγε δεν πέρασε απαρατήρητο.

«Είσαι καλά, μαμά; Όλα καλά με τον μπαμπά;» τη ρώτησε προβληματισμένος.

«Ναι», του είπε προσπαθώντας να πνίξει ένα λυγμό. «Σ' αγαπώ πολύ, αγόρι μου... να το θυμάσαι αυτό».

Έφυγε όσο πιο γρήγορα μπορούσε, προτού προλάβει να δει ο Άλεξ τα μάτια της να γεμίζουν δάκρυα. Έκλαιγε σε όλη τη διαδρομή μέχρι το σπίτι. Γνώριζε ότι ο Άλεξ δε θα τη συγχωρούσε ποτέ. Ότι δε θα την αγκάλιαζε ποτέ ξανά. Ότι μπορεί και να τη μισούσε σε όλη του τη ζωή. Ήθελε να τρέξει στο πατρικό της και να πέσει στην αγκαλιά του πατέρα της και να του ζητήσει τη συμβουλή του. Αλλά δεν το τόλμησε. Γιατί ίσως να την έπειθε να μην το κάνει. Μόνο του τηλεφώνησε. Εκείνος, όπως πάντα, χάρηκε με το κάλεσμά της.

«Σ' αγαπώ πολύ, μπαμπάκα μου», του είπε, όπως τότε που ήταν κοριτσάκι.

«Κι εγώ πολύ, γλυκιά μου», της απάντησε τρυφερά.

«Μπαμπά, αν έκανα ποτέ κάτι που δε σου άρεσε, θα με μισούσες;»

«Δεν υπάρχει τίποτε στον κόσμο που θα με έκανε να σε μισήσω. Ακόμη και αν έκανες τα χειρότερα. Γιατί όμως με ρωτάς κάτι τέτοιο;»

«Έτσι, απλώς σε ρώτησα... Θέλω να προσέχεις τον εαυτό σου, σε παρακαλώ».

Η Κάσι δε θέλησε να μιλήσει και στη μητέρα της. Δεν ήθελε να μιλήσει ούτε με τη Σάρον. Δεν άντεχε άλλους βουβούς αποχαιρετισμούς. Απλώς δεν ήθελε άλλες δικαιολογίες στη ζωή της για να μην κάνει αυτό που έπρεπε. Ήταν 12 Οκτώβρη και ο καιρός στην Ελλάδα, αν και μουντός, ήταν ζεστός. Για τους Έλληνες αυτό ισοδυναμούσε με παρατεταμένο καλοκαίρι. Για έναν Καλιφορνέζο τέτοιος καιρός θεωρείται χειμωνιάτικος. Για τον Ορέστη η σεζόν δεν είχε ακόμη τελειώσει. Σίγουρα βρισκόταν στο νησί. Απ' ό,τι της είχε πει, όλα τα χρόνια που είχε το μαγαζί του, ποτέ δεν είχε φύγει πριν από τις 31 του Οκτώβρη. Μόλις θα έφθανε, θα νοίκιαζε αμέσως αυτοκίνητο και θα πήγαινε από τα Κατάπολα στην Αιγιάλη. Θα πήγαινε κατευθείαν στο σπίτι του. Το πλοίο έφθανε αργά το απόγευμα και ο Ορέστης συνήθως πήγαινε στη δουλειά του γύρω στις δέκα το βράδυ.

Από την ώρα που πήρε την απόφασή της στιγμή δεν είχε πάψει να σκέφτεται τι θα του έλεγε. Το μόνο σίγουρο ήταν ότι θα τον ξάφνιαζε. Τι θα γινόταν όμως μετά; Πώς θα αντιδρούσε εκείνος; Με χαρά; Με θυμό; Με αδιαφορία; Όπως κι αν αντιδρούσε, θα του εξηγούσε τι και πώς. Ακόμη και αν δεν ήθελε να την ακούσει, όταν θα έβλεπε το περιοδικό με τα ευρήματα του Τιτανικού καθώς και το dvd θα την άκουγε. Του είχε μιλήσει για τα περίεργα όνειρά της, για το κορίτσι που χόρευε ευτυχισμένο και ντυμένο με το πράσινο φόρεμα. Ήξερε γα την υδροφοβία της. Εκείνος τη βοήθησε να την ξεπεράσει. Δεν μπορεί να μην την άκουγε. Κι όταν θα ηρεμούσε, όταν θα συνειδητοποιούσε ότι τους είχε εγκαταλείψει όλους και όλα για να έρθει να ζήσει μαζί του, τότε δεν μπορεί παρά να τη συγχωρούσε. Οι δύο προηγούμενες ζωές τους ήταν πολύ δυνατές για να μην αγγίξουν την καρδιά του. Ήταν αισιόδοξη. Έπρεπε να είναι αισιόδοξη.

Αργά το απόγευμα, η τεράστια πλώρη του πλοίου έμπαινε στο μικρό λιμάνι και όταν το πλοίο έδεσε, η Κάσι σχεδόν δάκρυσε, σαν μετανάστρια που επιστρέφει έπειτα από χρόνια στην πατρίδα. Ναι, ήταν η πατρίδα της. Θυμήθηκε τα βουρκωμένα μάτια του Ορέστη, εδώ ακριβώς, λίγο πριν από τον αποχαιρετισμό τους. Ήταν τόσο ερωτευμένα. Και τώρα, σε απόσταση αναπνοής, εκείνος βρισκόταν εκεί. Η καρδιά της χτυπούσε γοργά καθώς αποβιβαζόταν. Είδε ελάχιστο κόσμο στην προκυμαία και ακόμη πιο ελάχιστοι ήταν αυτοί που έφθασαν. Το νησί δεν είχε καμιά σχέση με εκείνο που είχε αφήσει πίσω της. Τα τραπεζάκια από τις καφετέριες μπροστά ήταν άδεια, ο καιρός συννεφιασμένος. Τα σοκάκια κι αυτά σχεδόν άδεια. Οι δυνατές φωνές των παιδιών, που συνήθως έπαιζαν εκεί μπροστά, δεν υπήρχαν και τα πολύχρωμα καλοκαιρινά ρούχα και μαγιό των παραθεριστών είχαν αντικατασταθεί από μακριά παντελόνια και ζακέτες. Παρ' όλα αυτά ήταν το ίδιο όμορφα, το ίδιο ζεστά και υπέροχα για εκείνη. Η Κάσι νοίκιασε ένα αυτοκίνητο από ένα άλλο γραφείο ενοικιάσεων. Δεν ήθελε να τη δουν οι φίλοι της, και προς το παρόν δεν ήθελε να μάθει κανένας για την άφιξή της. Τουλάχιστον όχι τώρα. Δεν είχε χρόνο ούτε να τους χαιρετήσει ούτε να τους εξηγήσει. Βιαζόταν να πάει στην Αιγιάλη.

Ο δρόμος ήταν τώρα ερημικός. Τα αγριοκάτσικα, σκαρφαλωμένα στις εσοχές των βράχων, κουρνιασμένα, προσπαθούσαν να προστατευτούν από τον άνεμο και τη φθινοπωρινή ψύχρα. Η Κάσι, που δεν ήταν συνηθισμένη σε τέτοιες κλιματολογικές συνθήκες, αναρωτήθηκε με θλίψη πώς την έβγαζαν καταχείμωνο τα άμοιρα ζωντανά. Ο άνεμος σφύριζε δυνατά και τον άκουγε πεντακάθαρα ακόμη και μέσα από τα κλειστά παράθυρα του αυτοκινήτου της. Ευτυχώς που είχε προνοήσει να πάρει μια χοντρή ζακέτα μαζί της και δυο-τρία πουλόβερ, γιατί σίγουρα τα χρειαζόταν. Έφθασε στην προκυμαία της Αιγιάλης την ώρα που ο ήλιος είχε αρχίσει σιγά σιγά να δύει και πάρκαρε το αυτοκίνητο εκεί μπροστά. Ύστερα, με σβέλτα βήματα κίνησε για το σπίτι του Ορέστη, καμιά διακοσαριά μέτρα πιο κάτω. Σκέφτηκε να αφήσει προς το παρόν τις δύο αποσκευές της στο αυτοκίνητο.

Είδε τη μικρή καλοκαιρινή μονοκατοικία με τη λουλουδιασμένη αυλίτσα και τον κισσό να αγκαλιάζει τους τοίχους και μια γλυκιά αγαλλίαση την πλημμύρισε. Η μηχανή του, που ήταν συνήθως παρκαρισμένη απ' έξω, τώρα απουσίαζε. Κάποιες φορές όμως την άφηνε έξω από το μπαράκι του. Όταν έφθασε στη χαμηλή αυλόπορτα, κοντοστάθηκε και πήρε μια βαθιά ανάσα. Μια αδύνατη γκρίζα γάτα ήρθε και τρίφτηκε στα πόδια της ξαφνιάζοντάς την. Για κάποια στιγμή νόμισε ότι ήταν ακόμη στο Μπέβερλι Χιλς και ότι η Μόλι γύρευε τα χάδια της. Η Γκριζούλα –έτσι είχε βαφτίσει το μικρό γατάκι που είχε τρυπώσει στο σπίτι του Ορέστη και έγινε μόνιμη κάτοικος– είχε μεγαλώσει πολύ. Την είχε αναγνωρίσει άραγε ή απλώς πεινούσε;

Ίσωσε τα μαλλιά της και προχώρησε διασχίζοντας τον κήπο. Η γάτα την ακολούθησε. Χτύπησε την εξώπορτα διακριτικά. Δεν άκουσε κανένα θόρυβο από μέσα. Ξαναχτύπησε πιο δυνατά. Τίποτε. Στην τέταρτη προσπάθεια σιγουρεύτηκε ότι εκείνος δεν ήταν στο σπίτι. Για μια στιγμή πανικοβλήθηκε. Κι αν είχε φύγει από το νησί; Μετά αναστέναξε καθώς είδε δυο μαγιό του να στεγνώνουν στη μία από τις δύο μεταλλικές καρέκλες που είχε στην αυλή. Προχώρησε και πήρε το ένα μαγιό και χάιδεψε με αυτό το πρόσωπό της. Το ύφασμα μύριζε σαπούνι και αλμύρα, όμως η Κάσι μύρισε μόνο το σώμα του Ορέστη. Κάθισε στην καρέκλα δίπλα στο στρογγυλό μεταλλικό τραπεζάκι και χαμογέλασε, καθώς είδε μία κούπα καφέ μισογεμάτη. Κάπου πρέπει να είχε πεταχτεί. Ήταν ακόμη πολύ νωρίς για τη δουλειά του. Περίπου μία ώρα αργότερα, άκουσε τον βαρύ βρυχηθμό της μηχανής να σταματά μπροστά. Η Κάσι αναπήδησε από την καρέκλα της.

Τώρα έτρεμε σαν φθινοπωρινό φύλλο που το πάει όπου θέλει ο βοριάς. Εκείνος, χωρίς να κατεβεί από τη μηχανή, κάλεσε έναν αριθμό στο κινητό του και κάτι είπε με έντονη φωνή στα ελληνικά. Κατάλαβε ότι τσακωνόταν με κάποιον υπάλληλό του. Δεν την είχε αντιληφθεί, γιατί είχε γυρισμένη την πλάτη του, όμως εκείνη μπόρεσε να δει το αξύριστο πρόσωπό του, το έντονο μαύρισμά του, που σχεδόν τον είχε κάνει αγνώριστο, το αδυνατισμένο κορμί του. Φορούσε ένα ξεπλυμένο τζιν και από πάνω μια αθλητική σκούρα μπλε μπλούζα. Τα μαλλιά του ήταν καλυμμένα από ένα μαύρο μαντίλι, δεμένο πίσω, που τον έκανε να μοιάζει με πειρατή. Πάρκαρε τη βαριά μηχανή του δίπλα στο φράχτη και κατέβηκε. Η Γκριζούλα έτρεξε να τον υποδεχτεί νιαουρίζοντας κι εκείνος έσκυψε και της χάιδεψε το κεφάλι. Κατόπιν προχώρησε στην αυλή και μπήκε με φόρα. Η Κάσι στεκόταν όρθια, έτοιμη να λιποθυμήσει. Ο Ορέστης κοκάλωσε μόλις την αντίκρισε. Τα σκούρα μάτια του μαύρισαν περισσότερο και σκοτείνιασαν απότομα. Τα χείλη του σφίχτηκαν, ώσπου έγιναν μια γραμμή, και το πρόσωπό του πάγωσε. Έμειναν και οι δυο ακίνητοι, σε απόσταση δύο μέτρων, να κοιτάζονται βουβοί. Η γκρίζα γάτα στάθηκε ανάμεσά τους να κοιτάζει πότε την Κάσι και πότε τον Ορέστη, αναποφάσιστη από ποιον να ζητήσει φαγητό. Ύστερα πλησίασε τον άνδρα και τρίφτηκε στα πόδια του. Το νιαούρισμά της σαν να τον ξύπνησε από το λήθαργό του. Η Κάσι τον πλησίασε.

«Γεια σου... Σε περίμενα...» του είπε ξένη.

«Πότε ήρθες;» τη ρώτησε και η δική του φωνή ακούστηκε παγωμένη, άχρωμη.

«Μόλις πριν από μία ώρα. Ορέστη... Προσπάθησα να σε ειδοποιήσω, αλλά είχες αλλάξει αριθμό και εγώ... δεν...»

«Δεν έπρεπε να είσαι εδώ», τη διέκοψε απότομα. «Γιατί ήρθες στο νησί; Η θέση σου είναι δίπλα στην οικογένειά σου».

«Ορέστη, σε παρακαλώ, άκουσέ με... Έγιναν τόσο πολλά... Πρέπει να μιλήσουμε...»

Η γάτα νιαούρισε νευριασμένη αυτή τη φορά. Ο Ορέστης έβγαλε το κλειδί από τη ζώνη-πορτοφόλι που είχε περασμένη στη μέση του και άνοιξε την πόρτα. Η Γκριζούλα μπούκαρε στο σπίτι. Ο Ορέστης κοίταξε την Κάσι και μετά μπήκε, αφήνοντας την πόρτα ανοιχτή πίσω του. Η Κάσι έμεινε αναποφάσιστη κάποια δευτερόλεπτα και μετά πέρασε μέσα. Εκείνος βγήκε από τη μικρή κουζίνα κρατώντας μια κονσέρβα για να ταΐσει τη γάτα, ενώ εκείνη έτρεχε ξοπίσω του. Άνοιξε το κουτί με μια κίνηση, βγήκε από το σπίτι και το άφησε έξω στην αυλή. Η γάτα άρχισε να τρώει με βουλιμία. Ύστερα μπήκε πάλι στο σπίτι και έκλεισε την πόρτα πίσω του. Πέρασε στο σαλόνι και στάθηκε μπροστά στο παράθυρο, κοιτάζοντας τον ουρανό από τη μισοτραβηγμένη κουρτίνα.

«Θα βρέξει όπου να 'ναι... Γαμώτο, και έχουμε βάψει κάποια πράγματα σήμερα».

Η Κάσι δε μίλησε. Τον κοίταζε μόνο, προσπαθώντας να διακρίνει ένα σημάδι ζεστασιάς από μέρους του. Τον παρατήρησε πιο προσεκτικά. Είχε χάσει αρκετά κιλά. Αν και πιο αδύνατος, αν και σχεδόν καμένος από την αρμύρα και τον ήλιο, ήταν περισσότερο γοητευτικός από ποτέ. Οι μύες του διαγράφονταν εντονότεροι, όπως ενός άνδρα που οργώνει ασταμάτητα τη γη. Εκείνος έκλεισε τις κουρτίνες και γυρίζοντας το κεφάλι του την κοίταξε ψυχρά.

«Ποιος ο λόγος που ήρθες εδώ, Κασσάνδρα;»

«Ορέστη...» του είπε σχεδόν παρακλητικά, «σε όλη μου τη ζωή ποτέ δεν πήγα ενάντια στη λογική, σ' αυτά που ορίζει το μυαλό. Έτσι έμαθα από παιδί, αυτό πίστευα ότι είναι το σωστό.

Η πρώτη φορά που ξέφυγα από αυτό τον κανόνα ήταν μαζί σου. Τότε δεν ήξερα το λόγο, δεν μπορούσα να δώσω απαντήσεις. Τώρα τον ξέρω...»

«Τι ξέρεις, δηλαδή;»

«Ότι τίποτε δεν έγινε τυχαία... Ούτε το ταξίδι μου στην Ελλάδα, ούτε η γνωριμία μας, ούτε η σχέση μας. Τίποτε δεν ήταν παράλογο τελικά, και ότι η λογική, καμιά φορά, είναι ό,τι πιο παράλογο μας συμβαίνει».

Την κοίταξε λίγο απορημένος, απροετοίμαστος να ακούσει αυτά που έλεγε και μετά πλησίασε σε απόσταση αναπνοής. «Δεν καταλαβαίνω τι λες και δε με ενδιαφέρει να καταλάβω τι λες!» είπε δυνατά και έκανε να απομακρυνθεί και πάλι από κοντά της. Η Κάσι τον άρπαξε από το μπράτσο. Οι μύες του σφίχτηκαν απότομα. Της φάνηκε ότι μόλις είχε ακουμπήσει ατσάλι. Μπορεί και να ήταν ολόκληρος από ατσάλι. Τόσο ψυχρός και σκληρός είχε γίνει. «Πρέπει!» του είπε με λυγμό. «Πρέπει να με ακούσεις, Ορέστη».

«Δεν μπορώ να σε ακούσω», της απάντησε ακόμη πιο δυνατά. «Η θέση σου δεν είναι εδώ, αλλά πίσω στο Λος Άντζελες. Το καταλαβαίνεις; Καλύτερα να γυρίσεις στο σπίτι σου, Κασσάνδρα, να φύγεις από δω!»

Τα μάτια της πλημμύρισαν ακόμη περισσότερο. Το βλέμμα της θόλωσε από πόνο και απόγνωση: Ούτε στον χειρότερο εφιάλτη της περίμενε τέτοια αντιμετώπιση.

«Για το Θεό!» ούρλιαξε τώρα εκείνη. «Εγκατέλειψα το γιο μου, το σπίτι μου, τον άνδρα μου, τα πάντα για σε βρω, Ορέστη, κι εσύ τώρα μου λες να γυρίσω πίσω; Δεν υπάρχει για μένα γυρισμός. Δεν υπάρχει σπίτι, δεν υπάρχει οικογένεια. Όλος ο κόσμος είσαι εσύ... Σ' αγαπώ, δεν το βλέπεις; Ήρθα εδώ να σου το πω, να σου εξηγήσω, να καταλάβουμε και οι δυο τι μας συνέβη. Δεν μπορεί να με ξέχασες τόσο γρήγορα. Δεν το πιστεύω... δεν το πιστεύω...»

Άρχισε να κλαίει με λυγμούς και κάθισε σε μια καρέκλα. Τα βλέφαρα του Ορέστη τρεμόπαιξαν. Οι μύες του προσώπου του χαλάρωσαν. Έβγαλε το μαντίλι από τα μαλλιά του και το πέταξε με δύναμη κάτω. Μετά έπιασε με τα δυο του χέρια το κεφάλι του σε μια προσπάθεια να σκεφτεί.

«Η Ζωή είναι έγκυος...» είπε ήρεμα. «Παντρευόμαστε σε δύο εβδομάδες. Όλα είναι έτοιμα».

Η Κάσι τον κοίταξε με ορθάνοιχτα μάτια. Οι κρουνοί των ματιών της έκλεισαν απότομα.

«Τι;... Τι είπες;»

«Αυτό που άκουσες, Κασσάνδρα. Όταν έφυγες... ζούσα μόνο για ένα τηλεφώνημά σου. Δεν άφηνα στιγμή το κινητό από τα χέρια μου, μη μου τηλεφωνήσεις και δε με βρεις. Δεν κολυμπούσα, γιατί δεν μπορούσα να έχω το τηλέφωνο μαζί μου. Δεν κοιμόμουν, μην τυχόν και δεν το ακούσω να χτυπάει. Ζούσα για ένα κάλεσμά σου, μετρώντας και τα δευτερόλεπτα που δεν ήσουν κοντά μου... Και μετά... μετά μια μέρα εσύ τα έσβησες όλα. Χάθηκες και μαζί σου αφανίστηκα κι εγώ».

Η φωνή του βράχνιασε απότομα. Χτύπησε τη γροθιά του δυνατά επάνω στο ξύλινο τραπέζι. Εκείνο χοροπήδησε ολόκληρο. Μια γυάλινη πιατέλα γεμάτη μήλα αναποδογύρισε και τα μήλα χύθηκαν από το τραπέζι στο πάτωμα μαζί με ένα γυάλινο ποτήρι που έσπασε με θόρυβο, σκορπίζοντας τα κομμάτια του εδώ κι εκεί. Το χέρι του μάτωσε. Δε φάνηκε να το προσέχει.

«Πήγα να τρελαθώ. Δεν ξέρω... μπορεί και να τα κατάφερα. Και ύστερα η Ζωή, σαν να κατάλαβε κάτι, ήρθε εδώ. Παράτησε τη δουλειά της και ήρθε να μείνει μαζί μου. Της τα είπα όλα,

όλα! Και ξέρεις κάτι, Κασσάνδρα; Με συγχώρεσε. Μου είπε ότι θα ξαναρχίσουμε από την αρχή, σαν να είχαμε γνωριστεί μόλις εκείνη τη στιγμή. Έμεινε εδώ δίπλα μου βράχος ακλόνητος να με στηρίξει, να με βοηθήσει να ξεπεράσω το χωρισμό μου από εσένα. Η γυναίκα που υποτίθεται ότι θα παντρευόμουν με παρηγορούσε να συνέλθω από κάποια άλλη. Δεν μπορούσα πλέον να την αγνοήσω. Κι αν θες να ξέρεις, εγώ επεδίωξα να μείνει έγκυος».

Η Κασσάνδρα ξαναβούρκωσε.

«Κι αυτή τη φορά, δε θα την εγκαταλείψω. Ούτε κι εσύ θα με σταματήσεις. Σε έξι μέρες φεύγω. Γυρίζω στη Θεσσαλονίκη. Αρκετά με το νησί. Καιρός να φροντίσω και τον εαυτό μου λιγάκι».

Η Κασσάνδρα τον κοίταξε και μετά χύθηκε στην αγκαλιά του. Εκείνος δεν την εμπόδισε.

«Σ' αγαπώ, Ορέστη», του είπε κλαίγοντας. «Πιο πολύ και από τη ζωή μου. Πιο πολύ... Σ' το ορκίζομαι», είπε μέσα από τα αναφιλητά της.

Ο Ορέστης την έπιασε από τους ώμους και την ανάγκασε να τον κοιτάξει. Μια υποψία υγρασίας φάνηκε τώρα στα μάτια του.

«Γιατί με βασανίζεις, Κασσάνδρα; Γιατί; Δε μου φθάνει τόσος πόνος; Γιατί δε μ' αφήνεις να γιατρευτώ;»

«Γιατί αν χωρίσουμε, θα πονάμε σε όλη μας τη ζωή. Αφόρητα και συνεχώς. Δεν αντέχω να περάσω ξανά τόσο πόνο...»

Τη φίλησε άγρια στο στόμα. Η Κασσάνδρα ένιωσε την καυτή ανάσα του, την καρδιά του που χτυπούσε σαν τρελή. Παραπατώντας έπεσαν πάνω στο κρεβάτι, προσπαθώντας να απελευθερωθούν από τα ρούχα τους. Τα βογκητά πάθους ανακατεύτηκαν με τα δάκρυά τους. Την ίδια στιγμή η λάμψη μιας αστραπής φώτισε το δωμάτιο, που είχε αρχίσει να σκοτεινιάζει, και ο εκκωφαντικός ήχος που ακολούθησε έπνιξε τις κραυγές τους τη στιγμή που ο Ορέστης μπήκε μέσα της, ενώ εκείνη ένιωθε σαν καρυδότσουφλο σε τρικυμία. Η βροχή άρχισε να πέφτει ανελέητα, χτυπώντας με δύναμη τα τζάμια, ακόμη μια φορά μάρτυρας ενός πάθους που έκαιγε την ψυχή τους αιώνες τώρα. Το μυαλό της άδειασε από εικόνες, μνήμες, γεγονότα, απόγνωση, επιτρέποντας μόνο στην ηδονή να χορεύει στις καμάρες του. Η Κασσάνδρα ένιωσε τον πόθο της Κάρολ Ο' Κόνορ κάτω από το κορμί του Τζον, την ηδονή της Λυβίας κάτω από το κορμί του Μάρκελλου. Ένιωσε τις ανάσες τους, το πάθος τους, την αγάπη τους. Άκουσε τους στεναγμούς τους. Ήταν εκεί δύο κορμιά, τρεις ζωές, τρεις έρωτες, να κονταροχτυπιούνται για το ποιος είναι ο πιο δυνατός, αλλά δίχως αποτέλεσμα. Αυτός ο άνδρας την είχε αγαπήσει τρεις φορές. Το ίδιο κι εκείνη. Κανένας δεν μπορούσε να μπει ανάμεσά τους. Ίσως μόνο ο θάνατος... Αλλά και αυτός δεν ήταν τόσο δυνατός τελικά.

Τα εκκωφαντικά μπουμπουνητά δονούσαν το νησί απ' άκρη σ' άκρη, ενώ η λάμψη από τις αστραπές και η καταρρακτώδης βροχή, που έπεφτε με λύσσα, χόρευαν μαζί τους ακόμη μια φορά. Τελικά το νερό συνόδευε πάντα τις πιο δυνατές στιγμές τους, να τους θυμίζει όλα αυτά που πίστευαν ότι είχαν διαγραφεί. Μάταια προσπαθούσαν να πάρουν σωστές ανάσες από τη μεγάλη ένταση. Οι καρδιές τους σφυροκοπούσαν μανιασμένα τα ιδρωμένα κορμιά τους, που είχαν χάσει κάθε αίσθηση του τόπου και του χρόνου. Έξω είχε σκοτεινιάσει για τα καλά. Το κινητό του Ορέστη χτυπούσε κι αυτό μανιασμένα, από ώρα. Εκείνος σηκώθηκε απότομα από το κρεβάτι και το σήκωσε.

«Ναι, κορίτσι μου», είπε απαλά. «Ναι, κοιμόμουν. Βρομόκαιρος κι εδώ... Φυσικά, όλα είναι εντάξει... Καλά έκανες και δε βγήκες από το σπίτι... Ναι, την άλλη Δευτέρα. Να με περιμένεις... Κι εγώ σ' αγαπώ...»

Η Κάσι κατάλαβε κάθε του λέξη. Το να μιλάει έτσι τρυφερά σε μια άλλη γυναίκα την πονούσε όσο τίποτε άλλο στη ζωή της.

Είχε χάσει λοιπόν κάθε ελπίδα; Εκείνος, σαν να κατάλαβε την απόγνωσή της, την πλησίασε και κάθισε στην άκρη του κρεβατιού. Της χάιδεψε το πρόσωπο, τα μαλλιά. Η Κάσι ανασηκώθηκε και χώθηκε στην αγκαλιά του. Άρχισε πάλι να κλαίει. «Συγχώρα με», της είπε. «Συγχώρα με, όμως έτσι πρέπει να γίνει. Τη Δευτέρα πρέπει να φύγω. Πρέπει να φύγεις κι εσύ. Οι δρόμοι μας πρέπει να χωρίσουν οριστικά, Κασσάνδρα...» «Όχι», βόγκηξε εκείνη δυνατά. «Όχι! Δεν έχω τη δύναμη να σε ξαναχάσω, Ορέστη... Δεν έχω... Σε ψάχνω τόσα χρόνια. Χιλιάδες χρόνια...»

«Χρόνια;» Την κοίταξε και μετά σκούπισε με την παλάμη του τα δάκρυά της. «Πόσα δηλαδή;» Προσπάθησε να χαμογελάσει, να αστειευτεί.

«Θυμάσαι τα όνειρα που τόσο με τρόμαζαν; Θυμάσαι εκείνο το κορίτσι που ονειρευόμουν με το πράσινο φόρεμα;»

«Ναι, το θυμάμαι. Τι σχέση έχει αυτό τώρα;»

Η Κάσι πετάχτηκε από το κρεβάτι, άναψε το φως, άνοιξε τη μεγάλη τσάντα της και έβγαλε από μέσα το dvd και το περιοδικό *TIME* και το άνοιξε διάπλατα εμπρός του. Του έδειξε τις φωτογραφίες.

«Δεν καταλαβαίνω, τι είναι αυτό;»

«Πρέπει να με ακούσεις. Πρέπει να τα μάθεις όλα. Γιατί νομίζεις ότι γύρισα πίσω; Έχουμε ξαναζήσει μαζί, Ορέστη. Υπήρξαμε δύο φορές στο παρελθόν ξανά ζευγάρι!»

Την κοίταξε και τώρα χαμογέλασε πλατιά. «Μα τι είναι αυτά που λες; Πώς σου ήρθε τώρα αυτό;»

«Όταν θα δεις αυτό το dvd, ίσως πειστείς ότι κάποια πράγματα δεν ήταν καθόλου τυχαία».

«Τι είναι αυτό το dvd;»

Το ξημέρωμα τους βρήκε αγκαλιασμένους σφιχτά. Ο Ορέστης είχε μείνει άφωνος να ακούει και να βλέπει όλα αυτά που εκείνη ανακάλυψε το τελευταίο διάστημα. Ήταν πολλές οι συμπτώσεις για να αποτελούν αποκυήματα φαντασίας. Εξάλλου, και ο ίδιος από την πρώτη στιγμή εκεί κάτω στη Βλυχάδα ένιωσε ότι αυτή τη γυναίκα τη γνώριζε πολύ καλά. Και μετά, στην πρώτη τους ερωτική συνεύρεση επιβεβαιώθηκε. Δεν της είπε τίποτε, αλλά είχε τρομάξει. Ως εκείνη τη στιγμή αγαπούσε τη Ζωή, ήταν ερωτευμένος μαζί της, είχε αποφασίσει να την παντρευτεί. Κι όμως, μια άγνωστη τα διέγραψε όλα μέσα σε λίγα λεπτά. Δεν ήταν το νεαρό αγόρι που η εφηβεία τον είχε τρελάνει. Ήταν ένας ώριμος και πολύ χορτασμένος άνδρας για να αντιδρά με αυτό τον τρόπο. Και μετά, όταν εκείνη χάθηκε από τη ζωή του, επιβεβαιώθηκε ότι δεν ήταν μια τυχαία γυναίκα. Δεν μπορούσε να καταλάβει, να εξηγήσει στον εαυτό του γιατί συνέβαινε αυτό, ή ποια ήταν. Το μόνο βέβαιο ήταν πως ποτέ άλλοτε δεν είχε νιώσει τόση απόγνωση, τόση εγκατάλειψη, τόσο πόνο. Και ύστερα συλλογίστηκε εκείνη την ανάγκη του να βρίσκεται κάτω από το νερό, να σκαλίζει τα σωθικά της θάλασσας με τις ώρες. Γιατί; Τι έψαχνε να βρει στο βυθό της; Αναμνήσεις από το παρελθόν του; Κι όταν είχε δει στον κινηματογράφο την ταινία του Κάμερον, τον Τιτανικό, ένιωσε ότι τα πράγματα δεν ήταν έτσι όπως τα περιέγραφε ο σεναριογράφος, αλλά πολύ πιο διαφορετικά, πολύ πιο τραγικά. Όχι, η πολυτέλεια εκεί μέσα ήταν πολύ μεγαλύτερη, τα χρώματα διαφορετικά. Και μετά εκείνη η ηθοποιός, η πρωταγωνίστρια, είχε πολύ όμορφα κόκκινα μαλλιά. Κάτι του θύμιζαν. Η αλήθεια είναι ότι ποτέ του δε συμπαθούσε τις κοκκινομάλλες. Για κάποιο λόγο τις απέφευγε. Τι ρόλο έπαιζαν άραγε αυτά τα κόκκινα μαλλιά; Μήπως επειδή τελικά είχε ζήσει ως Τζον Μπάριμορ;

Τα μηνίγγια του σφυροκοπούσαν δυνατά και είχε πονοκέφαλο. Αρνήθηκε να πάει στο μαγαζί. Έτσι κι αλλιώς, με τέτοια βροχή δε θα μάζευαν κόσμο. Αδιαφορούσε. Το πρωί της Δευτέρας θα επέστρεφε στη Θεσσαλονίκη. Έσφιξε με δύναμη στην αγκαλιά του την Κάσι.

«Με πιστεύεις τώρα, Ορέστη;» τον ρώτησε αποκαμωμένη.

«Ναι, σε πιστεύω».

«Τι θα κάνουμε; Τι θα κάνουμε, Θεέ μου;»

«Δεν μπορούμε να κάνουμε τίποτε, Κασσάνδρα. Είναι πλέον πολύ αργά... Αν δεν υπήρχε το παιδί... όμως πάλι δεν ξέρω. Δεν ξέρω...» Την κοίταξε με παράπονο. «Εσύ τι σκοπεύεις να κάνεις; Πού θα πας;»

«Ούτε κι εγώ ξέρω».

«Μήπως θα 'πρεπε να τηλεφωνήσεις στον άνδρα σου;»

«Στον Σταν; Δεν έχω πια τίποτε να πω με τον Σταν».

Σφίχτηκε στην αγκαλιά του ζητώντας ασφάλεια. Οι δείκτες του ρολογιού έτρεχαν πολύ γρήγορα και ο χρόνος λιγοστός. Ήθελε να εκμεταλλευτεί κάθε δευτερόλεπτο που θα βρισκόταν εκεί μέσα. Αλλά ο χρόνος γι' αυτούς που αγαπάνε είναι σκληρός και άδικος. Τρέχει πολύ πιο βιαστικά. Μόνο έξι νύχτες δικές τους και η μία είχε κιόλας φύγει.

Το χάραμα της Δευτέρας ο ήλιος, με την τσίμπλα στο μάτι, σφύριξε χαρούμενα λίγο προτού σηκωθεί ευδιάθετος για να κόψει τις βόλτες του. Δύο μέρες και δύο νύχτες πριν, η δυνατή βροχή που χόρευε ασταμάτητα, παρέα με τη μουντάδα, τον είχαν μαντρώσει πίσω από μαύρα πέπλα. Το νησί είχε μουσκέψει για τα καλά, απογοητεύοντας τους ελάχιστους επισκέπτες που είχαν έρθει για να μαζέψουν λιακάδα. Αλλά για την Κασσάνδρα και τον Ορέστη ο χρόνος είχε σταματήσει εκεί μέσα, στο μικρό σπιτάκι, είχε εγκλωβιστεί σ' ένα σφιχταγκάλιασμα. Τα λόγια που αντάλλαξαν ήταν ελάχιστα, ο πόνος ασταμάτητος. Δεν έλειψε παρά ελάχιστα από κοντά της, ίσα για να τακτοποιήσει κάποιες εκκρεμότητες. Κι εκείνη εκεί, δίπλα στο παραθύρι, να τον καρτερά με καρδιοχτύπι. Να του πει τι; Να εγκαταλείψει τη Ζωή και να μείνει μαζί της; Είχε άραγε το δικαίωμα να πονέσει μια άλλη γυναίκα που δεν της έφταιγε σε τίποτε; Αν δεν υπήρχε το παιδί, ίσως να το έκανε. Τώρα όμως ήταν πλέον πολύ αργά να διεκδικήσει μερίδιο από τη ζωή τους. Δεν είχε αυτό το δικαίωμα. Δεν το είχε... το μέλλον ήταν πιο σκοτεινό από ποτέ. Δεν την ενδιέφερε όμως...

Και τώρα, σφιγμένη γερά από πίσω του στη μηχανή, με ακουμπισμένο το κεφάλι στην πλάτη του, την οδηγούσε στο τελευταίο αντίο. Η διαδρομή από την Αιγιάλη στα Κατάπολα, στο λιμάνι, την τσάκισε, καθώς η μυρωδιά του κορμιού του χάιδευε όλες τις αισθήσεις της, κάνοντάς τη να πονάει. Εκείνος, αμίλητος, σταμάτησε εκεί, στον όρμο του Αγίου Παύλου και μαζί, αμίλητοι και σφιχταγκαλιασμένοι, χάιδεψαν με το βλέμμα τους το απέραντο γαλάζιο του Αιγαίου, φωτογραφίζοντας μια ανεπανάληπτη μοναδική στιγμή. Κι εκεί τη φίλησε με πάθος για τελευταία φορά, βλέποντας από μακριά τον βαρύ όγκο του πλοίου να πλησιάζει.

Και στο λιμάνι, ανάμεσα στους ελάχιστους αναχωρητές, εκείνη κομμάτιασε την καρδιά της στα δύο και του έδωσε το ένα κομμάτι.

«Σ' αγαπώ», του είπε.

«Να τηλεφωνήσεις στον άνδρα σου. Η ιστορία αυτή τελειώνει εδώ, Κασσάνδρα. Πρέπει να φανούμε δυνατοί και οι δύο. Η ζωή σου είναι στην Αμερική, κοντά του. Η ζωή μου είναι εδώ, κοντά στη Ζωή».

Κατόπιν, βάζοντας με δύναμη μπρος τη μηχανή, χύθηκε στην

τεράστια κοιλιά του μεταλλικού κήτους και χάθηκε από τα μάτια της. Αρνήθηκε να της δώσει τον αριθμό του καινούργιου τηλεφώνου του. Ήταν αποφασισμένος. Τα ίχνη τους έπρεπε να χαθούν για πάντα. Μέχρι το επόμενο καλοκαίρι θα τα είχαν ξεχάσει όλα. Η Κάσι έμεινε εκεί, ακίνητη στη θέση της, πάνω από μισή ώρα, να θωρεί τον βαρύ μεταλλικό όγκο ώσπου χάθηκε εντελώς. Ο χρόνος πάγωσε σ' εκείνη τη στιγμή, σε εκείνη την εικόνα, όταν το κήτος τον καταβρόχθισε. Δεν υπήρχε πια για αυτήν ούτε χρόνος, ούτε τόπος, ούτε όνειρα. Όλα είχαν χαθεί. Γύρισε με ταξί πίσω στην Αιγιάλη και χώθηκε στο μικρό σπιτάκι. Εκείνος της είχε αφήσει τα κλειδιά του για να βολευτεί, ώσπου να αποφασίσει να επιστρέψει στην πατρίδα της. Δεν τη ρώτησε καν αν θα μείνει εκεί τελικά, πόσο θα μείνει, αν θέλει να μείνει. Απλώς της άφησε τα κλειδιά. Κοίταξε τον άδειο από την παρουσία του χώρο και μετά, σαν να ξυπνούσε μόλις από εφιάλτη, έτρεξε προς τη μοναδική ντουλάπα και την άνοιξε διάπλατα. Τα ρούχα του Ορέστη έλειπαν. Μόλις συνειδητοποιούσε ότι εκείνος είχε φύγει, ότι δε θα τον έβλεπε ποτέ ξανά. Και μετά, βγάζοντας ένα ουρλιαχτό, σωριάστηκε στο δάπεδο, κλαίγοντας δυνατά με λυγμούς. Είδε πεταμένο σε μια γωνιά το μαύρο μαντίλι του και σύρθηκε με τα τέσσερα και το άρπαξε. Το έβαλε στο πρόσωπό της και το φίλησε πολλές φορές. Κουλουριάστηκε σαν έμβρυο, ώσπου έγινε μια τεράστια ανθρώπινη μπάλα. Μόλις είχε χάσει τον μοναδικό άνδρα που αγάπησε. Για τρίτη φορά.

Ποτέ δεν υπήρξε ιδιαίτερα θρησκευόμενη. Μπορεί να είχε βαφτιστεί σε κολυμπήθρα, αλλά δε συμπαθούσε τις εκκλησίες, δε θέλησε να αναζητήσει τον Θεό μέσα στις εκκλησίες. Τώρα όμως, για πρώτη φορά, ένιωσε την ανάγκη να το κάνει, να ζητήσει τη βοήθειά Του. Κλεισμένη τρία μερόνυχτα εκεί μέσα, στο σπιτάκι, περιφερόταν σαν φάντασμα, ευελπιστώντας ότι η πόρτα θα ανοίξει κι

εκείνος θα μπει. Δεν είχε καν μαζί της το κινητό της από την Αμε-
ρική. Φεύγοντας από την έπαυλή της, απλώς το είχε παρατήσει
πάνω στο κομοδίνο της, αφήνοντας με αυτό τον τρόπο μήνυμα σε
όλους ότι είχε πάρει τις αποφάσεις της. Τώρα το μετάνιωνε. Είχε
τόσο μεγάλη ανάγκη να ακούσει τη φωνή της Σάρον, του πατέρα
της. Αυτοί οι δυο θα την καταλάβαιναν και θα τη συγχωρούσαν.
Η Κάσι όμως ήταν σίγουρη ότι ο γιος της δε θα τη συγχωρούσε
ποτέ. Ή μήπως είχε κάνει καλά που το είχε αφήσει πίσω της;

Η ανάβαση στο μοναστήρι της Παναγιάς της Χοζοβιώτισσας
ήταν περισσότερο κουραστική απ' ό,τι της είχε φανεί όταν το εί-
χε επισκεφτεί την πρώτη φορά. Της πήρε γύρω στα σαράντα λε-
πτά να σκαρφαλώνει ένα ένα όλα αυτά τα σκαλοπάτια, ασθμαί-
νοντας και σταματώντας κάθε λίγο και λιγάκι. Όταν πια έφθασε
στην κορυφή, ένιωσε ότι θα σωριαζόταν στην πλακόστρωτη αυ-
λή. Παρακολούθησε τη Λειτουργία και μετά στάθηκε στο περ-
βάζι του δωματίου επισκεπτών, κοιτάζοντας το πέλαγος, χαμένη
στις σκέψεις της. Ήθελε να μιλήσει σε κάποιον. Δεν ήξερε όμως
σε ποιον. Ο μοναχός Ιερώνυμος την πλησίασε, λες και ένιωσε το
κάλεσμά της. Του είχε κάνει εντύπωση το πόσο πονεμένο ήταν
το γαλάζιο βλέμμα της. Ήταν φανερό ότι αυτός ο άνθρωπος υπέ-
φερε σιωπηλά. Ήταν ντυμένη στα μαύρα, και ίσως πενθούσε κά-
ποιο αγαπημένο πρόσωπο. Την πλησίασε και της χαμογέλασε.
Στα χέρια του κρατούσε δύο κεριά και της πρότεινε το ένα.

«Για τη Μεγαλοσύνη της...» της είπε.

«Thank you, father... Do you speak English?»[1] Προς το πα-
ρόν είχε ξεχάσει κάθε ελληνική λέξη.

«Yes I do»[2], της απάντησε εκείνος.

---

1. «Ευχαριστώ, πατέρα... Μιλάτε αγγλικά;»
2. «Ναι, μιλώ».

Πλησίασαν μαζί το εικόνισμα της Παναγιάς και άναψαν ταυτόχρονα τα κεριά. Ύστερα εκείνη τον κοίταξε στα μάτια και ο μοναχός ένιωσε την απόγνωσή της.

«Σας ακούω», της είπε ο μοναχός στα αγγλικά. «Είμαι ο πατέρας Ιερώνυμος».

Εκείνη δίστασε. Τον κοίταξε απορημένα αλλά και με απόγνωση. Πώς θα μπορούσε αλήθεια να την καταλάβει κάποιος ξένος; Εδώ δεν μπορούσαν οι δικοί της άνθρωποι.

Εκείνος της χαμογέλασε με καλοσύνη και τότε η Κάσι αναθάρρησε.

«Πατέρα Ιερώνυμε, θέλω να ξέρω αν η αγάπη είναι αμαρτία».

«Αμαρτία η αγάπη; Αντίθετα, κόρη μου, είναι ευλογία».

«Τότε γιατί ο Θεός τιμωρεί αυτούς που αγαπούν πολύ;»

«Ο Θεός δεν είναι τιμωρός και πολύ περισσότερο τιμωρός της αγάπης. Μάλλον κάτι άλλο προσπαθείς να μου πεις».

«Πιστεύετε στη μετεμψύχωση, στο ότι οι ψυχές συναντιόνται ξανά μέσα στο χρόνο;»

«Η Εκκλησία μας παραδέχεται την αθανασία της ψυχής. Αν η ψυχή είναι αθάνατη, όλα μπορούν να συμβούν».

«Έχει το δικαίωμα ένας άνθρωπος να αψηφήσει την οικογένειά του για κάποιο άλλο ταίρι; Του δίνει αυτό το δικαίωμα ο Θεός;»

«Ο Θεός μάς έδωσε αισθήματα, αλλά και λογική για να πράττουμε ανάλογα. Κάποιες φορές είναι πολύ δύσκολο να διαλέξεις ανάμεσα στα δύο».

«Κι αν το συναίσθημα είναι πιο δυνατό από τη λογική, αν είναι ενάντια στην ανθρώπινη ηθική, τότε του δίνει το δικαίωμα;»

Εκείνος την κοίταξε πολύ σοβαρός. «Νομίζω ότι καταλαβαίνω τι προσπαθείς να μου πεις, κόρη μου... Ναι, είναι δύσκολο κάποιες φορές να ελέγξεις το συναίσθημα, όμως πρέπει να φανείς δυνατή. Θα προσευχηθώ για σένα...» της είπε. Είχε καταλάβει.

Γύρω στις δώδεκα το μεσημέρι επέστρεψε στο σπιτάκι. Η Γκριζούλα έτρεξε σαν αστραπή προς το μέρος της, νιαουρίζοντας δυνατά. Η Κάσι μπήκε στην κουζίνα και μετά βγήκε στην αυλή και άδειασε όλο το περιεχόμενο της κονσέρβας με την ξηρά τροφή για γάτες σε μια γωνιά. Η Γκριζούλα άρχισε να τρώει με όρεξη. Ξαναμπήκε στο σπίτι και πέταξε τα μαύρα ρούχα που φορούσε στο δάπεδο. Ύστερα άνοιξε τη βαλίτσα της, έβγαλε το κόκκινο φόρεμα, το δικό του δώρο, και το φόρεσε. Κοιτάχτηκε στον καθρέφτη. Αυτό που είδε δεν της άρεσε· ήταν χλωμή, απεριποίητη, αχτένιστη. Πήρε μια μεγάλη βούρτσα και άρχισε να βουρτσίζει με αργές, ήρεμες κινήσεις τα μακριά μαλλιά της, που είχαν πλέον μακρύνει πολύ και κόντευαν να αγγίξουν τη μέση της, όπως τότε, όταν ήταν έφηβη. Έπειτα σαπούνισε καλά το πρόσωπό της, έβαλε κρέμα, έβαψε τα χείλη της και κοιτάχτηκε. Προσπάθησε να χαμογελάσει. Το φόρεμα ήταν λίγο φαρδύ στη μέση της κι εκείνη το έστρωσε καλύτερα επάνω της με τις άκρες των χεριών της. Ύστερα, παίρνοντας μόνο τα κλειδιά του αυτοκινήτου της, βγήκε από το σπίτι. Η Γκριζούλα πήγε και τρίφτηκε στα πόδια της. Η Κάσι έσκυψε και τη χάιδεψε στοργικά και μετά τη σήκωσε στην αγκαλιά της και τη φίλησε στο κεφάλι. «Να προσέχεις», της είπε. Μπήκε στο αυτοκίνητο. Η διαδρομή μέχρι τα Θολάρια ήταν σύντομη. Πάρκαρε το αυτοκίνητο στην άδεια πλατεία και μετά πήρε το μονοπάτι για τη Μικρή Βλυχάδα. Ο ήλιος έλαμπε εκείνη τη στιγμή, όμως είδε από μακριά κάποια σύννεφα που δεν υπήρχαν νωρίτερα.

Κατέβηκε με ευκολία και χωρίς να φοβάται το μονοπάτι, που της φαινόταν πια γνώριμο. Μισή ώρα αργότερα είχε φθάσει στη μικρή παραλία. Κοίταξε γύρω της. Δεν υπήρχε ψυχή. Η Κάσι κάθισε σ' ένα βράχο δίπλα στο νερό και χάιδεψε με το βλέμμα της το χώρο. Ήταν το κομμάτι γης που αγαπούσε εκείνος περισσότερο. Εδώ είχαν πρωτογνωριστεί, εδώ είχαν πρωταγγιχτεί τα κορμιά τους σ' εκείνο το παθιασμένο σμίξιμο ενώ τα μούσκευε η βροχή. Κάθε πόντος αυτής της μικρής έκτασης είχε γίνει μάρτυρας ενός πρωτόγνωρου πάθους, μιας μεγάλης αγάπης. Οι βράχοι είχαν ακούσει τους στεναγμούς τους, τα γλαροπούλια έμειναν έκπληκτα από αυτό που αντίκριζαν. Αν η αγάπη είναι θείο δώρο, τότε δεν πρέπει να το αρνείσαι ποτέ. Κι αν ο Θεός το γυρέψει πίσω, εσύ δεν πρέπει να θυμώσεις μαζί του. Ίσως θέλει να είναι σίγουρος ότι κάποια πλάσματά Του είναι άξια δημιουργήματά Του. Γι' αυτό και θα τους ξαναδώσει ακόμη μια ευκαιρία, και ξανά, μέχρι την τελευταία, που θα είναι και οριστική, που θα είναι αιώνια. Η Κάσι ήταν περισσότερο από σίγουρη ότι θα ξανασυναντούσε αυτό τον άνδρα. Δεν είχε σημασία πότε. Σημασία είχε ότι θα τον ξανάβρισκε. Μπορεί ο Ορέστης να βρισκόταν πολύ μακριά της, στην αγκαλιά μιας άλλης γυναίκας, όμως εκείνη εισέπραττε τα μηνύματα της αγάπης του. Της τα έφερνε η θάλασσα, καθώς της έγλειφε τα πόδια. Κι είχε δίκιο...

...Ο Ορέστης, καθισμένος την ίδια στιγμή μόνος του σε μια έρημη παραλία, τη σκεφτόταν επίμονα. Είχε μετανιώσει με την απόφασή του να μην της δώσει το τηλέφωνό του, το ίδιο κιόλας λεπτό που το πλοίο απομακρυνόταν από το λιμάνι, και γαντζώθηκε με δύναμη στο κάθισμά του, στην προσπάθειά του να μη σηκωθεί και πηδήξει στη θάλασσα. Κι ύστερα, σαν ξεμάκρυναν αρκετά, σηκώθηκε και στάθηκε δακρυσμένος στα κάγκελα της πρύμνης, προσπαθώντας να διακρίνει από μακριά τη φιγούρα της. Δε διέκρινε τίποτε. Τι πήγαινε να κάνει; Την αγαπούσε αυτή τη γυναίκα. Μπορεί η Ζωή να 'ταν η μάνα του παιδιού του που σε λίγο καιρό θα ερχόταν στον κόσμο, μπορεί να τη σεβόταν, να έτρεφε αισθήματα για εκείνη, όμως η Κασσάνδρα ήταν το πεπρωμένο του. Και μπορεί, όσο καιρό εκείνη ήταν μακριά του, να κατόρθωσε να την παραμερίσει από την καρδιά του, δε χρειάστηκαν όμως παρά μερικά εικοσιτετράωρα για να φουντώσει πάλι η πυρκαγιά μέσα του και να τα σαρώσει όλα. Ήλπιζε ως την τελευταία στιγμή ότι, μόλις θα έφευγε από κοντά της, η φλόγα θα έσβηνε αμέσως. Πόσο μεγάλο λάθος έκανε. Πόσο... Τώρα πονούσε όσο ποτέ άλλοτε στη ζωή του.

Από την ώρα που διάβασε εκείνο το άρθρο στο περιοδικό, ένιωσε ότι ναι, κάπου είχε ζήσει κάποιες σκηνές από αυτές που του είχε διηγηθεί. Θυμήθηκε ότι κάποιες φορές, έτσι, χωρίς λόγο, ένιωθε σουβλιές σαν μαχαιριές στο στήθος, στην πλάτη και πίσω στο σβέρκο ταυτόχρονα. Τώρα πλέον ήξερε ότι ο Μάρκελλος είχε πεθάνει με δύο μαχαιριές στην πλάτη, στο μέρος της καρδιάς, και μετά τον αποτελείωσαν με μια μαχαιριά στο σβέρκο. Όχι, δε γνώριζε τίποτε για τον τρόπο που πέθανε εκείνος, ούτε είχε αναφέρει κάτι η Κασσάνδρα στη διάρκεια της ύπνωσης. Ωστόσο ο Ορέστης ήταν παραπάνω από σίγουρος ότι έτσι τον εκτέλεσαν. Κι ύστερα ένιωθε πάντα μια περίεργη έλξη για τον απέραντο βυθό, και δεν ήταν λίγες οι φορές που έψαχνε κάτι εκεί κάτω, χωρίς να μπορεί να το προσδιορίσει. Για ατελείωτες ώρες, με τις μπουκάλες οξυγόνου σε βράχια ή σε υπόγειες σπηλιές, ερευνούσε ανάμεσα σε θαλάσσια φύκια, αναζητώντας αυτό που ποτέ δεν έβρισκε.

Τώρα ήξερε γιατί είχε νιώσει εκείνο το καρδιοχτύπι, όταν την πρωταντίκρισε εκεί στη Βλυχάδα, χαμένη, να του ζητά να την προστατεύσει. Το 'χε ξαναδεί αυτό το βλέμμα φόβου και πανικού και, χωρίς καν να τη γνωρίζει, παραλίγο να την κλείσει σφιχτά στην αγκαλιά του, προσπαθώντας να την προστατεύσει. Με κόπο προσπάθησε να μην το κάνει. Μπορούσε πια να εξηγήσει γιατί του φάνηκε τόσο γνώριμο το κορμί της, πόσο καλά το ήξερε, κι ας τη συναντούσε για πρώτη φορά. Μπορεί να είχε τρελαθεί ή να τρελαινόταν σιγά σιγά, όμως δε θα άντεχε να παλεύει άλλο με τον εαυτό του. Τώρα που εκείνη ήταν ελεύθερη, έπρεπε να ελευθερωθεί κι αυτός. Ο γάμος του θα γινόταν σε τέσσερις μέρες· το καλοσιδερωμενο κοστούμι του τον περίμενε κρεμασμένο, το άσπρο του πουκάμισο, το λευκό παπιγιόν του, οι λαμπάδες, τα στέφανα, οι βέρες, όλα ήταν έτοιμα στη θέση τους για να τον οδηγήσουν στην εκκλησία. Οι γονείς του έλαμπαν από ευτυχία και περηφάνια για την όμορφη νύφη τους, για το εγγόνι που περίμεναν, οι φίλοι του τον μακάριζαν, η Ζωή, πιο όμορφη από ποτέ, έμοιαζε με άγγελο. Τίποτε. Τίποτε από όλα αυτά μαζί δεν άξιζαν όσο ένα βλέμμα, ένα άγγιγμα της Κασσάνδρας. Ήθελε να πέσει στο κύμα και να κολυμπήσει ασταμάτητα, ώσπου να φθάσει στο νησί και να σμίξει μαζί της. Κάτι έπρεπε να κάνει προτού εκείνη χαθεί για πάντα...

...Η Κάσι, καθισμένη σ' εκείνο το κομμάτι βράχου, σήκωσε το κεφάλι της και κοίταξε ψηλά τον ουρανό. Κάποια σύννεφα, που μέχρι πριν από λίγο ήταν κουκκίδες στον ουρανό, τώρα είχαν μεγαλώσει και είχαν αρχίσει να κυκλώνουν το νησί. Ο ήλιος δεν έκαιγε πια τόσο πολύ και μια ανεπαίσθητη ψυχρούλα τής χάιδεψε απαλά το σβέρκο. Χαμογέλασε. Ό,τι καιρό κι αν έκανε δεν την ενδιέφερε. Της αρκούσε που βρισκόταν στο νησί τους, στη δική τους παραλία. Σηκώθηκε από τη θέση της, έστρεψε το κεφάλι προς τα πίσω και κοίταξε τα βουνά. Από ποια κορυφή είχε κατεβεί; Χαμογέλασε αχνά και άφησε τα μάτια της να πλανηθούν στη μαγεία του άγριου ερημικού τοπίου που το 'χε καλύψει η συννεφιά. Έπειτα ξανακοίταξε τη θάλασσα. Ήταν πιο όμορφη από ποτέ και, κυρίως, δεν τη φοβόταν πια. Η θάλασσα ήταν πλέον φίλη της. Ήταν η μόνη που μπορούσε να την παρηγορήσει. Να αναπληρώσει ίσως όλα όσα άφησε πίσω της, για χάρη της αγάπης. Στ' αλήθεια, πόσοι μπορούν να αγαπούν τόσο πολύ για να το κάνουν αυτό; Προχώρησε προς το νερό αργά και άρχισε να βαδίζει προς τα μέσα. Η θάλασσα την υποδέχτηκε χαμογελαστή, με ανοιχτή την αγκάλη. Πόσα δεν είχαν δει τα μάτια της ανάμεσα στους αιώνες... Και ναι, το θυμόταν εκείνο το κορίτσι με τα κόκκινα μαλλιά, που μάταια προσπαθούσε να κρατηθεί ζωντανό στην παγωμένη της αγκαλιά. Το πόνεσε. Δεν μπορούσε όμως να το βοηθήσει. Το παγόβουνο έφταιγε για το θάνατό του και όχι εκείνη. Το κρύο το 'χε σκοτώσει, δεν το 'χε σκοτώσει αυτή...

Το φόρεμά της μούσκεψε, όμως δεν την απασχολούσε. Μήπως ένιωθε το νερό; Όχι, τίποτε δεν ένιωθε. Ζητούσε τη λύτρωση, τη γαλήνη, με οποιονδήποτε τρόπο. Κι αν η θάλασσα έχει θεραπευτικά βοτάνια ή χάδια λησμονιάς, τότε γιατί να την απαρνηθεί; Άρχισε να κολυμπά με αργές κινήσεις προς τα μέσα. Το κόκκινο φόρεμα είχε τώρα απλωθεί γύρω της σαν λεκές από αίμα και το χρώμα του έγινε ακόμη πιο κόκκινο, να την ακολουθεί σε κάθε της κίνηση. Τα σύννεφα πύκνωσαν περισσότερο και άρχισε να φυσά ελαφρώς. Ωστόσο η Κασσάνδρα συνέχισε να κολυμπά χωρίς να την απασχολεί τίποτε από όλα αυτά...

...Ο Ορέστης σηκώθηκε απότομα όρθιος. Δεν άντεχε περισσότερο. Έπρεπε να φύγει αμέσως για το νησί. Αύριο κιόλας έπρεπε να βρίσκεται εκεί. Όχι, δεν μπορούσε να κάνει τελικά αυτόν το γάμο. Ναι, θα τα ακύρωνε όλα σήμερα. Θα μιλούσε στη Ζωή και θα της έλεγε ότι τελικά δεν μπορούσε να την κοροϊδέψει περισσότερο και ακόμη πιο πολύ τον εαυτό του. Την αγαπούσε ως μάνα του αγέννητου παιδιού τους, όχι όμως ως γυναίκα που ήθελε να στέκεται πλάι του μια ολόκληρη ζωή. Τίποτε πια δεν τον κρατούσε μακριά από τη γυναίκα που αγάπησε και έχασε τόσες φορές. Αυτή τη φορά, δε θα επέτρεπε τίποτε να μπει ανάμεσά τους. Θα αναλάμβανε τις ευθύνες του απέναντι στο παιδί του και θα έδινε ό,τι είχε και δεν είχε στην ίδια· το μαγαζί του, το σπίτι, όλα, αρκεί να μη γινόταν ο γάμος τους. Θα άρχιζε πάλι από την αρχή. Ήταν νέος, δυνατός, είχε το κουράγιο να παλέψει, να ξεκινήσει από το μηδέν. Όχι, δε θα άφηνε τη γυναίκα που αγάπησε τόσο πολύ. Έβγαλε από την τσέπη του το κινητό του και κάλεσε το νούμερο της Ζωής. Ήξερε ότι είχε πάει με την κουμπάρα τους για τα τελευταία ψώνια στην Τσιμισκή.

«Σε μισή ώρα να είσαι σπίτι», της είπε με φωνή που δε σήκωνε αντιρρήσεις. «Συμβαίνει κάτι πολύ σοβαρό».

Η πρώτη σταγόνα βροχής έπεσε στο μέτωπό του. Ο καιρός ήταν χάλια από το πρωί και του χαλούσε ακόμη περισσότερο τη διάθεση. Τη μισούσε τη γαμημένη τη βροχή, γιατί του θύμιζε ακόμη περισσότερο εκείνη...

...Τα σύννεφα είχαν πυκνώσει για τα καλά, όμως η Κάσι χαμογελούσε. Κολυμπούσε αρκετή ώρα και είχε ήδη περάσει το στενό που σχημάτιζαν οι δύο βράχοι, βγαίνοντας στο ανοιχτό πέλαγος, χωρίς να γυρίσει ούτε στιγμή να κοιτάξει πίσω της. Δεν υπήρχε λόγος. Ποιος ο λόγος να ενδιαφερθεί για το πού πήγαινε; Ο Ορέστης δεν ήταν πια μαζί της και τίποτε δε μετρούσε χωρίς αυτόν. Εκείνο το πρωινό, γυρίζοντας από το μοναστήρι, κατέβηκε στη Χώρα και τηλεφώνησε στο γιο της. Όχι στο κινητό του, αλλά στο τηλέφωνο του σπιτιού του. Ήξερε πως ο Άλεξ εκείνη την ώρα απουσίαζε. Άκουσε τη φωνή του να λέει ότι δεν ήταν εκεί και η καρδιά της χτύπησε πολύ δυνατά. Ύστερα, προτού το μετανιώσει, του άφησε ένα μήνυμα: «Άλεξ... αγόρι μου... το ξέρω πως σ' έχω πληγώσει, πως πιθανόν να με μισείς. Όχι, δε σου ζητώ να με καταλάβεις. Δε θα μπορέσεις... Και είναι τόσο δύσκολο να σου εξηγήσω. Ίσως κάποτε, όταν ξανασυναντηθούμε, να μπορέσω να σε πείσω ότι ήμουν καλή μάνα... Πήρα να σου πω ότι σ' αγαπώ πολύ και...» Ένας λυγμός τσάκισε τη φωνή της και κατέβασε το ακουστικό ξεσπώντας σε κλάματα. Έπειτα πλήρωσε και έφυγε τρέχοντας για το σπίτι.

Κύματα άρχισαν να σχηματίζονται γύρω της και να δυσκολεύουν τις κινήσεις της. Η Κάσι άρχισε να κουράζεται και να κρυώνει. Ο ήλιος κρύφτηκε για τα καλά και τα δυνατά κρωξίματα από τα γλαροπούλια που πετούσαν χαμηλά προειδοποιούσαν για το επερχόμενο μπουρίνι. Τα γνώριζε καλά αυτά τα σημάδια. Ο Ορέστης, εκτός από το κολύμπι, της είχε μάθει κι άλλα πολλά. Ο άνεμος δυνάμωσε κι ένα κύμα τη χαστούκισε δυνατά. Έπειτα άλλο ένα. Γύρισε το σώμα της σε ύπτια θέση και τότε μόνο συνειδητοποίησε πόσο πολύ είχε απομακρυνθεί. Πόσο μακριά ήταν η ακτή. Και αυτή βρισκόταν ανάμεσα στα κύματα. Κύματα; Νερό; Ναι, βρισκόταν στο νερό. Και από κάτω βάθος απροσμέτρητο. Ήταν στο νερό. Και το φόρεμα κόκκινος λεκές απλωμένος γύρω της. Ξαφνικά, ένας τρόμος την κυρίευσε. Άρχισε να βαραίνει. Δεν μπορούσε να αναπνεύσει. «Ορέστη!» ούρλιαξε δυνατά. «Ορέστηηηηη!...»

...Ο Ορέστης κατέβασε το κινητό του ενώ η καρδιά του χτυπούσε ακανόνιστα. Πώς στο διάβολο βρήκε το κουράγιο να κάνει κάτι τέτοιο; Πώς θα 'λεγε στη Ζωή ότι ο γάμος τους ματαιωνόταν κι ότι αυτός έφευγε αύριο κιόλας για την Αμοργό; Τι θα 'λεγε στους γονείς του, στα πεθερικά, στους φίλους τους; Όλοι θα τον μισούσαν, κι ακόμη περισσότερο θα μισούσαν τη γυναίκα που είχε γίνει αιτία να χάσει τα μυαλά του, όπως θα έλεγαν. Ίσως και να τα 'χε χάσει. Δεν τον ενδιέφερε, όμως. Τίποτε δεν τον ενδιέφερε. Ο κόσμος όλος να καιγόταν θα του ήταν αδιάφορο. Κοίταξε το κινητό του. Τι μαλάκας που ήταν στ' αλήθεια. Πώς μπόρεσε να φύγει χωρίς να αφήσει κάποιο τηλέφωνο πίσω του για να επικοινωνήσει μαζί της; Πόσο ήθελε να ακούσει τώρα τη φωνή της και απλώς να της πει: «Δεν μπορώ χωρίς εσένα, έρχομαι κοντά σου. Για πάντα». Ανέβηκε στη μηχανή του και έκανε να βάλει μπρος, όταν άκουσε να τον φωνάζει κάποιος: «Ορέστηηηη!» Γύρισε το κεφάλι ξαφνιασμένος. Ναι, είχε ακούσει να τον φωνάζουν. Γυναικεία φωνή. Δεν υπήρχε κανένας τριγύρω. Παραξενεύτηκε. Έβαλε μπρος και γκάζωσε με δύναμη. Δεν είχε χρόνο για απορίες. Έπρεπε να μιλήσει στη Ζωή το γρηγορότερο...

...Οι δυνάμεις της την εγκατέλειπαν λίγο λίγο. Το πέλαγος τη ρουφούσε, την ήθελε δική του. Ποιος ο λόγος να του αντισταθεί; Γιατί είχε μπει στο νερό φθινοπωριάτικα με τα ρούχα; Για να απολαύσει στη θάλασσα; Για να πάει να τον βρει; Για να ξεχάσει; Ναι, αυτό ήθελε τελικά. Να ξεχάσει, να μην πονάει. Αυτός ο βουβός πόνος, βράχος επάνω της και το βάρος του αβάσταχτο. Ξημέρωνε ή σκοτείνιαζε, δεν είχε σημασία. Ο λιγοστός ύπνος της ήταν η μόνη ανακούφιση. Άνοιγε τα μάτια προτού καν ξημερώσει ακόμη, προσπαθώντας να αντικρίσει το κορμί του πλάι της, όπως κάποτε, να νιώσει τη ζεστασιά του, να ακούσει την ανάσα του. Και εκείνο που αντίκριζε ήταν το σκοτάδι και η παγωμένη του αγκαλιά. Και τότε ο πόνος γινόταν δυσβάσταχτος και τα δάκρυα δεν τον ανακούφιζαν πια. Ποιος ο λόγος να υπάρχει σ' έναν κόσμο όπου εκείνος απουσίαζε; Προσπαθούσε μάταια να απαλύνει αυτές τις σκέψεις, αναζητώντας την εικόνα του γιου της και του πατέρα της. Παρ' όλα αυτά, ο πόνος δεν καταλάγιαζε ούτε στη δική τους εικόνα. Να γυρίσει πίσω στο σπίτι της; Μα το σπίτι της ήταν πλέον εδώ, η Αμοργός. Η Αμερική τής φαινόταν μακρινή, αφιλόξενη. Μακάρι να μην ξυπνούσε ποτέ. Μακάρι. Αυτό όμως δε γινόταν, κι εκείνη γνώριζε ότι ο πόνος της θα μεγάλωνε ακόμη πιο πολύ. Ένας μόνο τρόπος υπήρχε να μην τον νιώθει. Ένας... Εγκατέλειψε κάθε προσπάθεια να επιπλεύσει και αφέθηκε να βουλιάζει στην υγρή αγκαλιά του πελάγους. Λίγο προτού το νερό σκεπάσει τα μάτια της, κοίταξε την Αμοργό για τελευταία φορά και το μοναστήρι της Παναγιάς. Και εκείνη της χαμογέλασε. Κι ήταν τόσο όμορφο... Μετά το νερό μπήκε ανάμεσά τους. Το γαλάζιο νερό. Σήκωσε το κεφάλι και κοίταξε ψηλά το φως που χανόταν. Πού πήγαινε; Σε ποια άγνωστα μέρη να ψάχνει αυτόν που αγάπησε τόσο πολύ; Πότε θα τον συναντούσε ξανά; Πότε; «Ορέστη!» ούρλιαξε από μέσα της, καθώς ένιωσε τα πνευμόνια της να πονάνε. Αλλά δεν έκανε καμιά προσπάθεια να ανεβεί. Καμιά. Το σκοτάδι και η παγωνιά άρχισαν να την αγκαλιάζουν όλο και πιο σφιχτά. Πού πήγαινε; Πού;...

...Ξαφνικά ο Ορέστης ένιωσε άβολα πάνω στη μηχανή του. Σαν κάτι να τον εμπόδιζε να αναπνεύσει. Πήρε μια βαθιά ανάσα και έκοψε ταχύτητα. Στρες. Είχε πολύ στρες τελευταία. Είχε πιέσει όλο αυτό το διάστημα τον εαυτό του πολύ περισσότερο απ' όσο άντεχε. Μόνο αν ξεκαθάριζε τη θέση του θα ηρεμούσε. Η σκάρτη συμπεριφορά δεν του ταίριαζε. Όλη αυτή η ιστορία τον είχε τσακίσει. Τελικά αποφάσισε να παντρευτεί τη Ζωή περισσότερο από ευγνωμοσύνη για όσα έκανε για εκείνον, παρά γιατί το ήθελε. Ένιωθε εκτίμηση και τρυφερότητα για εκείνη και ναι, την αγαπούσε, αλλά διαφορετικά. Η αγάπη που ένιωθε για την Κασσάνδρα δε συγκρινόταν με οποιοδήποτε συναίσθημα είχε νιώσει μέχρι τότε στη ζωή του. Ήταν πιο πάνω και από τις αντοχές του. Ούτε είχε πονέσει περισσότερο για άνθρωπο. Το σφίξιμο στο στήθος έγινε εντονότερο και αναρωτήθηκε μήπως η καρδιά του του έκανε κόλπα. Τι κόλπα να του κάνει η καρδιά; Μια χαρά ήταν. Απλώς πονούσε. Τώρα όμως θα ξεκαθάριζαν όλα και επιτέλους θα ηρεμούσε.

14

൫

Ο μοναχός Ιερώνυμος κατέβασε τα κιάλια από το πρόσωπό του που είχε χλωμιάσει. «Μεγαλοδύναμε…» ψιθύρισε και έκανε το σταυρό του. Κατόπιν τα ξανάφερε στα μάτια του και ξανακοίταξε. Είχε πια βεβαιωθεί. Το γυναικείο πρόσωπο διαγράφηκε καθαρά μέσα από το φακό να επιπλέει ανάσκελα στο νερό, ενώ το κόκκινο φόρεμα έκανε παιχνιδιάρικα κυματάκια δίπλα του. Δεν απείχε πολύ από τη στεριά και σύντομα το κύμα θα την ξέβραζε στην ακτή, ακριβώς κάτω από το μοναστήρι. Παράτησε τα κιάλια επάνω στο περβάζι και έτρεξε με φόρα ταραγμένος μέσα. Έπρεπε να ειδοποιήσει τους άλλους μοναχούς και τον ηγούμενο πως κάποια γυναίκα είχε πνιγεί. Ευχήθηκε μέσα του να μην ήταν αλήθεια αυτό και απλώς η γυναίκα να είχε τα μάτια κλειστά και να προσπαθούσε να παραμείνει ψύχραιμη. Ωστόσο, το μισοβυθισμένο πρόσωπό της μάλλον το αντίθετο φανέρωνε. Η ελπίδα όμως πεθαίνει πάντα τελευταία. Δύο λεπτά αργότερα, ο δυνατός ήχος του σήμαντρου ξάφνιασε τους υπόλοιπους μοναχούς αλλά και τον ηγούμενο, που μόλις είχε κατεβεί από το μοναστήρι στο δρόμο. Το αδικαιολόγητο για την ώρα χτύπημα της καμπάνας σήμαινε πως κάτι πολύ σοβαρό συνέβαινε. Ο ηγούμενος σήκωσε το βλέμμα του προς τον ουρανό και μετά σταυροκοπήθηκε. Άρχισε να ανεβαίνει πάλι με γοργά βήματα τα σκαλιά αγκομαχώντας. Σίγουρα κάτι άσχημο είχε συμβεί στη μονή και ήλπιζε να μην ήταν καμιά φωτιά από τα τόσα κεριά και καντηλάκια εκεί μέσα. Δύο φορές στο παρελθόν κινδύνευσαν από πυρκαγιά και τη γλίτωσαν χάρη στη βοήθεια της Μεγαλόχαρης...

Ο Ορέστης μπήκε με φόρα στο πλοίο. Ίσα που το πρόλαβε. Προχώρησε με σφιγμένο πρόσωπο και πήγε στο μπαρ να πάρει έναν καφέ. Ακριβώς αυτό χρειαζόταν περισσότερο εκείνη τη στιγμή. Τα μάτια του ήταν κατακόκκινα και έτσουζαν από την αγρύπνια. Δεν είχε καταφέρει να κοιμηθεί ούτε μία στιγμή όλη τη νύχτα. Τα χθεσινά γεγονότα ήταν δραματικά. Δεν ήθελε να σκέφτεται τι έκανε και τι είπε στη Ζωή, τι είπε στους γονείς του. Απλώς σηκώθηκε και έφυγε. Ο γάμος δε θα γινόταν ποτέ. Τα μάτια της τον κοίταζαν με τρόμο και μετά το ουρλιαχτό της του ξέσκισε την καρδιά. Όρμησε επάνω του σαν αγριεμένη ύαινα να τον κατασπαράξει και άρχισε να τον χαστουκίζει, έχοντας χάσει κάθε έλεγχο. Κι εκείνος να μη νιώθει τίποτε. Απλός παρατηρητής, σαν να βλέπει κάποια ταινία. Είχε όλα τα δίκια με το μέρος της. Ύστερα την πήραν τα δυνατά κλάματα εκεί πάνω στο κρεβάτι, πάνω στο αφόρετο νυφικό της. Κι εκείνος βουβός. Τι να πει περισσότερο; Ότι με την Κασσάνδρα είχαν αγαπηθεί παράφορα στο παρελθόν; Ότι η γυναίκα για την οποία την παρατούσε ήταν γυναίκα του σε δύο άλλες ζωές; Ότι ήταν πάνω από τις δυνάμεις τους να ζήσουν χωριστά; Εδώ ο ίδιος δεν μπορούσε ακόμη να συνειδητοποιήσει αυτό που συνέβαινε και θα το καταλάβαινε ένα απλό κορίτσι σαν τη Ζωή; Και τότε άνοιξε η πόρτα και μπήκε ο πατέρας της, ειδοποιημένος από τη γυναίκα του, που δεν τολμούσε να επέμβει. Τον έφτυσε στο πρόσωπο, τον είπε αλήτη του κερατά, μπάσταρδο, κάθαρμα. Τον καταράστηκε. «Όσο πόνο μάς έδωσες, διπλός και τριπλός να πέσει πάνω σου», του φώναξε. Αγκάλιασε την κόρη του, που σπάραζε από το κλάμα, και της είπε ότι ήταν τυχερή που δεν παντρευόταν αυτό τον ελεεινό. Ότι το παιδί της που θα γεννιόταν δεν είχε πια αυτό τον ανάξιο για πατέρα και ούτε θα το 'βλεπε ποτέ. Ότι πατέρας του θα γινόταν ο ίδιος. Ότι όσο τον είχε αγαπήσει τόσο τώρα τον μισούσε. Και η πεθερά του, που τον λάτρευε, να κλαίει κι εκείνη βουβή, χωρίς να μπορεί να αρθρώσει λέξη, μόνο να τον κοιτάζει σαν να 'βλεπε κάποιον ξένο.

Όχι, δεν είχε άλλο κουράγιο. Έφυγε δίχως να πει κουβέντα. Δεν υπήρχαν κουβέντες. Και μετά στο σπίτι του οι γονείς του έγιναν ράκη, αδυνατώντας να τον εμποδίσουν. Η μάνα του κλείστηκε στην κάμαρή της, αρνούμενη να του μιλήσει, να τον καταλάβει. «Να πας σ' αυτή την πουτάνα που σε μάγεψε!» του φώναξε, «και να μας ξεχάσεις εμάς. Και μην τολμήσεις να μας την κουβαλήσεις ούτε στο σπίτι μας, ούτε στη Θεσσαλονίκη». Και ο πατέρας του, ο άγιος εκείνος άνθρωπος, τον κοίταξε με σπαραγμό και του είπε: «Ελπίζω να μην τον μετανιώσεις ποτέ αυτό που πας να κάνεις. Ο δρόμος αυτός δεν έχει γυρισμό». Και είχε δίκιο. Ο δρόμος που διάλεξε τελικά δεν είχε γυρισμό. Δεν ήξερε ποιος ήταν ο δρόμος του από δω και πέρα. Για ένα ήταν σίγουρος: ότι είχε διαλέξει τη σωστή γυναίκα.

Πήρε τον καφέ του και μετά διάλεξε να καθίσει σε μια θέση δίπλα στο παράθυρο. Έτσι κι αλλιώς το πλοίο ήταν σχεδόν άδειο. Καλύτερα. Το τελευταίο που χρειαζόταν εκείνη τη στιγμή ήταν κόσμος και φασαρία. Χάζεψε την οθόνη της τηλεόρασης απέναντί του. Οι ειδήσεις μόλις είχαν αρχίσει. Ακόμη ένα κυβερνητικό σκάνδαλο, κι άλλες δηλώσεις υπουργών να προσπαθούν να δικαιολογήσουν τα αδικαιολόγητα. Το νησί της Αμοργού φάνηκε στην οθόνη. Ξαφνιάστηκε. Ύστερα η αγέρωχη εικόνα της μονής της Παναγιάς της Χοζοβιώτισσας κάλυψε την οθόνη και αμέσως μετά αστυνομικοί, ρεπόρτερ, φωτογράφοι, μοναχοί. Ο ήχος ήταν χαμηλωμένος και δεν μπορούσε να ακούσει τι ακριβώς είχε συμβεί, μέχρι που η κάμερα έδειξε να μεταφέρουν πάνω σε φορείο ένα πτώμα σκεπασμένο με ένα λευκό σεντόνι. Κάποιος ή μάλλον κάποια είχε πνιγεί. Το κόκκινο βρεγμένο ρούχο της κρεμόταν από την άκρη και στα ξεσκέπαστα γυμνά πόδια της το αχνό βερνίκι νυχιών πρόδιδε το φύλο του άτυχου θύματος. Αν έκρινε από τη σφιχτή γάμπα, μάλλον πρέπει να ήταν νέα. Κρίμα την κοπέλα. Μα πώς βρέθηκε μέσα στη θάλασσα με τα ρούχα της; Μήπως είχε συμβεί κάποιο ατύχημα και περισυνέλεγαν τα πτώματα; Δεν είχε προλάβει να δει ειδήσεις με όλα αυτά τα τελευταία γεγονότα, ούτε είχε προλάβει να διαβάσει εφημερίδες. Θα μάθαινε τα νέα όταν έφθανε στο νησί. Προς το παρόν, είχε ανάγκη από έναν καλό ύπνο. Ο καφές δεν είχε βοηθήσει πολύ και η κούραση άρχισε να τον αγκαλιάζει σαν γλυκιά νάρκη που τον μέθυσε.

Σφάλισε τα βλέφαρά του και η εικόνα της Κασσάνδρας φάνηκε χαμογελαστή μπροστά του. Της χαμογέλασε κι εκείνος. Σε λίγες ώρες θα την έσφιγγε στην αγκαλιά του και θα ένιωθε τη λύτρωση στην ψυχή του, που είχε γίνει μπερδεμένο κουβάρι και δεν μπορούσε να βρει την άκρη του. Θα είχαν πια μια ολόκληρη ζωή να μιλάνε για το μέλλον τους, για τις προηγούμενες ζωές τους. Και κανένας πια δε θα μπορούσε αυτή τη φορά να μπει ανάμεσά τους. «*Η ζωή είναι πολύ μικρή για να μην ακολουθούμε το δρόμο της καρδιάς, και πολύ μεγάλη για να την αντέξουμε, σαν έχουμε κάνει λάθος επιλογές. Και σίγουρα ο Θεός βάζει το χεράκι του σ' αυτό*». Θυμήθηκε τα λόγια του συχωρεμένου του παππού του, που τόσο πολύ τον αγαπούσε, λίγο προτού φύγει από τη ζωή και μετοικήσει στη χώρα της αιώνιας λήθης. Ταξίδεψε μαζί του και τότε τα όνειρα χόρεψαν εμπρός του. Τρεις διαφορετικές γυναίκες στάθηκαν απέναντί του και του άπλωσαν το χέρι. Τις αναγνώρισε όλες· η ξανθομαλλούσα Λυβία, η κοκκινομάλλα Κάρολ, η μελαχρινή Κασσάνδρα. Είδε τον εαυτό του με στολή Ρωμαίου αξιωματούχου να σηκώνει στην αγκαλιά του την Λυβία. Είδε τον εαυτό του μουσικό, να παίζει μουσική για την Κάρολ. Και μετά είδε τον εαυτό του να απλώνει τα χέρια του για να αγκαλιάσει την Κασσάνδρα. Εκείνη όμως δεν του 'δωσε το χέρι της. Μονάχα τον κοίταξε με παράπονο. Τα μάτια της ήταν θολά.

«Μα γιατί, αγάπη μου;» τη ρώτησε. «Αφού γύρισα κοντά σου. Δεν ανήκω πια πουθενά παρά μόνο σε σένα».

«Σε μια άλλη ζωή, Ορέστη», του αποκρίθηκε και, γυρίζοντας την πλάτη της, άρχισε να απομακρύνεται.

«Κασσάνδρα, πού πας;» τη ρώτησε έκπληκτος.

Στάθηκε και τον κοίταξε. Τώρα από τα μάτια της κυλούσαν δάκρυα. «Σε μια άλλη ζωή. Θα σε περιμένω». Και ύστερα εξαφανίστηκε από μπροστά του.

Ο Ορέστης άνοιξε τα μάτια του, ενώ η καρδιά του χτυπούσε περίεργα. Κοίταξε από το φινιστρίνι και το αγαπημένο του νησί φάνηκε από μακριά να του χαμογελά. Είχε κοιμηθεί για ώρες πολύ βαθιά και ήδη ένιωθε ξεκούραστος. Ο παγωμένος καφές του βρισκόταν εκεί μπροστά του, ακουμπισμένος στο τραπεζάκι. Ήπιε μια γουλιά και του φάνηκε ό,τι καλύτερο είχε δοκιμάσει ποτέ του. Όπου να 'ναι θα έπιαναν λιμάνι. Σε λιγότερο από μία ώρα, θα έσφιγγε στην αγκαλιά του τη γυναίκα που λάτρευε, που έχασε δύο φορές και επιτέλους την ξαναβρήκε. Για πάντα αυτή τη φορά. Σε λιγότερο από μία ώρα.

Το πλοίο έριξε άγκυρα και οι μπουκαπόρτες άνοιξαν. Κι εκείνος, έτοιμος πάνω στη μηχανή του, έβαλε μπρος. Το πρώτο πράγμα που αντίκρισε στην προκυμαία στα Κατάπολα ήταν ένας κάμεραμαν, δύο αστυνομικοί, ένα ασθενοφόρο και τριγύρω τους μαζεμένος κόσμος. Σίγουρα επρόκειτο για εκείνη την κοπέλα.

«Τι συνέβη, φίλε, και έχει αστυνομία;» ρώτησε ένα νεαρό που πέρασε από δίπλα του.

«Μια τουρίστρια πνίγηκε, αυτοκτόνησε;... Να σου πω την αλήθεια, δεν κατάλαβα. Και ψάχνουν να βρουν ποια είναι και πού έμενε. Μπορεί και να έπεσε από κανένα πλοίο. Τι να πω... Τώρα την πάνε στην Αθήνα για νεκροψία».

Ο Ορέστης κοίταξε το ασθενοφόρο που περνούσε δίπλα του και πήγε να ξεκινήσει με τη μηχανή, όμως κάτι τον σταμάτησε. Το ξανακοίταξε και έκανε το σταυρό του. Αμέσως μετά άνοιξε το γκάζι και χύθηκε στο δρόμο. Βιαζόταν πολύ και είχε ακόμη κάποια χιλιόμετρα να διανύσει μέχρι την Αιγιάλη. Ο ψυχρός αγέρας στο πρόσωπο τον έκανε να νιώσει ακόμη πιο όμορφα. Η αγαπημένη του Αμοργός τον έσφιξε στην αγκαλιά της και σε λίγο θα έσφιγγε κι εκείνος τη δική του αγαπημένη. Έπειτα από είκοσι λεπτά η μηχανή σταμάτησε έξω από το σπίτι του. Η Γκριζούλα νιαούρισε χαρούμενη και τρίφτηκε στα πόδια του. Πρόσεξε το μικρό βουναλάκι ξηράς τροφής σε μια γωνιά της αυλής και χαμογέλασε. Το κορίτσι του την κακομάθαινε. Έβγαλε το κλειδί του και ξεκλείδωσε την πόρτα. Το σπίτι ήταν σκοτεινό και έρημο. Άναψε το φως. Η παρουσία της Κασσάνδρας ήταν διάχυτη παντού από το άρωμά της. Μπήκε στην κρεβατοκάμαρα και κοίταξε το άστρωτο κρεβάτι. Χαμογέλασε. Κάθισε στο πλάι και χάιδεψε τα σεντόνια. Του φάνηκαν ακόμη ζεστά από το κορμί της. Στη συνέχεια κοίταξε τα πράγματά της· τη βούρτσα των μαλλιών της επάνω στο κομοδίνο, τα ρούχα της εδώ κι εκεί. Πλησίασε την ανοιχτή ντουλάπα. Όλα ήταν εκεί όπως τα είχε αφήσει. Κάπου θα είχε πάει. Όχι, δε θα έβγαινε να την ψάξει. Θα την περίμενε εκεί, στο σπιτάκι τους, για να της πει όλα αυτά που η καρδιά του είχε προστάξει να κάνει. Ναι, η έκπληξη που της ετοίμαζε ήταν πολύ μεγάλη. Δεν είχε παρά να περιμένει...

ΕΠΙΛΟΓΟΣ

ⲥⳝ

ΙΕΡΑ ΜΟΝΗ ΠΑΝΑΓΙΑΣ ΧΟΖΟΒΙΩΤΙΣΣΑΣ,
ΑΜΟΡΓΟΣ,
2 ΣΕΠΤΕΜΒΡΙΟΥ 2009

Ο μοναχός Νεοφώτιστος κοίταξε από τη μικρή βεράντα της μονής την απεραντοσύνη του πελάγους. Ήταν αργά το απόγευμα και οι τελευταίοι προσκυνητές μόλις είχαν φύγει. Ήταν πια ελεύθερος να κυκλοφορήσει και πάλι στους ιερούς χώρους, στη βεράντα που τόσο αγαπούσε και είχε την ωραιότερη θέα σε όλο το νησί. Πόσο το αγαπούσε αυτό το νησί. Πλησίαζε τα τριάντα οκτώ και ήταν ένας πολύ γοητευτικός άνδρας. Κάτω από τα φαρδιά μαύρα ρούχα του μοναχού, το κορμί του παρέμενε πάντα αθλητικό και ακμαίο, έτσι όπως τότε, που κολυμπούσε και γυμναζόταν σχεδόν καθημερινά. Και μπορεί εκείνο να παρέμενε ζωντανό, όμως η καρδιά του είχε μαραθεί. Μπορούσες να ξεχωρίσεις στα θλιμμένα μάτια του ότι αυτός ο άνθρωπος είχε πεθάνει από καιρό. Τέσσερα χρόνια τώρα, εδώ, σ' αυτό το μοναστήρι, είχε βρει τη γαλήνη. Του άρεσε να ξυπνά νωρίτερα από όλους και να ετοιμάζεται για τον όρθρο. Του άρεσε να περιποιείται τους χώρους του μοναστηριού, να κάνει τις βαριές δουλειές, να ανεβοκατεβαίνει χωρίς αγκομαχητά τα σκαλοπάτια, να μαγειρεύει για όλους, να πλένει τα πιάτα, να ταΐζει τις γάτες που περιτριγύριζαν το μοναστήρι και τις φρόντιζε με αγάπη. Ήταν πάντα ήρεμος και υπάκουος. Ο ηγούμενος της μονής τον είχε πάρει υπό την προστασία του από την πρώτη στιγμή. Δεν είναι δα εύκολο πράγμα να αποφασίζεις να μονάσεις στα τριάντα τρία σου χρόνια, πάνω στην ακμή σου, και αφού έχεις ζήσει μια άκρως κοσμική ζωή. Είχε μάθει για το προσωπικό του δράμα, για την απόφασή του να μονάσει εκεί στο μοναστήρι της Αμοργού. Τον πρώτο καιρό προσπάθησε να τον πείσει ότι είχε διαλέξει λάθος δρόμο. Ένα δρόμο χωρίς επιστροφή. Κι εκείνος είχε απαντήσει ότι αυτός ήταν ο δρόμος του. Τέσσερα χρόνια ποτέ δεν παραπονέθηκε για τίποτε. Ούτε για τους βαρείς μοναχικούς χειμώνες, ούτε για το λιτό φαγητό, την παγωνιά, τη σκληρή ζωή του μοναστηριού. Θα 'λεγε κανείς ότι αυτός ήταν ο προορισμός του από τη στιγμή που γεννήθηκε. Κρίμα. Ήταν ωραίος άνδρας και ακόμη πιο ωραίος άνθρωπος. Όλο αυτό το διάστημα κανένας συγγενής του δεν τον είχε επισκεφτεί ποτέ, ούτε τον είχαν αναζητήσει στο τηλέφωνο. Κι όμως, είχε οικογένεια. Και φέτος, για πρώτη φορά, αρχές καλοκαιριού, μια νεαρή γυναίκα μ' ένα αγοράκι περίπου τριών ετών θέλησε επίμονα να τον δει. Ο Νεοφώτιστος όμως είχε ζητήσει από τον ηγούμενο από την αρχή μόνο ένα πράγμα: να απουσιάζει τις ώρες που έρχονταν επισκέπτες στο μοναστήρι και να αποφεύγει τις γυναίκες. Θα έκανε οτιδήποτε του ζητούσαν, αρκεί να έμενε στο κελί του τις ώρες εκείνες. Και ο ηγούμενος σεβάστηκε την έκκλησή του. Όλα αυτά τα χρόνια δεν ήρθε ποτέ σε επαφή με κάποια γυ-

ΕΠΙΛΟΓΟΣ 447

ναικεία παρουσία. Έτσι, η έκπληξη του ηγούμενου όταν τον αναζήτησε αυτή η νεαρή μητέρα ήταν μεγάλη. Τον έψαχνε, όπως είπε, εδώ και πάρα πολύ καιρό. Δεν είπε ούτε πώς την έλεγαν ούτε τι τον ήθελε. Ο Νεοφώτιστος ταράχτηκε όταν ο ίδιος ο ηγούμενος πήγε στο κελί του και του μίλησε για εκείνη την επισκέπτρια. Στην αρχή αρνήθηκε να τη δει, όμως κι εκείνη αρνήθηκε να φύγει προτού μιλήσει μαζί του. Τελικά υποχώρησε. Ο ηγούμενος δεν έμαθε ποτέ τι ειπώθηκε μεταξύ τους. Το μόνο που κατάλαβε ήταν ότι ο Νεοφώτιστος έκλαψε εκείνη τη μέρα. Αυτή η γυναίκα πρέπει να είχε παίξει κάποιο μεγάλο ρόλο στη ζωή του. Τον είδε να την παρακολουθεί, καθώς κατέβαινε τα σκαλοπάτια του μοναστηριού συνοδευόμενη από έναν ψηλό άνδρα που κρατούσε στην αγκαλιά του το παιδί.

Ο Νεοφώτιστος πόνεσε πολύ μ' εκείνη τη συνάντηση. Ίσως τόσο όσο κι όταν έμαθε πως η γυναίκα που είχε πνιγεί, ή μάλλον αυτοκτονήσει, ήταν η Κασσάνδρα. Είχαν διασταυρωθεί οι δρόμοι τους ακόμη και στο τελευταίο αντίο. Είχε περάσει από δίπλα του, νεκρή, μέσα σ' ένα ασθενοφόρο, κι εκείνος σταυροκοπήθηκε στη μνήμη της, χωρίς να γνωρίζει πως εκεί μέσα βρισκόταν νεκρή η γυναίκα που αγαπούσε, που για χάρη της μόλις είχε εγκαταλείψει αυτή που θα παντρευόταν σε τέσσερις μέρες. Την περίμενε μέχρι αργά το βράδυ στο σπιτάκι κι ύστερα βγήκε και την αναζήτησε σε όλο το νησί. Κανένας δεν την είχε δει πουθενά, και ούτε θα μπορούσε όμως να φύγει χωρίς το διαβατήριό της. Και μετά βρήκαν ένα εγκαταλειμμένο αυτοκίνητο, που είχε νοικιαστεί από τα Κατάπολα, εκεί στην πλατεία του χωριού των Θολαρίων, και κάτι ψυλλιάστηκαν και άρχισαν να ψάχνουν το φαράγγι μέχρι την ακτή της Μικρής Βλυχάδας. Κι εκεί, δίπλα σ' ένα βράχο, βρήκαν ένα ζευγάρι λευκά αθλητικά γυναικεία παπούτσια και τα κλειδιά του αυτοκινήτου. Το όνομα της ενοικιάστριας ήταν Κασσάνδρα Πάλμερ και ήταν Αμερικανίδα, ελληνικής καταγωγής. Θυμόταν ακόμη που κοιμήθηκε με ανοιχτή τηλεόραση και, όταν ξύπνησε, είδε τη φωτογραφία της στην οθόνη. Ζαλισμένος καθώς ήταν από τον ύπνο, για μια στιγμή νόμισε ότι η Κασσάνδρα είχε επιστρέψει. Και μετά διάβασε από κάτω τους τίτλους των ειδήσεων και εκεί σταμάτησε η ζωή του. «Αναγνωρίστηκε η ταυτότητα της πνιγμένης γυναίκας στην Αμοργό. Ονομάζεται Κασσάνδρα Πάλμερ και είναι Ελληνοαμερικανίδα». Από εκείνη τη στιγμή ο Ορέστης έπαψε να ζει. Σαν κάποιος να είχε κόψει το καλώδιο σε μια λάμπα κι όλα σκοτείνιασαν. Για πάντα. Θυμόταν σαν όνειρο να παρακολουθεί τις ειδήσεις για μέρες.

Τον άνδρα της, το μεγαλοχειρουργό, έναν ψηλό, ελαφρώς γκριζαρισμένο άνδρα, το γιο της, ένα μελαχρινό και πολύ ωραίο παλικάρι με ελληνικά χαρακτηριστικά, τον Έλληνα πατέρα της, που σερνόταν στην κυριολεξία και μετά σωριάστηκε στο έδαφος από την καρδιά του, τη μάνα της, μια περίεργη Αμερικανίδα που μια έκλαιγε και μια μιλούσε ακατάπαυστα, τη φίλη της, τη Σάρον. Όλοι μαζί μια αγκαλιά να δίνουν καταθέσεις και να ετοιμάζονται να παραλάβουν τη σορό. Κι εκείνος απών.

Βέβαια η αστυνομία αναζήτησε και τον ίδιο. Η ιστορία τους είχε γίνει γνωστή, γιατί ο άνδρας της είχε καταθέσει πως η γυναίκα του βρισκόταν στην Αμοργό για έναν άλλο άνδρα, ότι είχε εγκαταλείψει το σπίτι της εξαιτίας του. Η Σάρον είχε αναγκαστεί να τα ομολογήσει όλα. Υπήρχαν, και φυσικό ήταν, κάποιες υπόνοιες για εγκληματική ενέργεια. Έδωσε κατάθεση λέγοντας ότι ναι, την είχε δει λίγο προτού φύγει στη Θεσσαλονίκη για το γάμο του. Και την ώρα του πνιγμού της εκείνος απουσίαζε από την Αμοργό. Τον άφησαν ελεύθερο, αν και επέμεναν να μάθουν λεπτομέρειες. Να τους πει τι; Μήπως θα καταλάβαιναν; Κανένας δε θα καταλάβαινε ποτέ. Εδώ ο ίδιος ο Θεός και δεν είχε καταλάβει. Πώς είχε αφήσει να συμβεί αυτό; Τελικά δεν ήταν αλάνθαστος. Κι εκεί ήταν που πήρε την απόφαση. Θα του αφιέρωνε τη ζωή του, προσπαθώντας να του δείξει πως ναι, είχε κάνει λάθος. Και ίσως έτσι να 'βρισκε τη γαλήνη που είχε πια χάσει για τα καλά. Ίσως... Και όντως, κατόρθωσε εν μέρει να ηρεμήσει. Σιγά σιγά, μέσα από τη σκληρή δουλειά και την απομόνωση άρχισε να μην πονά στη θύμησή της. Γιατί τη σκεφτόταν κάθε μέρα. Όλοι τον είχαν διαγράψει. Η Ζωή, όμως, όχι. Και μια μέρα ήρθε να τον δει. Όχι χωρίς λόγο. Παντρευόταν και ο άνδρας της ήθελε να υιοθετήσει το γιο της, τον δικό του γιο. Ήθελε τη συγκατάθεσή του, να υπογράψει επίσημα ότι αποποιούνταν κάθε δικαίωμα, εκτός από αυτό, να είναι ο βιολογικός πατέρας. Του έφερε το παιδί για να το δει για πρώτη και τελευταία φορά. Και είδε το γιο του, έναν ξανθό άγγελο, ολόιδιος η μάνα του. Τον κράτησε στην αγκαλιά του και μετά τον ευλόγησε. Ναι, ήταν ο πατέρας του, όμως δεν είχε δικαίωμα στη ζωή του. Ήταν πολύ αργά για να γυρίσει πίσω. Είχε διαλέξει από καιρό το δρόμο χωρίς γυρισμό. Αλλά και η Ζωή αγαπούσε πλέον έναν άλλο άνδρα, που όπως του είπε θα ήταν θαυμάσιος πατέρας για το παιδί τους. Και μετά έφυγε. Κι εκείνος έμεινε βουβός να τους θωρεί από το παράθυρι καθώς κατέβαιναν τα σκαλοπάτια, ώσπου χάθηκαν από τα μάτια του που έτρεχαν ασταμάτητα. Προσευχήθηκε πάρα πολύ εκείνη τη μέρα, εκείνη τη νύχτα, για τη σωτηρία της ψυχής τους, της δικής του ψυχής. Μήπως είχε λαθέψει τελικά αυτός; Μήπως είχε πάρει λάθος δρόμο; Και μετά ζήτησε συγχώρεση από τον Θεό για τις αμφιβολίες του. Όχι, ο γιος του βρισκόταν σε καλά χέρια.

Ο Νεοφώτιστος αναστέναξε και μπήκε μέσα στο Ιερό. Δυο καντηλάκια είχαν σβήσει κι εκείνος τα άναψε με σεβασμό. Μετά έκανε το σταυρό του και πήγε στο κελί του. Μπήκε στον μικρό λιτό χώρο που φωτιζόταν αμυδρά. Η Γκριζούλα, που κοιμόταν, νιαούρισε και πήδηξε από το μονό κρεβάτι του κάτω στο δάπεδο και τρίφτηκε στα πόδια του. Εκείνος χαμογέλασε, τη σήκωσε στην αγκαλιά του κι εκείνη άφησε ένα γουργουρητό ευχαρίστησης. Πλησίασε το μικρό παραθύρι του κελιού και κοίταξε τον ήλιο που έγερνε αργά προς τη δύση του. Άλλη μια μέρα χωρίς εκείνη βάδιζε στο τέλος της. Άραγε πόσες μέρες θα μετρούσε μέσα στους αιώνες μέχρι να την ξανασυναντήσει; Πόσες; Αναστέναξε και μετά γονάτισε μπροστά από το κρεβάτι του και, κοιτάζοντας το εικόνισμα του Χριστού, άρχισε την προσευχή του. Η νύχτα θα ήταν ατελείωτη ακόμη μία φορά κι αυτός έπρεπε να βρει το κουράγιο για να αντέξει.

Την ίδια στιγμή, κάπου στο Διάστημα, ανάμεσα στα αστέρια και στους γαλαξίες, μια αστρική σκόνη στροβιλιζόταν σαν τρελή πέρα-δώθε με ταχύτητα αστραπής, ψάχνοντας απελπισμένα κάπου... κάτι... κάποιον...

ΑΦΙΕΡΩΣΗ

Ο Νικήτας Βεκρής ήταν μόλις είκοσι οκτώ χρόνων όταν μας άφησε στις 4 Αυγούστου του 2006, κατά τη διαμονή του στην Αμοργό. Ήταν μετά τις δύο τα ξημερώματα, όταν σε μια στροφή τού είχε στήσει καρτέρι ο θάνατος. Πάλεψε μαζί του για δέκα μερόνυχτα, στήθος με στήθος, όμως τελικά ο θάνατος ήταν πιο δυνατός. Ο Νικήτας, το πανέμορφο αυτό και υγιέστατο παλικάρι, ένας νεαρός διευθυντής της οικογενειακής επιχείρησης παραγωγής ρακόμελου και λάτρης αγώνων με μοτοκρός μηχανές, έφυγε για ένα ταξίδι χωρίς γυρισμό, αφήνοντας πίσω του μια συντετριμμένη οικογένεια, δύο γλυκύτατους γονιούς με καταγωγή από την Αμοργό και τέσσερα αδέλφια που τον λάτρευαν. Δε θέλω να θυμάμαι το πρόσωπο της αδελφής του Μαρίας και προσωπικής φίλης μου εκείνο τον καιρό. Ακόμη και τώρα, σαν ακούει το όνομά του, η καρδιά της λυγίζει και στα μάτια της στάζει η βροχή. Κι επειδή έχω έναν αδελφό που λατρεύω και τον θεωρώ πολύτιμο στη ζωή μου, μπορώ να νιώσω πώς είναι να αγαπάς το αδέλφι σου... και, αλίμονο, να το χάνεις...

Αποφάσισα να αφιερώσω το βιβλίο μου στη μνήμη του Νικήτα και στην οικογένειά του, που τόσο με βοήθησαν πάνω στην έρευνά μου για την Αμοργό, ένα νησί που δεν ήξερα καθόλου, αλλά το γνώρισα μέσα από τα μάτια τους και το αγάπησα πολύ, γιατί η Αμοργός έχει μια ερωτική μαγεία που σε κάνει να λες: «Ναι, είμαι τελικά πολύ τυχερός που γεννήθηκα Έλληνας…»

Ας είναι ελαφρύ το χώμα που σε σκεπάζει, Νικήτα μου, κι εσένα κι όλες τις άλλες ψυχές που έφυγαν άδικα…

ΕΥΧΑΡΙΣΤΙΕΣ

Θέλω να ευχαριστήσω τον Γιάννη Στρατουδάκη, ιδιοκτήτη του κλαμπ *ΑΝΑΣΣΑ* στα Κατάπολα Αμοργού, που με βοήθησε στην κατάβαση και ανάβαση στο φαράγγι της Μικρής Βλυχάδας και δεν γκρεμοτσακίστηκα κατά την έρευνά μου εκεί.

Θέλω να ευχαριστήσω τους φιλόξενους απλούς χωριανούς που μ' έβαλαν στα ταπεινά τους σπίτια στα χωριά Θολάρια και στον Ποταμό, μου έδειξαν φωτογραφίες από την Αμοργό του παρελθόντος και μου μίλησαν για τις δύσκολες ζωές τους.

Θέλω να ευχαριστήσω τους ταπεινούς μοναχούς του μοναστηριού της Παναγιάς της Χοζοβιώτισσας, που με ξενάγησαν στη μονή.

Θέλω να ευχαριστήσω όλους εκείνους που κατά την παραμονή μου στο νησί με βοήθησαν να το γνωρίσω καλύτερα.

Και δεν ήταν λίγοι...

ΔΙΑΒΑΖΩ ΠΕΡΙΣΣΟΤΕΡΟ ΓΙΑΤΙ ΚΑΘΕ ΒΙΒΛΙΟ ΜΕ ΤΑΞΙΔΕΥΕΙ

Αγαπητοί αναγνώστες,

Μ' ένα βιβλίο ταξιδεύουμε… στα καταγάλανα νερά της Αμοργού.

Γράψτε μας την αγαπημένη σας παράγραφο από το βιβλίο της Χρυσηίδας Δ.ϊ.'ουλίδου ΤΟ ΣΤΑΥΡΟΔΡΟΜΙ ΤΩΝ ΨΥΧΩΝ και λάβετε μέρος σε κλήρωση για ενα τριήμερο ταξίδι για δύο άτομα στην Αμοργό.

Στείλτε μας τη συμμετοχή σας με την αγαπημένη σας παράγραφο σε e-mail με θέμα «ΚΛΗΡΩΣΗ/ΤΟ ΣΤΑΥΡΟΔΡΟΜΙ ΤΩΝ ΨΥΧΩΝ» στο info@psichogios.gr ή fax στο 210 2819550, ή επιστολή στα γραφεία των Εκδόσεων ΨΥΧΟΓΙΟΣ, ή αναζητήστε το ειδικό έντυπο του διαγωνισμού στα βιβλιοπωλεία. Μην ξεχάσετε να συμπεριλάβετε τα προσωπικά στοιχεία σας (ΟΝΟΜΑΤΕΠΩΝΥΜΟ, ΔΙΕΥΘΥΝΣΗ, ΠΟΛΗ, Τ.Κ., ΤΗΛΕΦΩΝΟ), καθώς και ημερομηνία γέννησης.

Πληροφορίες συμμετοχής:
1. Το έπαθλο περιλαμβάνει τα ακτοπλοϊκά εισιτήρια Α΄ θέσης ΠΕΙΡΑΙΑΣ-ΑΜΟΡΓΟΣ μετ' επιστροφής και τη διαμονή σε πολυτελές ξενοδοχείο (2 διανυκτερεύσεις) με πρωινό και ημιδιατροφή. Το έπαθλο δε μεταβάλλεται και δεν ανταλλάσσεται, ενώ θα πρέπει να «εξαργυρωθεί» εντός του Σεπτεμβρίου 2009.
2. Έγκυρη θεωρείται μόνο μία συμμετοχή ανά αναγνώστη, ανεξάρτητα από τον τρόπο αποστολής, εφόσον έχουν περιληφθεί τα πλήρη στοιχεία του και εφόσον έχει υποβληθεί μέχρι 31/08/2009.
3. Η αγορά του ομώνυμου βιβλίου δεν αποτελεί απαραίτητη προϋπόθεση για τη συμμετοχή.
4. Η κλήρωση θα πραγματοποιηθεί στις 3/9/2009 και ώρα 14:00 στα γραφεία των Εκδόσεων ΨΥΧΟΓΙΟΣ (Τατοΐου 121 & Σπύρου Μερκούρη 1, 144 52 Μεταμόρφωση Αττικής), παρουσία της συμβολαιογράφου Αθηνών Κωνσταντίνας Παπακωστοπούλου, ενώ ο νικητής θα ειδοποιηθεί τηλεφωνικώς και γραπτώς.
5. Ο νικητής συμφωνεί να αναρτηθούν τα στοιχεία του στην ιστοσελίδα των Εκδόσεων www.psichogios.gr και να δημοσιοποιηθούν σε καταχωρίσεις των Εκδόσεων ΨΥΧΟΓΙΟΣ.
6. Από την κλήρωση αποκλείονται όλοι οι εργαζόμενοι στις Εκδόσεις ΨΥΧΟΓΙΟΣ και οι συγγενείς πρώτου βαθμού αυτών, καθώς και της συγγραφέως.
7. Με τη συμμετοχή σας αποδέχεστε να λαμβάνετε ενημέρωση από τις Εκδόσεις ΨΥΧΟΓΙΟΣ. Εφόσον δεν το επιθυμείτε, παρακαλούμε να μας το επισημάνετε μαζί με τη συμμετοχή σας.

Σας ευχόμαστε καλή επιτυχία!

Εσείς κι εμείς πάντα σε επαφή!

Όλη η ομάδα των Εκδόσεων ΨΥΧΟΓΙΟΣ

ΧΟΡΗΓΟΣ: hello Greece
www.hellogreece.gr

Διαβάστε
επίσης...

ΧΡΥΣΗΙΔΑ ΔΗΜΟΥΛΙΔΟΥ
ΜΕΡΣΕΝΤΕΣ ΧΙΛ

Η Μερσέντες Χιλ, μια νεαρή και πάμφτωχη κοπέλα, γίνεται η διαση-μότερη ηθοποιός του βωβού κινηματογράφου στην Αμερική του 1930. Η απαράμιλλη ομορφιά και το ταλέντο της αφήνουν άναυδο όποιον την αντικρίζει. Κι εκείνη, σαν βασίλισσα, απολαμβάνει απ' το θρόνο της όλα όσα της προσφέρουν τα νιάτα της. Οι άνδρες την ερωτεύονται με πάθος, απλώνοντας την καρδιά τους και τις περιουσίες τους στα πόδια της. Η δική της καρδιά όμως είναι δοσμένη μόνο στην καριέρα της. Μέχρι που ένας άνδρας ξυπνάει μέσα της έναν πρωτόγνωρο έρωτα...

Και μια μέρα η Μερσέντες, διαπιστώνοντας ότι η ανελέητη φθορά του χρόνου στραγγίζει όχι μόνο την ομορφιά αλλά και την υγεία της, εξαφανίζεται χωρίς το παραμικρό ίχνος, αφήνοντας πίσω της τον άνδρα της, παραγωγό κινηματογράφου, και τη μικρή της κόρη. Οι περισσότεροι τη θεωρούν νεκρή.

Χρόνια μετά, γερασμένη και ξεχασμένη, δεν ελπίζει πια σε τίποτε και σε κανέναν. Ώσπου μια παράξενη γυναίκα τής υπόσχεται αυτό που δεν μπορεί να κάνει κανείς· ακόμη και ο Θεός. Και η Μερσέντες δέχεται να παίξει το επικίνδυνο αυτό παιχνίδι της μοίρας. Θέλει να πάψει να πονά, θέλει να ερωτευτεί, να ξαναγίνει βασίλισσα στον πα-λιό θρόνο της. Θέλει μια δεύτερη ευκαιρία.

ΧΡΥΣΗΙΔΑ ΔΗΜΟΥΛΙΔΟΥ
ΠΟΣΟ ΚΟΣΤΙΖΕΙ Η ΒΡΟΧΗ;

«Με ρωτάς τι χρώμα
έχει ο έρωτας».
«Και λοιπόν;»
«Είναι χλωμός».
«Μα μου είπαν
πως έχει χρώμα κόκκινο».
«Σε γελάσανε. Απλώς
τον βάφουνε
μ' αυτό το χρώμα...»

Συχνά αναρωτιόμουν πώς είναι να λες πολλά πράγματα με λίγα λόγια.
Να ξυπνάς συναισθήματα και να περνάς μηνύματα που χαϊδεύουν την
καρδιά. Πάντα υπάρχει μια αιτία για να αρχίσει ένας δημιουργός να
πλάθει... Εγώ απλώς σας παραδίδω το νεογέννητο παιδί μου.

ΧΡΥΣΗΙΔΑ ΔΗΜΟΥΛΙΔΟΥ
ΟΙ ΑΓΓΕΛΙΑΦΟΡΟΙ ΤΟΥ ΠΕΠΡΩΜΕΝΟΥ

Στην αρχαία Ελλάδα η Αριάδνη έδωσε στον Θησέα το μίτο για να μπορέσει να βγει απ' το λαβύρινθο και να τη συναντήσει ξανά. Έτσι και οι ψυχές, όταν φύγουν απ' το γήινο περιβάλλον τους και προτού χαθούν στον συμπαντικό λαβύρινθο, αφήνουν πίσω το νήμα τους για να τις βρουν οι αγγελιαφόροι του πεπρωμένου.

Έτος 2361 μ.Χ. Στον πλανήτη Γη, ύστερα απ' τη μεγάλη οικολογική καταστροφή, τίποτε πια δεν είναι το ίδιο. Η Άλμπα Βήτα Σμιτς, ανώτερη κυβερνητική υπάλληλος, έχει λάβει εντολή απ' τον κρατικό υπολογιστή Στερν να προχωρήσει σε σύζευξη με τον Έλφιν Άλφα Κορτς, που ανήκει στην ανώτερη κατηγορία ανθρωποειδών. Ο Έλφιν, ένας σκληροπυρηνικός και φιλόδοξος νομικός σύμβουλος, είναι ο απόλυτος μηδενιστής, χωρίς συναισθήματα, αφού πιστεύει ότι η δύναμη της εξουσίας είναι η απόλυτη ευτυχία. Η Άλμπα θεωρεί τον εαυτό της προνομιούχο.

Όλα όμως ανατρέπονται όταν εμφανίζεται στο δρόμο της ο Άντον Δέλτα Κορνέλ, που ανήκει σε κατώτερη κοινωνική κατηγορία. Κοντά του η Άλμπα ανακαλύπτει ότι η ονειρεμένη ζωή που πιστεύει ότι ζει δεν είναι παρά μια φυλακή, κατασκευασμένη απ' το σύστημα. Και τότε συνειδητοποιεί ότι ο άνδρας αυτός είναι το πεπρωμένο της, από κάποια άλλη ζωή στο πολύ μακρινό παρελθόν, μα η σχέση μαζί του θα θέσει σε συναγερμό το σύστημα ασφαλείας του κράτους. Ωστόσο εκείνη δεν μπορεί να αντισταθεί στο κάλεσμα ενός πρωτόγνωρου συναισθήματος που λέγεται αγάπη...

PENA ΡΩΣΣΗ-ΖΑΪΡΗ
ΚΟΚΚΙΝΟ ΚΟΡΑΛΛΙ

Στο βάζο με τα ψεύτικα τριαντάφυλλα υπάρχει ένα κουτάκι. Μέσα στο κουτάκι έχω φυλάξει μια καρδιά από κοράλλι. Τη φορούσε η γυναίκα μου. Θέλω να την πάρεις εσύ. Θέλω να τη φοράς εσύ... για να με θυμάσαι...

Ο Δημήτρης είναι αστυνομικός και ζει στη Σαντορίνη, προσπαθώντας να ξεχάσει τη χαμένη του αγάπη και να φτιάξει και πάλι τη ζωή του.

Η Αλεξία είναι ιδιόρρυθμη, παραβατική, απροσάρμοστη, απείθαρχη. Μέχρι που η ζωή την αναγκάζει να κοιτάξει κατάματα την αλήθεια.

Η Μελίνα, που μεγάλωσε χωρίς μητέρα, είναι τρυφερή κι αθώα, και ονειρεύεται την αληθινή αγάπη.

Ο Οδυσσέας, πλασμένος με τη στόφα του ήρωα, παλεύει για τα ιδανικά του, ψάχνοντας απεγνωσμένα την Ιθάκη του...

Τέσσερις ήρωες που μπλέκονται ανάμεσα σε ιστούς αράχνης, καμωμένους από ψέματα, και παλεύουν για να ξεφύγουν, αναζητώντας το κόκκινο κοράλλι της καρδιάς τους. Ριζώνει, άραγε, η αγάπη χωρίς την αλήθεια;

ΜΑΡΙΑ ΤΖΙΡΙΤΑ
ΟΤΑΝ ΑΓΑΠΑΣ, ΕΙΝΑΙ ΓΙΑ ΠΑΝΤΑ

Αυτά τα δύο παιδιά, η Αφροδίτη και η Νίκη, από το καλοκαίρι των δέκα τους χρόνων, έμελλε ν' αγαπηθούν και να γίνουν φίλες αχώριστες. Τι ήταν αυτό που έφερε κοντά δυο τόσο διαφορετικά πλάσματα και τα κράτησε μαζί για τόσο πολλά χρόνια; Η δύναμη ή η αδυναμία; Ήταν αγάπη πραγματική ή απλώς μια προσπάθεια να ξεπεράσει η μία την άλλη; Κι ήταν πράγματι διαφορετικές ή μήπως τελικά ήταν τόσο ίδιες, όσο δε θέλησαν ποτέ να παραδεχτούν;

Η ιστορία της παράλληλης ζωής δυο γυναικών, που απέδειξαν πως όταν αγαπάς, είναι για πάντα...

NIKOΛ-ANNA MANIATH
KOMMENA ΛΟΥΛΟΥΔΙΑ

Πώς θα μπορούσε να μετρηθεί η μητρική αγάπη; Με τι να συγκριθεί; Έχει όρια η θυσία στην οποία φτάνει μια μάνα για χάρη των παιδιών της; Η Ευδοκία έκανε αυτό που την πρόσταξε η καρδιά της, δε σκέφτηκε ούτε στιγμή τον εαυτό της.

Ο Χρήστος ήταν μικρό παιδί ακόμη όταν οδηγήθηκε στο ορφανοτροφείο μαζί με τις τρεις αδελφές του, την Αναστασία, τη Στυλιανή και το μωρό, τη Σοφία. Ήταν αυτός που ανέλαβε να τις φροντίζει στις δύσκολες συνθήκες, αδελφός και γονιός μαζί, αποφασισμένος και σκληρός. Όσο σκληρό μπορεί να κάνει η ζωή ένα οκτάχρονο αγόρι. Και όταν τα τρία κορίτσια υιοθετήθηκαν από διαφορετικές οικογένειες και έφυγαν μακριά, ο Χρήστος ήταν και πάλι αυτός που ορκίστηκε ότι κάποτε θα έβρισκε ξανά τις αδελφές του, κι ότι θα αντάμωνε με τη μάνα του, όσα χρόνια κι αν περνούσαν, όσα χρόνια κι αν χρειαζόταν να περιμένει.

Μια ιστορία για τέσσερα παιδιά, τέσσερα κομμένα λουλούδια, που αποδεικνύει ότι η ανιδιοτελής αγάπη έχει το πιο μεθυστικό άρωμα.

ΛΕΣΧΗ ΑΝΑΓΝΩΣΤΩΝ

των Εκδόσεων ΨΥΧΟΓΙΟΣ

Αγαπητές αναγνώστριες, αγαπητοί αναγνώστες,
Γίνετε κι εσείς μέλη της Λέσχης Αναγνωστών των Εκδόσεων ΨΥΧΟΓΙΟΣ
εντελώς ΔΩΡΕΑΝ. Φωτοτυπήστε τη σελίδα, συμπληρώστε τα στοιχεία σας
και στείλτε τα στο fax: 210 28 19 550, ή ταχυδρομήστε τα στη διεύθυνση:
Τατοΐου 121, 144 52 Μεταμόρφωση Αττικής,
ή στείλτε μας e-mail στη διεύθυνση: info@psichogios.gr
Μόλις γίνετε μέλη, θα σας στείλουμε μέσα σε εύλογο χρονικό διάστημα
την κάρτα μέλους, έντυπα με αποσπάσματα βιβλίων, την εφημερίδα
και το newsletter μας, προσκλήσεις για εκδηλώσεις, σελιδοδείκτες
και καταλόγους μας. Επιπλέον, θα σας ενημερώνουμε για οτιδήποτε
αφορά τους αναγνώστες των Εκδόσεων ΨΥΧΟΓΙΟΣ. Μπορείτε να διαγραφείτε
από τη Λέσχη Αναγνωστών των Εκδόσεων ΨΥΧΟΓΙΟΣ ανά πάσα στιγμή
μ' ένα τηλεφώνημα χωρίς χρέωση στο 80011 646464.

Επώνυμο

Όνομα

Ημ/νία γέννησης   /   /   Οδός   Αριθμός

Πόλη, περιοχή   Τ.Κ.

Τηλέφωνο   Κινητό τηλέφωνο   e-mail

Αριθμός παιδιών: ❏ Κανένα   ❏ Ένα   ❏ Δύο   ❏ Περισσότερα

Στοιχεία 1ου παιδιού:
Ονοματεπώνυμο

Στοιχεία 2ου παιδιού:
Ονοματεπώνυμο

Ημ/νία γέννησης   /   /   Ημ/νία γέννησης   /   /

Με ενδιαφέρουν ιδιαίτερα:

❏ Ελληνική Λογοτεχνία   ❏ Ιστορικό Μυθιστόρημα
❏ Βιβλία Γενικών Γνώσεων   ❏ Παιδική-Νεανική Λογοτεχνία
❏ Ξένη Λογοτεχνία   ❏ Δοκίμια
❏ Βιβλία Πρακτικής Ζωής   ❏ Άλλο ....

Φίλοι που ενδιαφέρονται για βιβλία και θα επιθυμούσαν ενημέρωση:
Ονοματεπώνυμο   e-mail ή κινητό τηλέφωνο

Ονοματεπώνυμο   e-mail ή κινητό τηλέφωνο

ΔΙΑΓΩΝΙΣΜΟΣ ΒΙΒΛΙΟΦΙΛΙΑΣ

των Εκδόσεων ΨΥΧΟΓΙΟΣ

Κερδίζουν όλοι όσοι συμμετέχουν!
**Μήπως είστε φανατικοί αναγνώστες των βιβλίων μας;
Μήπως θα θέλατε να σας χαρίσουμε κάποια μυθιστορήματα της επιλογής σας;**

Το μόνο που έχετε να κάνετε είναι το εξής:
αγοράζοντας ένα βιβλίο των Εκδόσεων ΨΥΧΟΓΙΟΣ,
κυκλώστε πάνω στη μηχανογραφημένη απόδειξη την τιμή του.

Μόλις συμπληρώσετε αγορές* βιβλίων αξίας 200 ευρώ, αποκλειστικά
των Εκδόσεών μας, κερδίζετε ένα μυθιστόρημα της επιλογής σας εντελώς ΔΩΡΕΑΝ.
(*αγορές = το ποσό που <u>καταβάλλεται</u> στο ταμείο, <u>μετά την τελική έκπτωση</u>)

ΠΡΟΣΟΧΗ! <u>Οι αποδείξεις πρέπει να είναι όλες μηχανογραφημένες και να ανήκουν
στο τρέχον έτος (εναλλακτικά χειρόγραφες αποδείξεις ή τιμολόγια).</u>
Απλές ταμειακές αποδείξεις, στις οποίες δεν αναγράφεται ο τίτλος, δε θα γίνονται
δεκτές. Η σφραγίδα του Βιβλιοπωλείου **δεν** αποτελεί αποδεικτικό έγκυρης
συμμετοχής. Οι αποδείξεις θα επιστρέφονται μαζί με το βιβλίο-δώρο.

Στείλτε μας:
• Τις πρωτότυπες αποδείξεις (όχι φωτοτυπίες).
• Ονοματεπώνυμο, διεύθυνση, τηλέφωνο.
• Τον τίτλο του βιβλίου που θέλετε να σας στείλουμε ΔΩΡΕΑΝ.

Τα βιβλία αποστέλλονται με συστημένο ταχυδρομείο από τις Εκδόσεις μας.
Για περισσότερες πληροφορίες μπορείτε
να επικοινωνήσετε μαζί μας στο 210 2804 800.

Τη διαδικασία αυτή μπορείτε να την επαναλαμβάνετε
κάθε φορά που θα συμπληρώνετε αγορές αξίας 200 ευρώ,
μέχρι και την ημερομηνία λήξης του διαγωνισμού
(ο διαγωνισμός διαρκεί πάντα από 1/1 έως 31/12 του τρέχοντος έτους)!

**Οι τρεις πρώτοι νικητές που θα δηλώσουν το υψηλότερο
ποσό αγορών μέχρι το τέλος του έτους θα κερδίσουν
από ένα Apple iPod Shuffle Silver MP3 Player.**

Τα αποτελέσματα θα ανακοινώνονται στους νικητές γραπτώς
καθώς και μέσα από το site μας www.psichogios.gr
μέσα στο πρώτο δεκαήμερο του Ιανουαρίου.